令和6年
8月改訂

路線価による
土地評価の実務

公認会計士・税理士 名和 道紀
長井 庸子 共著

清文社

はしがき

　土地の評価は、平成４年の地価税の導入により専門家が行うものから、一般企業の経理担当者など多くの人が行うものへと変化し、同年「財産評価基本通達」は整備されました。

　本書は、そのような変化に着眼し、初めて土地の評価を行う人にも参照していただけるものをと考え、平成４年９月に発刊しました。

　その後平成10年、11年度の「財産評価基本通達」の大幅な改正のみならず、毎年のように改正が行われる中で、その改正に伴い本年で32度目の改訂版を発刊することとなりました。

　この１年では、いわゆるタワマン訴訟の判決を受けて、マンションの評価に関する通達が発遣され、タワーマンション以外の一般のマンションの多くも新しい評価の対象となります。

　税法は、政策的な目的や経済社会の変化に対応するため毎年のように改正されてきましたし、今後も同様と想定されます。

　個々の土地の評価を行う際には、こういった毎年の改正を踏まえながら、さらにその土地固有の要件を検討していく必要があります。土地の形状、権利関係、利用状況と、各土地ごとにその状況はひとつひとつ異なります。そのため、諸条件により個々に評価の異なる土地の評価について簡単に説明することは困難であり、土地の評価がいかに奥深いものであるか、毎年の改訂のたびに痛感しています。

　しかし、そんな中でも、最新の通達による評価方法により、できるだけわかりやすく、より多くの人に評価の基本を理解いただければとの思いから、本書は次のような形式で編纂しています。まず、第１編「土地評価制度の概要」では、基本項目を中心にできるだけ平易に評価の仕組みを解説し、次に、第２編「個別事例による土地評価」では、基本的なものだけでなく、筆者が実務の中で経験した具体的な案件に基づく事例も多く取り入れて、最初に“土地の形状”“評価の留意点”“各補正率の適用”について説明し、その後で実際の評価明細書の記載例をできるだけ見開きの形で収録しています。

　土地等の評価をされる方々のうちに一人でも多くの方の参考になることがあれば幸せの限りです。

　なお、本書中意見にわたるところは、私見であることをお断りしておきます。

　また、共著者であり師でも友でもあった長井庸子さんは令和元年７月に亡くなられていますが、ご遺族の了解を得て著者表記は従前のままとしています。

　最後になりましたが、本書の執筆に当たり何かとお世話になりました清文社編集部の皆様にお礼を申し上げます。

　令和６年７月

名 和 道 紀

目次

第1編　土地評価制度の概要

第10章 占用権の評価　　　　　　　　　　　　　　　114

第2編　個別事例による土地評価

個別事例早見表

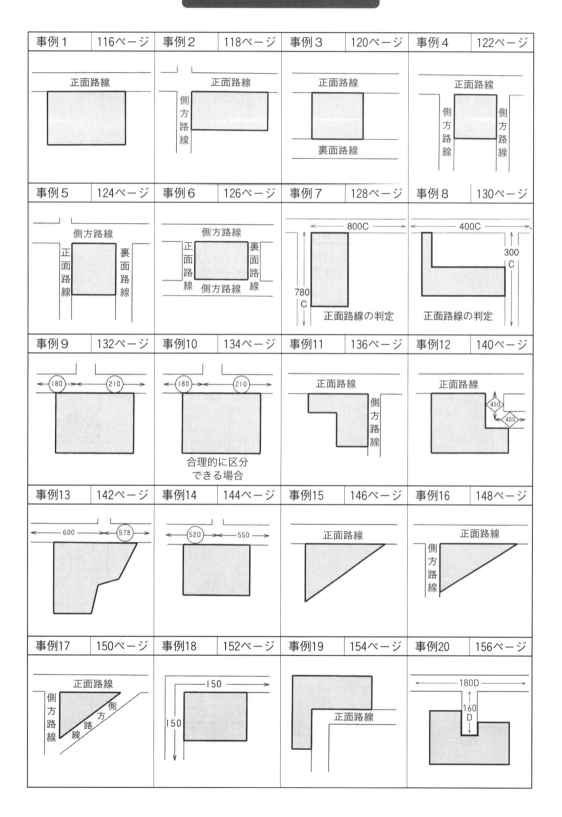

事例1	116ページ
正面路線	

事例2	118ページ
側方路線 正面路線	

事例3	120ページ
正面路線 裏面路線	

事例4	122ページ
正面路線 側方路線 側方路線	

事例5	124ページ
側方路線 正面路線 裏面路線	

事例6	126ページ
側方路線 正面路線 裏面路線 側方路線	

事例7	128ページ
800C 780C 正面路線の判定	

事例8	130ページ
400C 300C 正面路線の判定	

事例9	132ページ
180 210	

事例10	134ページ
180 210 合理的に区分できる場合	

事例11	136ページ
正面路線 側方路線	

事例12	140ページ
正面路線 450 400	

事例13	142ページ
600 578	

事例14	144ページ
520 550	

事例15	146ページ
正面路線	

事例16	148ページ
正面路線 側方路線	

事例17	150ページ
正面路線 側方路線 側方路線	

事例18	152ページ
150 150	

事例19	154ページ
正面路線	

事例20	156ページ
180D 160D	

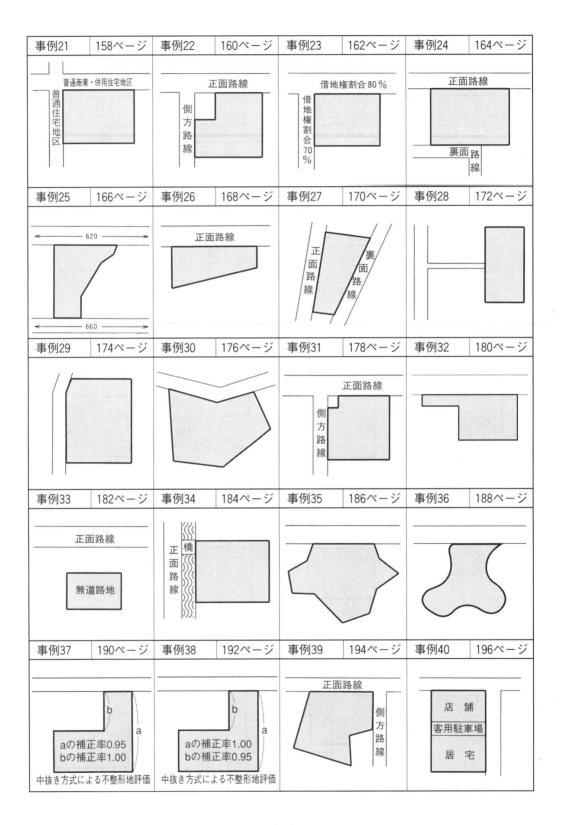

事例21	158ページ	事例22	160ページ	事例23	162ページ	事例24	164ページ
事例25	166ページ	事例26	168ページ	事例27	170ページ	事例28	172ページ
事例29	174ページ	事例30	176ページ	事例31	178ページ	事例32	180ページ
事例33	182ページ	事例34	184ページ	事例35	186ページ	事例36	188ページ
事例37	190ページ	事例38	192ページ	事例39	194ページ	事例40	196ページ

事例21：普通商業・併用住宅地区／普通住宅地区

事例22：正面路線／側方路線

事例23：借地権割合80％／借地権割合70％

事例24：正面路線／裏面路線

事例25：620／660

事例26：正面路線

事例27：正面路線／裏面路線

事例33：正面路線／無道路地

事例34：橋／正面路線

事例37：aの補正率0.95　bの補正率1.00／中抜き方式による不整形地評価

事例38：aの補正率1.00　bの補正率0.95／中抜き方式による不整形地評価

事例39：正面路線／側方路線

事例40：店舗／客用駐車場／居宅

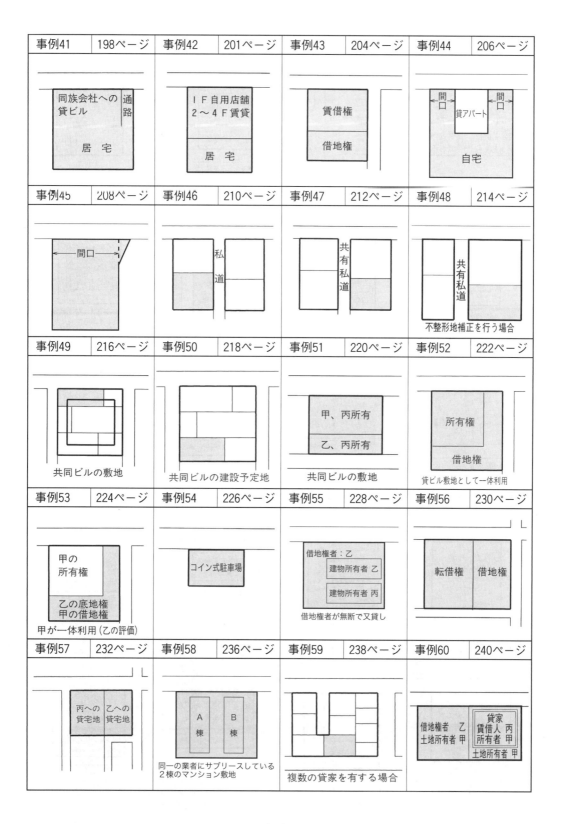

事例41	198ページ	事例42	201ページ	事例43	204ページ	事例44	206ページ

同族会社への貸ビル／通路／居宅

1F自用店舗 2～4F賃貸／居宅

賃借権／借地権

間口／貸アパート／間口／自宅

事例45	208ページ	事例46	210ページ	事例47	212ページ	事例48	214ページ

間口

私道

共有私道

共有私道／不整形地補正を行う場合

事例49	216ページ	事例50	218ページ	事例51	220ページ	事例52	222ページ

共同ビルの敷地

共同ビルの建設予定地

甲、丙所有／乙、丙所有／共同ビルの敷地

所有権／借地権／貸ビル敷地として一体利用

事例53	224ページ	事例54	226ページ	事例55	228ページ	事例56	230ページ

甲の所有権／乙の底地権 甲の借地権／甲が一体利用（乙の評価）

コイン式駐車場

借地権者：乙／建物所有者 乙／建物所有者 丙／借地権者が無断で又貸し

転借権／借地権

事例57	232ページ	事例58	236ページ	事例59	238ページ	事例60	240ページ

丙への貸宅地／乙への貸宅地

A棟／B棟／同一の業者にサブリースしている2棟のマンション敷地

複数の貸家を有する場合

借地権者 乙 土地所有者 甲／貸家 賃借人 丙 所有者 甲／土地所有者 甲

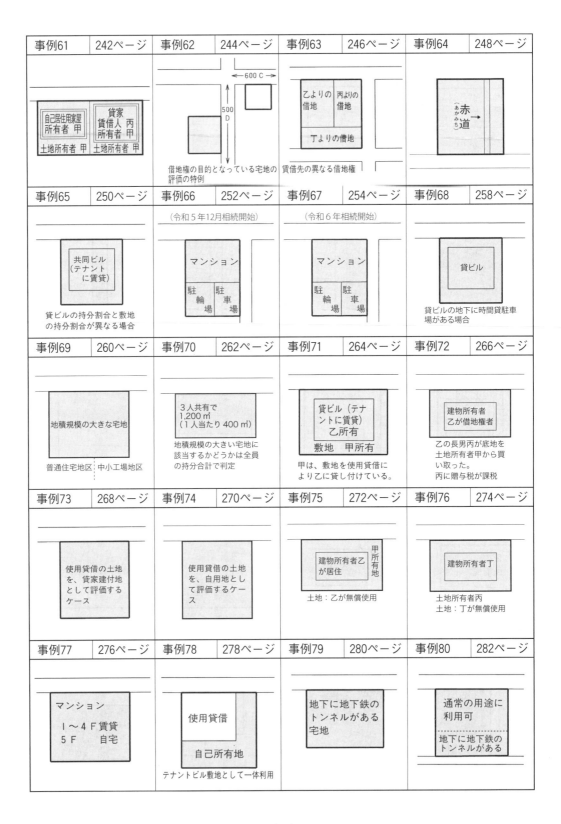

事例61	242ページ	事例62	244ページ	事例63	246ページ	事例64	248ページ

事例61: 自己居住用家屋 所有者 甲 ／ 貸家 賃借人 丙 所有者 甲 ／ 土地所有者 甲 ／ 土地所有者 甲

事例62: ←600 C→ ／ 500 D ／ 借地権の目的となっている宅地の評価の特例

事例63: 乙よりの借地 ／ 丙よりの借地 ／ 丁よりの借地 ／ 賃借先の異なる借地権

事例64: 赤道(あかみち)→

事例65	250ページ	事例66	252ページ	事例67	254ページ	事例68	258ページ
		（令和5年12月相続開始）		（令和6年相続開始）			

事例65: 共同ビル（テナントに賃貸） ／ 貸ビルの持分割合と敷地の持分割合が異なる場合

事例66: マンション ／ 駐輪場 ／ 駐車場

事例67: マンション ／ 駐輪場 ／ 駐車場

事例68: 貸ビル ／ 貸ビルの地下に時間貸駐車場がある場合

事例69	260ページ	事例70	262ページ	事例71	264ページ	事例72	266ページ

事例69: 地積規模の大きな宅地 ／ 普通住宅地区｜中小工場地区

事例70: 3人共有で 1,200㎡ （1人当たり 400㎡） ／ 地積規模の大きい宅地に該当するかどうかは全員の持分合計で判定

事例71: 貸ビル（テナントに賃貸） 乙所有 ／ 敷地 甲所有 ／ 甲は、敷地を使用貸借により乙に貸し付けている。

事例72: 建物所有者乙が借地権者 ／ 乙の長男丙が底地を土地所有者甲から買い取った。 ／ 丙に贈与税が課税

事例73	268ページ	事例74	270ページ	事例75	272ページ	事例76	274ページ

事例73: 使用貸借の土地を、貸家建付地として評価するケース

事例74: 使用貸借の土地を、自用地として評価するケース

事例75: 建物所有者乙が居住 ／ 甲所有地 ／ 土地：乙が無償使用

事例76: 建物所有者丁 ／ 土地所有者丙 ／ 土地：丁が無償使用

事例77	276ページ	事例78	278ページ	事例79	280ページ	事例80	282ページ

事例77: マンション 1～4F賃貸 5F 自宅

事例78: 使用貸借 ／ 自己所有地 ／ テナントビル敷地として一体利用

事例79: 地下に地下鉄のトンネルがある宅地

事例80: 通常の用途に利用可 ／ 地下に地下鉄のトンネルがある

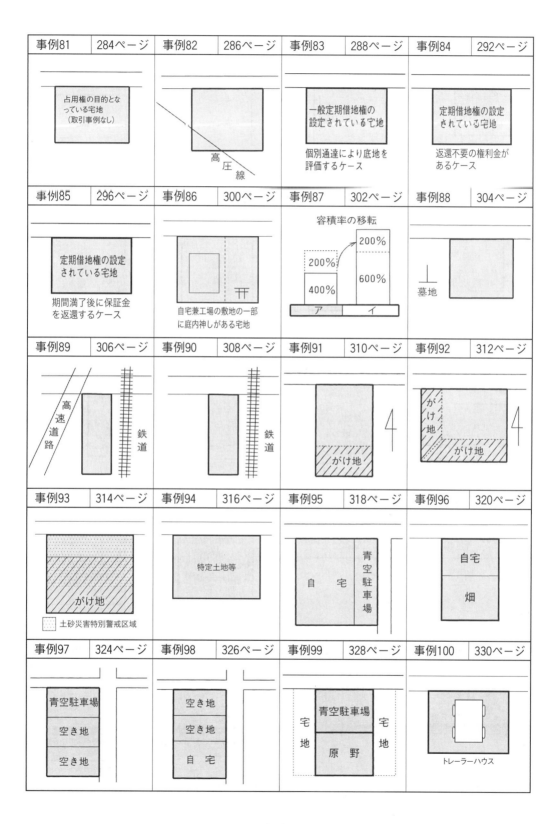

事例81	284ページ	事例82	286ページ	事例83	288ページ	事例84	292ページ
占用権の目的となっている宅地（取引事例なし）		高圧線		一般定期借地権の設定されている宅地 個別通達により底地を評価するケース		定期借地権の設定されている宅地 返還不要の権利金があるケース	

事例85	296ページ	事例86	300ページ	事例87	302ページ	事例88	304ページ
定期借地権の設定されている宅地 期間満了後に保証金を返還するケース		自宅兼工場の敷地の一部に庭内神しがある宅地		容積率の移転 200% 200% 400% ア 200% 600% イ		墓地	

事例89	306ページ	事例90	308ページ	事例91	310ページ	事例92	312ページ
高速道路 鉄道		鉄道		がけ地		がけ地 がけ地	

事例93	314ページ	事例94	316ページ	事例95	318ページ	事例96	320ページ
がけ地 土砂災害特別警戒区域		特定土地等		自宅 青空駐車場		自宅 畑	

事例97	324ページ	事例98	326ページ	事例99	328ページ	事例100	330ページ
青空駐車場 空き地 空き地		空き地 空き地 自宅		宅地 青空駐車場 宅地 原野		トレーラーハウス	

事例101	332ページ	事例102	334ページ	事例103	336ページ	事例104	338ページ

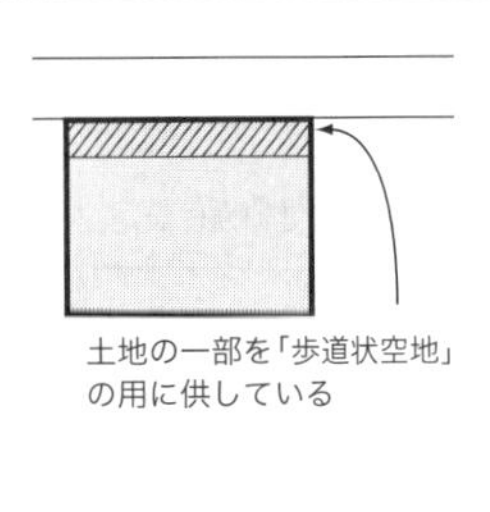

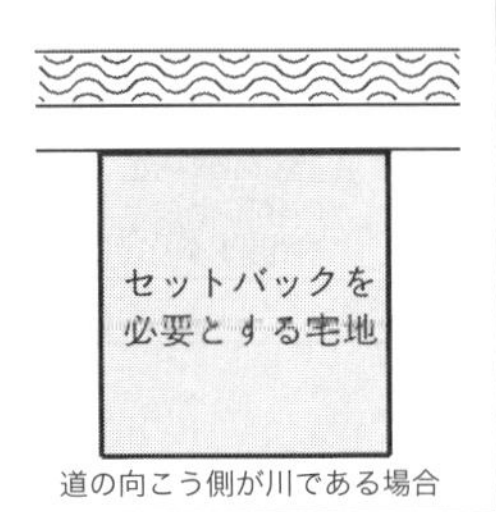

土地の一部を「歩道状空地」の用に供している

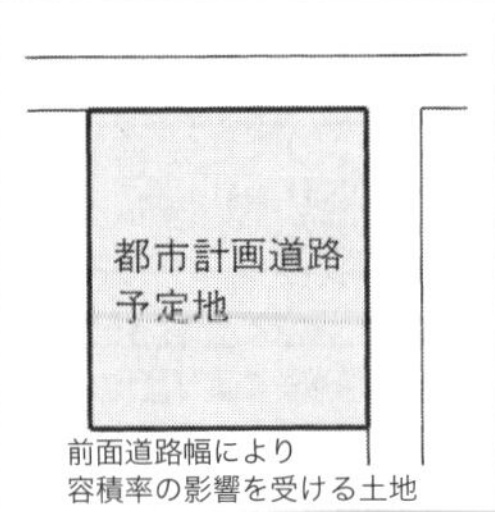

都市計画道路予定地

前面道路幅により容積率の影響を受ける土地

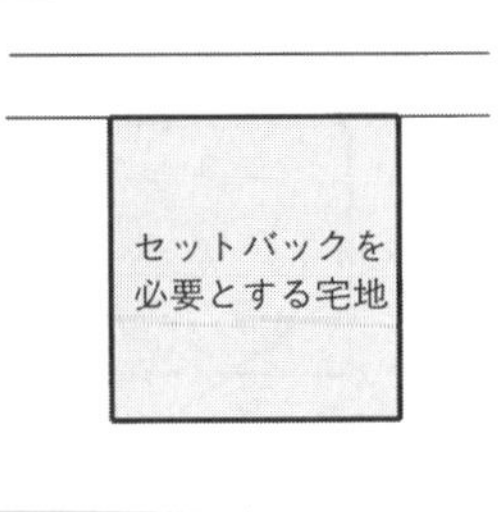

セットバックを必要とする宅地

セットバックを必要とする宅地

道の向こう側が川である場合

事例105	340ページ	事例106	342ページ	事例107	344ページ	事例108	346ページ

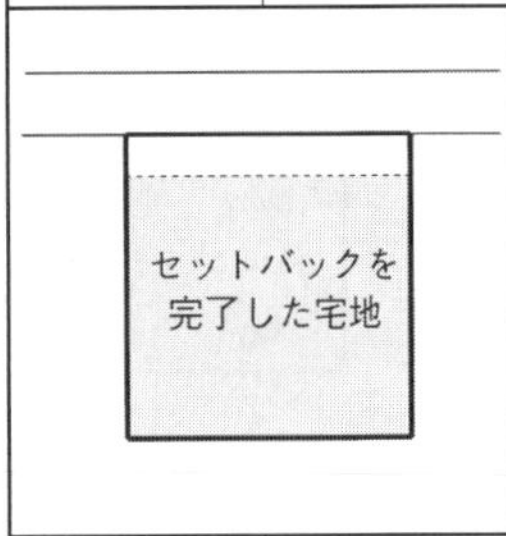

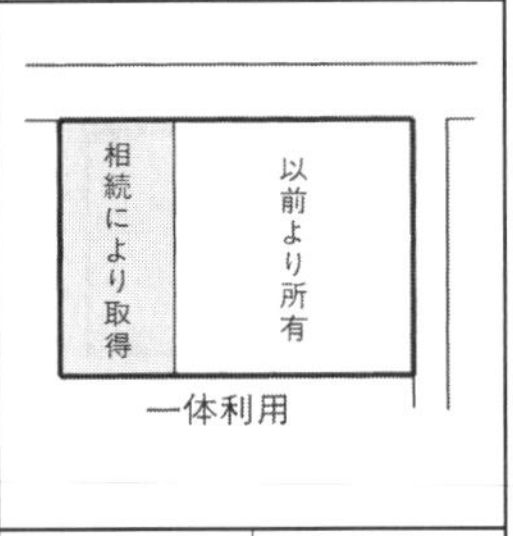

セットバックを完了した宅地

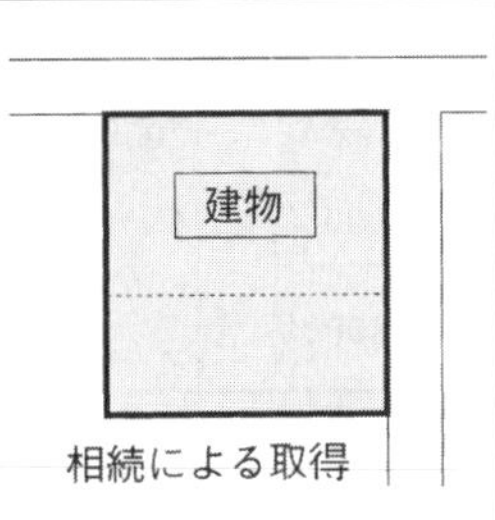

建物

相続による取得

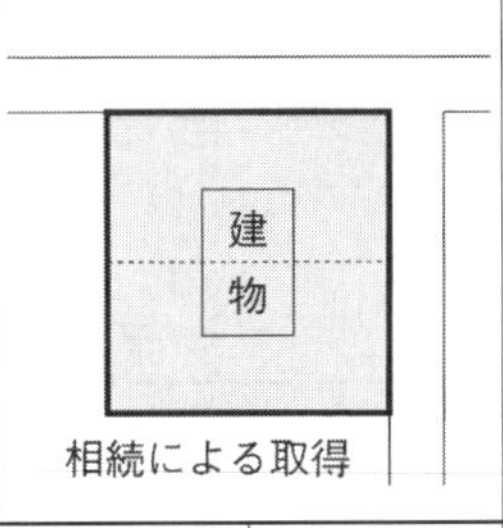

建物

相続による取得

相続により取得 / 以前より所有

一体利用

事例109	348ページ	事例110	350ページ	事例111	352ページ	事例112	354ページ

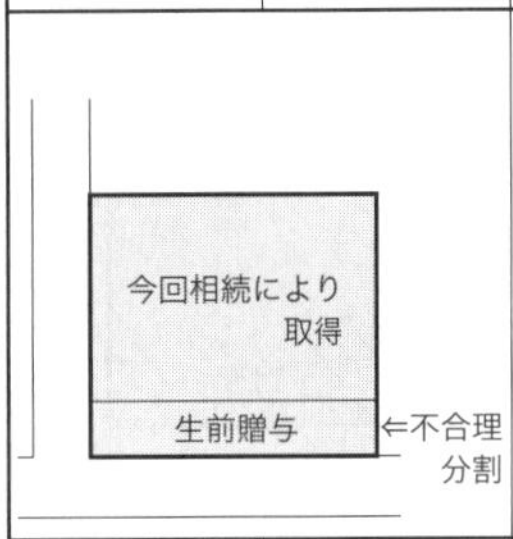

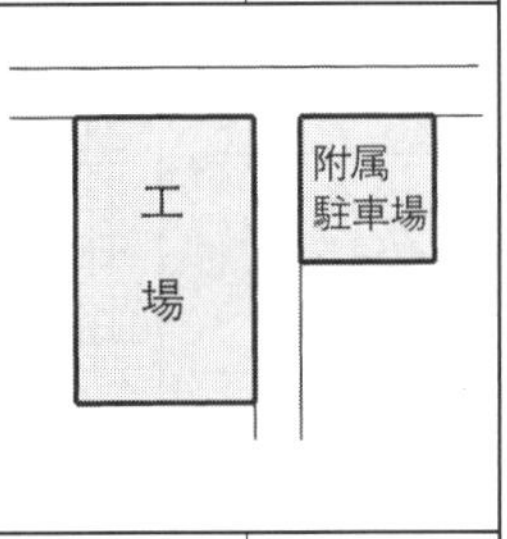

今回相続により取得

生前贈与　←不合理分割

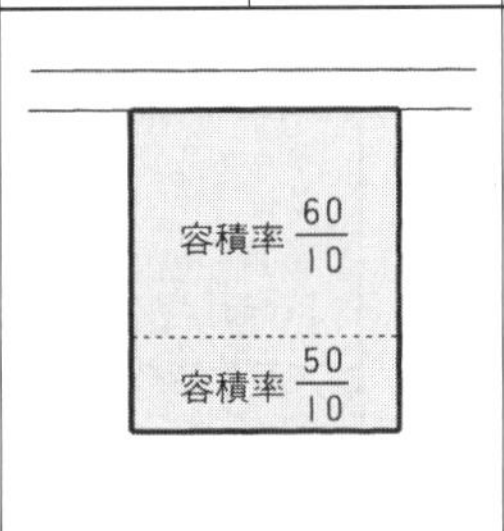

容積率 $\frac{60}{10}$

容積率 $\frac{50}{10}$

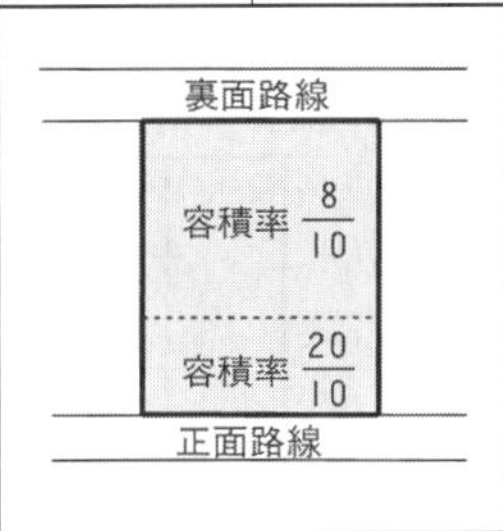

裏面路線

容積率 $\frac{8}{10}$

容積率 $\frac{20}{10}$

正面路線

工場

附属駐車場

事例113	356ページ	事例114	359ページ	事例115	362ページ	事例116	363ページ

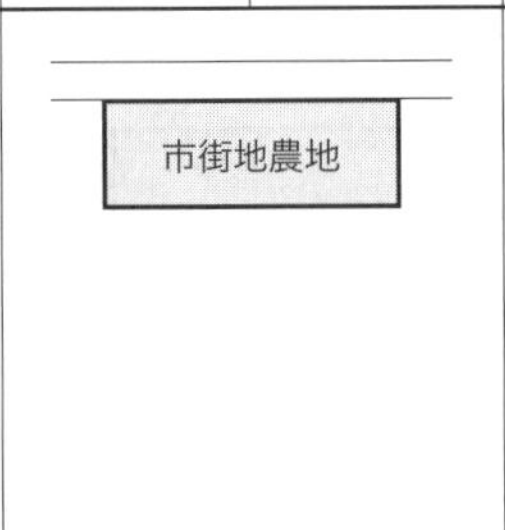

市街地周辺農地

市街地農地

買取り申出ができない生産緑地

買取り申出ができる生産緑地

事例117	364ページ	事例118	365ページ	事例119	366ページ	事例120	368ページ

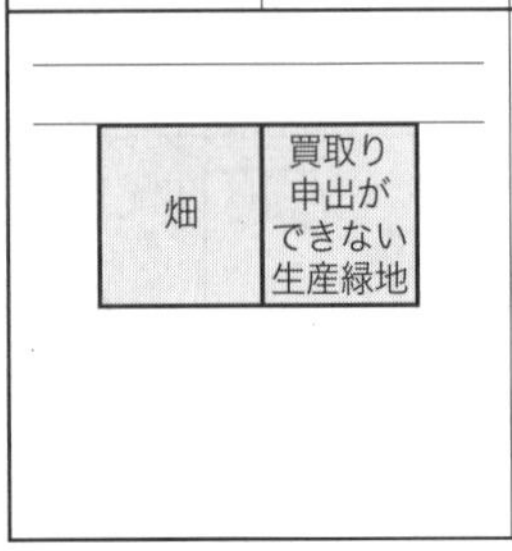

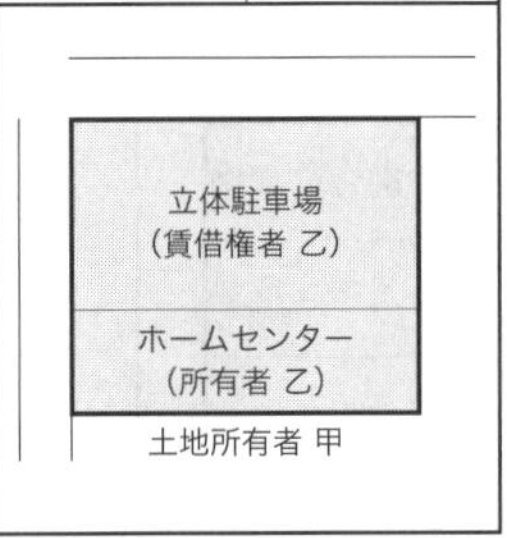

畑 / 買取り申出ができない生産緑地

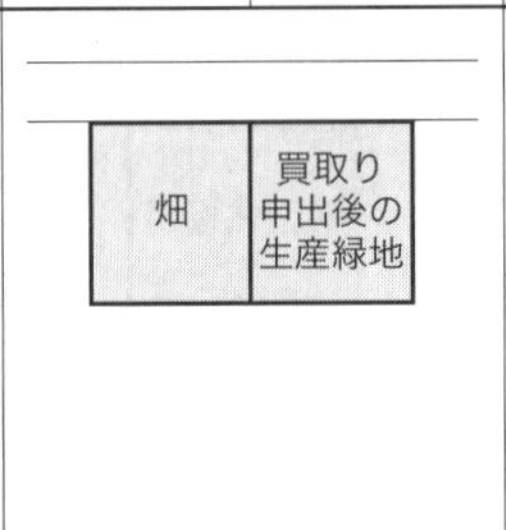

畑 / 買取り申出後の生産緑地

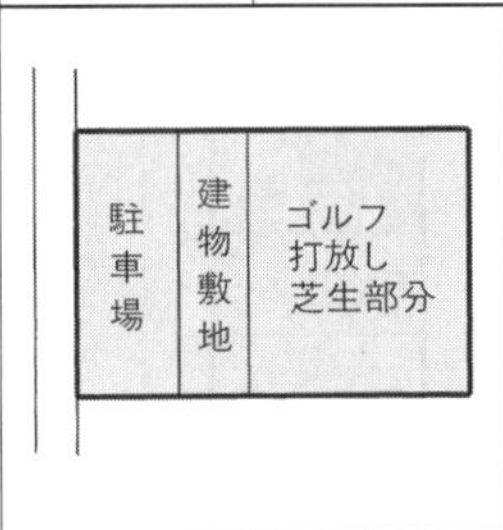

駐車場 / 建物敷地 / ゴルフ打放し芝生部分

立体駐車場（賃借権者 乙）

ホームセンター（所有者 乙）

土地所有者 甲

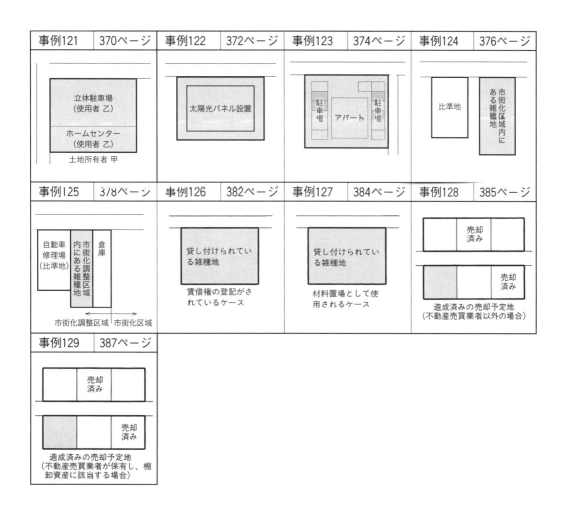

（注）　本書の内容は、令和６年７月１日現在の法令通達によっています。

第1編
土地評価制度の概要

第1章 相続税及び贈与税と土地評価

　土地を評価しなければならないケースには、①相続が発生した場合や相続対策を行うために現状を把握しようとする場合、②個人が個人から贈与を受けた場合、③土地を多額に保有しており、地価税が課せられる場合、④取引相場のない株式の評価において、法人所有土地を評価する場合などがあります。

　ただし、地価税については、平成10年の課税時期に係るものから、臨時的措置として当分の間課税されていません。

　ここでは、相続税及び贈与税の概要を簡単に見ておくことにします。

	相 続 税	贈 与 税
納税義務者	財産を取得した個人	財産を取得した個人
課税対象資産	納税義務者が取得した財産	納税義務者がその年に取得した財産
土地等の評価方法	原則として財産評価基本通達による（注）	原則として財産評価基本通達による（注）
税　率	累進税率（10%〜55%）	累進税率（10%〜55%）
非課税限度額（基礎控除額）	3,000万円＋600万円×法定相続人の数	年間110万円

（注）　土地等の評価の方法は相続税、贈与税及び地価税とも基本的には同じですが、3年以内取得土地等のうち一定のもの、負担付贈与又は低額譲渡により取得した土地等及び棚卸資産となる土地については税目により評価方法が異なります（詳しくは **第4章** の **2** 〜 **5** 〔90〜91ページ〕を参照）。

第2章 土地評価の基本

　本章では、土地を評価する上で基礎的な事項になる「地目」「地積」「土地の上に存する権利」「共有」「区分所有」について解説します。

１ 土地の利用状況と地目（用途）

　土地を評価するためには、評価する土地を特定しなければなりません。

　つまり、これが評価する土地であると区画する必要があります。

　所有している土地を１つのものとして評価するのは、土地が地理的に１つのものであり、かつ利用状況が同じ場合です。

　例えば、次の図のように地理的には１つの土地であっても、用途が畑と宅地といったように、その用途が違う場合は、原則として、２つの土地として別々に評価することになります。

　この用途のことを「地目」といいます。地目は、土地登記簿や固定資産税評価上の地目に関係なく、「評価時点の現況」に従って判定します。

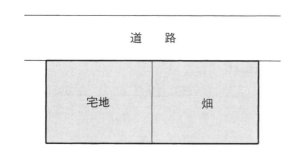

　したがって、(1)数年前から耕作しないで放置している農地で、雑草等が生育し、容易に農地に復元しえないような状況のものは原野又は雑種地として評価します。また、(2)砂利を入れて青空駐車場として利用している農地については雑種地として評価することとなります。

　地目は、次の９種類がありますが、その各々について、評価方法が違います。

種　類	用　　途
①　宅地	建物の敷地及びその維持若しくは効用を果たすために必要な土地
②　田	農耕地で用水を利用して耕作する土地
③　畑	農耕地で用水を利用しないで耕作する土地
④　山林	耕作の方法によらないで竹木の生育する土地
⑤　原野	耕作の方法によらないで雑草、灌木類の生育する土地
⑥　牧場	家畜を放牧する土地
⑦　池沼	灌漑用水でない水の貯溜池
⑧　鉱泉地	鉱泉（温泉を含む）の湧出口及びその維持に必要な土地
⑨　雑種地	上記のいずれにも該当しない土地

　ただし、一団の宅地造成事業を施行するために買収した土地は、通常、複数の地目が混在していますが、その場合は、買収済みの一団の土地ごとに評価します。これは、買収した土地は、地目が農地や山林であっても、既に農地等としての効用を果たしていないため、地目により評価単位を判定することは、かえって実情に即さないからです。

【例外】
(1) 一体として利用されている一団の土地が２以上の地目からなる場合

　　一体として利用されている一団の土地が２以上の地目からなる場合には、その一団の土地は、そのうちの主たる地目からなるものとして、その一団の土地ごとに評価します（【事例119】参照）。

(2) 隣接する２以上の地目の土地を一団の土地として評価する場合

　　市街化調整区域以外の都市計画区域で市街地的形態を形成する地域において、市街地農地（生産緑地を除く）、市街地山林、市街地原野又は近傍類似の宅地と比準する評価方法をとる雑種地（108ページ **2** １～４行目）のいずれか２以上の地目の土地が隣接しており、その形状、地積の大小、位置等からみて、これらを一団として評価することが合理的と認められる場合には、その一団の土地ごとに評価します。

（例）

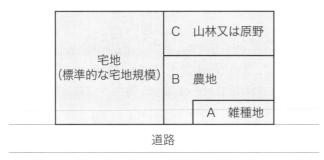

A土地……標準的な宅地規模に比べて地積が著しく小さい

B土地……形状を考えると単独で評価するのは適切ではない

C土地……位置を考えると無道路地となってしまい、単独で評価するのは適切ではない

　　これらのことから、A・B・Cは一団の土地として評価することが合理的と認められることとなります。

　　また、現況の利用状況による評価ではなく、宅地転用を想定して評価することとなります。

2 地積（面積）

　　地積とは、土地の「面積」のことです。地積は、課税時期の実際の面積によります。

　　実際の面積が登記簿上の面積や固定資産税評価上の面積とは異なる場合もあります。そのような場合でも必ずしも実測する必要はなく、航空写真による地積の測定やその地域における平均的な縄延率により算出したり、取得の際の資料を参考にする等なんらかの方法によって、実際の地積を把握することになります。

　　ただし、実務上は実測図がなく、登記簿上の面積が実測面積とほとんど変わらないときは、登記簿上の面積で土地の評価をする場合も多いようです。

3 土地の上に存する権利の評価

　　土地評価を難解なものにしているものの一つに「土地の上に存する権利」があります。これは土地そのものではないが、土地と同等の価値があるものとして評価しなければならないものです。次の10の権利がこれに該当します。

区　　　分	内　容　若　し　く　は　例　示
① 地上権	他人の土地において工作物又は竹木を所有するために、その土地を使用する権利（区分地上権、借地権及び定期借地権等を除く）
② 区分地上権	地下又は空間を目的とする地上権　（トンネルに関する地下の地上権が多い）
③ 永小作権	小作料を支払って他人の土地において耕作又は牧畜をする権利
④ 区分地上権に準ずる地役権	特別高圧架空電線の架設、高圧ガス導管の敷設、飛行場の設置等の目的のために地下又は空中に上下の範囲を定めて設定された地役権で、建造物の設置を制限するもの
⑤ 借地権	建物の所有を目的とする地上権又は土地の賃借権（定期借地権等を除く）
⑥ 定期借地権等	借地契約の更新がなく、契約期間満了により確定的に借地権が消滅するもので、一般定期借地権、建物譲渡特約付借地権及び事業用借地権がある
⑦ 耕作権	農地又は採草放牧地の上に存する賃借権
⑧ 温泉権	鉱泉地において温泉を排他的に利用できる権利（引湯権を含む）
⑨ 賃借権	賃貸借契約に基づき賃借人が目的物たる土地を使用収益することができる権利（借地権、定期借地権等、耕作権及び温泉権を除く）
⑩ 占用権	河川法の河川区域内の土地の占用の許可に基づく権利若しくは道路法の道路の占用の許可又は都市公園法の都市公園の占用の許可に基づく経済的利益を生ずる権利で所定のもの

４ 共有土地の持分

　1個の所有権を共同して所有することを共有といいます。

　土地を共有している場合には、この土地を1つのものとして評価し、各持分に応じて評価額を配分します（持分に従って土地を分け、別々に評価するのではない）。

５ 区分所有の場合

　区分所有権とは、いわゆる分譲マンションのように1棟の建物ではあるが、その中に独立した構造上区分された数個の部分がある場合の個々の所有権をいいます。

　区分所有権の目的となっている建物の敷地である土地は、通常建物と土地を別々に処分できないため、敷地利用権としてのみ存在します。そこで、個々の評価額はマンション等の1つの建物ごとに土地を評価し、これに敷地権割合（登記簿の表題部中の敷地権の表示欄に記載されている）を乗じて算出します（敷地権の割合に従って土地を分け、別々に評価するのではない）。

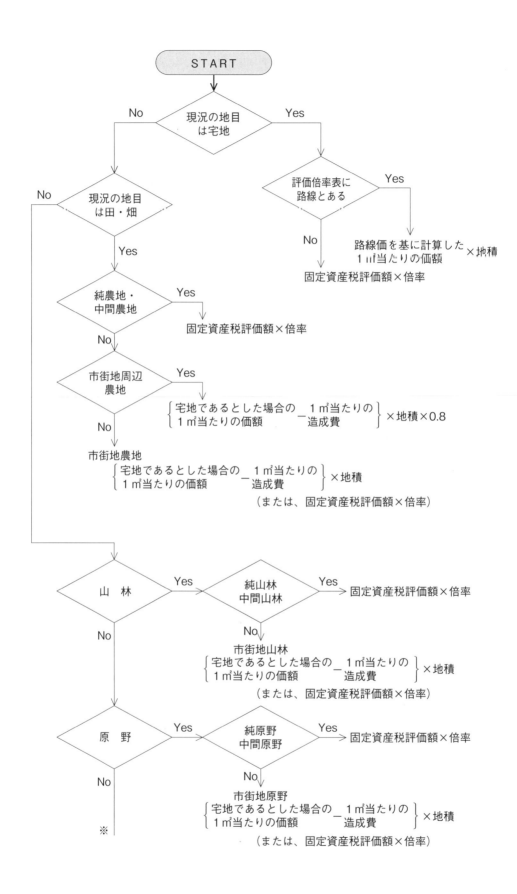

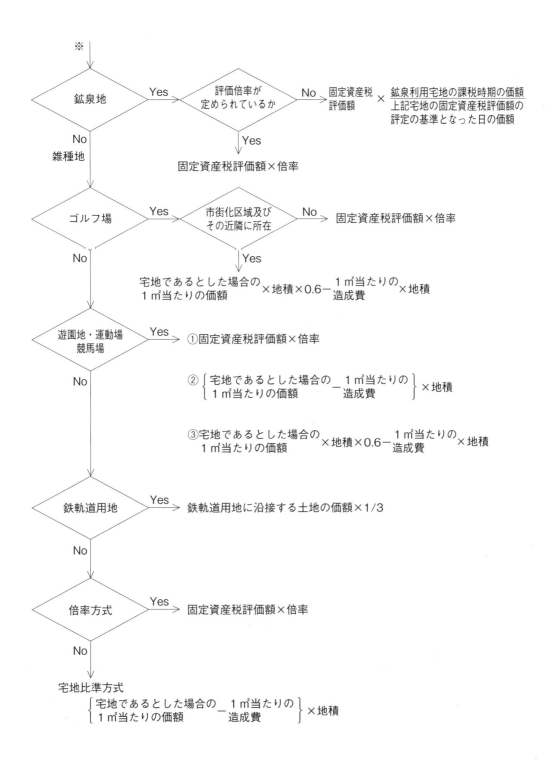

※

鉱泉地 ──Yes──→ 評価倍率が定められているか ──No──→ 固定資産税評価額 × （鉱泉利用宅地の課税時期の価額／上記宅地の固定資産税評価額の評定の基準となった日の価額）

No ↓ Yes ↓
雑種地

固定資産税評価額×倍率

ゴルフ場 ──Yes──→ 市街化区域及びその近隣に所在 ──No──→ 固定資産税評価額×倍率

No ↓ Yes ↓

宅地であるとした場合の1㎡当たりの価額×地積×0.6−1㎡当たりの造成費×地積

遊園地・運動場 競馬場 ──Yes──→ ①固定資産税評価額×倍率

No ↓

②｛宅地であるとした場合の1㎡当たりの価額−1㎡当たりの造成費｝×地積

③宅地であるとした場合の1㎡当たりの価額×地積×0.6−1㎡当たりの造成費×地積

鉄軌道用地 ──Yes──→ 鉄軌道用地に沿接する土地の価額×1/3

No ↓

倍率方式 ──Yes──→ 固定資産税評価額×倍率

No ↓

宅地比準方式
｛宅地であるとした場合の1㎡当たりの価額−1㎡当たりの造成費｝×地積

第3章 宅地及び宅地の上に存する権利の評価

　宅地及び宅地の上に存する権利の評価は、次のステップを踏んで行います。

①　評価しようとする宅地の形状と地積（面積）を調べるため、登記事項証明書・測量図・公図などを入手する（必要な場合には、面積、間口・奥行などを実測する）。

②　利用状況に応じて宅地を分け、１画地（評価の単位）を決める。

③　評価しようとする宅地を管轄する税務署に行くか、国税庁のホームページ（https://www.rosenka.nta.go.jp/）に接続して財産評価基準書を閲覧する（全国の路線価図等が閲覧でき、印刷もできる。令和６年分は令和６年７月１日から閲覧でき、平成30年分〜令和６年分までを閲覧できる）。

④　〈路線価方式の宅地の場合〉

　　路線価に画地調整を行って評価単価を算定し、地積（面積）を乗じて評価額を算定する。借地権等の土地に係る他の権利がある場合には、さらに評価額を調整する。

　　〈倍率方式の宅地の場合〉

　　市町村役場へ行って入手した固定資産評価証明書に記載されている固定資産税評価額に評価倍率を乗じて評価額を算定する。借地権等の土地に係る他の権利がある場合には、さらに評価額を調整する。

　次に、上記のステップを詳細に見ていきましょう。

１ 宅地に係る資料の入手

　評価しようとする宅地について次のような資料を入手します（古い資料の場合には取り直したほうがよい）。

①　登記事項証明書（法務局に行って入手する）

②　測量図（土地家屋調査士等が測量した図面）……土地の測量図がない場合でも、建物がある場合には建築図面に土地の形状や間口距離等が書かれていますので、建築図面を入手するとよいでしょう。

③　公図（法務局に行って入手する）

④　固定資産評価証明書（市町村役場に行って入手する）

⑤　現況を示す写真

２ 評価の単位の判定

　宅地は、１画地（利用の単位となっている１区画の宅地のこと）ごとに評価することになっています。１画地は必ずしも１筆の宅地からなっているとは限りません。土地の登記状況と関係なく、現況によって判定してください（遠方の場合は現況写真などをとってもらって確認するとよい）。

【評価単位の判定例】

① 一部を店舗の敷地、一部を居宅の敷地として使用している場合

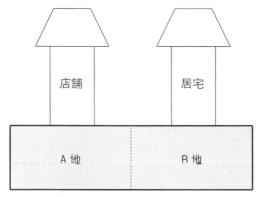

A地B地全体を1画地として評価

居住用、事業用にかかわらず、所有する宅地を自分が使用している場合は、A地B地全体を1画地として評価します。

② 一部を貸家の敷地、一部を自己の居住用としている場合

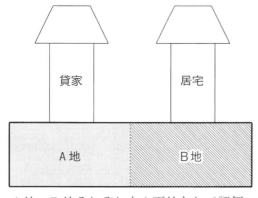

A地、B地それぞれを1画地として評価

所有地の一部を貸家の敷地とし、一部を自分が使用している場合は、利用状況が異なるので、それぞれを1画地として別々に評価します。

③ 一部を長男に使用貸借により貸し付け、一部を自己の居住用としている場合

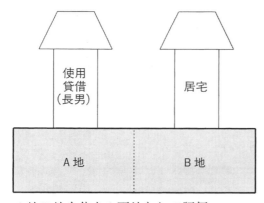

A地B地全体を1画地として評価

所有地を使用貸借により貸し付けている場合には、使用借権の価額は評価しませんので、A地B地全体を1画地として評価します。

④ 自己所有地と隣接する宅地を使用貸借により借り受けて、自己所有地と一体利用している場合

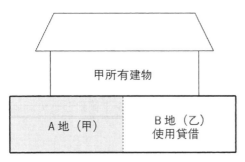

甲所有建物

A地（甲）

B地（乙）
使用貸借

A地のみを1画地として評価

隣接地を使用貸借により借り受けている場合には、その使用借権の価額は評価しませんので、所有地であるA地のみを1画地として評価します。

⑤ 一部に借地権を設定させ、一部を貸家の敷地としている場合

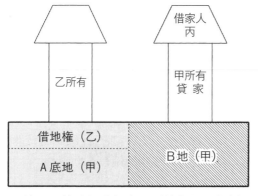

乙所有

借家人
丙

甲所有
貸家

借地権（乙）

A底地（甲）

B地（甲）

A地、B地それぞれを1画地として評価

A地は、乙が借地権を所有しているため底地として、B地は、貸家建付地として別々に評価します。

⑥ 貸家が2棟ある場合

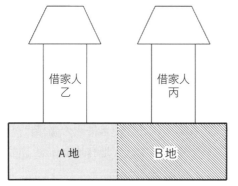

借家人
乙

借家人
丙

A地

B地

A地、B地それぞれを1画地として評価

貸家が数棟あり、異なる借家人に貸している場合には、各棟の敷地ごとに1画地の宅地として評価します。

⑦　２人から隣接地を借りて、これを一体として利用している場合の借地権の評価

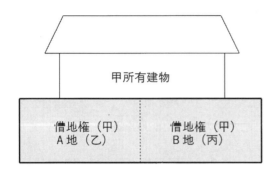

A地B地全体を１画地として借地権を評価

借地権者甲は、A地とB地を一体として利用しているため、その底地の所有者が複数であっても一体として評価します。

なお、乙及び丙が自己の貸宅地（底地）を評価するに際しては、それぞれを１画地として評価することになります。

【不合理分割】

　贈与、遺産分割等による宅地の分割が親族間等で行われた場合において、次の例のように分割後の画地が宅地として通常の用途に供することができないほど、その分割が著しく不合理であると認められるときは、分割前の画地を1画地の宅地として評価してから、各所有者に評価額を面積按分します（【事例109】参照）。

　この評価方法は、農地、山林、原野、雑種地の場合も同様に準用されます。

【不合理分割の例】　遺産分割により、甲と乙が次のような宅地を取得した場合

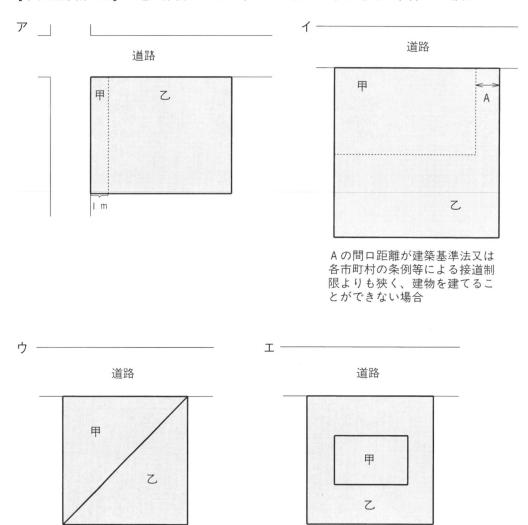

Aの間口距離が建築基準法又は各市町村の条例等による接道制限よりも狭く、建物を建てることができない場合

（注）　不合理分割に当たる場合
　　①　宅地面積から判断して、著しく細長い形状になる。（アの甲）
　　②　路線と接するところがない。（エの甲）
　　③　宅地の形状が三角形など不自然で、かつ、合理性がない。（ウの乙）

3 評価の方式

宅地の評価方式には次の２つがあります。

①　路線価方式……市街地的形態を形成する地域にある宅地に適用する方式

②　倍　率　方　式……路線価方式を適用する宅地以外の宅地に適用する方式

評価しようとしている宅地がどちらの方式に当てはまるかは、税務署に行くか、国税庁のホームページで「評価倍率表」を見て判断します。「評価倍率表」に「路線」と記載されていれば路線価方式、数字が記載されていれば倍率方式です。

《路線価方式と倍率方式の使い分け》

兵庫県南あわじ市松帆に所在するＡ地とＢ地（いずれも宅地とする）を評価する場合について、具体的に評価方式を見ていきましょう。

最初に「評価倍率表」を見ます。まず、南あわじ市松帆地域が、一部路線価評価地域になっていることがわかります。したがって、松帆地域のうち路線価が付されていない地域が倍率評価地域になるわけです。

そこで、Ａ地及びＢ地が路線価評価地域にあるかどうかを、次ページの路線価図で確認します。

Ａ地は、17（千円単位で記載されているため17,000円の意味）と前面道路に路線価額が付されているので、路線価方式により評価し、Ｂ地の前面道路には、路線価額が付されていないので、倍率方式により評価します。次にＢ地に適用される倍率を評価倍率表に戻って見ます。Ｂ地は、県道福良江井岩屋線沿いの宅地であるため1.2倍の倍率を適用することになります。

【評価倍率表】（例）

令和 6年分　　　　倍　　率　　表　　　　　　6頁

市区町村名：南あわじ市　　　　　　　　　　　　　　　　　　　　　　　洲本税務署

音順	町（丁目）又は大字名	適用地域名	借地権割合	固定資産税評価額に乗ずる倍率等						
				宅地	田	畑	山林	原野	牧場	池沼
			％	倍	倍	倍	倍	倍	倍	倍
ふ	福良丙	門崎	30	1.2	中 22	中 30	中 15	中 15	—	
		上記以外の地域								
		1　うずしおライン沿い	30	1.1	中 22	中 28	純 13	純 13	—	
		2　上記以外の地域	30	1.0	中 4.6	中 9.5	純 10	純 10	—	
ま	松帆	路線価地域	—	路線	周比準	周比準	比準	比準		
		固定資産税評価額が１㎡当たり２００円以上の原野						中 1.6		
		上記以外の地域								
		1　県道福良江井岩屋線沿い	30	1.2	純 12	純 22	純 20	純 20	—	
		2　櫟田、北浜	30	1.2	純 3.0	純 6.9	純 14	純 14	—	
		3　上記以外の地域	30	1.1	純 2.5	純 6.2	純 14	純 14	—	

【路線価図】（例）

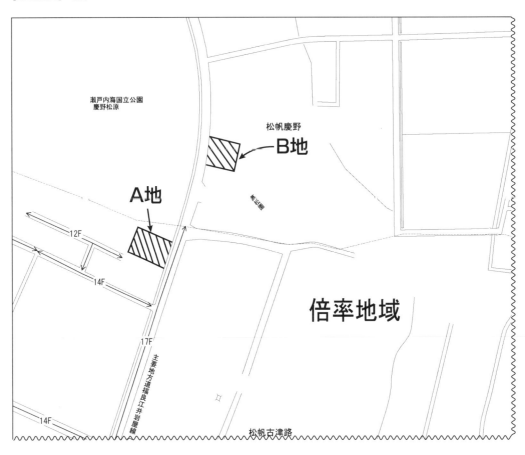

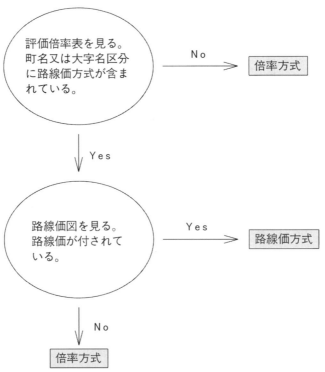

（1）路線価方式

　路線価とは、道路（＝路線）ごとに国税局長が決定した土地の「単価」のことです。

　この路線価は地図としてまとめられており、税務署に行けば誰でも自由にこの「路線価図」を閲覧することができます。

　また、国税庁のホームページにアクセスすれば閲覧も印刷もできます（8ページ参照）。

　路線価図には次のことが表示されています（くわしくは路線価図に説明がある）。

① 路線価　　　路線に記載されている数字（単位は千円/㎡）

② 地区区分　　路線に記載されている数字を囲む記号で地区を表示する。
　　　　　　　この地区は、いわゆる「第1種低層住居専用地域」等の都市計画法で規定される用途地域とは関係がありません。次に各記号と地区名をあげておきます。

③ 借地権割合　路線に記載（路線価の右隣に表示）されているA～Gによって割合を示します。次ページにその割合を掲げておきます。

【路線価図上の地区表示記号】

ビル街地区	高度商業地区	繁華街地区	普通商業・併用住宅地区
道路を中心として全地域 / 北側全地域	全地域 / 道路沿い	南側道路沿い / 南側全地域	全地域 / 北側全地域 / 南側道路沿い

中小工場地区	大工場地区	普通住宅地区	
北側道路沿い 南側全地域 / 北側道路沿い	南側全地域 / 北側全地域	無印は全地域	

ビル街地区	大都市における商業地域内で、高層の大型オフィスビル、店舗等が街区を形成し、かつ敷地規模が大きい地区
高度商業地区	大都市の都心若しくは副都心又は地方中核都市の都心等における商業地域内で、中高層の百貨店、専門店舗等が立ち並ぶ高度小売商業地区又は中高層の事務所等が立ち並ぶ高度業務地区
繁華街地区	大都市又は地方中核都市において各種小売店舗等が立ち並ぶ著名な商業地又は飲食店舗、レジャー施設等が多い歓楽街など人通りが多く繁華性の高い中心的な商業地区をいい、高度商業地区と異なり比較的幅員の狭い街路に中層以下の平均的に小さい規模の建物が立ち並ぶ地域
普通商業地区	商業地域若しくは近隣商業地域にあって、または第1種住居地域、第2種住居地域及び準住居地域若しくは準工業地域内の幹線道路（国県道等）沿いにあって、中低層の店舗、事務所等が連たんする商業地区

併用住宅地区	商業地区の周辺部（主として近隣商業地域内）又は第１種住居地域、第２種住居地域及び準住居地域若しくは準工業地域内の幹線道路（国県道等）沿いにあって、住宅が混在する小規模の店舗、事務所等の低層利用の建物が多い地区
中小工場地区	主として準工業地域、工業地域又は工業専用地域内にあって、敷地規模が9,000平方メートル程度までの工場、倉庫、流通センター、研究開発施設等が集中している地区
大工場地区	主として準工業地域、工業専用地域内にあって、敷地規模がおおむね9,000平方メートルを超える工場、倉庫、流通センター、研究開発施設等が集中している地区又は単独で３万平方メートル以上の敷地規模のある画地によって形成される地区（ただし、用途地域が定められていない地区であっても、工業団地、流通業務団地等においては、１画地の平均規模が9,000平方メートル以上の団地は大工場地区に該当する）
普通住宅地区	主として第１種低層住居専用地域及び第２種低層住居専用地域、第１種中高層住居専用地域及び第２種中高層住居専用地域、第１種住居地域、第２種住居地域及び準住居地域又は準工業地域内にあって、主として居住用建物が連続している地区

【借地権の割合】

各路線価の右隣に表示しているＡ、Ｂ、Ｃ………の記号に対応する借地権割合は次のとおりです。

A	B	C	D	E	F	G
90%	80%	70%	60%	50%	40%	30%

＊記号の表示がない場合における貸宅地、貸家建付地等の評価に当たっては、借地権割合を20％とします。
＊路線価地域で借地権割合の異なる２以上の路線に面する宅地については、原則として、その正面路線価に付された借地権割合を適用します。

【例示】 路線価図（次ページ参照）の上では、次のように表示されています。

普通商業・併用住宅地区で路線価470千円、借地権割合が70％の場合

【適用範囲】

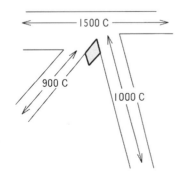

左のような場合、900Ｃの路線の矢印が1500Ｃの路線までは達していないため、評価地は、正面路線が1500Ｃの道路、側方路線が1000Ｃの道路となる二方の路線に接する宅地となります。

路線価図（例）

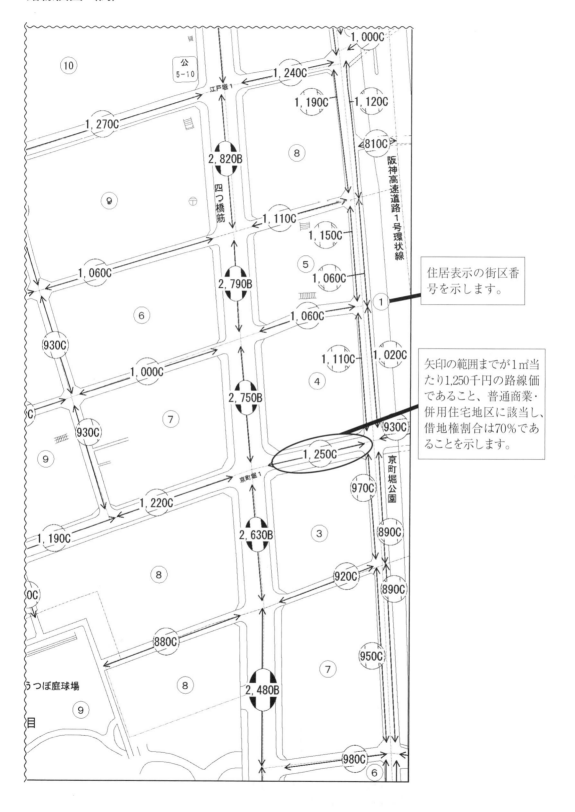

住居表示の街区番号を示します。

矢印の範囲までが1㎡当たり1,250千円の路線価であること、普通商業・併用住宅地区に該当し、借地権割合は70%であることを示します。

（2）倍率方式

　この方式は、固定資産税評価額に評価倍率表に示してある倍率を乗じて、土地評価額とする方式です。

　なお、課税時期から申告書を提出するまでの間、固定資産税評価額が付されていない場合や地目の変更等により現況に応じた固定資産税評価額が付されていない場合には、その土地の現況に類似する付近の土地の固定資産税評価額を基として、種々の条件差（付近の土地とその土地との位置・形状等）を考慮したその土地の固定資産税評価額に相当する金額を算出し、その額に倍率を乗じて評価します。

　ここでは、固定資産評価証明書とその土地の評価倍率表を見ながら、評価額を算出してみましょう。

【固定資産評価証明書】（例）

　この証明書では、固定資産税評価額は、11,751,399円になります。

令和　　年度　固 定 資 産 評 価 証 明 書 　　　　字抹消
字加入

住　　　所	岸和田市阿間河滝町							
所 有 者						納税義務者		
区分	所　在　地 地　　番	家 屋 番 号	（土地）登記地目 現況地目	（家屋）構 造	種 類	登記地積 課税地積 又は床面積	評 価 額	備　　考
土地	阿間河滝町		畑 宅　地			297.00㎡	¥11,751,399	
		以下余白						

　上記のとおり相違ないことを証明します。

　令和　　年　月　日

　　　　　　　大阪府岸和田市長

> 現況地目と登記地目が異なる場合は、現況地目で評価します。

【評価倍率表】（例）

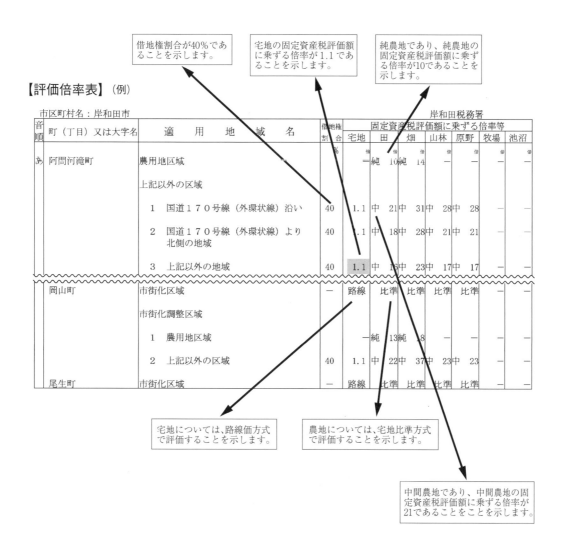

借地権割合が40％であることを示します。

宅地の固定資産税評価額に乗ずる倍率が1.1であることを示します。

純農地であり、純農地の固定資産税評価額に乗ずる倍率が10であることを示します。

宅地については、路線価方式で評価することを示します。

農地については、宅地比準方式で評価することを示します。

中間農地であり、中間農地の固定資産税評価額に乗ずる倍率が21であることをことを示します。

市区町村名：岸和田市　　　　　　　　　　　　　　　　　　　　　　岸和田税務署

音順	町（丁目）又は大字名	適 用 地 域 名	借地権割合 %	固定資産税評価額に乗ずる倍率等						
				宅地	田	畑	山林	原野	牧場	池沼
あ	阿間河滝町	農用地区域		倍 —	純 10	純 14	倍	倍	倍 —	倍 —
		上記以外の区域								
		1　国道170号線（外環状線）沿い	40	1.1	中 21	中 31	中 28	中 28	—	—
		2　国道170号線（外環状線）より北側の地域	40	1.1	中 18	中 28	中 21	中 21	—	—
		3　上記以外の地域	40	1.1	中 16	中 23	中 17	中 17	—	—
	岡山町	市街化区域	—	路線	比準	比準	比準	比準		
		市街化調整区域								
		1　農用地区域		—	純 13	純 18				
		2　上記以外の区域	40	1.1	中 22	中 37	中 23	中 23		
	尾生町	市街化区域	—	路線	比準	比準	比準	比準	—	—

　　前ページの固定資産評価証明書の岸和田市阿間河滝町の土地は、大阪外環状線より南側にあり農用地区域ではなく、登記地目は畑ですが、現況地目は宅地となっているため、倍率は、上表により1.1倍となり、土地の評価額は11,751,399円×1.1＝12,926,538円となります。

（注）　評価倍率表内の各語句は次のような意味で用いられています。
　　　　路線→路線価地域、純→純農地又は純山林又は純原野、中→中間農地又は中間山林又は中間原野、周比準→市街地周辺農地、比準→市街地農地又は市街地山林又は市街地原野

【２つの評価倍率に該当する土地】

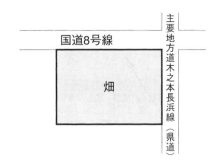

市区町村名：長浜市　　　　　　　　　　　　　　　　　　　　　　　長浜税務署

音順	町（丁目）又は大字名	適用地域名	借地権割合 %	固定資産税評価額に基づく倍率等 宅地	田	畑	山林	原野	牧場	池沼
も	元浜町	全域	—	路線	比準	比準	—	—	—	—
	森町	農用地区域	—		純 7.3	純 10	—	—	—	—
		上記以外の区域								
		1　国道８号線沿い	30	1.1	中 16	中 34	中 11	中 11	—	—
		2　主要地方道木之本長浜線沿い	30	1.1	中 13	中 25	中 11	中 11	—	—
		3　上記以外の地域	30	1.2	中 8.5	中 17	中 9.5	中 9.5	—	—
や	八木浜町	農用地区域	—		純 4.2	純 8.5	—	—	—	—
		上記以外の区域		1.1	中 7.4	中 12	中 4.1	中 4.1	—	—
	八島町	農用地区域	—		純 6.2	純 9.4	—	—	—	—
		都市計画法上の用途地域		1.1	周比準	周比準	比準	比準	—	—
		上記以外の地域		1.2	中 10	中 18	中 5.6	中 5.6	—	—
	弥高町	全域	—	路線	比準	比準	比準	比準	—	—
	山階町	市街化区域	—	路線	比準	比準	比準	比準	—	—
		市街化調整区域								

　上記のように倍率の異なる２つの地域に該当する場合には、原則としてそれぞれの道沿いの宅地の固定資産税評価額の単価を市役所等の窓口で確認し、単価の高いほうの地域にあるものとして倍率を適用します。

　もし、国道沿いの単価が800円／㎡、県道沿いの単価が650円／㎡であれば、この土地全体が国道沿いであるとして、倍率は34を適用します。

【借地権割合欄】

　借地権割合の欄には、倍率地域におけるその町（丁目）又は大字の地域につき、「借地権」の価額を評価する場合の借地権割合が掲げられています。

　路線価地域と倍率地域が接続する地域の借地権割合は、原則として路線価地域の正面路線価に表示されている借地権割合によります。

　記号の表示がない場合における貸宅地、貸家建付地等の評価をする場合には、借地権割合を20％として計算します。

4 画地調整率

　宅地は、正方形や正方形に近い長方形ならば様々な用途が考えられますが、「うなぎの寝床」のような形をしている場合には、用途が限られてきます。そこで、宅地の評価においても、宅地の形状・利便性を考慮して、様々な調整率を設定しています。

　例えば、「細長い宅地ならば正方形の宅地の1割引きで評価しよう」というようなものです。

　それでは、次の表に示される個々の調整率を1つずつ見ていくことにします（この表の画地調整率は、路線価方式によって評価する宅地に適用します。倍率方式によって評価する宅地は、固定資産税評価額の計算の際にこれらの調整率は織り込まれています）。

【画地調整率表】

宅　地　の　特　徴	画地調整率
平均的な奥行に比し、短い、若しくは長い	奥行価格補正率
角地にある	側方路線影響加算率
裏側にも路線がある	二方路線影響加算率
間口がせまい	間口狭小補正率
間口に対して奥行が長い	奥行長大補正率
三角形など形状が長方形や正方形でない	不整形地補正率
路線に接していない	無道路地補正率
がけ地である	がけ地補正率

（1）奥行価格補正

　奥行価格補正は、宅地の一方のみが路線に接している場合に評価額が減額されることをいい、奥行距離に応じて奥行価格補正率（「奥行価格補正率表」に定める補正率）を用いて算定します。この奥行距離は、原則として、正面路線に対し垂直的な奥行距離によりますが、奥行が一様でない場合には、平均的な奥行距離によって算定します（具体的には32ページの②を参照）。

　例えば、次のA地のような場合です。

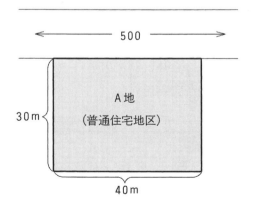

　宅地の一方にしか路線がないので、奥行が長すぎると、路線から離れた部分の利用効率が悪くなりますから、奥行が長い土地は評価額が低くなるはずです。

　また、奥行が短かすぎても利用しにくくなることがあるため、この場合にも評価額が低くなります。

　A地の奥行価格補正率は、「奥行価格補正率表」（次ページ）から「普通住宅地区」の「28m以上32m未満」の欄の「0.95」になります。

土地評価単価＝500千円×0.95＝475千円

土 地 評 価 額＝475千円×30m×40m＝570,000千円

【奥行価格補正率表】（平成30年分以降用）

奥行距離（メートル） / 地区区分	ビル街地区	高度商業地区	繁華街地区	普通商業・併用住宅地区	普通住宅地区	中小工場地区	大工場地区
4未満	0.80	0.90	0.90	0.90	0.90	0.85	0.85
4以上 6未満		0.92	0.92	0.92	0.92	0.90	0.90
6 〃 8 〃	0.84	0.94	0.95	0.95	0.95	0.93	0.93
8 〃 10 〃	0.88	0.96	0.97	0.97	0.97	0.95	0.95
10 〃 12 〃	0.90	0.98	0.99	0.99	1.00	0.96	0.96
12 〃 14 〃	0.91	0.99	1.00	1.00		0.97	0.97
14 〃 16 〃	0.92	1.00				0.98	0.98
16 〃 20 〃	0.93					0.99	0.99
20 〃 24 〃	0.94					1.00	1.00
24 〃 28 〃	0.95				0.97		
28 〃 32 〃	0.96		0.98		0.95		
32 〃 36 〃	0.97		0.96	0.97	0.93		
36 〃 40 〃	0.98		0.94	0.95	0.92		
40 〃 44 〃	0.99		0.92	0.93	0.91		
44 〃 48 〃	1.00		0.90	0.91	0.90		
48 〃 52 〃		0.99	0.88	0.89	0.89		
52 〃 56 〃		0.98	0.87	0.88	0.88		
56 〃 60 〃		0.97	0.86	0.87	0.87		
60 〃 64 〃		0.96	0.85	0.86	0.86	0.99	
64 〃 68 〃		0.95	0.84	0.85	0.85	0.98	
68 〃 72 〃		0.94	0.83	0.84	0.84	0.97	
72 〃 76 〃		0.93	0.82	0.83	0.83	0.96	
76 〃 80 〃		0.92	0.81	0.82			
80 〃 84 〃		0.90	0.80	0.81	0.82	0.93	
84 〃 88 〃		0.88		0.80			
88 〃 92 〃		0.86			0.81	0.90	
92 〃 96 〃	0.99	0.84					
96 〃 100 〃	0.97	0.82					
100 〃	0.95	0.80			0.80		

（2）側方路線影響加算

　側方路線影響加算は、宅地が正面と側方とで路線に接している場合に評価額が加算されることをいいます。正面路線の奥行価格補正後の価額に、その側方路線に正面路線と同様の方法で奥行価格補正を行い、さらに側方路線影響加算率（「側方路線影響加算率表」に定める加算率）を用いて算定した価額を加算します。

　正面路線は、実際に利用している路線であるかどうかに関係なく、その宅地の接する路線の路線価に奥行価格補正率を乗じて計算した金額の高いほうの路線とします。

　例えば、次のB地のような場合です。

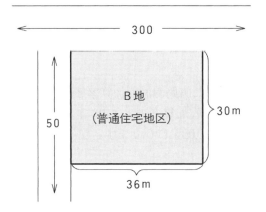

　2つの道路に接しているわけですから、利便性がよく、評価額も高くなるであろうという考え方です。
　B地の場合を「**角地**」と呼ぶのに対して、

左のように一つの道路が折れ曲がってその内側に土地が接している場合を「**準角地**」といいます。

　「角地」のほうが「準角地」よりも利便性がよいわけですから、高い評価になります。

　B地の側方路線影響加算率は、次の「側方路線影響加算率表」より、「普通住宅地区」の「角地の場合」の「0.03」になります。

　土地評価単価は、次の算式で計算します。

　正面路線価×奥行価格補正率＋側方路線価×奥行価格補正率×側方路線影響加算率

　正面路線とは、原則として、奥行価格補正後の金額の高いほうの路線（300千円×0.95＝285千円＞50千円×0.92＝46千円のため、300千円のほう）をいいます（【事例7、8】参照）。

　側方路線は、正面路線以外の路線、つまり奥行価格補正後の金額の低いほうの路線（50千円のほう）になります。

　土地評価単価＝300千円×0.95＋50千円×0.92×0.03＝286.38千円
　土 地 評 価 額＝286.38千円×30m×36m＝309,290.4千円

【側方路線影響加算率表】（平成19年分以降用）

地　区　区　分	加　　算　　率	
	角 地 の 場 合	準 角 地 の 場 合
ビ　ル　街　地　区	0.07	0.03
高　度　商　業　地　区 繁　華　街　地　区	0.10	0.05
普 通 商 業 ・ 併 用 住 宅 地 区	0.08	0.04
普　通　住　宅　地　区 中　小　工　場　地　区	0.03	0.02
大　工　場　地　区	0.02	0.01

（3）二方路線影響加算

　二方路線影響加算は、宅地が正面と裏面とで路線に接している場合に評価額が加算されることをいいます。

　正面路線（原則として奥行価格補正後の金額が高いほうの路線）の奥行価格補正後の価額に、その裏面路線に正面路線と同様の方法で奥行価格補正を行い、さらに二方路線影響加算率（「二方路線影響加算率表」に定める加算率）を用いて算定した価額を加算します。

　例えば、次のＣ地のような場合です。

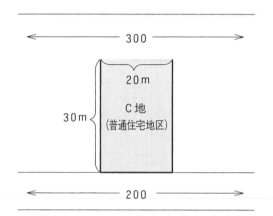

　２つの道路に接しているわけですから利便性がよく、評価額も高くなるであろうという考え方です。

　Ｃ地の二方路線影響加算率は、次の「二方路線影響加算率表」より、「普通住宅地区」の「0.02」になります。

　正面路線とは、原則として、奥行価格補正後の金額の高いほうの路線（300千円×0.95＝285千円＞200千円×0.95＝190千円のため、300千円のほう）をいいます。

　裏面路線は、正面路線以外の路線、つまり奥行価格補正後の金額の低いほうの路線（200千円のほう）になります。

　土地評価単価＝300千円×0.95＋200千円×0.95×0.02＝288.8千円

　土 地 評 価 額＝288.8千円×20m×30m＝173,280千円

　また、【事例22】のように角地が路線に接しておらず、角地としての機能を有していない場合には、二方路線影響加算率を適用します。

【二方路線影響加算率表】（平成19年分以降用）

地　区　区　分	加　　算　　率
ビ　ル　街　地　区	0.03
高　度　商　業　地　区	0.07
繁　華　街　地　区	
普 通 商 業・併 用 住 宅 地 区	0.05
普　通　住　宅　地　区	0.02
中　小　工　場　地　区	
大　工　場　地　区	

（4）三方路線影響加算

　三方路線影響加算は、宅地が三方の路線に囲まれている場合に評価額が加算されることをいい、側方路線影響加算率と二方路線影響加算率を用いて算定します。

　例えば、次のD地のような場合です。

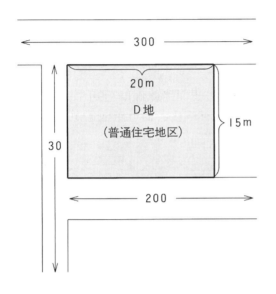

　3つの道路に接しているわけですから、利便性がよく、二方路線の場合よりもさらに評価額が高くなるであろうという考え方です。

　D地の正面路線価は、奥行価格補正後の金額が3つの路線の中でもっとも高い300千円になり、裏面路線価は正面路線の裏側に位置する路線の200千円、側方路線価は正面路線の側方に位置する路線の30千円になります。

　三方路線の場合の評価単価は、奥行価格補正後の正面路線価と他の二方にそれぞれの奥行価格補正及び影響加算をした路線価の合計になります。

　土地評価単価＝300千円（正面）×1.00＋200千円（裏面）×1.00×0.02＋30千円（側方）
　　　　　　　　×1.00×0.03＝304.9千円
　土 地 評 価 額＝304.9千円×20m×15m＝91,470千円

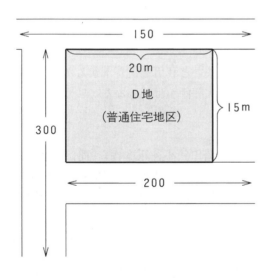

　もしD地が左図のようであるならば、正面路線価が300千円、200千円と150千円は側方路線価になります（言いかえれば、裏面路線はなくなる）。

　土地評価単価＝300千円（正面）×1.00＋200千円（側方）×1.00×0.03＋150千円（側方）
　　　　　　　　×1.00×0.03＝310.5千円
　土 地 評 価 額＝310.5千円×20m×15m＝93,150千円

（5）四方路線影響加算

　四方路線影響加算は、宅地が四方の路線に囲まれている場合に評価額が加算されることをいい、側方路線影響加算率と二方路線影響加算率を用いて算定します。

　例えば、次のE地のような場合です。

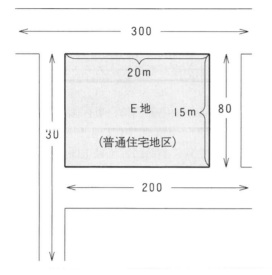

　4つの道路に接しているわけですから、利便性がよく、三方路線の場合よりもさらに評価額が高くなるであろうという考え方です。

　E地の正面路線価は300千円、裏面路線価は200千円、側方路線価が80千円と30千円になります。

　土地評価単価＝300千円（正面）×1.00＋200千円（裏面）×1.00×0.02＋

　　　　　　　80千円（側方）×1.00×0.03＋30千円（側方）×1.00×0.03＝307.3千円

　土 地 評 価 額＝307.3千円×20m×15m＝92,190千円

（6）間口狭小補正

　宅地が路線と接している間口が狭い宅地（不整形地及び無道路地に該当する場合を除く）の価額は、奥行価格補正後の価額に間口狭小補正率（「間口狭小補正率表」に定める補正率）を乗じて算定します。

　例えば、次のF地のような場合です。

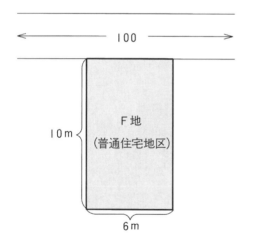

　間口が狭いと利用価値が下がるため、間口が狭いほど評価額は低くなるという考え方です。

　F地の間口狭小補正率は、「間口狭小補正率表」（次ページ）から「普通住宅地区」の「6m以上8m未満」の「0.97」になります。

　土地評価単価＝100千円×1.00×0.97＝97千円
　土地評価額＝97千円×10m×6m＝5,820千円

　この場合において、地積が大きいもの等について課税庁側では、近傍の宅地の価額との均衡を考慮し、間口狭小補正率表に定める補正率どおりの減額を認めない場合があります。

【間口狭小補正率表】（平成19年分以降用）

間口距離（メートル）	ビル街地区	高度商業地区	繁華街地区	普通商業・併用住宅地区	普通住宅地区	中小工場地区	大工場地区
4未満	-	0.85	0.90	0.90	0.90	0.80	0.80
4以上 6未満	-	0.94	1.00	0.97	0.94	0.85	0.85
6 〃 8 〃	-	0.97		1.00	0.97	0.90	0.90
8 〃 10 〃	0.95	1.00			1.00	0.95	0.95
10 〃 16 〃	0.97					1.00	0.97
16 〃 22 〃	0.98						0.98
22 〃 28 〃	0.99						0.99
28 〃	1.00						1.00

【間口距離の取り方の具体例】

①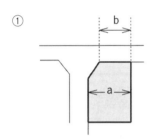
角切りされた宅地は、aが間口距離

②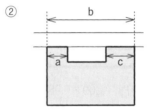
間口が2つに分離されている宅地は、a＋cが間口距離

③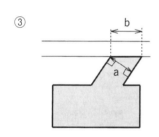
路線に実際に接するbが間口距離
ただし、路線に接する部分の宅地と直角にとったaによっても差し支えない

④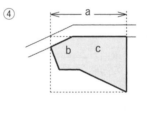
想定整形地の間口に相当する距離aと屈折路に実際に接している距離b＋cのいずれか短い距離aが間口距離

⑤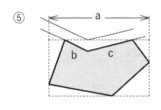
想定整形地の間口に相当する距離aと屈折路に実際に接している距離b＋cのいずれか短い距離b＋cが間口距離

（7）奥行長大補正

　間口のわりに奥行が長い「うなぎの寝床」のような宅地（不整形地及び無道路地に該当する場合を除く）の価額は、奥行価格補正後の価額に奥行長大補正率（「奥行長大補正率表」に定める補正率）を乗じて算定します。

　例えば、次のG地のような場合です。

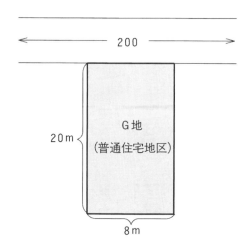

　間口距離に対する奥行距離の長さの比率が高くなると利用価値が下がるため、その割合が高くなるほど評価額が低くなるという考え方です。

　G地の奥行長大補正率は、奥行（20m）÷間口（8m）＝2.5となるため、次の「奥行長大補正率表」から「0.98」になります。

　土地評価単価＝200千円×1.00×0.98＝196千円

　土 地 評 価 額＝196千円×20m×8m＝31,360千円

　この場合において、地積が大きいもの等について課税庁側では、近傍の宅地の価額との均衡を考慮し、奥行長大補正率表に定める補正率どおりの減額を認めない場合があります。

【奥行長大補正率表】

地区区分 奥行距離 間口距離	ビル街 地　　区	高度商業地区 繁華街地区 普通商業・ 併用住宅地区	普通住宅 地　　区	中小工場 地　　区	大 工 場 地　　区
2以上 3未満	1.00	1.00	0.98	1.00	1.00
3 〃 4 〃		0.99	0.96	0.99	
4 〃 5 〃		0.98	0.94	0.98	
5 〃 6 〃		0.96	0.92	0.96	
6 〃 7 〃		0.94	0.90	0.94	
7 〃 8 〃		0.92		0.92	
8 〃		0.90		0.90	

（8）不整形地の評価

　不整形地の価額は、32ページのロの①から④までのいずれかの方法によって、奥行価格補正、側方路線影響加算及び二方路線影響加算を適用した後の価額（評価明細書第1表の5-2（AからDまでのうち該当するもの））に、その不整形の程度、位置及び地積の大小に応じ、「地積区分表」（次ページ）に掲げる地区区分及び地積区分に応じた「不整形地補正率表」（30ページ）に定める補正率（不整形地補正率）を乗じて計算した価額により評価します。

なお、平成19年分以降の評価については、ビル街地区に該当する土地については、不整形地補正は、行わないことになっています。

イ　不整形地補正率の求め方

① 評価する不整形地の地区及び地積の別により下記の「**地積区分表**」にあてはめて、「A」「B」「C」のいずれの地積区分に該当するかを判定します。

② 想定整形地の取り方

想定整形地は、評価対象地の全域を囲む、正面路線に面するく形（長方形）又は正方形の土地をいいます（具体的には後掲の〔**想定整形地の取り方の具体例**〕を参照）。

③ ①で求めた地積区分と次の算式により計算した「かげ地割合」及び地区区分を「**不整形地補正率表**」（次ページ）にあてはめて不整形地補正率を求めます。

$$\text{かげ地割合} = \frac{\text{想定整形地の地積} - \text{不整形地の地積}}{\text{想定整形地の地積}}$$

④ 間口狭小補正率の適用がある場合については、③の不整形地補正率に間口狭小補正率を乗じて計算した数値（小数点第2位未満切捨て）が不整形地補正率となります。

ただし、この場合の不整形地補正率の下限は60％となることに注意してください。

⑤ 次の図のような不整形地については、ⅰ）上記④により計算した不整形地補正率を適用して評価する方法と、ⅱ）奥行長大補正率に間口狭小補正率を乗じて得た数値（小数点第2位未満切捨て）により評価する方法のいずれかを選択することができます。

不整形地補正率 × 間口狭小補正率
（小数点第2位未満切捨て）

奥行長大補正率 × 間口狭小補正率
（小数点第2位未満切捨て）

いずれか低い率（0.60を限度とする）

【地積区分表】（平成19年分以降用）

地区区分　＼　地積区分	A	B	C
高 度 商 業 地 区	1,000m²未満	1,000m²以上 1,500m²未満	1,500m²以上
繁 華 街 地 区	450m²未満	450m²以上 700m²未満	700m²以上
普 通 商 業・併 用 住 宅 地 区	650m²未満	650m²以上 1,000m²未満	1,000m²以上
普 通 住 宅 地 区	500m²未満	500m²以上 750m²未満	750m²以上
中 小 工 場 地 区	3,500m²未満	3,500m²以上 5,000m²未満	5,000m²以上

【不整形地補正率表】（平成19年分以降用）

かげ地割合 地積区分	高度商業地区、繁華街地区、普通商業・併用住宅地区、中小工場地区			普通住宅地区		
	A	B	C	A	B	C
10%以上	0.99	0.99	1.00	0.98	0.99	0.99
15%以上	0.98	0.99	0.99	0.96	0.98	0.99
20%以上	0.97	0.98	0.99	0.94	0.97	0.98
25%以上	0.96	0.98	0.99	0.92	0.95	0.97
30%以上	0.94	0.97	0.98	0.90	0.93	0.96
35%以上	0.92	0.95	0.98	0.88	0.91	0.94
40%以上	0.90	0.93	0.97	0.85	0.88	0.92
45%以上	0.87	0.91	0.95	0.82	0.85	0.90
50%以上	0.84	0.89	0.93	0.79	0.82	0.87
55%以上	0.80	0.87	0.90	0.75	0.78	0.83
60%以上	0.76	0.84	0.86	0.70	0.73	0.78
65%以上	0.70	0.75	0.80	0.60	0.65	0.70

〔想定整形地の取り方の具体例〕

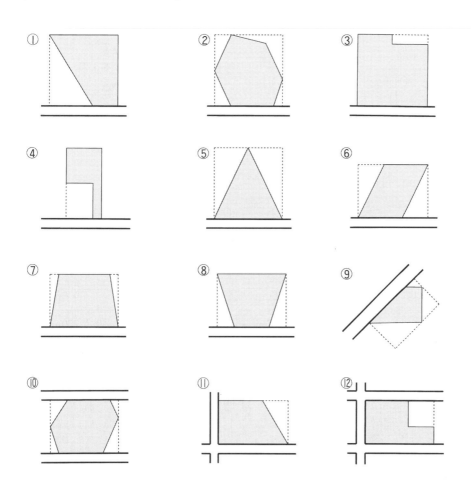

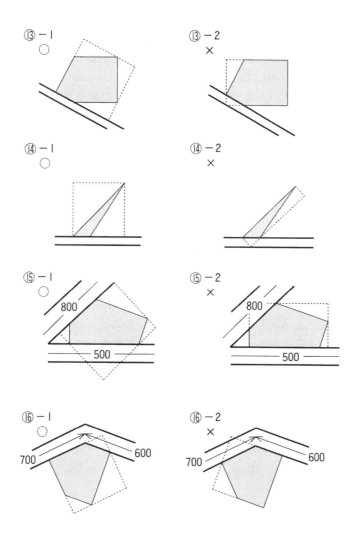

⑬ー1 ○ | ⑬ー2 ×

⑭ー1 ○ | ⑭ー2 ×

⑮ー1 ○ | ⑮ー2 ×

800　500

⑯ー1 ○ | ⑯ー2 ×

700　600

※　上記の⑬から⑯までは、ー1の例（○）が相当、ー2の例（×）は不相当。

　また、次図のように屈折路に接する不整形地に係る想定整形地は、いずれかの路線からの垂線によって（次図イ、ロ）又は路線に接する両端を結ぶ直線によって（次図ハ）、評価しようとする宅地の全域を囲む長方形又は正方形のうち、最も面積の小さいものとします。したがって、次図の場合には、ハが想定整形地となります。

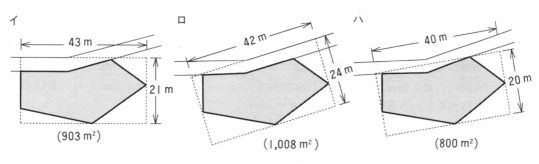

イ　43 m　21 m　（903 m²）

ロ　42 m　24 m　（1,008 m²）

ハ　40 m　20 m　（800 m²）

なお、次の図のような帯状部分Aを有する宅地（その帯状部分を除くと整形地となるような宅地）については、帯状部分Aとその他の部分Bに区分して奥行価格補正等の画地調整を行って評価し、不整形地としての評価減は行いません。

　その理由は、一般的にA地があることにより全体を不整形地補正率を適用して評価したときのB地の評価額は、A地の部分がない場合のB地の評価額を下回ることとなりますが、これはA地の部分があることによって、B地の土地としての価値が上がることはあっても、下がることは不合理と考えられるためです。

　また、大工場地区にある不整形地は、原則として不整形地補正はできませんが、地積がおおむね9,000㎡程度までのものは、中小工場地区の区分による不整形地補正ができます。

ロ　不整形地補正率を適用するための評価対象地の評価額の計算方法

　不整形地補正率を適用するための評価対象地の評価額を計算する際には、通常の宅地の評価と異なり、奥行価格補正率、側方路線影響加算率及び二方路線影響加算率だけを適用し、間口狭小補正率及び奥行長大補正率は適用しません。

①　区分した整形地を基として評価する場合

　不整形地であっても、これを区分して整形地が得られるものについては、次の(ⅰ)又は(ⅱ)のいずれかによって評価します（実務としては、いずれか有利なほうを選択）。

（ⅰ）　全体を評価する方法

　　次の②で説明する平均的な奥行距離によって全体を評価します。

（ⅱ）　区分して計算する方法

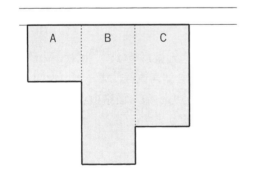

　　　　A、B、Cをそれぞれ1区分として評価したものを合計します。区分したA、B、Cについては、間口狭小補正、奥行長大補正は適用しません。

　　　　側方路線がある場合には、区分されたA、B、Cのそれぞれに側方路線影響加算を行います。

　　　　この場合の側方路線からの奥行距離は、ABC全体を評価する場合の奥行距離とします。

②　平均的な奥行距離を基として評価する場合

　次の不整形地のように奥行距離が一様でないものは、平均的な奥行距離（不整形地に係る想定整形地の奥行距離（次図の④）を限度として、その不整形地の面積をその間口距離で除して得た数値（次図の回））によります。

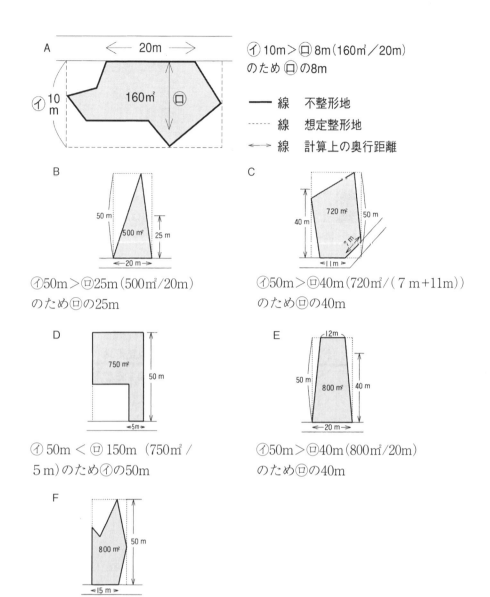

A

← 20m →

160㎡

イ 10m

ロ

イ 10m ＞ ロ 8m（160㎡／20m）
のため ロ の8m

━━━ 線　不整形地
┈┈┈ 線　想定整形地
←→ 線　計算上の奥行距離

B

50 m

500 ㎡

25 m

← 20 m →

イ50m ＞ ロ25m（500㎡／20m）
のため ロ の25m

C

720 ㎡

40 m

50 m

7 m

←11m→

イ50m ＞ ロ40m（720㎡／（7 m ＋11m））
のため ロ の40m

D

750 ㎡

50 m

←5m→

イ 50m ＜ ロ 150m（750㎡／
5 m）のため イ の50m

E

12m

50 m

800 ㎡

40 m

← 20 m →

イ50m ＞ ロ40m（800㎡／20m）
のため ロ の40m

F

800 ㎡

50 m

← 15 m →

イ 50m ＜ ロ 53.3m（800㎡
／15m）のため イ の50m

③　近似する整形地（近似整形地）を基として評価する場合

　次の例のように、近似する整形地に引き直せるような不整形地については、その引き直した整形地について奥行価格補正率、側方路線影響加算率及び二方路線影響加算率を適用して計算します。

　なお、29ページのイ②の場合の想定整形地は評価対象地の画地全体を囲む、正面路線に面する長方形又は正方形の土地をいうのに対し、ここでいう近似する整形地は一部がはみ出してもかまいませんから、近似整形地からはみ出す不整形地の部分の地積と近似整形地に含まれる不整形地以外の部分の地積がおおむね等しく、かつ、その合計地積ができるだけ小さくなるように求めた整形地をいいます。

| —— | 線 | 不整形地 |
| ----- | 線 | 近似整形地 |

④　全体の整形地から隣接する整形地を控除する方式で求める場合

　次図のように近似整形地（①）を求め、隣接する整形地（②）と合わせて全体の整形地の価額の計算をしてから、隣接する整形地（②）の価額を差し引いた価額を基として計算します。

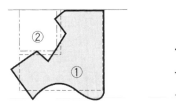

——	線	不整形地
-----	線	近似整形地
—・—	線	隣接する整形地

　また、近似整形地を求める場合に限らず、上図のようなカギ型の不整形地については、上記のとおり全体の価額から隣接する整形地の価額を差し引く、いわゆる"中抜き方式"で計算することができます。

　以上、路線価地域にある不整形地について説明しましたが、倍率方式を適用する地域内にある不整形地については、宅地の個別事情はすべて固定資産税評価額に織り込まれていますので、あらためて不整形であることによる斟酌は行いません。

（9）無道路地

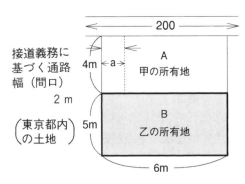

　無道路地とは、一般には道路に直接接していない土地をいいますが、財産評価に当たっては、私道により公道に通ずることのできるものを間口が狭小な宅地（袋地）、そうでないものを無道路地と区別します。

　また、道路に接していても接道義務を満たしていない宅地も無道路地と同様の評価を行います。

　この接道義務とは、建築基準法その他の法令において規定されている建築物を建築するために必要な道路に接すべき最小限の間口距離の要件をいいます。

　無道路地（上の図のB）の価額は、不整形地としての補正を行った後の価額から、無道路地としての斟酌額（不整形地の補正を行った後の価額の100分の40の範囲内において相当と認める金額）を控除して評価します。

　具体的には、まず、B地と、B地と道路の間にある宅地（A地）によって作られる想定

整形地（Ａ＋Ｂ）に基づいて不整形地としての評価を行います。この際の間口距離は、接道義務に基づく通路幅（図のａ）とします。

　次に、この価額から、「100分の40の範囲内において相当と認める金額」を控除することになりますが、この金額は接道義務に基づき最小限度の通路を設けるとした場合の、その通路に相当する面積の評価額（路線価に面積を乗じた価額とし、画地調整はしない）とします。また、不整形地補正を行う際は、不整形地補正率表の補正率に間口狭小補正率を乗じて不整形地補正率を求める計算に当たっては、無道路地が接道義務に基づく最小限度の間口距離を有するものとして間口狭小補正率を適用します。

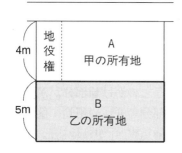

　また、乙がＡ地を通行する権利（地役権）をもっている場合には、Ｂ地は間口が狭小な宅地（袋地）として評価します。

　例えば34ページの図のＢ地（東京都内にあるとする）については、次のように計算します。

　道路までの距離が４ｍの場合の接道義務による道路幅は、下記〔参考〕の東京都建築安全条例の場合により２ｍになります（Ｂ地上の建物の床面積は45㎡とする）。

　奥行距離９ｍ（４ｍ＋５ｍ）、間口距離２ｍ、普通住宅地区における奥行長大補正率は0.94

　間口狭小補正率は0.90、かげ地割合は（54㎡－30㎡）÷54㎡≒0.444で、地区区分が普通住宅地区の地積区分Ａの場合、かげ地割合が40％以上の不整形地補正率は0.85になり、間口狭小補正と奥行長大補正があるため、

　　0.85×0.9＝0.76（小数点第２位未満切捨て）
　　0.94×0.9＝0.84（小数点第２位未満切捨て）
　　0.76＜0.84　　で、不整形地補正率は0.76になります。

　通路に相当する面積の評価額は、200,000円×２ｍ×４ｍ＝1,600,000円（147,440円×30m²×40％＝1,769,280円＞1,600,000円）となり、Ｂ地の評価額は、

　　200,000円×0.97（奥行価格補正率）＝194,000
　　194,000円×0.76（不整形地補正率）＝147,440
　　147,440円×30㎡－1,600,000円＝<u>2,823,200円</u>　となります。

◆　　　　　　　◆　　　　　　　◆

〔**参考**〕接道義務（大阪府建築基準法施行条例の場合）
　　●一般住宅の場合の通路幅　　２ｍ
　　●学校、病院、映画館、ホテル・共同住宅等（大阪府建築基準法施行条例第７条にいう特殊建築物）
　　　の場合の通路幅　　４ｍ
　接道義務（東京都建築安全条例の場合）
　　●住宅、長屋、事務所、小規模の飲食店等
　　　・総床面積が200㎡以下で、道路までの距離が20ｍ以下　　　２ｍ
　　　　　　　　　　　　　　　　道路までの距離が20ｍ超　　　　３ｍ
　　　・耐火建築物及び準耐火建築物以外の建物で、総床面積が200㎡超の場合で、

道路までの距離が20m以下　　　3m

道路までの距離が20m超　　　　4m

- 大規模建築物
  - ・総床面積1,000㎡超　2,000㎡以下　　　6m
  - ・総床面積2,000㎡超　3,000㎡以下　　　8m
  - ・総床面積3,000㎡超　　　　　　　　　10m
- 特殊建築物（学校、病院、百貨店、旅館、共同住宅、工場等）
  - ・総床面積　500㎡以下　　　　　　　　4m
  - ・総床面積　500㎡超　1,000㎡以下　　　6m
  - ・総床面積1,000㎡超　2,000㎡以下　　　8m
  - ・総床面積2,000㎡超　　　　　　　　　10m

（10）がけ地補正

　がけ地補正は、評価地内にがけ地等で通常の用途に供することができないと認められる部分がある場合に評価額が減算されることをいい、その宅地のうちのがけ地部分ががけ地でないとした場合の価額に、その宅地の総地積に対するがけ地部分等通常の用途に供することができないと認められる部分の地積の割合に応じてがけ地補正率（「がけ地補正率表」に定める補正率）を乗じて算定します。

　例えば、次のＨ地のような場合です。

　なお、がけ地とは、一般に傾斜度が30度以上である急傾斜地のことをいいます。

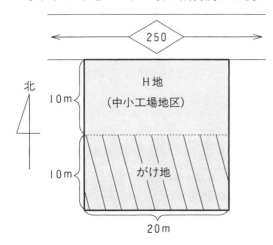

　がけ地が多いと利用価値が下がるため、その割合が著しくなるほど評価額が低くなるという考え方です。

　Ｈ地（斜線部分が南に向って下がっている）のがけ地補正率は、がけ地面積（10m×20m＝200㎡）÷総面積（20m×20m＝400㎡）＝0.5で南斜面のがけ地となっているため、次の「がけ地補正率表」から「0.82」になります。

【がけ地補正率表】

がけ地地積／総地積＼がけ地の方位	南	東	西	北
0.10以上	0.96	0.95	0.94	0.93
0.20以上	0.92	0.91	0.90	0.88
0.30以上	0.88	0.87	0.86	0.83
0.40以上	0.85	0.84	0.82	0.78
0.50以上	0.82	0.81	0.78	0.73
0.60以上	0.79	0.77	0.74	0.68
0.70以上	0.76	0.74	0.70	0.63
0.80以上	0.73	0.70	0.66	0.58
0.90以上	0.70	0.65	0.60	0.53

土地評価単価＝250千円×1.00×0.82＝205千円

土 地 評 価 額 ＝205千円×（10m＋10m）×20m＝82,000千円

　なお、がけ地の方位については、次の①～③によります。

①　がけ地の方位は、斜面の向きによって判定します。

②　２方位以上のがけ地がある場合は、次の算式により計算した割合をがけ地補正率とします。

$$\dfrac{\left[\begin{array}{l}\text{総地積に対するがけ地部}\quad\text{A方位の}\quad\text{総地積に対するがけ地部}\quad\text{B方位の}\\ \text{分の全地積の割合に応ず}\times\text{がけ地の}+\text{分の全地積の割合に応す}\times\text{がけ地の}+\cdots\cdots\\ \text{るA方位のがけ地補正率}\quad\text{地積}\qquad\text{るB方位のがけ地補正率}\quad\text{地積}\end{array}\right]}{\text{がけ地部分の全地積}}$$

③　がけ地補正率表に定められた方位に該当しない「東南斜面」などについては、がけ地の方位の東と南に応ずるがけ地補正率を平均して求めます。なお、「北北西」のような場合には、「北」のみの方位によることとしても差し支えありません。

(11)　特別警戒区域補正

　課税時期において、土砂災害防止法の規定により指定された特別警戒区域内にある宅地については、その宅地のうちの特別警戒区域内となる部分が特別警戒区域内となる部分でないものとした場合の価額に、その宅地の総地積に対する特別警戒区域内となる部分の地積の割合に応じて、下記の「特別警戒区域補正率表」に定める補正率を乗じて計算した価額によって評価します。

　なお、特別警戒区域内にある宅地に、がけ地補正の対象となるがけ地が含まれている場合には、「特別警戒区域補正率」に「がけ地補正率」を乗じて得た数値を、特別警戒区域補正率とします（ただし、乗じて得た数値の最小値は0.50とする。小数点以下２位未満切捨て）。

　　○　特別警戒区域補正率表

特別警戒区域の地積 ÷ 総地積	補正率
0.10以上	0.90
0.40 〃	0.80
0.70 〃	0.70

　　　特別警戒区域内にある宅地が倍率地域にある場合には、特別警戒区域の指定による土地価格への影響を固定資産税評価額に反映させることとされているため「土砂災害特別区域内にある宅地の評価」の適用対象とはしません。

(12)　画地調整のまとめ

　以上の画地調整の手順をまとめると次のようになります。

		路線数	分　類	評価単価の計算式
I	①	1	－	正面路線価×奥行率
	②	2	正面と側方	①　＋　側方路線価×奥行率×側方率
	③	2	正面と裏面	①　＋　裏面路線価×奥行率×二方率
	④	3	正面と２側方	②　＋　側方路線価×奥行率×側方率
	⑤	3	正面と裏面と１側方	②　＋　裏面路線価×奥行率×二方率
	⑥	4	正面と裏面と２側方	④　＋　裏面路線価×奥行率×二方率

	特　徴	評価単価の計算式
Ⅱ	間口が狭い	単価＝Ⅰの単価×間口狭小補正率
	間口に比べて奥行が長い	単価＝Ⅰの単価×奥行長大補正率
	不整形である	単価＝Ⅰの単価×不整形地補正率（注）
	道路に直接接していない	単価＝Ⅰの単価×無道路地補正率
	がけ地がある	単価＝Ⅰの単価×がけ地補正率
	土砂災害特別警戒区域内にある	単価＝Ⅰの単価×特別警戒区域補正率
Ⅲ	評価額＝Ⅰ・Ⅱで算出した評価単価×地積	

奥行価格補正率→奥行率、二方路線影響加算率→二方率、側方路線影響加算率→側方率、と略して記載。
（注）　ビル街地区は、不整形補正を行わないため除きます。

５ 特殊な状況における宅地の評価

　以上、通常の場合の宅地の評価の方法を説明しましたが、実際には土地の利用状況や土地の形状には様々なものがあります。以下では、個別の土地の利用状況や土地の形状ごとに基本的な評価方法を説明します。

（1）私道の用に供されている宅地

　私道の用に供されている宅地は、その私道の利用状況によって次のように評価します。

①　特定の者の通行の用に供される私道……その私道を１画地として評価した価額の30％。ただし、特定路線価の付されている私道については、特定路線価の30％の価額で評価することができます。

②　不特定多数の者の通行の用に供される私道……評価しません（零と評価する）。

　この場合、「不特定多数の者の通行の用に供される私道」とは、公道から公道へ通り抜けのできる私道のほか、行き止まり私道であっても、その私道を通行して公共施設や商店街等に出入りされている場合や私道の一部に公共バスの転回場や停留所が設けられている場合など、その私道に面する建物の利用者以外の者の通行の用にも供されているような、ある程度の公共性が認められるものであると考えられます。

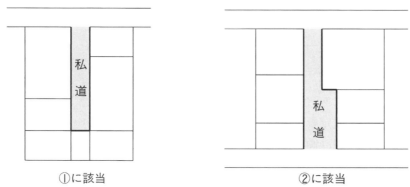

①に該当　　　　　　　　　　　②に該当

　なお、マンションやビルにおいて、一定の要件（下記㋐から㋒）を満たす「歩道状空地」の用に供されている宅地については、上記②に該当するものとして零として評価します。

㋐　都市計画法所定の開発行為の許可を受けるために、地方公共団体の指導要綱等を踏まえた行政指導によって整備されたものであること

㋑　道路に沿って、歩道としてインターロッキングなどの舗装が施されたものであること

㋒　居住者や入居者以外の第三者による自由な通行の用に供されていること

また、次のようにA、Bの所有者がBを使用する際にA部分を通路としている場合は、A部分は私道ではなく、A＋Bを自用地として一体評価することになります。

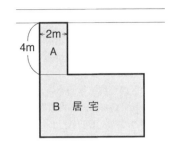

（2）路線価の付されていない私道に接する宅地

〈図①〉

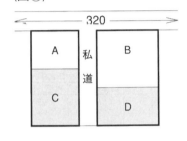

〈図②〉

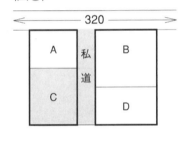

(ⅰ) 路線価地域内において、路線価の設定されていない道路のみに接している宅地（C、D）を評価する場合は、その道路を路線とみなしてその宅地（C、D）を評価するための路線価（「特定路線価」という）を税務署に申し出て（81ページ参照）、設定してもらい、その金額を基に評価額を計算します（特定路線価は、原則として建築基準法上の道路等に設定するものなので、当該私道がこれに当たらない場合には(ⅱ)により評価する）。

(ⅱ) また、特定路線価を設定するのではなく、**図②**（Cの場合）の▩のような１つの宅地として、不整形地の評価方法を適用して計算する方法も認められます（**【事例48】**参照）。

　ただし、路線価の付された道路沿いの地域と評価対象地Cの地区区分が異なるなど、この方法による評価が実情に合わない等、課税上弊害があると思われる場合は、特定路線価の設定を申請して評価してもらった金額を基に評価します。

(ⅲ) また、A、Bについては、表道路と私道に接しているからといって、特に土地の効用が高まるわけではないので、側方路線影響加算を行う必要はありません（なお、この私道が通り抜けの私道である場合には、側方路線影響加算などの調整を行う必要がでてくるケースがある）。

　また、この場合の私道の価額は、原則として私道部分を１画地として正面路線価に奥行価格補正率・間口狭小補正率・奥行長大補正率の画地調整を行った金額の100分の30相当額となりますが、特定路線価を設定した場合は、これらの画地調整を行わず、特定路線価の100分の30相当額を基に計算した金額を評価額とすることができます。

（3）土地区画整理事業中の宅地

　土地区画整理事業中の宅地の価額については、仮換地の指定がある場合は、当該仮換地を通常の方法で評価した、その仮換地の価額に相当する価額で評価し、仮換地の指定がない場合は従前の土地の価額で評価します(注)。

　ただし、その仮換地の造成工事が施行中で、当該工事が完了するまでの期間が１年を超えると見込まれる場合には、その利用上の制限を考慮して、その仮換地について造成工事が完了したものとして評価した価額の100分の95に相当する価額によって評価します。

　また、換地処分により、清算金が発生する場合で、課税時期において確実と見込まれる

ものがある場合には、徴収されるものは仮換地の価額から控除し、交付されるものは仮換地の価額に加算したものが評価額となります。

（注）　仮換地が指定されている場合であっても、次の事項のいずれにも該当するときには、従前の宅地の価額により評価します。
① 土地区画整理法第99条第2項の規定により、仮換地について使用又は収益を開始する日を別に定めるとされているため、当該仮換地について使用又は収益を開始することができないこと
② 仮換地の造成工事が行われていないこと

なお、土地区画整理事業中の場合に、路線価図・評価倍率表に「個別評価」「個別」と表示されていることがあります。この場合には、先の特定路線価の申請と同じように、評価する宅地の存する所轄の税務署に対して「個別評価申出書」（83ページ参照）を提出して評価してもらった金額を基に評価します。

市区町村名：茨木市　　　　　　　　　　　　　　　　　　　　　　　　　　　　茨木税務署

音順	町（丁目）又は大字名	適用地域名	借地権割合	固定資産税評価額に乗ずる倍率等						
				宅地	田	畑	山林	原野	牧場	池沼
			％	倍	倍	倍	倍	倍	倍	倍
ふ	福井	市街化区域		個別	個別	個別	個別	個別	―	―
		1　彩都東部地区A・C区域土地区画整理事業区域								
		2　上記以外の区域	50	1.1	比準	比準	比準	比準	―	―
		市街化調整区域								

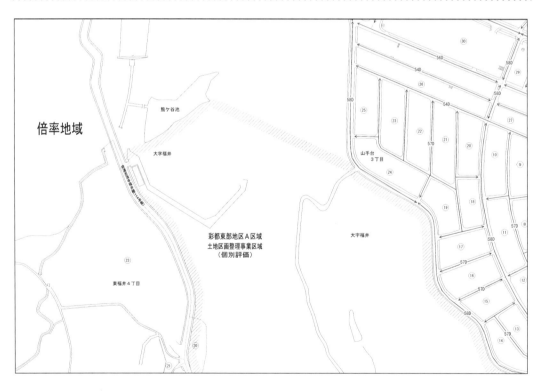

倍率地域

熊ケ谷池

大字福井

彩都東部地区A区域
土地区画整理事業区域
（個別評価）

東福井4丁目

山手台
3丁目

大字福井

（4）造成中の宅地

　造成中の宅地の価額は、その土地の造成工事着手直前の地目により評価した課税時期における価額に、その宅地の造成に要する費用現価の100分の80に相当する金額を加算した金額によって評価します。

　基本的には、造成前の状態で路線価が設定されていることはまれでしょうから、倍率方式により評価（固定資産税評価額×倍率）して、造成費用を加算することになります。

　この場合の造成に要する費用現価とは、課税時期までに投下した埋立費、土盛費、土止費、地ならし費等の造成費用の額を、課税時期の物価水準に修正した金額をいいます。

（5）道路との間に水路がある宅地

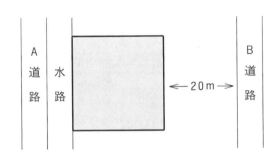

　道路との間に河川又は水路がある宅地の評価は、河川又は水路の幅によって評価の方法が異なります。

　例えば、水路に暗きょ（板や網状のフタ）が設けられており、A道路から地続きで使用できる場合や、簡易に暗きょ等が設けられる程度の水路幅であるような場合には、A道路から奥行価格補正を行って評価します。

　次に、橋等を架設しなければならないような水路幅である場合には、その宅地を無道路地として、A道路を基に無道路地としての斟酌を行いますが、この斟酌は橋の架設費用相当額（不整形地の補正を行った後の価額の40％を限度）とします。

　最後に、橋等を容易に架設することが困難であると認められるような水路幅である場合や、水路に橋等を架けることが法令等で禁止されている場合には、B道路を基に無道路地としての評価を行います。

（6）共同ビルの敷地

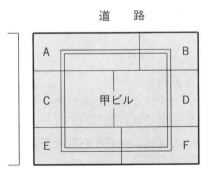

　左の図のように、ABCDEFが所有する土地に全員が共同してビルを建設し、借地権がお互いに発生しない場合には、ABCDEFの土地全体を1画地の宅地として評価した価額に、各土地の価額の比を乗じた金額により評価します。

　この場合、各土地の価額の比は次の算式によって計算します。

$$価額の比 = \frac{各土地ごとに分けて評価した価額}{各土地ごとに分けて評価した価額の合計額}$$

（7）マンション用地

①　令和5年12月31日以前に相続・遺贈又は贈与により取得したか、令和6年1月1日以後に相続・遺贈又は贈与により取得したが下記②の適用がないもの。

　マンションの敷地の用に供されている宅地の価額は、その敷地全体を1画地の宅地として評価し、その価額にその所有者の共有持分の割合を乗じた金額で評価します。

ただし、マンションの敷地に公衆化している道路や公園等があり、建物の専有面積に対する共有持分に応ずる敷地面積が広大になるためこの評価方法は不適当であると認められる場合には、その道路や公園等を除外して評価することも認められます（38ページ **(1)** 参照）。

　一団のマンション群に所在するマンションの敷地を評価する場合には、まず法務局で、登記簿謄本、建物図面及び測量図等で敷地権となっている宅地がどこまでの範囲であるかを確認します。下記事例でA棟のマンションの一室を所有しているケースにおいて、①の場合には、A棟B棟の敷地全体が敷地権となっていますので、A地B地全体を1画地として評価します。これに対し②の場合はA棟の敷地のみが敷地権となっていますので、A地を1画地として評価します。

① 　1つの敷地にA棟とB棟が建っている場合（敷地権割合34,560/10,000,000）

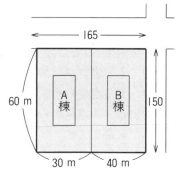

$$165{,}000円 \times \overset{（奥行価格補正）}{0.86} = 141{,}900円$$

$$141{,}900円 + (150{,}000円 \times \overset{（奥行価格補正）}{0.84}$$

$$\times \overset{（側方路線加算）}{0.03}) = 145{,}680円$$

145,680円 × 4,200㎡ = 611,856,000円

611,856,000円 × 34,560/10,000,000

= 2,114,574円

② 　A地にA棟が、B地にB棟が建っている場合（敷地権割合80,640/10,000,000）

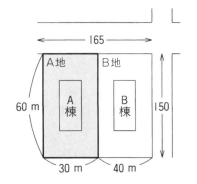

$$165{,}000円 \times \overset{（奥行価格補正）}{0.86} \times \overset{（奥行長大補正）}{0.98}$$

= 139,062円

139,062円 × 1,800㎡ = 250,311,600円

250,311,600円 × 80,640/10,000,000

= 2,018,512円

② 　令和6年1月1日以後に相続・遺贈又は贈与により取得したもの

　いわゆるタワマン訴訟の結果を受けて、従来のマンション評価によると戸建住宅等と比べて課税上弊害があるとして、令和5年9月28日に通達が発遣されました。

　新しい評価では、上記の①により計算した敷地利用権の価額に区分所有補正率を乗じた金額を評価額とします。

　区分所有補正率は、評価乖離率、評価水準を用いて計算しますが、実際の計算は「居住用の区分所有財産の評価に係る区分所有補正率の計算明細書」（44ページ）に、築年数や総階数、所在階、専有部分の面積、敷地の面積、敷地権の割合を記入し、記載された計算式に従って算出します。

（本通達の適用対象となるもの）

　課税時期において現に事務所として使用している場合であっても、構造上、主として居住の用途に供するものであれば、「居住の用」に供するものとして適用対象となります。

また、いわゆるタワーマンションでない普通のマンションであっても、その多くが適用対象となります。

（本通達の適用対象にならないもの）

- 一棟所有の賃貸マンション等、区分建物の登記がされていないもの
- 事業用のテナント物件
- 地階を除く階数が2以下のもの（2階建て以下の低層マンション等）
- 居住の用に供する専有部分一室の数が3以下であって、その全てを区分所有者又はその親族の居住の用に供するもの

（8）貸宅地

① 借地権又は地上権の目的となっている宅地（定期借地権等の目的となっている宅地については66ページの（33）を参照）

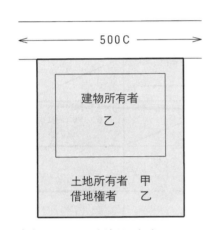

借地権又は地上権の目的となっている宅地の価額は自用地としての価額から、借地権の価額又は地上権の価額を控除した金額によって評価します。

借地権の価額は、自用地としての価額にその宅地の存する地域について定められた借地権割合を乗じた金額によって評価することになります。

借地権の価額＝自用地としての価額×借地権割合

貸宅地の価額＝自用地としての価額－借地権の価額

＝自用地としての価額×（1－借地権割合）

ただし、貸宅地割合が定められている地域においては、自用地としての価額にその貸宅地割合を乗じた金額によって評価します。

貸宅地の価額＝自用地としての価額×貸宅地割合

なお、借地権の取引慣行がない地域においては借地権の価額は評価しませんが、貸宅地の価額は上記の計算によらず、自用地としての価額の80％で評価します（現に、他人の家屋が建っていることによる借地借家法の制限があるとの考えによる）。

自用地としての価額1億円、借地権割合70％とすると、

借地権の価額＝1億円×70％＝7,000万円

貸宅地の価額＝1億円×（1－0.7）＝3,000万円

となります。

ただし、一時使用のための借地権（建設現場、博覧会場、一時的興行場等その性質上、一時的な事業に必要とされる臨時的な設備を所有することを目的とする借地権）の価額は、通常の借地権と同様に評価することは適当ではないため、雑種地の賃借権の評価方法と同様に、次の計算式により評価します。

(ア) 地上権に準ずる権利として評価することが相当と認められるもの

自用地としての価額×残存期間に応じた地上権割合と借地権割合のいずれか低い方の割合

(イ) (ア)以外のもの

自用地としての価額×残存期間に応じた地上権割合×1／2

また、地上権（建物の所有を目的とする地上権〔借地権〕及び民法第269条の2の規定による区分地上権を除く）については、地上権が設定されていないものとした場合の価額に、

【居住用の区分所有財産の評価に係る区分所有補正率の計算明細書】

居住用の区分所有財産の評価に係る区分所有補正率の計算明細書

（ 住 居 表 示 ） 所 在 地 番	（　　　　　　　　　　　　　　　　　　　　　　　　　　）	（令和六年一月一日以降用）
家 屋 番 号		

区分所有補正率の計算	A	① 築年数（注１）　　　　　　年			①×△0.033
	B	② 総階数（注２）　　　　　　階	③ 総階数指数（②÷33） （小数点以下第４位切捨て、1を超える場合は1）		③×0.239 （小数点以下第４位切捨て）
	C	④ 所在階（注３）　　　　　　階			④×0.018
	D	⑤ 専有部分の面積　　　　　㎡	⑥ 敷地の面積　　　　　　　㎡	⑦ 敷地権の割合（共有持分の割合） ―――――――――	
		⑧ 敷地利用権の面積（⑥×⑦） （小数点以下第３位切上げ）　㎡	⑨ 敷地持分狭小度（⑧÷⑤） （小数点以下第４位切上げ）		⑨×△1.195 （小数点以下第４位切上げ）
	⑩　評価乖離率（A＋B＋C＋D＋3.220）				
	⑪　評 価 水 準 （ 1 ÷ ⑩ ）				
	⑫　区 分 所 有 補 正 率（注４・５）				
備考					

(注1)　「① 築年数」は、建築の時から課税時期までの期間とし、1年未満の端数があるときは1年として計算します。

(注2)　「② 総階数」に、地階（地下階）は含みません。

(注3)　「④ 所在階」について、一室の区分所有権等に係る専有部分が複数階にまたがる場合は階数が低い方の階とし、一室の区分所有権等に係る専有部分が地階（地下階）である場合は0とします。

(注4)　「⑫ 区分所有補正率」は、次の区分に応じたものになります（補正なしの場合は、「⑫ 区分所有補正率」欄に「補正なし」と記載します。）。

区　　　　　　分	区 分 所 有 補 正 率※
評 価 水 準 ＜ 　　0.6	⑩ × 0.6
0.6 ≦ 評 価 水 準 ≦ 1	補正なし
1 ＜ 評 価 水 準	⑩

※　区分所有者が一棟の区分所有建物に存する全ての専有部分及び一棟の区分所有建物の敷地のいずれも単独で所有（以下「全戸所有」といいます。）している場合には、敷地利用権に係る区分所有補正率は1を下限とします。この場合、「備考」欄に「敷地利用権に係る区分所有補正率は1」と記載します。

ただし、全戸所有している場合であっても、区分所有権に係る区分所有補正率には下限はありません。

(注5)　評価乖離率が0又は負数の場合は、区分所有権及び敷地利用権の価額を評価しないこととしていますので、「⑫ 区分所有補正率」欄に「評価しない」と記載します（全戸所有している場合には、評価乖離率が0又は負数の場合であっても、敷地利用権に係る区分所有補正率は1となります。）。

（資4－25－4－A4統一）

その権利の残存期間に応じて、次の表に掲げる地上権割合を乗じて計算した金額によって評価します。

地上権の価額＝自用地としての価額×地上権割合

貸宅地の価額＝自用地としての価額－地上権の価額

＝自用地としての価額×（1－地上権割合）

残存期間	地上権割合	残存期間	地上権割合
10年以下	5％	30年超35年以下	50％
10年超15年以下	10％	35年超40年以下	60％
15年超20年以下	20％	40年超45年以下	70％
20年超25年以下	30％	45年超50年以下	80％
25年超30年以下	40％	50年超	90％

存続期間の定めのない地上権については、地上権割合は40％とします。

② 使用貸借で貸している宅地

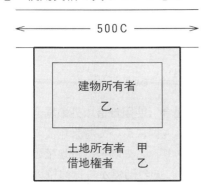

500C

建物所有者
乙

土地所有者　甲
借地権者　乙

甲は、乙にその所有する土地を使用貸借により貸し付けています。

使用貸借とは、当事者の一方が無償で使用及び収益をした後、返還することを約して相手方よりあるものを受け取ることをいい、土地の固定資産税相当額以下の少額の地代で貸している場合等もこれに該当します。

使用貸借に係る使用権の価額は零として取り扱いますので、甲所有の土地は、たとえ乙の建物が存在しても、借地権の価額を控除せず自用地としての価額で評価します。ただし、昭和48年11月1日より前に使用貸借を開始し、その時点で借地権相当額の課税が行われている場合には例外があります（【事例75、76】参照）。

③ 相当の地代を収受している場合の宅地

借地権の設定に際し、その設定の対価として通常権利金その他の一時金を支払う取引上の慣行のある地域において、当該権利金の支払に代えて、相当の地代を支払うことがあります。

この場合には、借地権の設定はなかったものとして取り扱われますが、相当の地代設定時以降土地の価額は変動しますが、土地価額が上昇した場合には、評価時点においては相当の地代と実際に収受している地代とに差が生じている場合があります。そこで、貸宅地及び借地権の価額は、相続開始時、贈与時又は地価税の課税時期において、実際に収受している地代が相当の地代であるかどうかにより次のように計算します。

㋑ 相当の地代である場合

貸宅地の価額……自用地としての価額の80％で評価

借地権の価額……零（評価しない）

ただし、その土地所有者が、同族関係者となっている同族会社に貸している場合において、その同族会社の株式の評価において純資産価額を算定する際は、借地権の価額は零としないで、貸宅地を評価するときに控除した自用地としての価額の20％相当額とします。

㈡　相当の地代に満たない地代である場合

　　貸宅地の価額……自用地としての価額−次の借地権の価額（ただし、計算した金額が自用地としての価額の80％を超えるときは自用地としての価額の80％で評価する）

　　借地権の価額……次の算式により計算した価額

$$
\begin{array}{l}
自用地とし \\
ての価額
\end{array} \times 借地権割合 \times \left[1 - \cfrac{\dfrac{実際支払地代}{の年額} - \dfrac{通常の地代}{の年額}}{\dfrac{相当の地代}{の年額} - \dfrac{通常の地代}{の年額}} \right]
$$

（注１）　相当の地代の年額＝課税時期の属する年以前３年間の自用地としての価額の平均額×６％

（注２）　通常の地代の年額＝課税時期の属する年以前３年間の（自用地としての価額−借地権の価額）の平均額×６％

　　自用地としての価額１億円、実際の地代200万円、通常の地代100万円、相当の地代500万円、借地権割合80％とすると、

　　　貸宅地の価額＝１億円−6,000万円（借地権の価額）＝4,000万円＜１億円×80％＝8,000万円のため4,000万円となります。

　　　借地権の価額＝１億円×80％×$\left[1 - \dfrac{200万円 - 100万円}{500万円 - 100万円} \right]$＝6,000万円

④　「土地の無償返還に関する届出書」が提出されている場合（使用貸借以外の場合）

　　「土地の無償返還に関する届出書」は、土地所有者と借地人間において将来無償で借地権を返還することを約し、これを税務署に届け出たものであり、この場合の借地権の価額は零として扱いますが、宅地の評価に当たっては自用地としての価額から借地権の価額（零）を差し引くのではなく、自用地としての価額の100分の80に相当する金額によって評価します。これは、②の使用貸借の場合には宅地が自用地としての価額で評価されることと比較すると、使用貸借はその無償性に起因して建物の所有を目的とする場合であっても借地借家法の適用がないのに対し、使用貸借以外の土地については、借地借家法等の制約を受けることにより、その利用に一定の制限を受けるとの考えによります。

（9）貸家建付地（借家権の目的となっている家屋の敷地の用に供されている宅地）

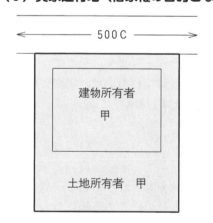

　　土地所有者が建物を建築して、その建物を賃貸している場合は、その建物の敷地は借家人に間接的に使用収益させていることになるため、次の計算式によって計算した価額を自用地としての価額から控除して、貸家建付地として評価します（注）。

　　その宅地の自用地としての価額×借地権割合×借家権割合×賃貸割合

　　このうち、借地権については、借地権が権利金等の名称をもって取引される慣行のない地域にあるものについては評価しないことになっていますが、この貸家建付地の評価の際にはその地域の借地権割合を20％として計算します。

　　また、借家権については、借家権が権利金等の名称をもって取引される慣行のない地域にあるものについても財産評価基準書／評価倍率表の"家屋及び借家権"の項に記載され

ている割合で計算します。

　上記算式の「賃貸割合」は、その貸家に係る各独立部分がある場合に、その各独立部分の賃貸の状況に基づいて、次の算式により計算した割合によります。

$$\frac{\text{(A)のうち課税時期において賃貸され}}{\text{ている各独立部分の床面積の合計}}{\text{その家屋の各独立部分の床面積の合計(A)}}$$

　なお、「各独立部分」とは、建物の構成部分である隔壁、扉、階層（天井及び床）等によって他の部分と完全に遮断されている部分で、独立した出入口を有するなど独立して賃貸その他の用に供することができるもののことをいいます。

　例えば、ふすま、障子又はベニヤ板等の堅固でないものによって仕切られている部分であるとか、階層で区分されていても独立した出入口を有しない部分は、「各独立部分」には該当しません。ただし、外部に接する出入口を有しない部分であっても、共同で使用すべき廊下、階段、エレベーター等の共用部分のみを通って外部と出入りすることができる構造となっているものは、「独立した出入口を有するもの」に該当します。

　「賃貸されている各独立部分」とは、原則として課税時期において現実に貸し付けられていることが必要です。しかし、継続的に賃貸されていた各独立部分で、課税時期において一時的に空室であったと認められるものについては、賃貸されている部分に含むこととすることができます。

　課税時期において一時的に空室であったと認められるかどうかについては、次のような事実関係から総合的に判断することとされています。
① 　各独立部分が課税時期前に継続的に賃貸されてきたものかどうか
② 　賃借人の退去後速やかに新たな賃借人の募集が行われたかどうか
③ 　空室の期間、他の用途に供されていないかどうか
④ 　空室の期間が課税時期前後の例えば１か月程度である等、一時的な期間であるかどうか
⑤ 　課税時期後の賃貸が一時的なものでないかどうか

　なお、賃貸マンションについて、賃貸開始時から一棟を不動産管理会社に一括して貸し付けることとし、空室の有無にかかわらず、不動産管理会社が全室を賃貸した場合の家賃総額の80％相当の賃料を受け取るといった、いわゆるサブリースシステムによる賃貸を行っている場合があります。この場合には、その不動産管理会社が全室の借家権をもっているといえるため、その賃貸マンションの敷地の全部が貸家建付地としての評価ができると考えられます。

　しかし、そのサブリース先が土地所有者個人の同族法人である等、特定の関係があるものに対して賃貸し、その同族法人等での実際の賃貸割合が100％でないといったケースについては、個別に検討する必要があると思われます。

　また、従業員社宅の敷地の用に供されている宅地については、貸家建付地ではなく更地として評価します。これは、社宅の居住者は通常従業員に限られ、その居住権も従業員である期間に限られる等の特殊な関係であり、借地借家法の適用はないとされていることによります。

(注)　野球場、ゴルフ練習場、プール等の構築物の賃貸借については、借地借家法等の法的な権利は生じないため、構築物の賃借人のその敷地に対する権利は評価せず、貸し付けられている構築物の敷地の価額は自用地価額で評価します。

(10) 貸家建付借地権

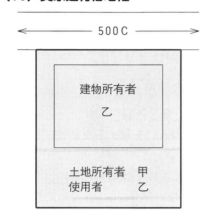

500C

建物所有者
乙

土地所有者　甲
使用者　　　乙

借地人が土地所有者から借りた土地の上に、アパート等を建築し、人に貸している場合、その借地権はアパート等の利用者が間接的に使用収益する分だけ減価しますので、次の算式によって計算した価額を借地権の価額から控除します。

借地権の価額×借家権割合×賃貸割合

自用地としての価額1億円、借地権割合70%、借家権割合30%、賃貸割合100%とすると、

貸家建付借地権の価額＝借地権の価額－借地権の価額×借家権割合×賃貸割合

＝1億円×70%－1億円×70%×30%×100%

＝4,900万円となります。

(11) 転借権（借地権の又借り）

他人が借り受けている宅地を又借りしている場合の権利を、転借権といいます。この転借権はすでに借地権者が有している権利に更に借地権を上乗せするものですから、その評価は次のように借地権の価額に借地権割合を乗じて計算します。

転借権の価額＝借地権の価額×借地権割合

＝自用地としての価額×借地権割合×借地権割合

自用地としての価額1億円、借地権割合70%とすると、

転借権の価額＝1億円×70%×70%＝4,900万円となります。

ただし、転借権が貸家の敷地の用に供されている場合は、次の算式により計算します。

上記算式の転借権の価額(A)－(A)×借家権割合×賃貸割合

借家権割合30%、賃貸割合80%とすると、

4,900万円－4,900万円×0.3×0.8＝3,724万円となります。

(12) 転貸借地権（借地権の又貸し）

他人から借り受けている宅地を他人に転貸している場合の権利を、転貸借地権といいます。この転貸借地権は、借地権の一部が他に移転していると考えられるため、次のように借地権の価額から転借権の価額を控除して計算します。

転貸借地権の価額＝借地権の価額－転借権の価額

＝自用地としての価額×借地権割合－自用地としての価額×借地権割合×借地権割合

＝自用地としての価額×借地権割合×（1－借地権割合）

自用地としての価額1億円、借地権割合70%とすると、

転貸借地権の価額＝1億円×70%×（1－0.7）＝2,100万円となります。

ただし、転貸借地権が貸家の敷地の用に供されている場合は次の算式により計算します。

上記算式の転貸借地権の価額(B)－(B)×借家権割合×賃貸割合

借家権割合30%、賃貸割合80%とすると、

2,100万円－2,100万円×0.3×0.8＝1,596万円となります。

(13) 借家人の有する宅地等に対する権利

借家人は、建物の持主から建物を借りていますが、その利用を通して間接的にその敷地

に対する権利が発生しています。

借家人がその借家の敷地である宅地、その宅地に係る借地権又は転借権に対して有する権利の価額は、その宅地に係る借地権又は転借権の価額に借家権割合及び賃借割合を乗じて、次のように計算します。

① 建物所有者＝宅地所有者の場合

自用地としての価額×借地権割合×借家権割合×賃借割合

② 建物所有者＝借地権者の場合

自用地としての価額×借地権割合×借家権割合×賃借割合

③ 建物所有者＝転借権者の場合

自用地としての価額×借地権割合×借地権割合×借家権割合×賃借割合

④ ①②のケースで、その宅地に区分地上権が設定されている場合

自用地としての価額×借地権割合×（１－区分地上権割合）×借家権割合×賃借割合

⑤ ③のケースで、その宅地に区分地上権が設定されている場合

自用地としての価額×借地権割合×借地権割合×（１－区分地上権割合）×借家権割合×賃借割合

借家権割合は、財産評価基準書の「評価倍率表」の２　土地関係以外の"借家権割合"の項に記載されています。

なお、借家権については、借家権が権利金等の名称をもって取引される慣行のない地域にあるものについては評価しないことになっています。したがって、当然に"借家人の有する宅地等に対する権利"もないことになります。

【借地権等の評価額の算式表】

貸宅地	(自用地としての価額) _____ 円×（1－0._____ (借地権、地上権等の割合) ） = _____ (評 価 額) 円 (注)
貸家建付地	(自用地としての価額) _____ 円×（1－0._____ (借地権割合) ×0._____ (借家権割合) × ._____ (賃貸割合) ） = _____ (評 価 額) 円
借地権	(自用地としての価額) _____ 円×0._____ (借地権割合) = _____ (評 価 額) 円…………………R
貸家建付借地権	(R) _____ 円×（1－0._____ (借家権割合) × ._____ (賃貸割合) ） = _____ (評 価 額) 円
転貸借地権	(R) _____ 円×（1－0._____ (借地権割合) ） = _____ (評 価 額) 円
転借権	(R) _____ 円×0._____ (借地権割合) = _____ (評 価 額) 円

（注）貸宅地割合が定められている場合は自用地としての価額×貸宅地割合＝評価額となります

【借地権等の割合表】（賃貸割合を100%とした場合）

借家権割合	借地権割合	貸宅地割合	貸家建付地割合	貸家建付借地権割合	転貸借地権割合	転借権割合
30 %	90 %	10 %	73 %	63 %	9 %	81 %
	80	20	76	56	16	64
	70	30	79	49	21	49
	60	40	82	42	24	36
	50	50	85	35	25	25
	40	60	88	28	24	16
	30	70	91	21	21	9

（14）区分地上権及び区分地上権の設定されている宅地

　土地の下に鉄道や道路などが走っていると、荷重制限等により、それがない時より利用効率が悪くなります。

　これは逆にみれば、鉄道や道路などの所有者にその土地に対する権利が発生しているわけで、この権利を"区分地上権"といい、次の算式により計算します。

　区分地上権の価額＝自用地としての価額×区分地上権の割合

　区分地上権の設定されている宅地の価額＝自用地としての価額－区分地上権の価額

　なお、区分地上権の割合の計算は「公共用地の取得に伴う損失補償基準細則」別記2《土地利用制限率算定要領》に定める土地利用制限率を基として行います。

　また、地下鉄等のトンネルの所有を目的として設定した区分地上権を評価するときにおける区分地上権の割合は、100分の30とすることができます。

　土地利用制限率（区分地上権の割合）は、具体的には次のように計算します。

階層別利用率

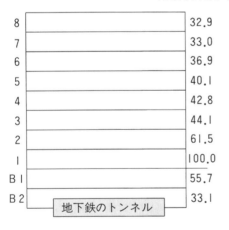

階層	利用率
8	32.9
7	33.0
6	36.9
5	40.1
4	42.8
3	44.1
2	61.5
1	100.0
B1	55.7
B2	33.1

地下鉄のトンネル

【例】
　区分地上権の設定がないとした場合には、地上8階、地下2階のビルが建築できる。
　区分地上権が設定されていることにより、その宅地は地下2階以下が利用できず、また、荷重制限のため4階建のビルしか建築できない（5階から8階までと地下2階が利用できなくなる）。

$$土地利用制限率 = \frac{区分地上権の設定により利用できなくなった部分の階層別利用率の合計}{区分地上権の設定がない場合に建築可能な階層別利用率の合計}$$

【例】の場合の

$$\frac{土地利用}{制限率}=\frac{32.9+33.0+36.9+40.1+33.1}{32.9+33.0+36.9+40.1+42.8+44.1+61.5+100.0+55.7+33.1}=\frac{176}{480.1}$$

$$=0.36659\cdots\fallingdotseq0.367$$

この場合、形式基準の30％と比べると、この計算によるほうが大きいため、区分地上権の計算上は形式基準の30％で、区分地上権が設定されている宅地の評価上は土地利用制限率の約36.7％を使って評価することになります。

したがって、自用地としての宅地の評価額が１億円である場合には、区分地上権の価額及び区分地上権の設定されている宅地の価額は次のように計算されます。

区分地上権＝１億円×30％＝3,000万円

区分地上権の設定されている宅地の価額＝１億円－１億円×$\frac{176}{480.1}$＝63,340,971円

【階層別利用率】

階　　層	Ａ　群	Ｂ　群	Ｃ　群			Ｄ　群
9	32.8		30.0	30.0	30.0	
8	32.9		30.0	30.0	30.0	
7	33.0		30.0	30.0	30.0	
6	36.9	67.4	30.0	30.0	30.0	
5	40.1	70.0	30.0	30.0	30.0	
4	42.8	72.7	30.0	30.0	30.0	
3	44.1	75.4	60.0	30.0	30.0	
2	61.5	79.4	70.0	70.0	30.0	
1	100.0	100.0		100.0		100.0
地下　1	55.7	52.9		60.0		
2	33.1			40.0		

Ａ群は「下階が店舗で上階に行くに従い事務所（例外的に更に上階に行くと住宅となる場合もある。）使用となるもの」

Ｂ群は「全階事務所として使用されているもの」

Ｃ群は「下階が事務所（又は店舗）で、大部分の上階が住宅として使用されているもの」

Ｄ群は「全階住宅に使用されているもの」

と区分して数値を適用します。

なお、この表にない階は、この表の傾向及び実情を勘案の上補足すること、また、この表は各階層の単位面積当たりの指数のため、各階層の床面積が異なるときは、それぞれの指数と当該階層の床面積との積が当該階層の有効指数になること、とされています。

(15) 区分地上権に準ずる地役権及び区分地上権に準ずる地役権の目的となっている宅地

区分地上権に準ずる地役権とは、特別高圧架空電線の架設、高圧のガスを通ずる導管の敷設、飛行場の設置、建築物の建築その他の目的のために地下又は空間について上下の範囲を定めて設定されたもので、建造物の設置を制限するものです。

したがって、このような区分地上権に準ずる地役権及び区分地上権に準ずる地役権の目的となっている宅地の評価額は、次の算式によって計算します。

区分地上権に準ずる地役権の価額

＝建造物の設置が制限される部分の通常の評価額×区分地上権に準ずる地役権の割合

区分地上権に準ずる地役権の目的となっている宅地の価額

　　＝自用地としての価額－区分地上権に準ずる地役権の価額

　区分地上権に準ずる地役権の割合は、その宅地に対する建築制限の内容によって次の割合によることができます。

① 家屋の建築が全くできない場合……50％とその宅地に適用される借地権割合のいずれか高い割合

② 家屋の構造、用途等に制限を受ける場合……30％

　なお、**(14)**、**(15)** の場合において、倍率地域にある宅地で、その宅地の固定資産税評価額が地下鉄のトンネル等の設置や特別高圧架空電線の架設等に基づく利用価値の低下を考慮したものである場合には、その宅地の利用価値の低下がないものとして評価した価額を自用地としての価額として、それぞれの計算を行います。

　この場合に、固定資産税評価額が利用価値の低下を考慮したものであるかどうか及びその宅地の利用価値の低下がないものとして評価した価額については、市町村役場において確認します。

(16) 土地の上に存する権利が競合する場合の宅地等（その１）
──借地権と区分地上権又は借地権と区分地上権に準ずる地役権が競合する場合

　借地権と区分地上権又は借地権と区分地上権に準ずる地役権が競合する場合とは、具体的には借地権の目的となっている宅地の下を地下鉄のトンネルが通っている場合や、借地権の目的となっている宅地の上空に特別高圧架空電線が架設されている場合があります。

　区分地上権や区分地上権に準ずる地役権は借地権に優先しますから、借地権の価額はそれらの権利の設定がないときに比べて、それらの権利の分だけ減価します。

　具体的には次のように計算します。

自用地としての価額　　　　　１億円

借地権割合　　　　　　　　　60％

区分地上権の割合　　　　　　30％

区分地上権の価額＝自用地としての価額×区分地上権の割合

　　　　　　　　＝１億円×30％＝3,000万円

借地権の価額＝自用地としての価額×借地権割合×（１－区分地上権の割合）

　　　　　　　＝１億円×60％×（１－30％）＝4,200万円

宅地の価額＝自用地としての価額－区分地上権の価額－借地権の価額

　　　　　　＝１億円－3,000万円－4,200万円＝2,800万円

　ただし、当該宅地が貸宅地割合が定められている地域に存する場合で、借地権と他の権利とが競合している場合には、次のように計算します。

自用地としての価額　　　　　１億円

貸宅地割合　　　　　　　　　40％

区分地上権の割合　　　　　　30％

宅地の価額＝自用地としての価額×貸宅地割合－自用地としての価額×貸宅地割合

　　　　　　×区分地上権の割合（又は区分地上権に準ずる地役権の割合）

　　　　　　＝１億円×40％－１億円×40％×30％

　　　　　　＝4,000万円－1,200万円＝2,800万円

(17) 土地の上に存する権利が競合する場合の宅地等（その２）
——区分地上権と区分地上権に準ずる地役権が競合する場合

　区分地上権と区分地上権に準ずる地役権が競合する場合とは、具体的には特別高圧架空電線が架設されているため建築の制限を受けている宅地の下を地下鉄のトンネルが通っている場合があります。

　区分地上権と区分地上権に準ずる地役権はお互いに相手に影響を及ぼすものではありませんので、一方の権利だけが設定されているものとして計算します。

```
自用地としての価額                   1億円
区分地上権の割合                     30％
区分地上権に準ずる地役権の割合        50％
区分地上権の価額＝自用地としての価額×区分地上権の割合
                ＝1億円×30％＝3,000万円
区分地上権に準ずる地役権の価額＝自用地としての価額×区分地上権に準ずる地役権の
                                割合
                ＝1億円×50％＝5,000万円
宅地の価額＝自用地としての価額－区分地上権の価額
          －区分地上権に準ずる地役権の価額
        ＝1億円－3,000万円－5,000万円
        ＝2,000万円
```

(18) 余剰容積率の移転がある場合の宅地

　大都市の中心部のように土地の高度利用が図られている地域においては、隣接する宅地間で、容積率の移転（一方の未使用容積率〔余剰容積率〕を他方の宅地の容積率に上乗せすること）が、金銭の授受を伴って行われることがあります。

　このような容積率の移転があると、一方は通常の容積率を超える容積率の建物を建築できるのに対し、もう一方は今後永遠に通常の容積率の建物を建築できないことになります。路線価が、その地域の容積率等を考慮して付されている関係から、このような容積率の移転が行われた2つの宅地を同じ方法で評価することはできなくなります。

　したがって、このような容積率の移転が行われた場合の宅地の評価は、原則として、①移転している宅地については、設定されている権利の内容、建築物の建築制限の内容等を勘案して評価し、②移転を受けている宅地については、設定している権利の内容、建築物の建築状況を勘案して評価します。

　しかし、この方法は、かなり複雑で、専門的な知識を必要とするため、簡便的にこれらの宅地の評価額に容積率の移転に伴い授受された対価の額が移転直前におけるこれらの宅地の通常の取引価額に占める割合を乗じて計算した金額を加算又は減算する方法により評価することができます。

　具体的には、【事例87】を参考にしてください。

(19) 1画地の宅地の中で容積率が異なる場合

　「第3章 3 （1）路線価方式」（15ページ）で説明したように、国税局長が道路（＝路線）ごとに決定した土地の単価を"路線価"といいます。

　路線価はその路線に接する標準的な宅地の容積率等を考慮して定められます。したがって、評価の対象となる1画地の宅地が次図のように容積率の異なる2以上の地域にわたる

場合には、正面路線の路線価（容積率70/10を想定して決定）を基に全体を評価すると、道路から奥の容積率の低い（50/10）部分については、高く評価しすぎることになってしまいます。

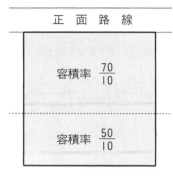

そこでこのような土地の価額は、奥行価格補正、側方路線影響加算、二方路線影響加算、三方及び四方路線影響加算、不整形地補正、無道路地の評価減、間口狭小補正、奥行長大補正、がけ地補正等の画地調整を行って評価した価額から、その価額に次の算式により計算した割合を乗じて計算した金額を控除した金額によって評価します。

なお、大規模工場用地については、この取扱いの適用はありません。

$$1-\frac{容積率の異なる部分の各部分に適用される容積率にその各部分の地積を乗じて計算した数値の合計}{正面路線に接する部分の容積率×宅地の総地積}\times\begin{array}{c}容積率が価\\額に及ぼす\\影響度\end{array}$$

○容積率が価額に及ぼす影響度

地 区 区 分	影響度
高度商業地区、繁華街地区	0.8
普通商業・併用住宅地区	0.5
普通住宅地区	0.1

(注1) 上記算式で計算した割合は、小数点以下第3位未満を四捨五入して求めます。

(注2) 1画地の宅地のうち正面路線に接する部分の容積率が他の部分の容積率よりも低い場合など、上の算式により計算した割合がマイナスとなるときは、この取扱いの適用はありません。

(注3) 容積率には都市計画に合わせて指定されるもの（指定容積率）と建築基準法の規定によるもの（基準容積率）とがあり、いずれか厳しいほう（容積率の小さいほう）が適用されます。

指定容積率については、市町村役場の都市計画課等で都市計画図等により確認できます。

ここでいう基準容積率とは、建築基準法第52条第2項（前面道路による制限）（58ページ参照）をいいます。

ただし、2以上の路線に接する宅地について正面路線の路線価に奥行価格補正率を乗じて計算した価額からその価額に上記算式により計算した割合を乗じて計算した金額を控除した価額が、正面路線以外の路線の路線価に奥行価格補正率を乗じて計算した価額を下回る場合におけるその宅地の価額は、それらのうち最も高い価額となる路線を正面路線とみなして、この減額調整は行わず、その正面路線とみなした路線の地区区分による画地補正を行って評価します。

(20) セットバックを必要とする宅地

建築基準法第42条第2項の道路（都市計画区域内にあり、都市計画法、土地区画整理法等が施行される前に建築物が立ち並んでいる幅員4m未満の道路で、特定行政庁の指定したもの）に面する宅地は、その道路の中心線から左右に2mずつ後退した線（道路の片側ががけ地、川、線路敷地等に沿う場合には、がけ地等の側の境界線から道の側に4mの線）が道路の境界線とみなされ、将来、建築物の建替えを行う場合には、その境界線まで後退（セットバック）して道路敷として提供しなければならないことになっています。

したがって、セットバックすべき部分については、セットバックを要しない部分に比べて価値が下がることになるため、通常どおりに評価した価額からその価額の70％相当額を控除して評価します。

なお、その宅地の接している道路が建築基準法第42条第2項の道路に該当するか否かは、

各市町村役場の建設関係の部署に行って調べれば分かります。

　また、大阪市においては、幅員４ｍ未満の認定道路の他に、通称「船場」の区域における市街地建築物法第７条但書による建築線指定に関する件（昭和14年４月大阪府告示第404号）によるセットバック（通称：船場建築後退線又は船場建築線）を要する地域があります（56・57ページの図面のとおり道路中心線より６ｍ後退を要する道路と５ｍ後退を要する道路がある）。この地域のセットバックを要することによる減額率は、次のように取り扱われています。

　①　セットバックすべき部分に建物が建っている場合　　70％減額
　②　セットバックすべき部分に建物は建っていないが、花だん、看板、ポール等の構築
　　物等がある場合　　70％減額
　③　セットバックすべき地上部分には建物、構築物等はなく、道路敷に供されているが、
　　地下部分を使用している場合　　80％減額
　④　セットバックすべき地上部分、地下部分ともに使用していない場合

100％減額（ゼロ評価）

　したがって、「船場」の区域は都市計画区域内にありますから、中心線から左右に２ｍの範囲の部分は70％を減額し、それ以上の範囲（左右に2.5ｍのうち２ｍを超える部分又は左右に３ｍのうち２ｍを超える部分）は、上記①〜④の区分に従って減額することになります。

船場建築線の指定状況

N

凡例

12m	6m / 6m	道路中心線より6m 後退して指定する建築線
10m	5m / 5m	道路中心線より5m 後退して指定する建築線
2.5m ↕ / ↔ 2.5m		街角剪除（すみ切り） ※建築線が交差する箇所は すべて街角剪除があります
		指定区域（指定がある街区） 建築線が指定されている街区

（出典：大阪市「船場建築線の指定状況図」）

(21) 都市計画道路予定地になっている宅地

都市計画道路予定地の区域内となる部分を有する宅地については、その宅地のうち都市計画道路予定地になっている割合、位置及び当該宅地の容積率に応じた「補正率」に定める補正率を乗じて計算した価額で評価することになります。

容積率には、建築基準法の規定に基づく基準容積率（ここでは建築基準法第52条第2項（前面道路による制限）をいう）と、用途地域別に都市計画によって定められた指定容積率があり、実際に適用される容積率はどちらか厳しいもの（小さい方）になることから、この補正率の適用にあたっても、このことに注意する必要があります。

【補正率】

地区区分 容積率 地積割合	ビル街地区、高度商業地区		繁華街地区、普通商業・併用住宅地区				普通住宅地区、中小工場地区、大工場地区		
	700%未満	700%以上	300%未満	300%以上 400%未満	400%以上 500%未満	500%以上	200%未満	200%以上 300%未満	300%以上
30%未満	0.88	0.85	0.97	0.94	0.91	0.88	0.99	0.97	0.94
30%以上 60%未満	0.76	0.70	0.94	0.88	0.82	0.76	0.98	0.94	0.88
60%以上	0.60	0.50	0.90	0.80	0.70	0.60	0.97	0.90	0.80

（注） 地積割合とは、その宅地の総地積に対する都市計画道路予定地の部分の地積の割合をいいます。
また、容積率の異なる2以上の地域にわたる宅地の一部が都市計画道路予定地となっている場合には、各容積率を加重平均して求められる容積率を適用します。

建築基準法第52条第2項（前面道路による制限）の規定は次のとおりであり、前面道路が12メートル未満の場合には、前面道路の幅員のメートルの数値に、この表の数値を乗じたものが基準容積率となります。

第1種・第2種低層住居専用地域又は田園住居地域	4/10
第1種・第2種中高層住居専用地域 第1種・第2種住居地域・準住居地域 （建築基準法52①五に掲げる建築物を除く）	4/10（特定行政庁が都道府県都市計画審議会の議を経て指定する区域内の建築物にあっては、6/10）
その他の地域	6/10（特定行政庁が都道府県都市計画審議会の議を経て指定する区域内の建築物にあっては、4/10又は8/10のうち特定行政庁が都道府県都市計画審議会の議を経て定めるもの）

また、倍率地域にあっては、その宅地が都市計画道路予定地でないものとした固定資産税評価額を仮に求め、その金額に地区、容積率、地積割合に応じた補正率を乗じて計算した価額を基に評価します。

ただし、路線価又は固定資産税評価額又は倍率が都市計画道路予定地であることを考慮して付されている場合には、評価減は行いません。

(22) 利用価値の著しく低下している宅地

その宅地の利用価値が付近にある他の宅地の利用状況からみて、著しく低下していると認められるものについては、その宅地の利用価値が低下していないとして評価した価額から、利用価値が低下していると認められる部分の面積に対応する価額に10%を乗じて計算した金額を控除して評価します（ただし、路線価又は固定資産税評価額又は倍率が、利用価値の著しく低下している状況を考慮して付されている場合には、この斟酌は行わない）。

利用価値が著しく低下していると認められるものとは、具体的には次のような宅地をいいます。

① 道路より高い位置にある宅地又は低い位置にある宅地でその付近にある宅地に比し著しく高低差のあるもの

② 地盤に甚だしい凹凸がある宅地

③ 震動の甚だしい宅地

④ ①②③以外の宅地で、騒音（線路のすぐ脇、空港の近くで離着陸路の真下等）、日照阻害（建築基準法第56条の2に定める日影時間を超える時間の日照阻害のある場合）、臭気、忌み（墓地に隣接する等）等により、その取引金額に影響を受けると認められるもの

　１つの宅地について、上記①〜④の利用価値が著しく低下している要因が複数ある場合、10％評価減を重複して適用できる可能性もあります（国税不服審判所H13.6.15裁決事例では、１つの評価対象地につき、30％を控除することが認められている）。

　また、宅地比準方式により評価する農地（市街地周辺農地及び市街地農地）又は山林（市街地山林）について、その農地又は山林を宅地に転用するとした場合に、造成費用を投下してもなお宅地としての利用価値が付近にある他の宅地の利用状況からみて、著しく低下していると認められるものについても同様に取り扱います。

(23) 土壌汚染地

　土壌汚染地は、そうでない土地に比べて著しく価値が下がるといわれています。

　財産評価基本通達には具体的な評価方法は明記されていませんが、平成16年7月に「土壌汚染地」の評価についての情報が出されました。

　その中では、①原価方式（下記の方法）、②比較方式（評価地と類似の汚染土地の売買事例と比較する方法）、③収益還元方式（純収益を還元利回りで除して計算する方法）が示されていますが、現状では①が基本的な評価方法とされています。

〔原価方式による計算式〕

$$\begin{pmatrix}汚染がないも\\のとした場合\\の評価額\end{pmatrix} - \begin{pmatrix}浄化、改善費用に相\\当する金額（見積額）\\の80\％相当額\end{pmatrix} - \begin{pmatrix}使用収益制限\\による減価に\\相当する金額\end{pmatrix} - \begin{pmatrix}心理的要因に\\よる減価に相\\当する金額\end{pmatrix}$$

　なお、ここでいう「土壌汚染地」とは、「課税時期において土壌汚染の状況が判明している土地」であり、「汚染の可能性のある土地」は該当しません。

(24) 周知の埋蔵文化財包蔵地

　土器や石器などの文化財が高い確率で埋まっていると推測される地域を「周知の埋蔵文化財包蔵地」といい、自治体が公表する「埋蔵文化財包蔵地図」等で確認することができます。

　周知の埋蔵文化財包蔵地で土地開発を行う場合、地中の発掘調査を行わなければならず、その費用は原則として土地の開発業者が負担することになります。

　このため、「周知の埋蔵文化財包蔵地」については、この土地が周知の埋蔵文化財包蔵地ではないものとして評価した価額から発掘調査費用の見積額の80％に相当する額を控除した価額により評価します（ただし、土地所有者が発掘調査費用を負担しない時には控除しない）。

(25) 駐車場の敷地となっている宅地

　駐車場の敷地となっている宅地は、原則として、自用地として評価します。

　ただし、一定の条件が整った場合には例外的に、貸家建付地として評価する場合がありますので、個別に所轄税務署に確認してください。

　また、車庫などの施設を駐車場の利用者の費用で造ることを認めるような契約の場合には土地の賃貸借になると考えられますので、その土地の自用地としての価額から賃借権の価額を控除した金額により評価します。この場合の賃借権の価額は、111ページの「**7 貸し付けられている雑種地の評価**」に記載したとおりとなります。例えば、スーパーや会社に対して概ね300㎡以上の土地を一括して賃貸し、そこにある程度恒久的な使用に耐えられる車庫とか、これに類似する施設を駐車場の賃借人の費用で造ることを認めるような契約の場合がこれに該当します。

　なお、賃貸マンションに付随してマンションの住人のためだけに設置された駐車場については、マンションと一体のものとして貸家建付地として評価します。

(26) 大規模工場用地

　大規模工場用地（一団の工場用地の地積が５万㎡以上のものをいう。ただし、路線価地域にあるものについては大工場地区内のものに限る）は、各々次の分類に従って評価します。ただし、その地積が20万㎡以上の場合は、①又は②で計算した金額の95％の価額で評価します。

① 路線価地域に所在するもの

　　正面路線価×地積　（奥行価格補正、側方路線影響加算等の画地調整を一切しない）

② 倍率地域に所在するもの

　　固定資産税評価額×倍率

　(注)　大規模工場用地の「倍率」は、13ページに掲載した倍率表とは別に、大規模工場用地用の評価倍率表として各都道府県別に、また、該当市区町村別に定められ掲載されています。

　　　　なお、複数の市区町村にまたがって所在する場合は、各々について上記の算式を適用します。

　また、大規模工場用地の判定に当たっては、次に掲げる場合のように、その評価単位が異なっているときでも、一の工場用地として機能的に不可分の関係にある場合は、ＡＢ全体の面積によって判定します。

　イ　Ａ地とＢ地の所有者が異なる場合

　ロ　Ａ地とＢ地の所有者は同一であるが、Ｂ地を別法人が借り受けて工場用地として使用している場合

　ハ　Ｂ地にＡ地所有者が工場を建てその工場を別法人に貸し付けている場合

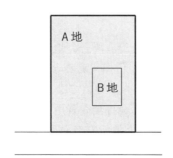

(27) 地積規模の大きな宅地

　地積規模の大きな宅地（三大都市圏においては500㎡以上の地積の宅地、それ以外の地域については1,000㎡以上の地積の宅地をいい、次の①から③までのいずれかに該当するものは除く）で、普通商業・併用住宅地区及び普通住宅地区に所在するものは、奥行価格補正等の画地調整を行って計算した価額に、以下の算式により求めた規模格差補正率を乗じて計算した価額によって評価します。

　①　市街化調整区域に所在する宅地。ただし、都市計画法第34条第10号又は第11号の規定に基づき宅地分譲に係る同法第4条第12項に規定する開発行為を行うことができる区域は除きます。

　②　都市計画法第8条第1項第1号に規定する工業専用地域に所在する宅地

　③　容積率（建築基準法第52条第1項に規定する建築物の延べ面積の敷地面積に対する割合、いわゆる指定容積率）が10分の40（東京都の特別区においては10分の30）以上の地域に所在する宅地

　また、市街地農地、市街地周辺農地、市街地山林及び市街地原野についても、上記の要件を満たす場合には、地積規模の大きな宅地として評価しますが、(イ)宅地へ転用するには多額の造成費を要するため、経済合理性の観点から宅地への転用が見込めない場合や、(ロ)急傾斜地などのように宅地への造成が物理的に不可能であるため、宅地への転用が見込めない場合、については、戸建住宅用地としての分割分譲が想定されないため、地積規模の大きな宅地としては評価しません。

（算式）

$$規模格差補正率 = \frac{Ⓐ×Ⓑ+Ⓒ}{地積規模の大きな宅地の地積（Ⓐ）} ×0.8$$

　上の算式中の「Ⓑ」及び「Ⓒ」は、地積規模の大きな宅地が所在する地域に応じ、それぞれ次に掲げる表のとおりです。

イ　三大都市圏（注2）に所在する宅地

地区区分　　　記号 地積	普通商業・併用住宅地区、普通住宅地区	
	Ⓑ	Ⓒ
500㎡以上　1,000㎡未満	0.95	25
1,000㎡ 〃　3,000㎡ 〃	0.90	75
3,000㎡ 〃　5,000㎡ 〃	0.85	225
5,000㎡ 〃	0.80	475

ロ　三大都市圏以外の地域に所在する宅地

地区区分　　　記号 地積	普通商業・併用住宅地区、普通住宅地区	
	Ⓑ	Ⓒ
1,000㎡以上　3,000㎡未満	0.90	100
3,000㎡ 〃　5,000㎡ 〃	0.85	250
5,000㎡ 〃	0.80	500

（注1）　上記算式により計算した規模格差補正率は、小数点以下第2位未満を切り捨てます。

（注2）　「三大都市圏」とは、次ページの表の地域をいいます。

（表）　三大都市圏（平成28年4月1日現在）

圏名	都府県名		都市名
首都圏	東京都	全域	特別区、武蔵野市、八王子市、立川市、三鷹市、青梅市、府中市、昭島市、調布市、町田市、小金井市、小平市、日野市、東村山市、国分寺市、国立市、福生市、狛江市、東大和市、清瀬市、東久留米市、武蔵村山市、多摩市、稲城市、羽村市、あきる野市、西東京市、瑞穂町、日の出町
	埼玉県	全域	さいたま市、川越市、川口市、行田市、所沢市、加須市、東松山市、春日部市、狭山市、羽生市、鴻巣市、上尾市、草加市、越谷市、蕨市、戸田市、入間市、朝霞市、志木市、和光市、新座市、桶川市、久喜市、北本市、八潮市、富士見市、三郷市、蓮田市、坂戸市、幸手市、鶴ケ島市、日高市、吉川市、ふじみ野市、白岡市、伊奈町、三芳町、毛呂山町、越生町、滑川町、嵐山町、川島町、吉見町、鳩山町、宮代町、杉戸町、松伏町
		一部	熊谷市、飯能市
	千葉県	全域	千葉市、市川市、船橋市、松戸市、野田市、佐倉市、習志野市、柏市、流山市、八千代市、我孫子市、鎌ケ谷市、浦安市、四街道市、印西市、白井市、富里市、酒々井町、栄町
		一部	木更津市、成田市、市原市、君津市、富津市、袖ケ浦市
	神奈川県	全域	横浜市、川崎市、横須賀市、平塚市、鎌倉市、藤沢市、小田原市、茅ケ崎市、逗子市、三浦市、秦野市、厚木市、大和市、伊勢原市、海老名市、座間市、南足柄市、綾瀬市、葉山町、寒川町、大磯町、二宮町、中井町、大井町、松田町、開成町、愛川町
		一部	相模原市
	茨城県	全域	龍ケ崎市、取手市、牛久市、守谷市、坂東市、つくばみらい市、五霞町、境町、利根町
		一部	常総市
近畿圏	京都府	全域	亀岡市、向日市、八幡市、京田辺市、木津川市、久御山町、井手町、精華町
		一部	京都市、宇治市、城陽市、長岡京市、南丹市、大山崎町
	大阪府	全域	大阪市、堺市、豊中市、吹田市、泉大津市、守口市、富田林市、寝屋川市、松原市、門真市、摂津市、高石市、藤井寺市、大阪狭山市、忠岡町、田尻町
		一部	岸和田市、池田市、高槻市、貝塚市、枚方市、茨木市、八尾市、泉佐野市、河内長野市、大東市、和泉市、箕面市、柏原市、羽曳野市、東大阪市、泉南市、四条畷市、交野市、阪南市、島本町、豊能町、能勢町、熊取町、岬町、太子町、河南町、千早赤阪村
	兵庫県	全域	尼崎市、伊丹市
		一部	神戸市、西宮市、芦屋市、宝塚市、川西市、三田市、猪名川町
	奈良県	全域	大和高田市、安堵町、川西町、三宅町、田原本町、上牧町、王寺町、広陵町、河合町、大淀町
		一部	奈良市、大和郡山市、天理市、橿原市、桜井市、五條市、御所市、生駒市、香芝市、葛城市、宇陀市、平群町、三郷町、斑鳩町、高取町、明日香村、吉野町、下市町
中部圏	愛知県	全域	名古屋市、一宮市、瀬戸市、半田市、春日井市、津島市、碧南市、刈谷市、安城市、西尾市、犬山市、常滑市、江南市、小牧市、稲沢市、東海市、大府市、知多市、知立市、尾張旭市、高浜市、岩倉市、豊明市、日進市、愛西市、清須市、北名古屋市、弥富市、みよし市、あま市、長久手市、東郷町、豊山町、大口町、扶桑町、大治町、蟹江町、阿久比町、東浦町、南知多町、美浜町、武豊町、幸田町、飛島村
		一部	岡崎市、豊田市
	三重県	全域	四日市市、桑名市、木曽岬町、東員町、朝日町、川越町
		一部	いなべ市

（注）　「一部」の欄に表示されている市町村は、その行政区域の一部が区域指定されているものです。評価対象となる宅地等が指定された区域内に所在するか否かは、当該宅地等の所在する市町村又は府県の窓口でご確認ください。

(28) 文化財建造物である家屋の敷地の用に供されている宅地

重要文化財、登録有形文化財、伝統的建造物（これらを総称して「文化財建造物」という）である家屋の敷地の用に供されている宅地の価額は、それが文化財建造物である家屋の敷地でないものとした場合の価額から、その価額に文化財建造物の種類に応じて定める割合（次表）を乗じて計算した金額を控除した金額によって評価します。

文化財建造物の種類	控除割合
重要文化財	0.7
登録有形文化財	0.3
伝統的建造物	0.3

また、文化財建造物である家屋の敷地とともに、その文化財建造物である家屋と一体をなして価値を形成している土地がある場合には、その土地の価額は、上記と同じように評価します。

　なお、倍率方式により評価すべき文化財建造物である家屋の敷地の用に供されている宅地に固定資産税評価額が付されていない場合には、その宅地と状況が類似する付近の宅地の固定資産税評価額を基とし、付近の宅地とその宅地との位置、形状等の条件差を考慮して、その宅地の固定資産税評価額に相当する額を算出し、その額に倍率を乗じて計算した金額から、その価額に文化財建造物の種類に応じて上記の割合を乗じて計算した金額を控除した金額によって評価します。

　また、市町村長により、歴史的風致形成建造物として指定された家屋の敷地の用に供されている宅地については、登録有形文化財と同じように評価します。

　さらに、景観行政団体の長により、景観重要建造物として指定された家屋の敷地の用に供されている宅地については、伝統的建造物と同じように評価します。

(29) 「庭内神し」の敷地等

　「庭内神し」（ていないしんし）とは、屋敷内にある神の社や祠等といったご神体（不動尊、地蔵尊、道祖神、庚申塔、稲荷等で特定の者又は地域住民等の信仰の対象とされているもの）を祀り日常礼拝の用に供しているものをいいます。

　「庭内神し」は相続税の非課税対象ですが、「庭内神し」の敷地等については、従来「庭内神し」とは別個のものとして課税対象となっていました。一方、墓所や霊びょうに関しては、その維持に要する敷地も含めて非課税とされており、取扱いに差異がありました。

　これらの取扱いの差異をなくすため、次の3つの項目を勘案し、「庭内神し」と社会通念上一体のものとして日常礼拝の対象とされているといってよい程度に密接不可分の関係にある相当範囲の敷地や附属設備である場合、「庭内神し」の敷地及び附属設備は、「庭内神し」と一体の物としての相続税の非課税規定（相続税法第12条第1項第2号）の対象として取扱いが変更されました。

　① 庭内神しの設備とその敷地、附属設備との位置関係やその設備の敷地への定着性その他それらの現況等といった外形
　② その設備及びその附属設備等の建立の経緯・目的
　③ 現在の礼拝の態様等も踏まえた上でのその設備及び附属設備等の機能の面

　また、庭内神しと残りの敷地等を区分評価すると、残りの敷地が不整形となる場合がありますが、この庭内神しを除くことにより発生するかげ地部分については不整形地補正率のかげ地部分には含まないで評価します。

(30) 農業用施設用地

　農用地区域内又は市街化調整区域内に存する農業用施設の用に供されている宅地は、次のように評価します。

① 下記②に該当しない場合

　　（イ＋ロ）×地積

　イ　その宅地が農地であるとした場合の1㎡当たりの価額
　ロ　その農地を農業用施設用宅地とする場合に通常必要と認められる1㎡当たりの造成費に相当する金額として、整地、土盛り又は土止めに要する費用の額がおおむね同一と認められる地域ごとに国税局長の定める金額

(注1) ロの「1㎡当たりの造成費に相当する金額」は、大阪国税局管内においては、94ページの【参考】の「表1 平坦地の宅地造成費」により算出します。

(注2) 造成費については、課税時期の現況により判定します。例えば、現況が土盛り、土止めを行っておらず、畑を整地した程度のものであれば、加算する造成費は整地費のみとなります。

② 農業用施設用地の位置や都市計画法による制限内容等によりその付近にある宅地の価額に類似する価額で取引されると認められる等、上記①により評価することが不適当である場合

　　　その付近にある宅地の価額に比準して評価

※1 ①のイの「1㎡当たりの価額」は、その付近にある農地について、純農地又は中間農地の評価方式によって評価した価額を基として評価します。

※2 農用地区域内又は市街化調整区域内に存する農業用施設の用に供されている雑種地についても、この評価方法に準じて評価します。

(31) 応急仮設住宅の敷地の用に供するため使用貸借により貸し付けられている土地

災害救助法第2条の規定に基づく救助として、災害の被災者に供与される応急仮設住宅の敷地に供するため、関係自治体に対し使用貸借により貸し付けられている土地については、使用貸借であっても、貸付期間が終了するまでの一定の間はその所有者にとって利用が制限されていることを鑑みて、その土地の自用地としての価額から貸付契約の残存期間に応じて、それぞれに定める割合(※)を乗じて計算した金額を控除した金額によって評価します。

※ 73ページの4と同じになります。

(32) 定期借地権等

平成4年8月1日に施行された新借地借家法において、借地契約の更新がなく契約期間満了により確定的に借地権が消滅する定期借地権という制度が創設されました。

この定期借地権等には、一般定期借地権、建物譲渡特約付借地権及び事業用借地権の3種類があり、その契約内容は次表のようになります。

区分 要件	普通借地権	定期借地権等		
		一般定期借地権	建物譲渡特約付借地権	事業用借地権
利 用 目 的	制限なし	制限なし	制限なし	事業専用建物の所有目的に限定
存 続 期 間	30年以上	50年以上	30年以上	10年以上50年未満
契 約 更 新	終了に関する特約は無効	更新排除の特約可	建物譲渡により借地権は消滅	なし
再 築 に よ る 期 間 延 長	〃	期間延長しない旨の特約可	〃	なし
更 新 後 の 期 間	1回目　　20年 2回目以降　10年	なし	なし	なし
建物買取請求権	あり	原則なし	あり	原則なし
設 定 方 式	規定なし	書面による	規定なし	公正証書による
終 了 事 由	正当事由	期間満了	建物譲渡	期間満了

これらの定期借地権等は、原則として、課税時期において借地人に帰属する経済的利益及びその存続期間を基として評価した価額によって評価します。

ただし、課税上弊害のない限り、次の算式によって評価します。

課税時期における自用地としての価額×借地権設定時における定期借地権割合×定期借地権の逓減率

$$
=\begin{matrix}課税時期\\における\\自用地とし\\ての価額\end{matrix}×\cfrac{定期借地権設定時に借地人に帰属する経済的利益の総額（※３）}{定期借地権設定時におけるその宅地の通常取引価額}×\cfrac{課税時期における定期借地権の残存期間年数に応ずる基準年利率（※２）による複利年金現価率}{定期借地権の設定期間年数に応ずる基準年利率（※１）による複利年金現価率}
$$

※１　令和６年３月の設定期間年数に応ずる基準年利率は、設定期間年数（上記の表の"存続期間"）が、いずれの場合も長期（10年以上）ですから、1.00％になります。

※２　令和６年３月の残存期間年数に応ずる基準年利率は、年数又は期間が長期（７年以上）の場合は1.00％、中期（３年～６年）の場合は0.25％、短期（１年～２年）の場合は0.1％になります。

【基準年利率】

(単位：%)

区分	年数又は期間	令和5年1月	2月	3月	4月	5月	6月	7月	8月	9月	10月	11月	12月	令和6年1月	2月	3月
短期	1年	0.01	0.01	0.01	0.01	0.01	0.01	0.01	0.01	0.01	0.01	0.05	0.01	0.01	0.01	0.10
	2年															
中期	3年	0.25	0.10	0.10	0.10	0.05	0.05	0.05	0.10	0.10	0.25	0.50	0.25	0.10	0.25	0.25
	4年															
	5年															
	6年															
長期	7年以上	1.00	1.00	0.75	0.75	0.50	0.75	0.50	0.75	0.75	1.00	1.00	1.00	1.00	1.00	1.00

※３　定期借地権設定時に借地人に帰属する経済的利益の総額は、次の金額の合計額となります。

①　権利金の授受がある場合

権利金の額

②　保証金の授受がある場合

保証金の授受に伴う経済的利益の額

＝保証金の額－（保証金の額×設定期間年数に応ずる基準年利率による複利現価率）－

（保証金の額×基準年利率未満の約定利率×設定期間年数に応ずる基準年利率による複利年金現価率）

③　地代が低額で設定されている場合

毎年享受すべき差額地代の現在価値

＝差額地代の額（※４）×定期借地権の設定期間年数に応ずる基準年利率による複利年金現価率

※４　差額地代の額は、同種同等の他の定期借地権における地代の額とその定期借地権における地代の額との差額をいいますが、権利金や保証金の授受がある場合には、次の算式による前払地代の額を実際地代の額に加算した上で、差額地代の額を判定します。

イ　権利金の授受がある場合

権利金の額×設定期間年数に応ずる基準年利率による年賦償還率

ロ　保証金の授受がある場合

上記※３②の保証金の授受に伴う経済的利益の額×設定期間年数に応ずる基準年利率による年賦償還率

複　　　利　　　表 （令和6年3月分）

区分	年数	年0.1%の複利年金現価率	年0.1%の複利現価率	年0.1%の年賦償還率	年1.5%の複利終価率	区分	年数	年1%の複利年金現価率	年1%の複利現価率	年1%の年賦償還率	年1.5%の複利終価率
短期	1	0.999	0.999	1.001	1.015		36	30.108	0.699	0.033	1.709
	2	1.997	0.998	0.501	1.030		37	30.800	0.692	0.032	1.734
区分	年数	年0.25%の複利年金現価率	年0.25%の複利現価率	年0.25%の年賦償還率	年1.5%の複利終価率		38	31.485	0.685	0.032	1.760
							39	32.163	0.678	0.031	1.787
							40	32.835	0.672	0.030	1.814
中期	3	2.985	0.993	0.335	1.045						
	4	3.975	0.990	0.252	1.061		41	33.500	0.665	0.030	1.841
	5	4.963	0.988	0.202	1.077		42	34.158	0.658	0.029	1.868
	6	5.948	0.985	0.168	1.093		43	34.810	0.652	0.029	1.896
区分	年数	年1%の複利年金現価率	年1%の複利現価率	年1%の年賦償還率	年1.5%の複利終価率		44	35.455	0.645	0.028	1.925
							45	36.095	0.639	0.028	1.954
	7	6.728	0.933	0.149	1.109		46	36.727	0.633	0.027	1.983
	8	7.652	0.923	0.131	1.126		47	37.354	0.626	0.027	2.013
	9	8.566	0.914	0.117	1.143		48	37.974	0.620	0.026	2.043
	10	9.471	0.905	0.106	1.160		49	38.588	0.614	0.026	2.074
							50	39.196	0.608	0.026	2.105
	11	10.368	0.896	0.096	1.177						
	12	11.255	0.887	0.089	1.195		51	39.798	0.602	0.025	2.136
	13	12.134	0.879	0.082	1.213		52	40.394	0.596	0.025	2.168
	14	13.004	0.870	0.077	1.231		53	40.984	0.590	0.024	2.201
	15	13.865	0.861	0.072	1.250		54	41.569	0.584	0.024	2.234
							55	42.147	0.579	0.024	2.267
	16	14.718	0.853	0.068	1.268		56	42.720	0.573	0.023	2.301
	17	15.562	0.844	0.064	1.288		57	43.287	0.567	0.023	2.336
長期	18	16.398	0.836	0.061	1.307	長期	58	43.849	0.562	0.023	2.371
	19	17.226	0.828	0.058	1.326		59	44.405	0.556	0.023	2.407
	20	18.046	0.820	0.055	1.346		60	44.955	0.550	0.022	2.443
	21	18.857	0.811	0.053	1.367		61	45.500	0.545	0.022	2.479
	22	19.660	0.803	0.051	1.387		62	46.040	0.540	0.022	2.517
	23	20.456	0.795	0.049	1.408		63	46.574	0.534	0.021	2.554
	24	21.243	0.788	0.047	1.429		64	47.103	0.529	0.021	2.593
	25	22.023	0.780	0.045	1.450		65	47.627	0.524	0.021	2.632
	26	22.795	0.772	0.044	1.472						
	27	23.560	0.764	0.042	1.494		66	48.145	0.519	0.021	2.671
	28	24.316	0.757	0.041	1.517		67	48.659	0.513	0.021	2.711
	29	25.066	0.749	0.040	1.539		68	49.167	0.508	0.020	2.752
	30	25.808	0.742	0.039	1.563		69	49.670	0.503	0.020	2.793
							70	50.169	0.498	0.020	2.835
	31	26.542	0.735	0.038	1.586						
	32	27.270	0.727	0.037	1.610						
	33	27.990	0.720	0.036	1.634						
	34	28.703	0.713	0.035	1.658						
	35	29.409	0.706	0.034	1.683						

（この複利表は、課税時期の属する月が令和6年3月の場合に適用する。）

(33) 定期借地権等の目的となっている宅地

① 　一般定期借地権以外の定期借地権（建物譲渡特約付借地権と事業用借地権）の場合

　一般定期借地権以外の定期借地権の目的となっている宅地（底地）の価額は、原則として自用地としての価額から定期借地権の価額を控除して評価します。

　　底地の価額＝自用地としての価額－定期借地権の価額

　ただし、自用地としての価額に次の割合を乗じて計算した金額を自用地としての価額から控除した金額のほうが低い場合には、低いほうの金額によって評価します。

　・定期借地権の残存期間が5年以下のもの‥‥‥‥‥‥‥‥‥‥‥‥‥‥‥‥‥‥ 100分の5

　・定期借地権の残存期間が5年を超え10年以下のもの‥‥‥‥‥‥‥‥‥‥‥‥ 100分の10

　・定期借地権の残存期間が10年を超え15年以下のもの‥‥‥‥‥‥‥‥‥‥‥ 100分の15

　・定期借地権の残存期間が15年を超えるもの‥‥‥‥‥‥‥‥‥‥‥‥‥‥‥‥ 100分の20

② 一般定期借地権の場合

一般定期借地権の底地の評価については、実際の取引事例を踏まえて、評価方法を改める個別通達が平成10年8月25日に公表されました。

平成10年1月1日以後に相続、遺贈又は贈与により取得した一般定期借地権の目的となっている宅地の評価は、自用地としての価額から一般定期借地権の価額を控除して評価します。

この一般定期借地権の価額は、課税時期における自用地としての価額に、次の算式により計算した数値を乗じて計算した金額をいいます。

（1－一般定期借地権が設定された時点の底地割合）×一般定期借地権の逓減率

算式中の底地割合とは、一般定期借地権の目的になっている宅地の設定時の価額が、その宅地の自用地としての価額に占める割合を、普通借地権の借地権割合の地域区分別に、次のように率が定められているものです。

<table>
<tr><th rowspan="2" colspan="2">地域区分</th><th colspan="2">借 地 権 割 合</th><th rowspan="2">一般定期借地権が設定
された時点の底地割合</th></tr>
<tr><th>路 線 価 図</th><th>評価倍率表</th></tr>
<tr><td rowspan="5">地
域
区
分</td><td>C 地域</td><td>70％</td><td>55％</td></tr>
<tr><td>D 地域</td><td>60％</td><td>60％</td></tr>
<tr><td>E 地域</td><td>50％</td><td>65％</td></tr>
<tr><td>F 地域</td><td>40％</td><td>70％</td></tr>
<tr><td>G 地域</td><td>30％</td><td>75％</td></tr>
</table>

また、算式中の一般定期借地権の逓減率は、次のとおりです。

$$\frac{課税時期における一般定期借地権の残存期間に応ずる基準年利率による複利年金現価率}{一般定期借地権の設定期間年数に応ずる基準年利率による複利年金現価率}$$

この「一般定期借地権の目的となっている宅地」の評価方法の見直しは、一般定期借地権についてだけで、①の建物譲渡特約付借地権と事業用の借地権については、従来どおりの評価方法で計算します。

ただし、一般定期借地権の設定対象地であっても上記の底地割合の表にない、A地域（借地権割合が90％）、B地域（借地権割合が80％）及び権利金の収受の慣行のない地域については、事業用借地権等と同様の従来どおりの取扱いになります。

さらに、この個別通達による評価方法は、「課税上弊害がない限り」一般定期借地権の底地について適用されます。つまり租税回避行為を目的としたものでない場合や、この方法によって評価することが著しく不適当と認められない場合に適用されるわけです。

定期借地権者と地主との関係が親族間や同族法人等の特殊関係者間であるものや、第三者間の関係であっても税負担回避行為を目的とすると認められる場合は、課税上弊害がある場合に該当するとされ、事業用借地権等と同様の従来どおりの取扱いとなります。これは、相続人等が定期借地権で、相続によりその底地を取得すると定期借地権は混同により消滅し、完全所有権を取得することになることや、通常の第三者間での取引の場合と状況が異なることに鑑み、無条件にこの個別通達の対象から除外されています。

課税時期における自用地としての価額	A	円

定期借地権設定時のその宅地の通常取引価額 　　　　設定契約等で明確でなく、地価変動が著しくない年 　　　の場合は、A÷0.8で求める	B	円

課税時期における定期借地権の残存期間年数	C	年

定期借地権の設定期間年数	D	年

Cの年数に応ずる基準年利率による複利年金現価率	E	

Dの年数に応ずる基準年利率による複利年金現価率	F	

Dの年数に応ずる基準年利率による複利現価率	G	

Dの年数に応ずる基準年利率による年賦償還率	H	

権利金の額	I	円

保証金の額	J	円

保証金につき基準年利率未満の利率による利息の支払があるときの利率（無利息の場合はゼロとする）	K	

毎年の支払地代	L	円

毎年の適正地代（同種同等の定期借地権における地代）	M	円

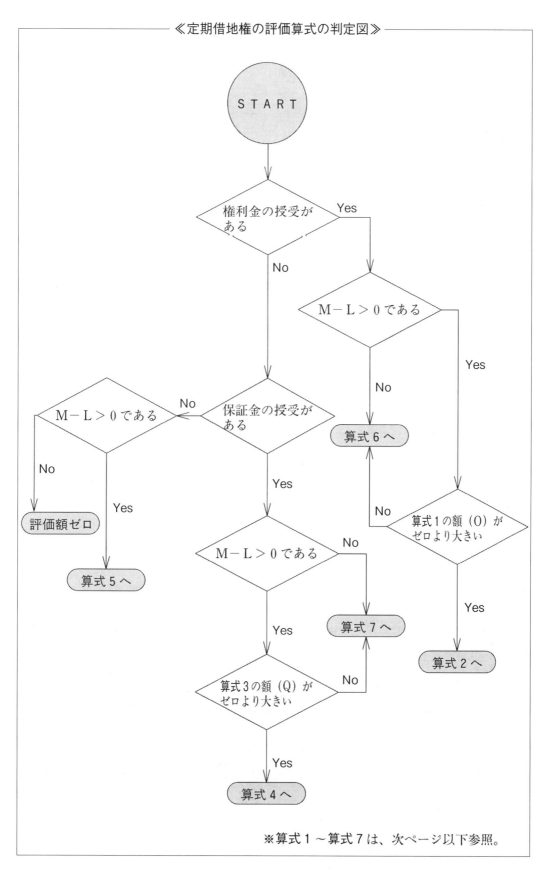

≪定期借地権の評価算式の判定図≫

START

権利金の授受がある
- Yes →
- No ↓

M－L＞0である
- Yes →
- No ↓

保証金の授受がある
- No →
- Yes ↓

M－L＞0である（左）
- No ↓ 評価額ゼロ
- Yes ↓ 算式5へ

算式6へ

算式1の額（O）がゼロより大きい
- No →
- Yes ↓ 算式2へ

M－L＞0である（中）
- No → 算式7へ
- Yes ↓

算式3の額（Q）がゼロより大きい
- No → 算式7へ
- Yes ↓ 算式4へ

※算式1～算式7は、次ページ以下参照。

▶算式1

$$\boxed{\text{M}\quad\text{円}} - \left(\boxed{\text{I}\quad\text{円}} \times \boxed{\text{H}\quad} + \boxed{\text{L}\quad\text{円}}\right) = \boxed{\text{O}\quad\text{円}}$$

▶算式2

$$\boxed{\text{O}\quad\text{円}} \times \boxed{\text{F}\quad} + \boxed{\text{I}\quad\text{円}} = \boxed{\quad\text{円}}$$

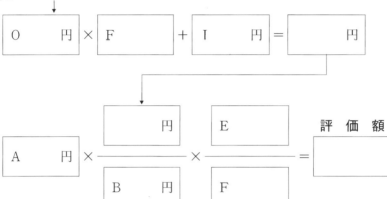

$$\boxed{\text{A}\quad\text{円}} \times \frac{\boxed{\quad\text{円}}}{\boxed{\text{B}\quad\text{円}}} \times \frac{\boxed{\text{E}\quad}}{\boxed{\text{F}\quad}} = \boxed{\text{評 価 額}}$$

▶算式3

$$\left\{\boxed{\text{J}\quad\text{円}} - \left(\boxed{\text{J}\quad\text{円}} \times \boxed{\text{G}\quad}\right) - \left(\boxed{\text{J}\quad\text{円}} \times \boxed{\text{K}\quad}\right.\right.$$

$$\left.\left.\times \boxed{\text{F}\quad}\right)\right\} \times \boxed{\text{H}\quad} + \boxed{\text{L}\quad\text{円}} = \boxed{\text{P}\quad\text{円}}$$

$$\boxed{\text{M}\quad\text{円}} - \boxed{\text{P}\quad\text{円}} = \boxed{\text{Q}\quad\text{円}}$$

▶算式4

$$\boxed{\text{Q}\quad\text{円}} \times \boxed{\text{F}\quad} = \boxed{\text{R}\quad\text{円}}$$

$$\boxed{\text{J}\quad\text{円}} - \left(\boxed{\text{J}\quad\text{円}} \times \boxed{\text{G}\quad}\right) - \left(\boxed{\text{J}\quad\text{円}} \times \boxed{\text{K}\quad}\right.$$

$$\left.\times \boxed{\text{F}\quad}\right) = \boxed{\text{S}\quad\text{円}}$$

（次ページへ続く）

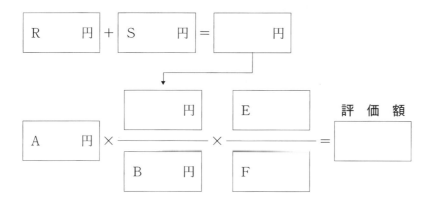

$$\boxed{\text{R} \quad 円} + \boxed{\text{S} \quad 円} = \boxed{\quad 円}$$

$$\boxed{\text{A} \quad 円} \times \cfrac{\boxed{\quad 円}}{\boxed{\text{B} \quad 円}} \times \cfrac{\boxed{\text{E}}}{\boxed{\text{F}}} = \boxed{評\ 価\ 額}$$

▶算式5

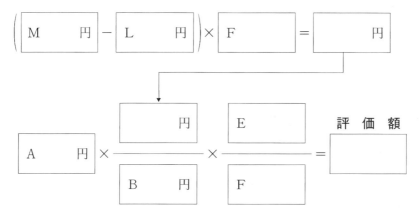

$$\left(\boxed{\text{M} \quad 円} - \boxed{\text{L} \quad 円}\right) \times \boxed{\text{F}} = \boxed{\quad 円}$$

$$\boxed{\text{A} \quad 円} \times \cfrac{\boxed{\quad 円}}{\boxed{\text{B} \quad 円}} \times \cfrac{\boxed{\text{E}}}{\boxed{\text{F}}} = \boxed{評\ 価\ 額}$$

▶算式6

$$\boxed{\text{A} \quad 円} \times \cfrac{\boxed{\text{I} \quad 円}}{\boxed{\text{B} \quad 円}} \times \cfrac{\boxed{\text{E}}}{\boxed{\text{F}}} = \boxed{評\ 価\ 額}$$

▶算式7

$$\boxed{\text{J} \quad 円} - \left(\boxed{\text{J} \quad 円} \times \boxed{\text{G}}\right) - \left(\boxed{\text{J} \quad 円} \times \boxed{\text{K}} \right.$$

$$\left. \times \boxed{\text{F}}\right) = \boxed{\quad 円}$$

$$\boxed{\text{A} \quad 円} \times \cfrac{\boxed{\quad 円}}{\boxed{\text{B} \quad 円}} \times \cfrac{\boxed{\text{E}}}{\boxed{\text{F}}} = \boxed{評\ 価\ 額}$$

【定期借地権等の評価明細書（令和６年分以降用)】

（表）

定期借地権等の評価明細書

（令和六年分以降用）

（住居表示） 所在地番		（地　積） ㎡	設定年月日	平成 令和　年　月　日	設定期間年数	⑦	年
			課税時期	令和　年　月　日	残存期間年数	⑧	年

定期借地権等の種類		一般定期借地権　・　建物譲渡特約付借地権　・　事業用定期借地権等		設定期間年数に応ずる基準年利率による	複利現価率	④	
定期借地権等の設定時	自用地としての価額	①	（1㎡当たりの価額　円） 円		複利年金現価率	⑤	
	通常取引価額	②	（通常の取引価額又は①／0.8） 円				
課税時期	自用地としての価額	③	（1㎡当たりの価額　円） 円	残存期間年数に応ずる基準年利率による複利年金現価率		⑥	

（注１）居住用の区分所有財産における定期借地権等を評価する場合の③の自用地としての価額は、令和５年９月28日付課評２－74ほか１課共同「居住用の区分所有財産の評価について」（法令解釈通達）の適用後の価額を記載します。

（注２）④及び⑤に係る設定期間年数又は⑥に係る残存期間年数について、その年数に１年未満の端数があるときは６か月以上を切り上げ、６か月未満を切り捨てます。

○定期借地権等の評価

経済的利益の額の計算	権利金等の授受がある場合	（権利金等の金額） （A）　円　＝⑨	権利金・協力金・礼金等の名称のいかんを問わず、借地契約の終了のときに返還を要しないとされる金銭等の額の合計を記載します。	⑨	（権利金等の授受による経済的利益の金額） 円
	保証金等の授受がある場合	（保証金等の額に相当する金額） （B）　円	保証金・敷金等の名称のいかんを問わず、借地契約の終了のときに返還を要するものとされる金銭等（保証金等）の預託があった場合において、その保証金等につき基準年利率未満の約定利率の支払いがあるとき又は無利息のときに、その保証金等の金額を記載します。	⑩	（保証金等の授受による経済的利益の金額） 円
		（保証金等の授受による経済的利益の金額の計算） （B）－［（B）×（④の複利現価率）］－［（B）×（基準年利率未満の約定利率）×（⑤の複利年金現価率）］＝⑩			
		（権利金等の授受による経済的利益の金額）⑨　円　＋（保証金等の授受による経済的利益の金額）⑩　円　＋（贈与を受けたと認められる差額地代の額がある場合の経済的利益の金額）⑪　円　＝ （注）⑪欄は、個々の取引の事情・当事者間の関係等を総合勘案し、実質的に贈与を受けたと認められる差額地代の額がある場合に記載します（計算方法は、裏面２参照。）。		⑫	（経済的利益の総額） 円
評価額の計算		（課税時期における自用地としての価額）③　円　×　（経済的利益の総額）⑫　円 ／（設定時の通常取引価額）②　円　×　（⑥の複利年金現価率）／（⑤の複利年金現価率）　＝		⑬	（定期借地権等の評価額） 円

（注）保証金等の返還の時期が、借地契約の終了のとき以外の場合の⑩欄の計算方法は、税務署にお尋ねください。

○定期借地権等の目的となっている宅地の評価

一般定期借地権の目的となっている宅地 （裏面１のⒶに該当するもの）	（課税時期における自用地としての価額）③　円　－（課税時期における自用地としての価額）③　円×［１－（底地割合（裏面３参照））］×（⑥の複利年金現価率）／（⑤の複利年金現価率）＝	⑭	（一般定期借地権の目的となっている宅地の評価額） 円
上記以外の定期借地権等の目的となっている宅地 （裏面１のⒷに該当するもの）	（課税時期における自用地としての価額）③　円　－（定期借地権等の評価額）⑬　円　＝⑮　円	⑰	（上記以外の定期借地権等の目的となっている宅地の評価額（⑮と⑯のいずれか低い金額）） 円
	（課税時期における自用地としての価額）③　円　×［１－（残存期間年数に応じた割合（裏面４参照））］＝⑯　円		

（資４－80－１－Ａ４統一）

1　定期借地権等の種類と評価方法の一覧

定期借地権の種類	定期借地権等の評価方法	定期借地権等の目的となっている宅地の評価方法
一般定期借地権 （借地借家法第22条）	財産評価基本通達27－2に定める評価方法による	平成10年8月25日付課評2－8・課資1－13「一般定期借地権の目的となっている宅地の評価に関する取扱いについて」に定める評価方法による　Ⓐ
事業用定期借地権等 （借地借家法第23条）		※
建物譲渡特約付借地権 （借地借家法第24条）		財産評価基本通達25⑵に定める評価方法による　Ⓑ

（注）※印部分は、一般定期借地権の目的となっている宅地のうち、普通借地権の借地権割合の地域区分A・B地域及び普通借地権の取引慣行が認められない地域に存するものが該当します。

2　実質的に贈与を受けたと認められる差額地代の額がある場合の経済的利益の金額の計算

差額地代（設定時）

同種同等地代の年額（C）	円	実際地代の年額（D）	円	設定期間年数に応ずる基準年利率による年賦償還率	⑱	

（前払地代に相当する金額）　　　　　　　（実際地代の年額（D））　（実質地代の年額（E））

（権利金等⑨）　（⑱の年賦償還率）　（保証金等⑩）　（⑱の年賦償還率）

____円 × _____ ＋ ____円 × _____ ＋ _____円 ＝ _____円

（差額地代の額）　　　　　　　　　　　（⑤の複利年金現価率）

（同種同等地代の年額（C））　（実質地代の年額（E））

（_____円 － _____円）× _____ ＝ ⑪

贈与を受けたと認められる差額地代の額がある場合の経済的利益の金額 _____円

（注）「同種同等地代の年額」とは、同種同等の他の定期借地権等における地代の年額をいいます。

3　一般定期借地権の目的となっている宅地を評価する場合の底地割合

借地権割合		底地割合
路線価図	評価倍率表	

地域区分	路線価図	評価倍率表	底地割合
	C	70%	55%
	D	60%	60%
	E	50%	65%
	F	40%	70%
	G	30%	75%

4　定期借地権等の目的となっている宅地を評価する場合の残存期間年数に応じた割合

残存期間年数	割合
5年以下の場合	5%
5年を超え10年以下の場合	10%
10年を超え15年以下の場合	15%
15年を超える場合	20%

（注）残存期間年数の端数処理は行いません。

（資4－80－2－A4統一）

（34）配偶者居住権に基づき居住建物の敷地を使用する権利（配偶者居住権に基づく敷地利用権）

　平成30年7月の民法改正により、令和2年4月1日以後に開始する相続について、配偶者居住権が創設されました。

　配偶者居住権とは、被相続人の配偶者が相続開始時に居住していた被相続人所有の建物を対象とし、配偶者以外の者がその建物を相続しても、配偶者が終身又は一定期間、無償でその建物を使用（居住）できる権利をいいます。

　この配偶者居住権の目的となっている建物の敷地を使用する権利の価額は、次の算式によって評価します。

課税時期におけ　　　課税時期におけ　　　存続年数(注2)に応
る自用地として　－　る自用地として　×　じた法定利率による
の価額(注1)　　　　の価額(注1)　　　　複利現価率(注3)

(注1) 居住建物の一部が賃貸の用に供されている場合又は被相続人が相続開始の直前において居住建物の敷地を他の者と共有し、もしくは居住建物をその配偶者と共有していた場合には、次の算式によって評価します。

課税時期において、居住建物が賃貸の用に供されておらず、かつ、土地が共有できないものとした場合の自用地としての価額　×　$\dfrac{居住建物の賃貸の用に供されている部分以外の部分の床面積}{居住建物の床面積}$　×　被相続人が有していた居住建物の敷地の持分割合と当該建物の持分割合のうちいずれか低い割合

(注2) 存続年数とは、配偶者居住権が存続する年数をいい、具体的には、
　①　存続期間が終身以外の場合は、遺産分割の協議・審判又は遺言により定められた存続年数（その年数がその配偶者居住権が設定された時における配偶者の平均余命を超える場合には、その平均余命。6月以上の端数は1年、6月未満の端数は切捨て）
　②　存続期間が終身の場合には、その配偶者居住権が設定された時におけるその配偶者の平均余命（厚生労働省が発行する生命表による。6月以上の端数は1年、6月未満の端数は切捨て）

(注3) 法定利率による複利現価率は、国税庁が公表する複利現価表（3年ごとに見直されますが、最新のものは、配偶者居住権等の評価明細書の裏面に存続年数に応じた数値が記載されています。）を用います。

（35）配偶者居住権の目的となっている建物の敷地の用に供される土地（居住建物の敷地の用に供される土地）

　配偶者居住権の目的となっている建物の敷地の用に供される土地は、次の算式によって評価します。

課税時期における　　　　配偶者居住権に基づき居住建物
自用地としての価額　－　の敷地を使用する権利の価額

　以下、配偶者居住権に基づく敷地利用権及び居住建物の敷地の用に供される土地の計算例及び評価明細書の記載例を示します。

【例】課税時期における自用地としての価額　　5,000万円
　　　相続開始日　　　　　　　2023年10月1日
　　　建物所有者　　　　　　　被相続人（夫）
　　　土地所有者　　　　　　　被相続人（夫）
　　　遺産分割日　　　　　　　2024年3月20日
　　　配偶者の年齢　　　　　　80歳（遺産分割時点）

配偶者居住権存続期間　　　終身（遺産分割協議書に記載）
土地・建物の相続人　　　　長男

存続年数：　　配偶者居住権の存続期間は終身で、配偶者居住権が設定された時に
　　　　　　　おける配偶者の満年齢は80歳のため、第23回生命表に当てはめて、平
　　　　　　　均余命は12年となります。
複利現価率：　存続年数を複利現価表に当てはめて、複利現価率は0.701となりま
　　　　　　　す。

（配偶者居住権に基づく敷地利用権）
　　　5,000万円　5,000万円×0.701－14,950,000円
（居住建物の敷地の用に供される土地）
　　　5,000万円－14,950,000円＝35,050,000円

《参考1》配偶者居住権等の評価で用いる建物の構造別の耐用年数（「居住建物の内容」の③）

構　　　造	耐用年数	構　　　造	耐用年数
鉄骨鉄筋コンクリート造又は鉄筋コンクリート造	71	金属造（骨格材の肉厚3㎜以下）	29
れんが造、石造又はブロック造	57	木造又は合成樹脂造	33
金属造（骨格材の肉厚4㎜超）	51	木骨モルタル造	30
金属造（骨格材の肉厚3㎜超～4㎜以下）	41		

《参考2》第23回生命表（完全生命表）に基づく平均余命（「配偶者居住権の存続年数等」の⑧）　※令和4年3月2日公表（厚生労働省）

満年齢	平均余命 男	平均余命 女	満年齢	平均余命 男	平均余命 女	満年齢	平均余命 男	平均余命 女	満年齢	平均余命 男	平均余命 女	満年齢	平均余命 男	平均余命 女
18	64	70	38	44	50	58	26	31	78	11	14	98	3	3
19	63	69	39	43	49	59	25	30	79	10	13	99	2	3
20	62	68	40	43	48	60	24	29	80	9	12	100	2	3
21	61	67	41	42	47	61	23	29	81	9	12	101	2	2
22	60	66	42	41	46	62	22	28	82	8	11	102	2	2
23	59	65	43	40	45	63	22	27	83	8	10	103	2	2
24	58	64	44	39	44	64	21	26	84	7	9	104	2	2
25	57	63	45	38	44	65	20	25	85	7	9	105	2	2
26	56	62	46	37	43	66	19	24	86	6	8	106	2	2
27	55	61	47	36	42	67	18	23	87	6	7	107	1	2
28	54	60	48	35	41	68	18	22	88	5	7	108	1	1
29	53	59	49	34	40	69	17	21	89	5	6	109	1	1
30	52	58	50	33	39	70	16	20	90	4	6	110	1	1
31	51	57	51	32	38	71	15	20	91	4	5	111	1	1
32	50	56	52	31	37	72	15	19	92	4	5	112	1	1
33	49	55	53	30	36	73	14	18	93	4	5	113	1	1
34	48	54	54	29	35	74	13	17	94	3	4	114	—	1
35	47	53	55	29	34	75	13	16	95	3	4			
36	46	52	56	28	33	76	12	15	96	3	3			
37	45	51	57	27	32	77	11	15	97	3	3			

《参考3》複利現価表（法定利率3%）（「配偶者居住権の存続年数等」の⑧）

存続年数	複利現価率	存続年数	複利現価率	存続年数	複利現価率	存続年数	複利現価率	存続年数	複利現価率	存続年数	複利現価率	存続年数	複利現価率
1	0.971	11	0.722	21	0.538	31	0.400	41	0.298	51	0.221	61	0.165
2	0.943	12	0.701	22	0.522	32	0.388	42	0.289	52	0.215	62	0.160
3	0.915	13	0.681	23	0.507	33	0.377	43	0.281	53	0.209	63	0.155
4	0.888	14	0.661	24	0.492	34	0.366	44	0.272	54	0.203	64	0.151
5	0.863	15	0.642	25	0.478	35	0.355	45	0.264	55	0.197	65	0.146
6	0.837	16	0.623	26	0.464	36	0.345	46	0.257	56	0.191	66	0.142
7	0.813	17	0.605	27	0.450	37	0.335	47	0.249	57	0.185	67	0.138
8	0.789	18	0.587	28	0.437	38	0.325	48	0.242	58	0.180	68	0.134
9	0.766	19	0.570	29	0.424	39	0.316	49	0.235	59	0.175	69	0.130
10	0.744	20	0.554	30	0.412	40	0.307	50	0.228	60	0.170	70	0.126

【配偶者居住権等の評価明細書】

配偶者居住権等の評価明細書

<table>
<tr><td rowspan="2">所有者</td><td>建 物</td><td colspan="2">（被相続人氏名）
① 持分割合</td><td colspan="2">（配偶者氏名）
持分割合</td><td colspan="2">所在地番
（住居表示）（　　　　　）</td><td rowspan="8">（令和五年一月一日以降用）</td></tr>
<tr><td>土 地</td><td colspan="2">（被相続人氏名）
② 持分割合</td><td colspan="2">（共有者氏名）
持分割合</td><td colspan="2">（共有者氏名）
持分割合</td></tr>
</table>

居住建物の内容

		年 ③
建物の耐用年数	（建物の構造）※裏面《参考1》参照	年 ③
建築後の経過年数	（建築年月日）　　　　　（配偶者居住権が設定された日） ＿＿年＿＿月＿＿日 から ＿＿＿年＿＿月＿＿日 … ＿＿＿年　[6月以上の端数は1年 6月未満の端数は切捨て]	年 ④
建物の利用状況等	建物のうち賃貸の用に供されている部分以外の部分の床面積の合計	㎡ ⑤
	建物の床面積の合計	㎡ ⑥

配偶者居住権の存続年数等

	存続年数（Ｃ）	
〔存続期間が終身以外の場合の存続年数〕 （配偶者居住権が設定された日）　　　（存続期間満了日）　　Ⓐ ＿＿＿年＿＿月＿＿日 から ＿＿＿年＿＿月＿＿日 … ＿＿＿年　[6月以上の端数は1年 6月未満の端数は切捨て]		年 ⑦
〔存続期間が終身の場合の存続年数〕　　　（平均余命）Ⓑ （配偶者居住権が設定された日における配偶者の満年齢）※裏面《参考2》参照　Ⓒ [ⒶとⒷのいずれか短い年とし、Ⓐがない場合はⒷの年数] ＿＿＿歳（生年月日＿＿＿年＿＿月＿＿日、性別＿＿＿）… ＿＿＿年　＿＿＿年	複利現価率 ※裏面《参考3》参照 0.	⑧

評価の基礎となる価額

建 物	賃貸の用に供されておらず、かつ、共有でないものとした場合の相続税評価額	円	⑨
	共有でないものとした場合の相続税評価額	円	⑩
	相続税評価額	（⑩の相続税評価額）　　（①持分割合） ＿＿＿＿＿＿＿円 × ＿＿＿ 円（円未満切捨て）	⑪
土 地	建物が賃貸の用に供されておらず、かつ、土地が共有でないものとした場合の相続税評価額	円	⑫
	共有でないものとした場合の相続税評価額	円	⑬
	相続税評価額	（⑬の相続税評価額）　　（②持分割合） ＿＿＿＿＿＿＿円 × ＿＿＿ 円（円未満切捨て）	⑭

○配偶者居住権の価額

（⑨の相続税評価額）	⑤賃貸以外の床面積／⑥居住建物の床面積	（①持分割合）	円	
＿＿＿ 円 × ＿＿㎡／＿＿㎡ × ＿＿＿			（円未満四捨五入）	⑮

（⑮の金額）	（⑮の金額）	③耐用年数－④経過年数－⑦存続年数／③耐用年数－④経過年数	（⑧複利現価率）	（配偶者居住権の価額）円	
＿＿＿ 円 － ＿＿＿ 円 × ＿＿＿／＿＿＿ ×0.＿＿＿		（注）分子又は分母が零以下の場合は零。		（円未満四捨五入）	⑯

○居住建物の価額

（⑪の相続税評価額）	（⑯配偶者居住権の価額）	円	
＿＿＿ 円 － ＿＿＿ 円			⑰

○配偶者居住権に基づく敷地利用権の価額

（⑫の相続税評価額）	⑤賃貸以外の床面積／⑥居住建物の床面積	①と②のいずれか低い持分割合	円	
50,000,000 円 × ＿＿㎡／＿＿㎡ × ＿＿＿			50,000,000（円未満四捨五入）	⑱

（⑱の金額）	（⑲の金額）	（⑧複利現価率）	（敷地利用権の価額）円	
50,000,000 円 － 50,000,000円 × 0.701			14,950,000（円未満四捨五入）	⑲

○居住建物の敷地の用に供される土地の価額

（⑭の相続税評価額）	（⑲敷地利用権の価額）	円	
50,000,000 円 － 14,950,000 円		35,050,000	⑳

備　考	

（注）土地には、土地の上に存する権利を含みます。

（36）特殊な状況における宅地の評価のまとめ

利用区分・利用状況	宅地の減額率	評価額の計算式	要件・留意点	参照頁
1. 私道の用に供されている宅地	70％又は100％	自用地価額×30％又は0	特定者利用　＝70％減 不特定者利用＝100％減	38
2. 土地区画整理事業中の宅地	5％	自用地価額×95％	仮換地の造成工事中で、工事完了まで1年超 　（一定の場合には従前の宅地で評価）	39
3. 造成中の宅地		自用地価額＋費用現価×80％	費用現価＝課税時期の物価水準に修正した金額	41
4. 借地権	——	自用地価額×借地権割合	30％〜90％ 借地権の取引慣行のない地域では評価しない。	43
5. 借地権の目的となっている宅地	30％〜90％	自用地価額×（1−借地権割合）	定期借地権は除く。 借地権の取引慣行のない地域は20％減 貸宅地割合が定められていれば 自用地価額×貸宅地割合	43
6. 地上権の目的となっている宅地	5％〜90％	自用地価額×（1−地上権割合）	地上権の残存期間による。	43
7. 使用貸借の目的となっている宅地	0	自用地価額	固定資産税相当額程度で貸し付けている場合を含む。	45
8. 相当の地代を収受している宅地	20％	自用地価額×80％	相当地代改訂の場合	45
9. 相当の地代に満たない地代を収受している宅地		自用地価額×$\{1-$借地権割合$×(1-\dfrac{実際支払地代−通常地代}{相当地代−通常地代})\}$	通常地代＝（自用地価額−借地権価額）の課税時期の属する年以前3年間の平均額×6％	46
10. 無償返還届出の貸宅地	20％	自用地価額×80％	使用貸借を除く。	46
11. 貸家建付地	借地権割合×借家権割合×賃貸割合	自用地価額×（1−借地権割合×借家権割合×賃貸割合）	借地権の取引慣行のない地域は借地権割合を20％として計算する。	46
12. 貸家建付借地権	——	自用地価額×借地権割合×（1−借家権割合×賃貸割合）	借地上に貸アパート等を建築した場合の借地権	48
13. 転借権	——	自用地価額×借地権割合×借地権割合	借地権の又借り	48
14. 転貸借地権	——	自用地価額×借地権割合×（1−借地権割合）	借地権の又貸し	48

15. 区分地上権の設定 されている宅地	30％又は土地 利用制限率	自用地価額－区分地上権の価 額	区分地上権の価額＝次の 大きいほうの額 ①　自用地価額×30％ ②　自用地価額×土地利 用制限率	50
16. 地役権の目的とな っている宅地 　A　家屋の建築が 　　できない場合 　B　家屋の建築が 　　制限される場合	50％又は借地 権割合 30％	自用地価額× ｛50％又は（1 －借地権割合)｝ 自用地価額×（1－0.3）	特別高圧架空電線の架設 等 建築制限を受ける部分の み減額	51
17. セットバックを必 要とする宅地	70％	自用地価額×（1－0.7）	建築基準法の建築制限	54
18. 都市計画道路予定 地	1％～50％	自用地価額×補正率	地区区分、容積率、地積 割合（その宅地の総地積 に対する都市計画道路予 定地の部分の地積の割 合）により異なる	58
19. 利用価値が著しく 低下している宅地	10％	自用地価額×（1－0.1） ※利用価値低下部分のみ減額	路線価が価値低下を考慮 している場合は減額なし。	58
20. 土壌汚染地	——	通常の評価額から浄化改善費 用等を減額	汚染の可能性だけでは減 額できない。	59
21. 周知の埋蔵文化財 包蔵地	——	発掘調査見積費用の80％を減 額	各自治体の発行する地図 等で確認	59
22. 駐車場用地	0	自用地価額	貸家建付地評価や、賃借 権相当額を控除する場合 もあり。	60
23. 大規模工場用地	5％	自用地価額×（1－0.05）	20万㎡以上	60
24. 地積規模の大きな 宅地	20％～40％ （規模格差補正 率は60～80％）	自用地価額×規模格差補正率	①　三大都市圏にある宅 地は500㎡以上、それ 以外にある宅地は 1,000㎡以上 ②　普通商業・併用住宅 地区又は普通住宅地区 に所在 ③　①、②に該当しても、 市街化調整区域にある 宅地等、除外される宅 地あり	61

25. 文化財建造物の敷地	30%又は70%	自用地価額 ×（1－0.3又は0.7）	一体として地価を形成している土地も同様の評価	62
26. 庭内神しの敷地等	100%	自用地価額×0	庭内神しと密接不可分の関係にある相当範囲の敷地	63
27. 農業用施設用地	—	（A＋B）×地積 A：農地であるとした場合の1㎡当たりの価額 B：1㎡当たりの整地、土盛り、土止めに要する費用の額（宅地造成費の額）	左の算式が不適当と認められる場合は付近にある宅地の価額に比準して評価	63
28. 応急仮設住宅用地（使用賃借）	5〜20%	自用地価額×（1－0.05〜0.2）	貸付契約の残存期間による。	64
29. 定期借地権	—	自用地価額×$\dfrac{B}{A}$×$\dfrac{D}{C}$ A：定期借地権設定時におけるその宅地の通常取引価額 B：定期借地権設定時に借地人に帰属する経済的利益の総額 C：定期借地権の設定期間年数に応ずる基準年利率による複利年金現価率 D：課税時期における定期借地権の残存期間年数に応ずる基準年利率による複利年金現価率		64
30. 一般定期借地権以外の定期借地権の目的となっている宅地	5％〜20%	自用地価額×（1－0.05〜0.2） ※自用地価額から定期借地権の価額を控除した金額のほうが低い場合は、当該金額による。	定期借地権の残存期間による。	66
31. 一般定期借地権の目的となっている宅地	55％〜75%	自用地価額(A)－ （A×（1－底地割合）×$\dfrac{B}{C}$） B：課税時期における一般定期借地権の残存期間に応ずる基準年利率による複利年金現価率 C：一般定期借地権の設定期間年数に応ずる基準年利率による複利年金現価率	定期借地権の残存期間による。	67

32. 配偶者居住権に基づく敷地利用権	——	自用地価額(A)－ (A)×存続年数に応じた法定利率による複利現価率	配偶者の年齢、居住権の存続期間による。	74
33. 居住建物の敷地の用に供される土地	——	自用地価額－敷地利用権	—	74

　「令和6年能登半島地震による災害」（特定非常災害）により被害を受けた財産については、調整率を乗じて計算することになります。「調整率」は、国税庁ホームページ（https://www.rosenka.nta.go.jp）でご確認ください。
　令和6年能登半島地震に係る調整率は、
　①　令和5年2月28日から令和5年12月31日までの間に相続等により取得
　②　令和6年1月1日から令和6年12月31日までの間に相続等により取得
　③　令和5年1月1日から令和5年12月31日までの間に贈与により取得
　④　令和6年1月1日から令和6年12月31日までの間に贈与により取得
した特定地域内にある土地等の価額を計算するために用います。
（注1）①及び③の場合は、令和6年1月1日において所有していたものに限るとともに、令和6年分の路線価及び評価倍率に調整率を乗じて計算することにご注意ください。
（注2）特定地域は、令和6年3月25日現在、新潟県全域、富山県全域、石川県全域が該当します。

【特定路線価設定申出書】

39ページの**（2）**で説明したように、路線価の付されていない私道に接する宅地を評価する場合には、所轄税務署（相続税又は贈与税の申告書を提出することとなる税務署であり、宅地の存する場所の税務署ではない）に申し出て、路線価を設定してもらう必要がありますが、この申出は、次の申出書に参考となるべき書類を添付して管轄する評定担当署（大阪市であれば北税務署、大阪市以外の大阪府であれば堺税務署、京都府であれば上京税務署となっています）に提出する方法によって行います。

添付書類としては、道路等の状況等がわかる資料（物件案内図、地形図等）が必要です。

	整理簿
	※

平成
令和___年分　特定路線価設定申出書

※印欄は記入しないでください。

_____税務署長

令和___年___月___日　　申 出 者　住所(所在地)_____
（納税義務者）

氏名(名称)_____

職業(業種)_____　電話番号_____

相続税等の申告のため、路線価の設定されていない道路のみに接している土地等を評価する必要があるので、特定路線価の設定について、次のとおり申し出ます。

1　特定路線価の設定を必要とする理由	□　相続税申告のため（相続開始日_____年___月___日） 被相続人　住所_____ 　　　　　　氏名_____ 　　　　　　職業_____ □　贈与税申告のため（受贈日_____年___月___日）
2　評価する土地等及び特定路線価を設定する道路の所在地、状況等	「別紙　特定路線価により評価する土地等及び特定路線価を設定する道路の所在地、状況等の明細書」のとおり
3　添付資料	(1)　物件案内図（住宅地図の写し） (2)　地形図(公図、実測図の写し) (3)　写真　　撮影日_____年___月___日 (4)　その他　[　　　　　　　　　　　　　]
4　連絡先	〒 住　所_____ 氏　名_____ 職　業_____　電話番号_____
5　送付先	□　申出者に送付 □　連絡先に送付
＊　□欄には、該当するものにレ点を付してください。	

（資９－29－Ａ４統一）

別紙　特定路線価により評価する土地等及び特定路線価を設定する道路の所在地、状況等の明細書

土地等の所在地 （住居表示）	〔　　　　　　　　　　〕	〔　　　　　　　　　　〕
土地等の利用者名、 利用状況及び地積	（利用者名） （利用状況）　　　　　　㎡	（利用者名） （利用状況）　　　　　　㎡
道路の所在地		
道路の幅員及び奥行	（幅員）　　m　（奥行）　　m	（幅員）　　m　（奥行）　　m
舗装の状況	□舗装済　・　□未舗装	□舗装済　・　□未舗装
道路の連続性	□通抜け可能 　（□車の進入可能・□不可能） □行止まり 　（□車の進入可能・□不可能）	□通抜け可能 　（□車の進入可能・□不可能） □行止まり 　（□車の進入可能・□不可能）
道路のこう配	度	度
上　　水　　道	□有 □無（□引込み可能・□不可能）	□有 □無（□引込み可能・□不可能）
下　　水　　道	□有 □無（□引込み可能・□不可能）	□有 □無（□引込み可能・□不可能）
都　市　ガ　ス	□有 □無（□引込み可能・□不可能）	□有 □無（□引込み可能・□不可能）
用途地域等の制限	（　　　　　　　）地域 建蔽率（　　　　　）％ 容積率（　　　　　）％	（　　　　　　　）地域 建蔽率（　　　　　）％ 容積率（　　　　　）％
その他（参考事項）		

（資９－30－Ａ４統一）

【個別評価申出書】

<table>
<tr><td></td><td>整理簿
※</td><td rowspan="2">※印欄は記入しないでください。</td></tr>
</table>

令和＿＿＿年分　　個 別 評 価 申 出 書

＿＿＿＿＿＿＿＿税務署長　　　　　　　　　　〒

令和＿＿年＿＿月＿＿日　　申 出 者　住所（所在地）＿＿＿＿＿＿＿＿＿＿＿＿＿＿＿
　　　　　　　　　　　　　（納税義務者）
　　　　　　　　　　　　　　　　　　氏名（名称）＿＿＿＿＿＿＿＿＿＿＿＿＿＿＿
　　　　　　　　　　　　　　　　　　職業（業種）＿＿＿＿＿＿電話番号＿＿＿＿＿＿

　　　相続税等の申告のため、財産評価基準書に「個別評価」と表示されている土地等を
　　評価する必要があるので、次のとおり申し出ます。

1　個別評価を必要とする理由	□　**相続税申告のため**（相続開始年月日＿＿＿年＿＿月＿＿日　） 　　被相続人（住所＿＿＿＿＿＿＿＿＿＿＿＿＿＿＿＿＿＿＿ 　　　　　　　　氏名＿＿＿＿＿＿＿＿＿＿＿＿＿＿ 　　　　　　　　職業＿＿＿＿＿＿＿＿＿＿＿＿＿＿ □　**贈与税申告のため**（受贈年月日＿＿＿年＿＿月＿＿日　）
2　個別評価をする事業の種類	□　土地区画整理事業等　　　□　市街地再開発事業
3　個別評価をする土地等の明細	別紙1「個別評価により評価する土地等の所在地、状況等の明細書」のとおり
4　添付書類	別紙2「個別評価に係る添付資料一覧表」のとおり
5　連絡先	〒 住　所＿＿＿＿＿＿＿＿＿＿＿＿＿＿＿＿＿＿＿＿＿＿＿＿ 氏　名＿＿＿＿＿＿＿＿＿＿＿＿＿＿＿＿＿＿＿＿＿＿＿＿ 職　業＿＿＿＿＿＿＿＿＿＿　　　電話番号＿＿＿＿＿＿＿＿＿＿
6　送付先	□　申出者に送付 □　連絡先に送付

＊　□欄には、該当するものに✔を付してください。

別紙1

個別評価により評価する土地等の所在地、状況等の明細書

土地等の所在地 （住居表示）	〔　　　　　　　　　〕		〔　　　　　　　　　〕	
土地等の利用者名、 利用状況及び面積	（利用者名） （利用状況）	面積 　　　　㎡	（利用者名） （利用状況）	面積 　　　　㎡

【土地区画整理事業の場合】

土地区画整理事業名				
仮換地指定の効力発生日	平成 令和　　　年　　月　　日		平成 令和　　　年　　月　　日	
仮換地の使用 収益開始の有無	有　・　無 （使用収益の開始日） 平成 令和　　　年　　月　　日		有　・　無 （使用収益の開始日） 平成 令和　　　年　　月　　日	
（仮換地の指定がある場合） 仮換地の所在地				
〔仮換地の使用収益が 開始されている場合〕 仮換地の利用者名、 利用状況及び面積	（利用者名） （利用状況）	面積 　　　　㎡	（利用者名） （利用状況）	面積 　　　　㎡
〔仮換地の使用収益が 開始していない場合〕 使用収益が開始していない理由及び開始予定日	（理由） （開始予定年月日） 令和　　　年　　月　　日		（理由） （開始予定年月日） 令和　　　年　　月　　日	
仮換地の造成工事	工事完了・工事中・未着手		工事完了・工事中・未着手	
清算金の有無等	有・無	円	有・無	円
減　歩　割　合	％		％	

【市街地再開発事業の場合】

市街地再開発事業名		
権利変換期日	平成 令和　　　年　　月　　日	平成 令和　　　年　　月　　日

【その他】

参　考　事　項		

別紙2

個別評価に係る添付資料一覧表

土地区画整理事業等	仮換地案内図 （位置図の写し等）	□ あり □ なし	□ 一部あり	
	仮換地指定通知書の写し又は 仮換地証明書	□ あり □ なし	□ 一部あり	
	仮換地指定図の写し	□ あり □ なし	□ 一部あり	
	仮換地の使用収益開始通知書の 写し	□ あり □ なし	□ 一部あり	
	従前地の物件案内図 （住宅地図等）	□ あり □ なし	□ 一部あり	
	従前地の公図、実測図	□ あり □ なし	□ 一部あり	
	換地重ね図	□ あり □ なし	□ 一部あり	
	評価対象土地が倍率地域に存する場合	固定資産税評価証明書	□ あり □ なし	□ 一部あり
		（評価対象土地が宅地以外の場合） 近傍宅地の1㎡当たりの 固定資産税評価額の表示	□ あり □ なし	□ 一部あり
	その他参考資料			
市街地再開発事業	土地の物件案内図 （住宅地図等）	□ あり □ なし	□ 一部あり	
	権利変換計画書等	□ あり □ なし	□ 一部あり	
	権利変換期日等の通知書	□ あり □ なし	□ 一部あり	
	権利変換登記後の登記事項証明書等	□ あり □ なし	□ 一部あり	
	その他参考資料			

第4章 特殊な評価又は課税価格の特例

❶ 小規模宅地等についての相続税の課税価格の特例

（1）特例制度の概要

　個人が相続又は遺贈により取得した財産のうちに、事業用宅地等、居住用宅地等又は特定同族会社事業用宅地等がある場合には、その相続又は遺贈により取得したすべての宅地等のうち一定の面積までの部分（小規模宅地等）については、次のように一定の減額を行った価額を相続税の課税価格に算入します。

① 　特定事業用宅地等、特定居住用宅地等及び特定同族会社事業用宅地等……　80％減額
② 　貸付事業用宅地等…………………………………………………………　50％減額

　なお、減額の対象となる面積の上限は次のとおりです。

　イ 　選択した宅地等のすべてが特定事業用宅地等又は特定同族会社事業用宅地等
　　　である場合……………………………………………………………………　400㎡
　ロ 　選択した宅地等のすべてが特定居住用宅地等である場合…………………　330㎡
　ハ 　選択した宅地等のすべてが貸付事業用宅地等の場合………………………　200㎡

　なお、上記イ～ハのうち２種類以上の特例対象地がある場合には、最も減額される価額が多くなるよう適用面積の調整を行う必要があります。

●居住用宅地と事業用宅地に小規模宅地等の特例を併用する場合の調整計算

　特例選択地が特定居住用宅地等と特定事業用宅地等・特定同族会社事業用宅地等の場合、特定居住用宅地等の対象面積330㎡と特定事業用宅地等の対象面積400㎡それぞれの対象面積まで完全併用（最大730㎡）することができます。

　なお、貸付事業用宅地等を特例対象地として選択した場合は、調整計算が必要となります。

$$A \times \frac{200}{330} + B \times \frac{200}{400} + C \leqq 200㎡ \qquad \left(\begin{array}{l} A：特定居住用宅地等 \\ B：特定事業用宅地等 \\ C：貸付事業用宅地等 \end{array} \right)$$

　例えば、特定居住用宅地等（A）が264㎡、貸付事業用宅地等（C）が100㎡あり、特定居住用宅地等を優先的に利用した場合は、貸付事業用宅地等の適用上限面積は40㎡（200㎡－264㎡×$\frac{200}{330}$）となります。

　また、選択した土地が特例の上限面積に満たない場合には、その満たない部分の割合を限度として取引相場のない株式等の課税価格の計算の特例及び特定森林施業計画山林の課税価格の計算の特例の利用が認められます。

（2）特定事業用宅地等

　事業用宅地等が、次の要件のいずれかを満たす場合には、その宅地等は「特定事業用宅地等」として80％の評価減の適用があります。ただし、不動産貸付業、駐車場業、自転車駐車場業及び準事業は、特定事業用宅地等でいう「事業」には含まれません。

① 相続開始の直前において、被相続人の事業の用に供されていた宅地等（その相続の開始前3年以内に新たに事業の用に供された宅地等は除きます。ただし、一定の規模以上の事業を行っていた被相続人等の事業の用に供された宅地等については、これに該当しません。）で、次の要件を満たす被相続人の親族が取得した場合
　　イ　その宅地等の上で営まれていた被相続人の事業を、相続税の申告期限までに引き継ぎ、かつ、その事業を営んでいること
　　ロ　相続税の申告期限まで引き続きその宅地等を保有していること
② 相続開始の直前において、被相続人と生計を一にしていた当該被相続人の親族の事業の用に供されていた宅地等で、次の要件を満たす被相続人の親族が取得した場合
　　イ　相続開始前から相続税の申告期限まで、その宅地等の上で事業を営んでいること
　　ロ　相続税の申告期限まで引き続きその宅地等を保有していること

（3）特定同族会社事業用宅地等

　事業用宅地等が、次の要件のすべてを満たす場合には、その宅地等は「特定同族会社事業用宅地等」として80%の評価減の適用があります。

① 相続開始前から相続税の申告期限まで特定同族会社の事業の用に供されていること
　　この場合、「特定同族会社」とは、相続開始の直前に被相続人等が株式又は出資の50%超を有する法人をいいます。また、ここでいう「事業」には、不動産貸付業、駐車場業、自転車駐車場業及び準事業は含まれません。
② 相続税の申告期限において、特定同族会社の役員である被相続人の親族がいること
③ ②の親族が相続税の申告期限まで引き続きその宅地等を保有していること

（4）特定居住用宅地等

　特定居住用宅地等とは、被相続人等の居住の用に供されていた宅地等（配偶者居住権に基づく敷地利用権及び配偶者居住権の目的となっている建物等の敷地の用に供される宅地等を含みます。）で、当該被相続人の配偶者又は次に掲げる要件のいずれかを満たす当該被相続人の親族が相続又は遺贈により取得したものをいい、80%の評価減の適用があります。

① 被相続人と同居の親族で、次の要件をすべて満たすもの
　　イ　相続開始の直前において、その宅地等の上に存する被相続人の居住の用に供されていた家屋に居住しており、かつ、相続税の申告期限までそこに居住していること
　　ロ　その宅地等を相続税の申告期限まで保有していること
② 被相続人と別居の親族で、次の要件をすべて満たすもの
　　イ　相続開始前3年以内に、その者の3親等内の親族又はその者と特別の関係のある法人が所有する日本国内にある家屋に居住したことがないこと
　　ロ　相続開始時において居住している家屋を過去に所有していたことがないこと
　　ハ　その宅地等を相続税の申告期限まで保有していること
　　ニ　被相続人の配偶者又は上記①イの家屋に居住していた被相続人の法定相続人（相続の放棄があった場合には、その放棄がなかったものとした場合における相続人）がいないこと
③ 被相続人と生計を一にしていた親族で、次の要件をすべて満たすもの
　　イ　相続開始前から相続税の申告期限まで引き続きその宅地等に居住していること
　　ロ　その宅地等を相続税の申告期限まで保有していること

また、居住用宅地等とは、相続開始の直前において被相続人等の居住の用に供されていた宅地等で、一定の建物又は構築物の敷地の用に供されているものをいいます。
　ここでいう「相続開始の直前において被相続人等の居住の用に供されていた宅地等」「一定の建物又は構築物の敷地」とは、次のものをいいます。

【相続開始の直前において被相続人等の居住の用に供されていた宅地等】
　イ　被相続人の居住の用に供されていた家屋で被相続人が所有していたもの（被相続人と生計を一にしていたその被相続人の親族が居住の用に供していたものである場合は、その親族が被相続人から無償で借り受けているものに限る）又は被相続人の親族が所有していたもの（その家屋を所有していた被相続人の親族がその家屋の敷地を被相続人から無償で借り受けており、かつ、被相続人等がその家屋をその親族から借り受けていた場合には、無償で借り受けていたときにおけるその家屋に限る）の敷地の用に供されていた宅地等
　ロ　被相続人又は被相続人が親族の所有することとなる被相続人等の居住の用に供されると認められる建物の建築中に、又はその建物の取得後被相続人等が居住の用に供する前に被相続人について相続が開始した場合には、その建物を速やかに居住の用に供することが確実であったと認められるときにおけるその宅地等
　ハ　被相続人等の居住の用に供されていた土地が、土地区画整理事業等の施行による仮換地指定に伴い、従前地及び仮換地について相続開始の直前において使用収益が共に禁止されている場合で、相続開始時から相続税の申告期限までの間に被相続人等が仮換地を居住用等に供する予定がなかったと認めるに足りる特段の事情がない場合における従前地である宅地等

【一定の建物又は構築物の敷地】
　「一定の建物又は構築物の敷地」とは、次の建物又は構築物以外の建物又は構築物の敷地をいいます。
　イ　温室その他の建物で、その敷地が耕作の用に供されるもの
　ロ　暗きょその他の構築物で、その敷地が耕作の用又は耕作若しくは養畜のための採草若しくは家畜の放牧の用に供されるもの

　居住用宅地が2以上ある場合には、いずれか1つのみが居住用宅地等となります。いずれが居住用宅地等になるかは、被相続人及び配偶者等の日常生活の状況、家屋の入居目的等を総合的に勘案して判定することとなります。

① 二世帯住宅（一の家屋で構造上各独立部分に区分されているもの）の宅地等
　プライバシーを考慮して内部で行き来のできない二世帯住宅の場合で、被相続人及びその親族が各独立部分に居住していた場合、同居親族が相続又は遺贈により取得した二世帯住宅の敷地の用に供されている宅地等のうち、被相続人及びその親族が居住していた部分に対応する宅地等は、特例の対象となります。

② 老人ホームに入所したことにより被相続人の居住の用に供されなくなった家屋の敷地の用に供されていた宅地等
　現在は、被相続人が老人ホームに入所していた場合のその被相続人が居住していた建物の敷地に対する小規模宅地等の適用に関して、次のような状況が客観的に認められるときに限って、小規模宅地等の特例が適用できるとされています。
　イ　被相続人の身体又は精神上の理由により介護を受ける必要があるため、老人ホーム

へ入所することとなったものと認められること
ロ　被相続人がいつでも生活できるようその建物の維持管理が行われていたこと
ハ　入所後新たにその建物を他の者の居住の用その他の用に供していた事実がないこと
ニ　その老人ホームは、被相続人が入所するために被相続人又はその親族によって所有権が取得され、あるいは終身利用権が取得されたものでないこと

老人ホームに入所したことにより被相続人の居住の用に供されなくなった家屋の敷地の用に供されていた宅地等は、「被相続人に介護が必要なため入所したものであること」及び「当該家屋が貸付け等の用途に供されていないこと」のいずれの要件も満たされる場合は、相続開始の直前において被相続人の居住の用に供されていたものとして、小規模宅地等の特例の対象となります。

なお、「被相続人に介護が必要なため入所したものであること」とは、次のようなことをいいます。

イ　要介護認定又は要支援認定を受けていた被相続人が次に掲げる住居又は施設に入居又は入所していたこと
　　a　認知症対応型老人共同生活援助事業が行われる住居、養護老人ホーム、特別養護老人ホーム、軽費老人ホーム又は有料老人ホーム
　　b　介護老人保健施設又は介護医療院
　　c　サービス付き高齢者向け住宅（aに規定する有料老人ホームを除く）
ロ　障害支援区分の認定を受けていた被相続人が障害者支援施設（障害者の日常生活及び社会生活を総合的に支援するための法律第5条第10項に規定する施設入所支援が行われるものに限る）、又は、共同生活援助を行う住居（障害者の日常生活及び社会生活を総合的に支援するための法律第21条第15項）に入所又は入居していたこと

（5）貸付事業用宅地等

貸付事業用宅地等とは、被相続人等の事業（不動産貸付業、駐車場業、自転車駐車場業等の政令で定めるものに限る）の用に供されていた宅地等で、次に掲げる要件のいずれかを満たす当該被相続人の親族が相続又は遺贈により取得したものをいい、50％の評価減の適用がありますが、相続開始前3年以内に新たに貸付事業の用に供された宅地等は対象となりません。

ただし、相続開始の日まで、3年を超えて事業的規模で貸付事業を行っていた被相続人が、貸付事業の用に供しているものは除かれます（評価減の対象となる）。

①　当該被相続人の親族が取得した場合
　イ　相続税の申告期限までに当該宅地等に係る被相続人の貸付事業を引き継ぎ、かつ、当該貸付事業の用に供していること
　ロ　相続税の申告期限まで引き続き当該宅地等を保有していること
②　相続開始の直前において、当該被相続人と生計を一にしていた当該被相続人の親族の貸付事業の用に供されていた宅地等を当該親族が取得した場合
　イ　相続開始前から相続税の申告期限まで、当該宅地等を自己の貸付事業の用に供していること
　ロ　相続税の申告期限まで引き続き当該宅地等を保有していること

❷ 株式を純資産価額で評価する場合の３年内取得土地建物等の評価の特例

　評価会社が課税時期前３年以内に取得又は新築した土地建物等の価額は、課税時期における通常の取引価額（帳簿価額が課税時期の通常の取引価額に相当する場合には、帳簿価額によることもできる）によって評価します。この場合、その土地建物等は、他の土地建物等と「科目」欄を別にし、「課税時期前３年以内に取得した土地等」などと記載します。

　ところで、下記〈参考〉の、３年以内取得資産の課税価格の特例が廃止されても、この財産評価基本通達185における３年以内取得の土地建物等についての評価の特例は、変更がありません。

　それは、下記〈参考〉の規定が相続税法第22条で規定している時価の原則を飛び越えて、取得価額を相続税法第11条の２の課税価格にもってくるというものであるのに対し、この評価の特例は、財産評価基本通達における時価の算定方法の一つの取扱いを示したものだからです。したがって、もし課税時期におけるその土地建物等の時価が、帳簿価額よりも低い場合には、当然相続税法第22条の規定に従って時価により評価することになります。そのため下記〈参考〉の規定が廃止されてもこの評価の特例は廃止されず、財産評価基本通達に現在も残っています。

〈参考〉

> **相続開始前３年以内に取得した土地建物等の相続税の課税価格の特例**
>
> （平成８年１月１日以降廃止）
>
> 　この規定は、被相続人が相続開始前３年以内に取得した土地建物等については、居住用等のものを除き、相続税法第22条（時価評価の原則）の規定にかかわらず、その取得価額により相続税の課税価格を計算するという特例です。しかし、この特例規定は、原則として平成８年１月１日以後に開始した相続に係る相続税から廃止されました。ただし、平成８年１月１日から平成８年３月31日までの間に開始した相続に係る相続税については、納税者の選択によりこの課税価格の特例を適用することができます。

❸ 負担付贈与又は対価を伴う取引により取得した土地等の評価

　負担付贈与又は個人間の対価を伴う取引により取得した土地等は、贈与税の課税に当たっては、財産評価基本通達による評価額ではなく、その取得時における通常の取引価額に相当する金額によって評価します。

　したがって、負担付贈与の場合は、通常の取引金額から負担額を差し引いた金額の贈与を受けたものとされ、また、低額譲渡として課税される場合は、通常の取引価額から支払対価の額を差し引いた金額の贈与を受けたものとされます。

　ただし、この取扱いは、贈与税についてのみ適用され、相続税、地価税には適用されません。

〈例〉

　　通常の取引価額　　　　　　10,000万円
　　相続税評価額　　　　　　　 8,000万円

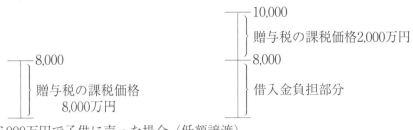

① 単純贈与をした場合　　② 8,000万円の借入金の返済条件付の贈与の場合
　　　　　　　　　　　　　　　（負担付贈与）

③ 6,000万円で子供に売った場合（低額譲渡）

4 棚卸資産となる土地等の評価

　土地等が棚卸資産（不動産業者が有する販売用土地）に該当する場合には、その評価額は次の計算による時価によるものとされています。

　　時価＝販売価額−適正利潤−予定経費

　なお、この計算は地価税の課税価格の計算の際には適用しません。

5 売買契約中の土地等の評価

　土地等の売買契約の締結後、その契約に係る土地等の売主から買主への引渡しの日前に売主又は買主が死亡した場合には、その相続に係る相続税の課税価格は、その土地等を財産評価基本通達に基づき評価した額ではなく、次のようになります。

（1）売主に相続が開始した場合

　相続又は遺贈により取得した財産は土地等ではなく、その売買契約に基づく残代金請求権になります。したがって、相続開始時において売買契約金額のうち未収となっている部分の金額が、残代金請求権の価額として相続税の課税価格に算入されます。

（2）買主に相続が開始した場合

　相続又は遺贈により取得した財産は、土地等ではなく、その売買契約に基づく土地等の引渡請求権になります。ただし、その土地等を相続財産として相続税の申告を行うこともできます。この場合、その土地等は、財産評価基本通達により評価します。

　引渡請求権の価額は、原則としてその売買契約に基づく土地等の譲渡価額となり、そのうち未払となっている金額については、債務として債務控除の適用を受けることになります。

　ただし、売買契約締結の日から相続開始までの期間が、通常の取引に比して長期間である等上記の方法により評価することが適当でない場合には、別途個別に評価します。

6 信託に供されている土地の評価

　相続、遺贈又は贈与によって信託受益権を取得した場合には、その信託受益権の取得をした時において、その信託受益権の目的となっている信託財産の各構成物を取得したもの

として相続税又は贈与税の課税価格を計算します。

この場合、取得した信託受益権が割合をもって表示されているものであるときは、その信託受益権割合に相当する部分を取得したものとして計算します。

７ 物納の収納価額

（１）原　則

物納の収納価額は、原則として、相続税の課税価格計算の基礎となったその財産の価額によります。ただし、収納の時までにその財産に著しい変化が生じた場合には、収納時の現況におけるその財産の価額が収納価額になります。

〈例〉・火災により建物が滅失した場合
　　　・土地の地目変換があった場合
　　　・荒れ地となった場合
　　　・所有権以外の物権又は借地権の設定、変更又は消滅があった場合
　　　・貸家だったのが、空家になった場合

また、修正申告等により課税価格に異動を生じた場合も、当然その修正申告後のその財産の価額が、収納価額になります。

（２）使用貸借していた土地の収納価額

建物の所有を目的として土地を使用貸借している場合のその土地の評価は、更地評価になります。しかし、相続人はその土地を物納すると、国から借地権を取得することになるため、収納価額が更地価額であれば、国がその土地を売却する際の底地としての価額とギャップを生じることになります。そのため使用貸借している土地の収納価額は、更地価額ではなく、借地権の価額に相当する額を差し引いた後のいわゆる底地価額になります。

また、使用貸借以外で、無償返還の届出がされている土地の場合も、課税価格は、自用地としての価額の100分の80に相当する金額によって評価されますが、収納価額は、同様の理由で借地権の価額に相当する額を差し引いた後の底地価額になります。

（３）分割不動産の収納価額

原則として超過物納は認められないため、相続財産である土地を分筆して、その一部を物納にあてるケースがあります。その場合の収納価額は、原則として分割後のそれぞれの土地について、相続開始時における財産評価基本通達の定めにより評価し、その評価額を基にして分割前のその土地の課税価格計算の基礎となった価額を按分した価額になります。

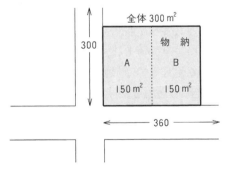

イ　全体の評価額
　　　　　　　　　　　　　　　　　　　　　（側方路線加算）
360,000円＋（300,000円× 0.03 ）＝369,000円
369,000円×300㎡＝110,700,000円

ロ　A地、B地それぞれの評価額
A地　369,000円×150㎡＝55,350,000円
B地　360,000円×150㎡＝54,000,000円
A地＋B地
55,350,000円＋54,000,000円＝109,350,000円

ハ　収納価額
$110,700,000円 \times \dfrac{54,000,000円}{109,350,000円} = \underline{54,666,666円}$

8 特定土地等の評価

（1）特定土地等とは

特定土地等とは、次の①、②をいいます。

① 特定非常災害発生日以後に相続税の申告期限の到来する者が、当該特定非常災害発生日前に

　イ　相続若しくは遺贈により取得した特定地域内にある土地及び土地の上に存する権利（以下土地等という）

　ロ　贈与により取得した特定地域内にある土地等で、相続開始前３年以内に贈与があった場合の相続税額又は相続時精算課税の選択の規定の適用を受けるもの（※）

で、当該特定非常災害発生日において所有していたもの

> ※　当該特定非常災害発生日の属する年の１月１日（当該特定非常災害が１月１日から当該特定非常災害発生日の属する年の前年分の贈与税の申告期限までの間に発生した場合には、その前年の１月１日）から当該特定非常災害の発生日の前日までの間に取得したもの

② 当該特定非常災害発生日の属する年の１月１日（当該特定非常災害が１月１日から当該特定非常災害発生日の属する年の前年分の贈与税の申告期限までの間に発生した場合には、その前年の１月１日）から当該特定非常災害の発生日の前日までの間に贈与により取得したもので、当該特定非常災害発生日において所有していたもの

（2）特定土地等の評価

① 相続においても贈与においても、土地等の評価は、取得した時の時価によるものとされていますが、特定土地等については、特定非常災害発生直後の価額、とすることができる、とされています。

② 特定非常災害発生直後の価額については、国税局長が特定地域内の一定の地域ごとに「調整率」を定めている場合には、特定非常災害発生日の属する年分（※）の路線価及び倍率に、この「調整率」を乗じて計算した金額を基に評価することができるものとされています。

> ※　財産を相続や贈与により取得した年度の路線価や固定資産税評価額、倍率ではなく、当該特定非常災害発生日の属する年分の路線価や固定資産税評価額、倍率を用います。もし、当該特定非常災害発生日の属する年分から奥行価格補正率等の画地調整率が改定された時にも、その改定された後の画地調整率を用いて計算します。

（注）　令和６年７月１日付けで「令和６年能登半島地震に係る調整率表」が公表されました。詳細は80ページに記載しています。

9 不動産所有権付リゾート会員権の評価

リゾート会員権の中には、不動産売買契約と施設利用契約が一体として取引されるものがあります。

例えば、総額740万円で、内訳は会員利用権74万円、建物代金599万円、土地代金67万円というようなものです。この内の土地は、リゾート施設全体の10,000㎡の内の共有持分割合の所有権となります。一般的に、こういったリゾート会員権については、不動産所有権と施設利用権を分離して譲渡することはできません。

こういったリゾート会員権について相続又は贈与があった場合には、41ページのマンション用地のように土地を分けて評価するのではなく、会員権として、課税時期における通常の取引価格の70%相当額により評価します。

第5章 農地の評価

1 評価の単位

　農地（田及び畑）は、1枚の農地（耕作の単位となっている1区画の農地のこと）ごとに評価することになっています。1枚の農地は必ずしも1筆の土地からなっているとは限りません。土地の登記状況と関係なく、現況によって判定してください。

　ただし、市街地周辺農地、市街地農地、生産緑地は、それぞれ利用の単位となっている一団の農地を評価単位とします。

2 農地の分類と評価方式

　農地は後で述べます生産緑地を除いて次の4つに分類され、それぞれについて評価方法が定められています。また、評価しようとする農地が、この4分類のいずれに当たるかは、財産評価基準書の「評価倍率表」（19ページ参照）に表示されています。

農地の種類	評価方式
① 純農地	倍率方式
② 中間農地	倍率方式
③ 市街地周辺農地	その農地が市街地農地であるとして宅地比準方式で評価した価額の80%
④ 市街地農地	（その農地が宅地であるとして評価した1㎡当たりの価額－1㎡当たりの造成費の金額）×地積……宅地比準方式 又は 倍率方式
⑤ 地積規模の大きな市街地農地、市街地周辺農地	市街地農地、市街地周辺農地が、「地積規模の大きな宅地の評価」の適用要件（61ページ参照）を満たす場合には、規模格差補正率を用いて④の「1㎡当たりの価額」を計算します。ただし、①宅地への転用に多額の造成費がかかり転用が見込めない場合や、②急傾斜地など宅地への造成が物理的に不可能な場合は、「地積規模の大きな宅地の評価」は適用できません。
⑥ 土砂災害特別警戒区域内にある市街化農地、市街化周辺農地	宅地比準方式による評価の際に、特別警戒区域補正率を用いて評価します。

（注1）　1㎡当たりの造成費の金額とは、その農地を宅地に転用する場合に通常必要と認められる伐採・抜根費、地ならしなどの整地費と、土盛費、土止めを必要とする場合の石積などの擁壁工事費の合計額をいい、国税局が発行する財産評価基準書の「評価倍率表」に記載されています。大阪国税局管内における令和6年分の造成費の額は、次の【参考】により計算します。

　　　　【参考】令和6年分の宅地造成費（大阪国税局管内）

　　　　・市街地農地等の評価に係る宅地造成費

　　　　　「市街地農地」、「市街地周辺農地」、「市街地山林」（注）及び「市街地原野」を評価する場合における宅地造成費の金額は、平坦地と傾斜地の区分によりそれぞれ次表に掲げる金額のとおりです。

　　　　（注）　ゴルフ場用地と同様に評価することが相当と認められる遊園地等用地（市街化区域及びそれに近接

する地域にある遊園地等に限ります。）を含みます。

表1　平坦地の宅地造成費（令和6年分）

工　事　費　目		造　成　区　分	金　額
整地費	整　地　費	整地を必要とする面積1平方メートル当たり	700円
	伐採・抜根費	伐採・抜根を必要とする面積1平方メートル当たり	1,000円
	地盤改良費	地盤改良を必要とする面積1平方メートル当たり	1,700円
土　盛　費		他から土砂を搬入して土盛りを必要とする場合の土盛り体積1立方メートル当たり	7,100円
土　止　費		土止めを必要とする場合の擁壁の面積1平方メートル当たり	75,500円

（留意事項）

1　「整地費」とは、①凹凸がある土地の地面を地ならしするための工事費又は②土盛工事を要する土地について、土盛工事をした後の地面を地ならしするための工事費をいいます。

2　「伐採・抜根費」とは、樹木が生育している土地について、樹木を伐採し、根等を除去するための工事費をいいます。したがって、整地工事によって樹木を除去できる場合には、造成費に本工事費を含めません。

3　「地盤改良費」とは、湿田など軟弱な表土で覆われた土地の宅地造成に当たり、地盤を安定させるための工事費をいいます。

4　「土盛費」とは、道路よりも低い位置にある土地について、宅地として利用できる高さ（原則として道路面）まで搬入した土砂で埋め立て、地上げする場合の工事費をいいます。

5　「土止費」とは、道路よりも低い位置にある土地について、宅地として利用できる高さ（原則として道路面）まで地上げする場合に、土盛りした土砂の流出や崩壊を防止するために構築する擁壁工事費をいいます。

表2　傾斜地の宅地造成費（令和6年分）

傾斜度	金額
3度超　5度以下	19,800円／㎡
5度超　10度以下	23,800円／㎡
10度超　15度以下	38,200円／㎡
15度超　20度以下	54,400円／㎡
20度超　25度以下	60,200円／㎡
25度超　30度以下	64,000円／㎡

（留意事項）

1　「傾斜地の宅地造成費」の金額は、整地費、土盛費、土止費の宅地造成に要するすべての費用を含めて算定したものです。

　　なお、この金額には、伐採・抜根費は含まれていないことから、伐採・抜根を要する土地については、「平坦地の宅地造成費」の「伐採・抜根費」の金額を基に算出し加算します。

2　傾斜度3度以下の土地については、「平坦地の宅地造成費」の額により計算します。

3　傾斜度については、原則として、測定する起点は評価する土地に最も近い道路面の高さとし、傾斜の頂点（最下点）は、評価する土地の頂点（最下点）が奥行距離の最も長い地点にあるものとして判定します。

4　宅地への転用が見込めないと認められる市街地山林については、近隣の純山林の価額に比準して評価する（財産評価基本通達49（市街地山林の評価））こととしています。したがって、宅地であるとした場合の価額から宅地造成費に相当する金額を控除して評価した価額が、近隣の純山林に比準して評価した価額を下回る場合には、経済合理性の観点から宅地への転用が見込めない市街地山林に該当するので、その市街地山林の価額は、近隣の純山林に比準して評価することになります。

　　宅地への転用が見込めないと認められる市街地農地についても、この規定を準用して評価します。

（注2）　その農地が宅地であるとした場合の1㎡当たりの価額は、その付近にある宅地について路線価方式又は倍率方式により評価した1㎡当たりの価額を基とし、その宅地とその農地との位置、形状等の条件の差を

考慮して評価します。

　具体的には、路線価方式により評価する地域にあっては、その路線価により、また倍率地域にあっては、評価しようとする農地に最も近接し、かつ、道路からの位置や形状等が最も類似する宅地の評価額を基として計算することになります。

3 農地の分類基準

　農地は、純農地、中間農地、市街地周辺農地及び市街地農地に分けられますが、その分類は、下記の農地に関する関係諸法令によって決まります。

① 農地法との関係
　・甲種農地………純農地
　・甲種以外の第1種農地………純農地
　・甲種以外の第2種農地………中間農地
　・甲種以外の第3種農地………市街地周辺農地
　・農地法の規定による転用許可を受けた農地………市街地農地
　・農地法の規定により転用許可を要しない農地として都道府県知事の指定を受けたもの
　　………市街地農地

② 農業振興地域の整備に関する法律との関係
　・農業振興地域内の農地で、農用地区域内の農地………純農地
　・農業振興地域内の農地で、農用地区域外の農地………①の分類で判断します
　・農業振興地域外の農地………①の分類で判断します

③ 都市計画法との関係
　・都市計画区域内で、市街化調整区域内の甲種農地………純農地
　・都市計画区域内で、市街化調整区域内の第1種農地………純農地
　・都市計画区域内で、市街化調整区域内の第2種農地………中間農地
　・都市計画区域内で、市街化調整区域内の第3種農地………市街地周辺農地
　・都市計画区域内で、市街化区域内の農地………市街地農地
　・都市計画区域内で、未線引区域の農地………①の分類で判断します
　・都市計画区域外の農地………①の分類で判断します

4 生産緑地の評価

　生産緑地の評価は次のようにして行います。

① 行為制限期間中であるため、買取り申出ができないもの
　　生産緑地でないものとした価額×（1-買取り申出ができない期間に応じた割合）

② 行為制限期間が満了し、又は従事者の死亡により買取り申出をしている生産緑地又は買取り申出をすることができるもの
　　生産緑地でないものとした価額×95％

③ 買取り申出から3か月を経過し、行為制限が解除されたもの
　　生産緑地でないものとした価額

　生産緑地指定後30年を経過する前に、所有者が市町村に買取り申出ができる時期を10年間延期（以後10年ごとにさらに10年延長可）できること（特定生産緑地という）となりました。この場合も、延長された10年間について、①～③と同じように評価します。

(注) ①の買取り申出ができない期間に応じた割合は次のとおりです。

課税時期から買取りの申出をすることができることとなる日までの期間	割 合
5 年以下	10%
5 年超～10年以下	15%
10年超～15年以下	20%
15年超～20年以下	25%
20年超～25年以下	30%
25年超～30年以下	35%

5 耕作権

耕作権とは、農地法第20条第1項に規定されている賃借権（債権）に基づいて、小作料を支払って他人の土地において耕作又は牧畜をなす権利をいいます。

耕作権の価額は、次のように評価します。

①　純農地及び中間農地の耕作権

その農地の価額×耕作権割合（50%）

②　市街地周辺農地及び市街地農地の耕作権

その農地が転用される場合において通常支払われるべき離作料の額、その農地の付近にある宅地に係る借地権の価額などを参酌して評価します。

ただし、国税局ごとに定めた割合（※）を乗じて計算した価額により評価しても差し支えありません。

※大阪国税局、名古屋国税局、金沢国税局は100分の40、東京国税局は100分の35、関東信越国税局は100分の30、その他の国税局は規定されていません。

6 永小作権

永小作権とは、小作料を支払って他人の土地において耕作又は牧畜をなす権利（物権）をいいます。

永小作権の価額は、この権利の目的となっている土地の価額にその権利を評価する時点におけるその権利の残存期間に応じて定められた割合を乗じて算出した金額によって評価します。この残存期間に応じる割合は、地上権割合（45ページ参照）と同じになります。

なお、残存期間の定めがない場合には、残存期間を30年（別段の慣習がある場合には、その慣習による）とみなして評価します。

7 貸付農地の評価

耕作権、永小作権等の目的となっている農地は、次の区分に従って評価します。

①　耕作権の目的となっている農地

農地の自用地としての価額－耕作権の価額

②　永小作権の目的となっている農地

農地の自用地としての価額－永小作権の価額

③　区分地上権の目的となっている農地

農地の自用地としての価額－区分地上権の価額

④　区分地上権に準ずる地役権の目的となっている農地
　　　農地の自用地としての価額－区分地上権に準ずる地役権の価額
⑤　農地法の許可を受けないで他人に耕作されている農地
　　　許可なく貸し付けた農地（いわゆる、ヤミ小作）については、耕作権が認められないため、当該農地は自用地として評価します。

8 農業経営基盤強化促進法等の規定により設定された賃貸借により貸し付けられた農地等の評価

　　農地の自用地としての価額×（1－0.05）で評価
　なお、この規定により設定された賃借権については、相続税又は贈与税の課税価格としては評価する必要はありません。

9 農地中間管理機構に賃貸借により貸し付けられた農地の評価

　　農地の自用地としての価額×（1－0.05）で評価（注）
　なお、この規定により設定された賃借権については、相続税又は贈与税の課税価格としては評価する必要はありません。

(注)　賃貸借期間が10年未満のものは、農地法第17条本文及び第18条第1項本文の規定が適用されるため、耕作権の目的となっている農地（前ページ **7** ①参照）として評価します。

10 市民農園として貸し付けている農地の評価

(1)　次の要件のすべてを満たすものは、農地の自用地としての価額×（1－0.2）として評価します。
　①　地方自治法第244条の2の規定により条例で設置される市民農園であること
　②　土地の賃貸借契約に次の事項が定められ、かつ、相続税及び贈与税の課税時期後において引き続き市民農園として貸し付けられること
　㈠　貸付期間が20年以上であること
　㈡　正当な理由がない限り貸付けを更新すること
　㈢　農地所有者は、貸付けの期間の中途において正当な事由がない限り土地の返還を求めることはできないこと
(2)　上記(1)以外のもの
　　農地の自用地としての価額から、賃借権の残存期間に応じ、その賃借権が地上権であるとした場合に適用される法定地上権割合の2分の1に相当する割合を控除して評価します。

11 特定市民農園として貸し付けている農地の評価

　特定市民農園の用地として貸し付けられている土地の価額は、その土地の自用地としての価額×70%で評価します。
　なお、この評価の適用を受けるには、土地賃貸借契約に一定の事項の定めがあること等の要件を満たした上で、当該土地が課税時期において特定市民農園の用地として貸し付けられている土地に該当する旨の地方公共団体の長の証明書を所轄税務署長に提出する必要があります。

1 評価の単位

　山林の価額は、１筆の山林ごとに評価します。山林の上に存する権利の価額についても同様です。

　ただし、市街地山林は、利用の単位となっている一団の山林を評価単位とします。

2 山林の評価方式

　山林の評価は、次の３つに分類し、それぞれについて評価方法が定められています。

　また、評価しようとする山林が、この３分類のいずれに当たるかは、財産評価基準書の「評価倍率表」(19ページ参照)に表示されています。

山林の種類	評 価 方 式
① 純 山 林	倍 率 方 式
② 中 間 山 林	倍 率 方 式
③ 市 街 地 山 林	(その山林が宅地であるとして評価した１㎡当たりの価額－１㎡当たりの造成費の金額)×地積…宅地比準方式 又は 倍 率 方 式 なお、宅地への転用が見込めないと認められる場合には、近隣の純山林の価額に比準して評価(注２)
④ 地積規模の大きな市街地山林	市街地山林が、「地積規模の大きな宅地の評価」の適用要件(61ページ参照)を満たす場合には、規模格差補正率を用いて、③の「１㎡当たりの価額」を計算します。ただし、㋑宅地への転用に多額の造成費がかかり転用が見込めない場合や、㋺急傾斜地など宅地への造成が物理的に不可能な場合は、「地積規模の大きな宅地の評価」は適用できません。
⑤ 土砂災害特別警戒区域内にある市街地山林	宅地比準方式による評価の際に、特別警戒区域補正率表を用いて評価します。

(注１)　１㎡当たりの造成費の金額とは、その山林を宅地に転用する場合に通常必要と認められる伐採・抜根費、地ならしなどの整地費と、土盛費、土止めを必要とする場合の石積などの擁壁工事費の合計額をいい、国税局が発行する財産評価基準書の「評価倍率表」に記載されています。造成費の額は農地の場合と同額ですので、94ページを参照してください。

　　　また、その山林が宅地であるとした場合の１㎡当たりの価額は、その付近にある宅地について路線価方式又は倍率方式により評価した１㎡当たりの価額を基とし、その宅地とその山林との位置、形状等の条件の差を考慮して評価します。

　　　具体的には、路線価方式により評価する地域にあっては、その路線価により、また、倍率地域にあっては、評価しようとする山林に最も近接し、かつ、道路からの位置や形状等が最も類似する宅地の評価額を基として計算することになります。

(注２)　宅地への転用が見込めないと認められる市街地山林については、近隣の純山林の価額に比準して評価する(財産評価基本通達49)こととされています。「宅地への転用が見込めないと認められる場合」とは、

宅地であるとした場合の価額から宅地造成費に相当する金額を控除して評価した価額が近隣の純山林に比準して評価した価額を下回る場合、又はその山林が急傾斜地等であるため宅地造成ができないと認められる場合、とされています。

(注) イ　比準元となる具体的な純山林は、評価対象地の近隣の純山林、すなわち、評価対象地からみて距離的に最も近い場所に所在する純山林とします。

ロ　宅地造成費に相当する金額が、その山林が宅地であるとした場合の価額の100分の50に相当する金額を超える場合であっても、上記の宅地造成費により算定します。

❸ 保安林等の評価

　山林が、森林法その他の法令（自然環境保全法など）の規定に基づき、土地の利用又は立木の伐採について制限を受けている場合には、その山林について、制限を受けていないものとして評価した場合の山林の価額から、その価額に《保安林等の立木の評価》に定める割合を乗じて計算した金額を控除した金額によって計算します。

　《保安林等の立木の評価》に定める割合は、次表のとおりです。

法令に基づき定められた伐採関係の区分	控 除 割 合
一　　　部　　　皆　　　伐	0.3
択　　　　　　　　　　　伐	0.5
単　　木　　選　　伐	0.7
禁　　　　　　　　　　　伐	0.8

　なお、その山林が森林法第25条の規定により保安林として指定されており、かつ、倍率方式により評価すべきものに該当する（純山林及び中間山林）場合には、保安林には固定資産税評価額が付されていません（固定資産税が非課税であるため）ので、その保安林の付近にある固定資産税評価額の付されている山林の価額に比準して評価した価額を基に計算します。

❹ 特別緑地保全地区内にある山林の評価

　都市緑地法第12条に規定する特別緑地保全地区内にある山林（林業を営むために立木の伐採が認められる山林で、かつ、純山林に該当するものを除く）の価額は、前記❷で評価した価額の20%（80%減額）で評価します。

❺ 貸し付けられている山林の評価

　賃借権、地上権等の目的となっている山林の評価は、次の区分に従って行います。
①　賃借権の目的となっている山林
　　　山林の自用地としての価額−賃借権の価額（注）
②　地上権の目的となっている山林
　　　山林の自用地としての価額−地上権の価額
③　区分地上権の目的となっている山林
　　　山林の自用地としての価額−区分地上権の価額
④　区分地上権に準ずる地役権の目的となっている山林
　　　山林の自用地としての価額−区分地上権に準ずる地役権の価額

(注)　賃借権の価額は次により評価します。

① 純山林に係る賃借権……相続税法又は地価税法の地上権の規定を準用して求めた価額
② 市街地山林に係る賃借権……その山林の付近にある宅地に係る借地権の価額等を参酌して求めた価額
③ 中間山林……賃貸借契約の内容、利用状況等に応じ①又は②の定めにより求めた価額

⑥ 分収林契約に基づいて貸し付けられている山林の評価

分収林契約に基づいて設定された地上権又は賃借権の目的となっている山林の価額は、次の①と②の金額の合計額によって評価します。

① その山林の自用地としての価額に、山林所有者の分収割合を乗じて計算した金額
② その山林の自用地としての価額からその山林についての地上権又は賃借権の価額を控除した価額にその山林所有者の分収割合を1から差し引いた割合を乗じて計算した金額
これを算式によって示せば次のようになります。

$$\underbrace{(その山林の自用地としての価額（A）× 山林所有者の分収割合（B）)}_{①}$$

$$+ \underbrace{((A)-地上権又は賃借権の価額) × (1-(B))}_{②}$$

$$= 分収林契約に係る山林の価額$$

（注）　山林所有者の分収割合や、地上権又は賃借権の割合（45ページ参照）を求める基となる地上権の設定期間又は賃借権の期間は、分収林契約書によります。

⑦ 公益的機能別施業森林区域内の山林の評価

Ⅰ. 平成24年3月31日以前に市町村の長の認定を受けた森林施業計画が定められている区域内に存する山林の評価

森林法第11条第4項の規定による市町村の長の認定を受けた同法第11条第1項に規定する森林施業計画（以下「森林施業計画」という）が定められていた区域内に存する山林のうち、次に掲げるものの価額は、財産評価基本通達45《評価の方式》に定める方式によって評価した価額から、その価額に別表に掲げる森林の区分に応じて定める割合を乗じて計算した金額に相当する金額を控除した金額によって評価する。

（1）相続又は遺贈により取得した場合

イ　森林法第17条第1項の規定により効力を有するものとされる森林施業計画において、同法第11条第4項第2号ロに規定する公益的機能別施業森林区域内（以下「公益的機能別施業森林区域内」という）にあるもの（特定遺贈及び死因贈与（特定の名義で行われるものに限る）により取得する場合を除く）

ロ　次に掲げる森林施業計画において、公益的機能別施業森林区域内にあるもの

①　被相続人を委託者とする森林施業委託契約が締結されていたことにより、受託者（次の②に掲げる受託者を除く）が認定を受けていた森林施業計画で、相続人、受遺者又は死因贈与による受贈者（以下「相続人等」という）の申出により、森林施業委託契約が継続され、かつ、受託者の森林施業計画として存続する場合における当該森林施業計画

②　被相続人を委託者、相続人等を受託者とする森林施業委託契約が締結されていたことにより、当該受託者が認定を受けていた森林施業計画で、当該受託者の森林施業計画として存続する場合における当該森林施業計画

（2）贈与により取得した場合

次に掲げる森林施業計画において、公益的機能別施業森林区域内にあるもの

イ　贈与者を委託者とする森林施業委託契約が締結されていたことにより、受託者（次のロに掲げる受託者を除く）が認定を受けていた森林施業計画で、贈与前に贈与を停止条件とする森林施業委託契約が締結されることにより、受託者の森林施業計画として存続する場合における当該森林施業計画

ロ　贈与者を委託者、受贈者を受託者とする森林施業委託契約が締結されていたことにより、当該受託者が認定を受けていた森林施業計画で、当該受託者の森林施業計画として存続する場合における当該森林施業計画

（別　表）

森　林　の　区　分	割　合
・森林法施行規則第9条の2第1号ロの水源かん養機能等維持増進森林 ・森林法施行規則第9条の2第1号ハの環境保全機能等維持増進森林のうち、森林法施行規則第13条第2項第6号かっこ書に規定する「風害の防備のための森林その他の特に帯状に残存すべき森林として市町村森林整備計画において定められている森林」	0.2
・森林法施行規則第9条の2第1号ハの環境保全機能等維持増進森林で森林法施行規則第13条第2項第6号かっこ書に規定する「風害の防備のための森林その他の特に帯状に残存すべき森林として市町村森林整備計画において定められている森林」以外の森林	0.4

Ⅱ．平成24年4月1日以後に市町村の長の認定を受けた森林経営計画が定められている区域内に存する山林の評価

森林法第11条第5項の規定による市町村の長の認定を受けた同法第11条第1項に規定する森林経営計画（以下「森林経営計画」という。）が定められていた区域内に存する山林のうち、次に掲げるものの価額は、財産評価基本通達45《評価の方式》に定める方式によって評価した価額から、その価額に別表に掲げる森林の区分に応じて定める割合を乗じて計算した金額に相当する金額を控除した金額によって評価する。

（1）相続又は遺贈により取得した場合

イ　森林法第17条第1項の規定により効力を有するものとされる森林経営計画において、同法第11条第5項第2号ロに規定する公益的機能別施業森林区域内（以下「公益的機能別施業森林区域内」という。）にあるもの（特定遺贈及び死因贈与（特定の名義で行われるものに限る）により取得する場合を除く）

ロ　次に掲げる森林経営計画において、公益的機能別施業森林区域内にあるもの

　①　被相続人を委託者とする森林の経営の委託に関する契約（以下「森林経営委託契約」という。）が締結されていたことにより、受託者（次の②に掲げる受託者を除く。）が認定を受けていた森林経営計画で、相続人、受遺者又は死因贈与による受贈者（以下「相続人等」という。）の申出により、森林経営委託契約が継続され、かつ、受託者の森林経営計画として存続する場合における当該森林経営計画

②　被相続人を委託者、相続人等を受託者とする森林経営委託契約が締結されていたことにより、当該受託者が認定を受けていた森林経営計画で、当該受託者の森林経営計画として存続する場合における当該森林経営計画

（2）贈与により取得した場合

次に掲げる森林経営計画において、公益的機能別施業森林区域内にあるもの

イ　贈与者を委託者とする森林経営委託契約が締結されていたことにより、受託者（次のロに掲げる受託者を除く）が認定を受けていた森林経営計画で、贈与前に贈与を停止条件とする森林経営委託契約が締結されることにより、受託者の森林経営計画として存続する場合における当該森林経営計画

ロ　贈与者を委託者、受贈者を受託者とする森林経営委託契約が締結されていたことにより、当該受託者が認定を受けていた森林経営計画で、当該受託者の森林経営計画として存続する場合における当該森林経営計画

ハ　贈与者が認定を受けていた森林経営計画で、贈与後に森林法第12条第1項に基づく当該森林経営計画の変更の認定を受けたことにより、受贈者の森林経営計画として存続する場合における当該森林経営計画

（別　表）

森　林　の　区　分	割　合
・森林法施行規則第39条第1項に規定する水源涵（かん）養機能維持増進森林 ・森林法施行規則第39条第2項に規定する土地に関する災害の防止及び土壌の保全の機能、快適な環境の形成の機能又は保健文化機能の維持増進を図るための森林施業を推進すべき森林として市町村森林整備計画において定められている森林その他水源涵（かん）養機能維持増進森林以外の森林（以下「水源涵（かん）養機能維持増進森林以外の森林」という。）のうち、森林法施行規則第39条第2項第1号に規定する複層林施業森林（同項第3号に規定する択伐複層林施業森林を除く。）及び標準伐期齢のおおむね2倍以上に相当する林齢を超える林齢において主伐を行う森林施業を推進すべき森林として市町村森林整備計画において定められている森林	0.2
・水源涵（かん）養機能維持増進森林以外の森林のうち、森林法施行規則第39条第2項第2号に規定する特定広葉樹育成施業森林及び同項第3号に規定する択伐複層林施業森林	0.4

8 特定森林経営計画山林の評価減の特例

次の要件を満たした山林については、相続税の課税価格の計算上、その山林の価額の5％を減額することができます。

① 市町村長の認定を受けた特定森林経営計画対象山林であること

② 当該山林を相続した者が被相続人の親族であること

③ 当該山林を相続等した者が、申告期限まで引き続き森林経営計画に基づき事業を行っていること

第7章 原野・牧場・池沼の評価

　牧場、池沼及びこれらの上に存する権利の価額は、原野及び原野の上に存する権利の定めに準じて評価しますので、以下では原野についてのみ説明をします（牧場、池沼及びこれらの上に存する権利の価額の際には、以下の説明の「原野」を「牧場」又は「池沼」と読み替える）。

❶ 評価の単位

　原野の価額は、1筆の原野ごとに評価します。原野の上に存する権利の価額についても同様です。

　ただし、市街地原野は、利用の単位となっている一団の原野を評価単位とします。

❷ 原野の評価方式

　原野の評価は、次の3つに分類し、それぞれについて評価方法が定められています。

　また評価しようとする原野が、この3分類のいずれに当たるかは、財産評価基準書の「評価倍率表」（19ページ参照）に表示されています。

原野の種類	評　価　方　式
①　純　　原　　野	倍　率　方　式
②　中　間　原　野	倍　率　方　式
③　市　街　地　原　野	（その原野が宅地であるとして評価した1㎡当たりの価額－1㎡当たりの造成費の金額）×地積…宅地比準方式 又は 倍　率　方　式
④　地積規模の大きな市街地原野	市街地原野が、「地積規模の大きな宅地の評価」の適用要件（61ページ参照）を満たす場合には、規模格差補正率を用いて、③の「1㎡当たりの価額」を計算します。ただし、㋑宅地への転用に多額の造成費がかかり転用が見込めない場合や、㋺急傾斜地など宅地への造成が物理的に不可能な場合は、「地積規模の大きな宅地の評価」は適用できません。
⑤　土砂災害特別警戒区域内にある市街地原野	宅地比準方式による評価の際に、特別警戒区域補正率表を用いて評価します。

（注1）　1㎡当たりの造成費の金額とは、その原野を宅地に転用する場合に通常必要と認められる伐採・抜根費、地ならしなどの整地費と、土盛費、土止めを必要とする場合の石積などの擁壁工事費の合計額をいい、国税局が発行する財産評価基準書の「評価倍率表」に記載されています。造成費の額は農地の場合と同額ですので94ページを参照してください。

　　　その原野が宅地であるとした場合の1㎡当たりの価額は、その付近にある宅地について路線価方式又は倍率方式により評価した1㎡当たりの価額を基とし、その宅地とその原野との位置、形状等の条件の差を考慮して評価します。

　　　具体的には、路線価方式により評価する地域にあっては、その路線価により、また、倍率地域にあっては、評価しようとする原野に最も近接し、かつ、道路からの位置や形状等が最も類似する宅地の評価額を基として計算することになります。

（注２）　宅地への転用が見込めないと認められる市街地山林については、近隣の純山林の価額に比準して評価する（財産評価基本通達49（市街地山林の評価））こととしています。したがって、宅地であるとした場合の価額から宅地造成費に相当する金額を控除して評価した価額が、近隣の純山林に比準して評価した価額を下回る場合には、経済合理性の観点から宅地への転用が見込めない市街地山林に該当するので、その市街地山林の価額は、近隣の純山林に比準して評価することになります。

宅地への転用が見込めないと認められる市街地原野についても、この規定を準用して評価します。

❸ 特別緑地保全地区内にある原野の評価

都市緑地法第12条に規定する特別緑地保全地区内にある原野の価額は、前記❷で評価した価額の20％（80％減額）で評価します。

❹ 貸し付けられている原野の評価

賃借権、地上権等の目的となっている原野の評価は、次の区分に従って評価します。
①　賃借権の目的となっている原野
　　原野の自用地としての価額−賃借権の価額（注）
②　地上権の目的となっている原野
　　原野の自用地としての価額−地上権の価額
③　区分地上権の目的となっている原野
　　原野の自用地としての価額−区分地上権の価額
④　区分地上権に準ずる地役権の目的となっている原野
　　原野の自用地としての価額−区分地上権に準ずる地役権の価額
（注）　賃借権の価額は次により評価します。
　　①　純原野及び中間原野に係る賃借権……純原野又は中間原野の自用地としての価額の100分の50相当額
　　②　市街地原野に係る賃借権……その原野が転用される場合に通常支払われるべき立退料の額、その原野の付近にある宅地に係る借地権の価額等を参酌して求めた金額

第8章 鉱泉地の評価

1 評価の単位

　鉱泉地の価額は、原則として、1筆の鉱泉地ごとに評価します。鉱泉地上に存する権利の価額についても同様です。

2 鉱泉地の評価方式

　鉱泉地の評価は次の**（1）**又は**（2）**によって行います。

（1）（2）以外の場合

　①　評価倍率が定められている場合

　　　固定資産税評価額×評価倍率

　②　評価倍率が定められていない場合

$$固定資産税評価額 \times \frac{その鉱泉地の鉱泉を利用する宅地の課税時期における価額}{その鉱泉地の鉱泉を利用する宅地の、その鉱泉地の固定資産税評価額の評定の基準となった日における価額}$$

　　（注）　固定資産税評価額の評定の基準となった日とは、通常、地方税法第341条における各基準年度の
　　　　　初日の属する年の前年1月1日になります。

（2）湯温、ゆう出量等に急激な変化が生じたこと等から（1）の①、②により評価することが適当でないと認められる場合

　　　その鉱泉地と状況の類似する鉱泉地の価額若しくは売買実例価額又は精通者意見価格等を参酌して求めた金額

3 住宅・別荘等の鉱泉地の評価

　鉱泉地からゆう出する温泉の利用者が、旅館、料理店の営業者以外の者である場合におけるその鉱泉地の価額は、「**2** 鉱泉地の評価方式」の定めによって求めた価額を基として、その価額から、その価額の100分の30の範囲内において相当と認める金額を控除した価額によって評価します。

4 温泉権が設定されている鉱泉地の評価

　温泉権が設定されている鉱泉地の価額は、その鉱泉地について「**2** 鉱泉地の評価方式」又は「**3** 住宅・別荘等の鉱泉地の評価」の方法により算定した価額から「**5** 温泉権の評価」の方法により算定した温泉権の価額を控除した価額になります。

5 温泉権の評価

　温泉権の価額は、その温泉権の設定の条件に応じ、温泉権の売買実例価額、精通者意見価格等を参酌して評価します。

⑥ 引湯権の設定されている鉱泉地及び温泉権の評価

　引湯権（鉱泉地又は温泉権を有する者から分湯を受ける者のその引湯する権利をいう。以下同じ）の設定されている鉱泉地又は温泉権の価額は、「**②** 鉱泉地の評価方式」又は「**③** 住宅・別荘等の鉱泉地の評価」で説明した方法により算定した鉱泉地の価額又は「**⑤** 温泉権の評価」で説明した方法により算定した温泉権の価額から、次の**⑦**本文により評価した引湯権の価額を控除した価額によって評価します。

⑦ 引湯権の評価

　引湯権の価額は、「**②** 鉱泉地の評価方式」、「**③** 住宅・別荘等の鉱泉地の評価」又は「**⑤** 温泉権の評価」で説明した方法により算定した鉱泉地の価額又は温泉権の価額に、その鉱泉地のゆう出量に対するその引湯権に係る分湯量の割合を乗じて求めた価額を基とし、その価額から引湯の条件（例えば湯元から遠く湯が冷めやすい等）に応じその価額の100分の30の範囲内において相当と認められる金額を控除した価額によって評価します。

　ただし、別荘、リゾートマンション等に係る引湯権で通常取引される価額が明らかなものについては、納税義務者の選択により、課税時期における当該価額に相当する金額によって評価することができます。

第9章 雑種地の評価

1 評価の単位

　雑種地の価額は、利用の単位となっている一団の雑種地（同一の目的に供されている雑種地）ごとに評価します。雑種地上に存する権利の価額についても同様です。

　この場合の「一団の雑種地」の判定は、物理的一体性を有しているか否かで行うことになります。したがって、その雑種地が不特定多数の者の通行の用に供される道路、河川等により分離されている場合には、その分離されている部分ごとに一団の雑種地として評価します。

　なお、いずれの用にも供されていない一団の雑種地については、その全体を「利用の単位となっている一団の雑種地」として評価します。

2 雑種地の評価方式

　雑種地の評価は、原則として、その雑種地と状況が類似する付近の土地について、財産評価基本通達の定めによって評価した1㎡当たりの価額を基にし、その土地とその雑種地との位置、形状等の条件の差を考慮して評定した価額に、その雑種地の地積を乗じて計算します。

　ただし、その雑種地の固定資産税評価額に、状況の類似する地域ごとに、その地域にある雑種地の売買実例価額、精通者意見価格等を基にして国税局長の定める倍率が定められている場合には、次の式で計算した金額で評価します。

　　当該雑種地の固定資産税評価額×倍率

　以下、雑種地を宅地比準方式を用いて評価する際に、当該雑種地が、「土砂災害特別警戒区域内」にある場合には、特別警戒区域補正率表を用いて評価します。

　また、当該雑種地が市街化区域内にある場合と、市街化調整区域内にある場合とで、具体的な計算方法は次のようになります。

（1）市街化区域内にある場合

① 状況が類似する土地（以下、比準地という）が宅地の場合

　　比準地の1㎡当たりの価額×比準地との較差補正率×評価地の地積

　　比準地との較差補正率は、奥行価格補正率等の画地調整率を使うことが認められています。

② 状況が類似する土地が農地や山林等の場合

　　（比準地の1㎡当たりの価額（※）×比準地との較差補正率－宅地造成費）
　　×評価地の地積

　　※　宅地比準方式（94ページ等参照）により比準地を宅地造成した場合の宅地造成費を考慮して計算した
　　　金額を1㎡当たり計算した金額

　宅地に状況が類似する雑種地や市街地農地等に類似する雑種地について、地積規模の大きな宅地の評価の適用要件を満たす場合には、その適用対象となります。

（2）市街化調整区域内にある場合

① 周囲（地域）の状況が純農地、純山林、純原野である場合

付近の純農地、純山林、純原野の価額を基に、次のように計算します。

当該雑種地の固定資産税評価額×倍率

② ①と③の地域の中間の場合

原則として、③と同じ計算式により評価します。この場合の、しんしゃく率は50％とします。

③ 周囲（地域）の状況が店舗等の建築が可能な幹線道路沿いや市街化区域との境界付近の場合

（原則）比準地の１㎡当たりの価額×比準地との較差補正率（※１）

×しんしゃく割合（※２）－宅地造成費）×評価地の地積

※１ **(1)** ①と同じく、奥行価格補正率等の画地調整率を使うことが認められています。

※２ 市街化調整区域であっても、法的規制が比較的緩く、店舗等の建築であれば可能なケースも多いと考えられるため、しんしゃく率（減価率）は30％とします。

ただし、例えば、周囲に郊外型店舗等が建ち並び、雑種地であっても宅地価格と同等の価格で取引が行われている実態があると認められる場合には、しんしゃく率は０％となります。

【市街化調整区域内にある雑種地の評価の概要】

市街化の影響度 弱→強	周囲（地域）の状況	比準地目	しんしゃく割合
	① 純農地、純山林、純原野	農地比準、山林比準、原野比準（注１）	
	② ①と③の地域の中間（範囲の状況により判定）	宅地比準	しんしゃく割合50％
	③ 店舗等の建築が可能な幹線道路沿いや市街化区域との境界付近（注２）		しんしゃく割合30％
		宅地価格と同等の取引実態が認められる地域（郊外型店舗が建ち並ぶ地域等）	しんしゃく割合０％

実務上、評価する雑種地に、どのような建物等の建築が可能であるかについては、各市区町村の建築課や都市計画課等において確認できます。

(注１) 農地等の価額を基として評価する場合で、評価対象地が資材置場、駐車場等として利用されているときは、その土地の価額は、原則として、農業用施設用地の評価（63ページ **(30)** 参照）に準じて農地等の価額に造成費相当額を加算した価額により評価します（ただし、その価額は宅地の価額を基として評価した価額を上回らないことに留意する）。

(注２) ③の地域は、線引き後に沿道サービス施設が建設される可能性のある土地や、線引き後に日常生活に必要な物品の小売業等の店舗として開発又は建築される可能性のある土地の存する地域をいいます。

(注３) 都市計画法第34条第11号に規定する区域内については、上記の表によらず、個別に判定します。

③ ゴルフ場の評価

ゴルフ場の用地に供している土地は、次の方法によって評価を行います。

（1）市街化区域及び市街化区域に近接する地域にある場合

１㎡当たりの宅地比準価額×地積×60％－１㎡当たりの造成費×地積

ここにいう１㎡当たりの宅地比準価額は、次により算定します。

① 路線価地域にある場合

そのゴルフ場の周囲に付されている路線価をそのゴルフ場用地に接する距離によって加重平均した金額

② 倍率地域にある場合

　1㎡当たりの固定資産税評価額に国税局長がそのゴルフ場ごとに設定した倍率を乗じた金額

　また、1㎡当たりの造成費に相当する金額は、市街地農地等の評価に係る宅地造成費の金額によります。

（2）（1）以外の地域にある場合

　固定資産税評価額×国税局長が各市町村ごと又はゴルフ場ごとに設定した倍率

　なお、上記**（1）**、**（2）**でいうゴルフ場用地は、原則として次のようなゴルフ場を対象とします。

① 総面積が10万㎡以上でホール数が18以上あり、かつ、ホールの平均距離が100m以上あるもの

② ホール数が9～17で、ホールの平均距離が150m以上のもの

　①、②に該当しないゴルフ場用地（いわゆるミニゴルフ場用地）は上記の方法によらず、通常の雑種地と同様に評価します。

市街化区域に近接するゴルフ場の評価計算例

　次図のようなゴルフ場で、国税局長の定める1㎡当たりの造成費を15千円とする。

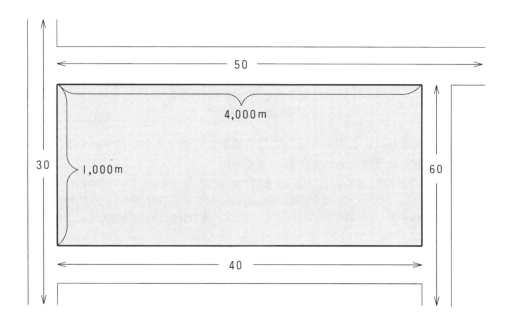

1㎡当たりの宅地比準価額

　（30千円×1,000m＋40千円×4,000m＋50千円×4,000m＋60千円×1,000m）

　÷（1,000m＋4,000m＋1,000m＋4,000m）

　＝45千円

評価額

　45千円×1,000m×4,000m×60％－15千円×1,000m×4,000m

　＝48,000,000千円

④ 遊園地等の評価

　遊園地、運動場、競馬場その他これらに類似する施設の用に供する土地は、原則として、雑種地と同じ方法によって評価します。ただし、規模等の状況から見てゴルフ場と同様の方法で評価することが相当と認められるものは、ゴルフ場の評価方法を準用して評価を行います。

⑤ 文化財建造物である構築物の敷地の用に供されている土地の評価

　文化財建造物である構築物の敷地の用に供されている土地の価額は、文化財建造物である家屋の敷地の用に供されている宅地の評価（62ページ参照）に準じて評価します。

　なお、文化財建造物である構築物の敷地と一体をなして価値を形成している土地がある場合には、その土地の価額は上記と同じように評価します。

⑥ 雑種地の賃借権の評価

　雑種地の賃借権の評価は、各々次の分類に従って行います。
① 　地上権に準ずる権利として評価することが相当と認められるもの
　　雑種地の自用地としての価額×残存期間に応じた地上権割合と借地権割合のいずれか低いほうの割合
② 　①以外のもの
　　雑種地の自用地としての価額×残存期間に応じた地上権割合×1／2
(注1) 　地上権に準ずる権利として評価することが相当と認められるものとは、次のような賃借権をいいます。
　　① 　賃借権の登記がされているもの
　　② 　設定の対価として権利金その他の一時金の授受があるもの
　　③ 　堅固な構築物の所有を目的とするもの
(注2) 　借地権の取引慣行があると認められる地域以外の地域にある賃借権は、(注1)の地上権に準ずる権利として経済的価値が認められるものを除き評価しません。

⑦ 貸し付けられている雑種地の評価

　貸し付けられている雑種地の評価は、各々次の区分に従って行います。
① 　賃借権が地上権に準ずる権利として評価することが相当と認められるものである場合（例えば、賃借権の登記がされているもの、設定の対価として権利金その他の一時金の授受があるもの、堅固な構築物の所有を目的とするもの等）
　　雑種地の自用地としての価額－上記⑥①で計算した賃借権の価額と次の算式で計算した金額のいずれか大きい金額
　　その雑種地の自用地としての価額×賃借権の残存期間に応じた次に掲げる割合
　　(イ) 　残存期間が5年以下のもの　　　　　　　　　　100分の5
　　(ロ) 　残存期間が5年を超え10年以下のもの　　　　　100分の10
　　(ハ) 　残存期間が10年を超え15年以下のもの　　　　 100分の15
　　(ニ) 　残存期間が15年を超えるもの　　　　　　　　　100分の20
② 　①に該当する場合以外の場合
　　雑種地の自用地としての価額－前記⑥②で計算した賃借権の価額と次の算式で計算し

た金額のいずれか大きい金額

その雑種地の自用地としての価額×賃借権の残存期間に応じた次に掲げる割合

　㋑　残存期間が5年以下のもの　　　　　　　　　　100分の2.5
　㋺　残存期間が5年を超え10年以下のもの　　　　　100分の5
　㋩　残存期間が10年を超え15年以下のもの　　　　 100分の7.5
　㊁　残存期間が15年を超えるもの　　　　　　　　　100分の10

（注）　借地権の取引慣行があると認められる地域以外の地域にあり、経済的価値がないものについては賃借権の評価はしませんが、賃借権の目的となっている雑種地の価額は、上記の計算により賃借権相当額を控除して計算します。

　　　　ただし、臨時的な使用に係る賃借権の目的や、1年以下の賃借権の目的となっている雑種地の価額は、自用地としての価額で評価します。

8 都市公園の用地として貸し付けられている土地の評価

（1）　都市公園の範囲

　ここでいう都市公園とは、次のイ～ハのすべての要件を満たす都市公園で、その土地が都市公園の用地として貸し付けられている土地に該当する旨の地方公共団体の証明書の交付を受けたものをいいます。

イ　都市公園法第2条第1項第1号に規定する公園又は緑地（堅固な公園施設が設置されているもので、面積が500㎡以上あるもの）の用に供されていること

ロ　土地所有者と地方公共団体との土地貸借契約に次の事項の定めがあること

　㋑　貸付期間が20年以上であること

　㋺　正当な理由がない限り貸付けを更新すること

　㋩　土地所有者は、貸付けの期間の中途において正当な事由がない限り土地の返還を求めることはできないこと

ハ　相続税又は贈与税の申告期限までに、その土地について権原を有することになった相続人又は受贈者全員からその土地を引き続き公園用地として貸し付けることに同意する旨の申出書が提出されていること

（2）　評　価

　都市公園として貸し付けられている土地については、都市公園法の規定により私権が行使できないこと等により、相当長期にわたりその利用が制限されることになります。

　したがって、都市公園の用地として貸し付けられている土地については、その土地が都市公園の用地として貸し付けられていないものとして評価した価額から、その価額に100分の40を乗じて計算した金額を控除した金額によって評価します。

9 市民緑地契約が締結されている土地の評価

（1）　対象となる市民緑地の範囲

　評価減の対象となる市民緑地とは、次のイ～ハの全ての要件を満たす市民緑地をいいます。

イ　都市緑地法第55条第1項に規定する市民緑地であること

ロ　土地所有者と地方公共団体又は緑地管理機構との市民緑地契約が締結されており、その契約に次の事項が定められていること

① 貸付けの期間が20年以上であること

② 正当な事由がない限り貸付けを更新すること

③ 土地所有者は、貸付けの期間の中途において正当な事由がない限り土地の返還を求めることはできないこと

ハ　相続税又は贈与税の申告期限までに、その土地について権原を有することになった相続人又は受贈者全員から、その土地を引き続き市民緑地として貸し付けることに同意する旨の申出書及びその他一定の書類が提出されていること

（2）　評　価

その土地を、市民緑地契約が締結されていないものとして評価した価額から、その価額に100分の20を乗じて計算した金額を控除した金額によって評価します。

🔟 風景地保護協定が締結されている土地の評価

（1）　対象となる土地の範囲

ここで、評価減の対象となる土地は、次のイ〜ハの全ての要件を満たす土地をいいます。

イ　自然公園法第43条第1項に規定する風景地保護協定区域内の土地であること

ロ　土地所有者と環境大臣若しくは地方公共団体又は自然公園法第49条の規定に基づく公園管理団体との間で風景地保護協定が締結されており、その協定に次の事項が定められていること

① 貸付けの期間が20年以上であること

② 正当な事由がない限り貸付けを更新すること

③ 土地所有者は、貸付けの期間の中途において、正当な事由がない限り土地の返還を求めることはできないこと

ハ　相続税又は贈与税の申告期限までに、その土地について権原を有することになった相続人又は受贈者全員から、その土地を引き続き、風景地保護協定に基づく土地として貸し付けることに同意する旨の申出書及びその他一定の書類が提出されていること

（2）　評　価

その土地を、風景地保護協定区域内の土地でないものとして評価した価額から、その価額に100分の20を乗じて計算した金額を控除した金額によって評価します。

🔟 太陽光発電施設用地の評価

太陽光発電パネルは建物には該当しないため、太陽光発電施設用地の地目は雑種地となります。

近傍地が宅地の場合は、宅地比準雑種地として、近傍地が農地や山林の場合は、農地や山林に比準するものとして評価します。

第10章 占用権の評価

　占用権とは、⑴河川法第24条の規定による河川区域内の土地の占用の許可に基づく権利及び⑵道路法第32条第１項の規定による道路の占用の許可又は都市公園法第６条第１項の規定による都市公園の占用の許可に基づく経済的利益を生ずる権利をいいます。

　⑴の例としては、河川敷内のゴルフ場、自動車練習場等、⑵の例として地下街、駐車場等や都市公園内での建物の設置等があります。

　なお、占用権の価額は、上記のような施設の完成後に評価することとされていますので、占用許可を得ていても、施設の建築中である場合には評価しないこととして差し支えありません。

　占用権は、次の分類に従って評価します。

①　取引事例のあるもの

　　財産評価基準書の「占用権の評価」に定められた方法により評価します。全国の財産評価基準書で「取引事例があるもの」として金額が定められているのは、大阪国税局管内の、船場センタービル（大阪市中央区）の道路占用権のみです。

　　船場センタービルの道路占用権の価額は、次のように計算します。

　イ　評価単位

　　　同ビルの専有部分に対応する道路占用権ごとに評価します。

　ロ　評価方法

　　　その専有部分に対応する価額（１号館から10号館まで、また、地下２階から４階までごとに（例えば３号館の地下１階は230,800円）「各号館の階層別占用権積算価額表」に定める価額）に、その専有部分の面積を乗じた金額によって評価します。

②　取引事例がなく、地下街又は家屋の所有を目的とするもの

　　占用権の目的となっている土地の価額×借地権割合×１/３

③　取引事例がなく、地下街又は家屋の所有を目的としないもの（例えば河川敷ゴルフ場）

　　占用権の目的となっている土地の価額×残存期間に応じた地上権割合×１/３

　上記②、③の「占用権の目的となっている土地の価額」はその占用権の目的となっている土地の付近にある土地について、財産評価基本通達の定めるところにより評価した１㎡当たりの価額を基とし、その土地とその占用権の目的となっている土地との位置、形状等の条件差及び占用の許可の内容を勘案した価額に、その占用の許可に係る土地の面積を乗じて計算した金額によって評価した価額をいいます。

　また、上記③の「占用権の残存期間」は、占用の許可に係る占用の期間が、占用の許可に基づき所有する工作物、過去における占用の許可の状況、河川等の工事予定の有無等に照らし実質的に更新されることが明らかであると認められる場合には、その占用の許可に係る占用権の残存期間に実質的な更新によって延長されると認められる期間を加算した期間をもって、その占用権の残存期間とします。

個別事例による土地評価

事例　1　正面だけが路線に接している宅地

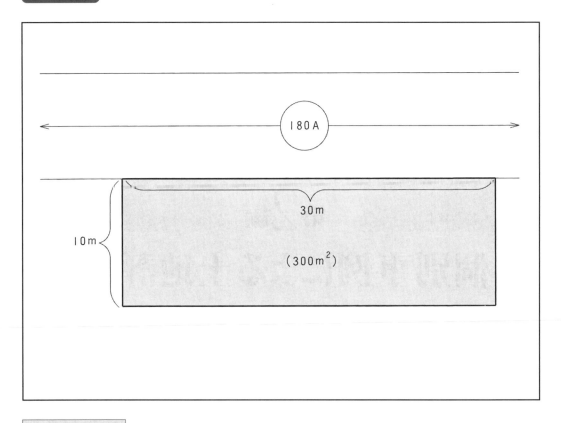

評価上の留意点

1　1つの路線に接している場合には、その路線が「正面」路線になります。

2　正面路線から奥に向かっての距離を「奥行距離」（この場合は10m）、正面路線に接する距離を「間口距離」（この場合は30m）といいます。

3　奥行価格補正率は、地区区分によって異なります。

4　土地の形状から、間口狭小補正や奥行長大補正が適用されるケースがあります。

各補正率の適用は？

1　奥行価格補正率……奥行10mで普通商業・併用住宅地区の場合、0.99です。

2　間口狭小補正率……間口30mで普通商業・併用住宅地区の場合、1.00です。

3　奥行長大補正率……奥行率は10m÷30m＝0.33であり、普通商業・併用住宅地区の場合、1.00です。

【事例　1】

土地及び土地の上に存する権利の評価明細書（第1表）

		局(所)	署	年分	ページ

（住居表示）	（　　　　　）	所有者	住　所（所在地）		使用者	住　所（所在地）	
所在地番			氏　名（法人名）			氏　名（法人名）	

地　　目	地　積	路　　　線　　　価	地形図及び参考事項
⑳宅地　山林　田　畑　雑種地（　　）	300 ㎡	正　面 180,000円　側　方 円　側　方 円　裏　面 円	省　略

間口距離	30 m	利用区分	自用地　私　　道　貸家建付借地権　貸宅地　貸家建付地　転貸借地権　借地権（　　　　　）	地区区分	ビル街地区　普通住宅地区　高度商業地区　中小工場地区　繁華街地区　大工場地区　普通商業・併用住宅地区	
奥行距離	10 m					

	自用地1平方メートル当たりの価額				

自用地1平方メートル当たりの価額				(1㎡当たりの価額)	
1　一路線に面する宅地（正面路線価）180,000円 × （奥行価格補正率）0.99				178,200 円	A
2　二路線に面する宅地（A）　円 ＋ （[側方・裏面 路線価] 円 × [奥行価格補正率] . × [側方 二方 路線影響加算率] 0. ）				円	B
3　三路線に面する宅地（B）　円 ＋ （[側方・裏面 路線価] 円 × [奥行価格補正率] . × [側方・二方 路線影響加算率] 0. ）				円	C
4　四路線に面する宅地（C）　円 ＋ （[側方・裏面 路線価] 円 × [奥行価格補正率] . × [側方・二方 路線影響加算率] 0. ）				円	D
5-1　間口が狭小な宅地等（AからDまでのうち該当するもの）　円 × （[間口狭小補正率] . × [奥行長大補正率] . ）				円	E
5-2　不整形地（AからDまでのうち該当するもの）　円 × 不整形地補正率※ 0.				円	F
※不整形地補正率の計算（想定整形地の間口距離） m × （想定整形地の奥行距離） m = （想定整形地の地積） ㎡					
（想定整形地の地積） ㎡ － （不整形地の地積） ㎡ ） ÷ （想定整形地の地積） ㎡ = （かげ地割合） %					
（不整形地補正率表の補正率） 0. × （間口狭小補正率） . = 0. ①　　（奥行長大補正率） . × （間口狭小補正率） . = 0. ②　（小数点以下2位未満切捨て）［不整形地補正率 ①、②のいずれか低い率、0.6を下限とする。］ 0.					
6　地積規模の大きな宅地（AからFまでのうち該当するもの）　規模格差補正率※　円 × 0.				円	G
※規模格差補正率の計算（地積（Ⓐ）） ㎡× Ⓑ ＋ © ） ÷ （地積（Ⓐ）） ㎡× 0.8 = （小数点以下2位未満切捨て） 0.					
7　無道路地（F又はGのうち該当するもの）　円 × （ 1 － 0. ） （※）				円	H
※割合の計算（0.4を上限とする。）（正面路線価） 円 × （通路部分の地積） ㎡） ÷ （F又はGのうち該当するもの） 円 × （評価対象地の地積） ㎡） = 0.					
8-1　がけ地等を有する宅地　〔 南 、 東 、 西 、 北 〕（AからHまでのうち該当するもの）　（がけ地補正率）　円 × 0.				円	I
8-2　土砂災害特別警戒区域内にある宅地（AからHまでのうち該当するもの）　特別警戒区域補正率※　円 × 0.				円	J
※がけ地補正率の適用がある場合の特別警戒区域補正率の計算（0.5を下限とする。）〔 南 、 東 、 西 、 北 〕（特別警戒区域補正率表の補正率） 0. × （がけ地補正率） 0. = （小数点以下2位未満切捨て） 0.					
9　容積率の異なる2以上の地域にわたる宅地（AからJまでのうち該当するもの）　（控除割合（小数点以下3位未満四捨五入））　円 × （ 1 － 0. ）				円	K
10　私　　道（AからKまでのうち該当するもの）　円 × 0.3				円	L

自用地の評価額	自用地1平方メートル当たりの価額（AからLまでのうちの該当記号）（ A ）178,200 円	地　積 300 ㎡	総　額（自用地1㎡当たりの価額）×（地積）53,460,000 円	M

事例 2 正面と片側の側面が路線に接している宅地

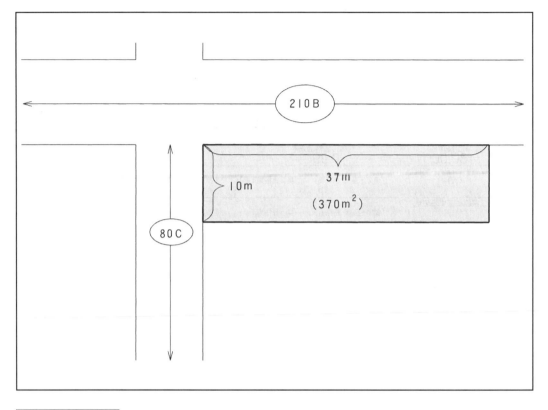

評価上の留意点

1 正面と片側の側面が路線に接している場合には、その宅地の利用形態に関係なく、各路線価に奥行価格補正率を加味した価格の高いほうの路線が「正面」路線になり、低いほうが「側方」路線になります（上図の場合、210千円のほうが正面路線になる）。
2 正面路線から奥に向かっての距離を「奥行距離」（この場合は10m）、正面路線に接する距離を「間口距離」（この場合は37m）といいます。
3 間口狭小補正や奥行長大補正は、正面路線からみて判定します。

各補正率の適用は？

1 正面路線の奥行価格補正率……奥行10mで高度商業地区の場合、0.98です。
2 正面路線に関する間口狭小・奥行長大補正率は1.00です。
3 側方路線の奥行価格補正率……奥行37mで高度商業地区の場合、1.00です。
4 側方路線影響加算率……角地の高度商業地区の場合、0.10です。

【事例　2】

土地及び土地の上に存する権利の評価明細書（第1表）

	局(所)	署	年分	ページ

(住居表示)	( )	所有者	住　所 (所在地)		使用者	住　　所 (所在地)	
所 在 地 番			氏　　名 (法人名)			氏　　名 (法人名)	

地　　　目	地　積	路　　　線　　　価				地形図及び参考事項
(宅地) 山 林 田　畑 雑種地 ( )	370 ㎡	正　面 210,000 円	側　方 80,000 円	側　方 円	裏　面 円	省　略

間口距離 37 m	利用区分	自用地　私　　道 貸宅地　貸家建付借地権 貸家建付地　転貸借地権 借地権 ( )	地区区分	ビル街地区　普通住宅地区 (高度商業地区)中小工場地区 繁華街地区　大工場地区 普通商業・併用住宅地区	
奥行距離 10 m					

			(1㎡当たりの価額) 円	
自 用 地 1 平 方 メ ー ト ル 当 た り の 価 額	1　一路線に面する宅地 　　(正面路線価)　　　　　　　(奥行価格補正率) 　　210,000 円　×　　　　0.98		205,800	A
	2　二路線に面する宅地 　　(A)　　　　　　 [側方・裏面 路線価]　(奥行価格補正率)　[側方・二方 路線影響加算率] 　205,800 円　+　(80,000 円 × 1.00 × 0.10)		213,800	B
	3　三路線に面する宅地 　　(B)　　　　　　 [側方・裏面 路線価]　(奥行価格補正率)　[側方・二方 路線影響加算率] 　　　　　円　+　(　　　円 × 　.　 × 0.　)			C
	4　四路線に面する宅地 　　(C)　　　　　　 [側方・裏面 路線価]　(奥行価格補正率)　[側方・二方 路線影響加算率] 　　　　　円　+　(　　　円 × 　.　 × 0.　)			D
	5-1　間口が狭小な宅地等 　　(AからDまでのうち該当するもの)　(間口狭小補正率)　(奥行長大補正率) 　　　　　円　×　　　　.　　×　　　　.			E
	5-2　不整形地 　　(AからDまでのうち該当するもの)　　不整形地補正率※ 　　　　　円　×　　　　0. 　※不整形地補正率の計算 　(想定整形地の間口距離)(想定整形地の奥行距離)(想定整形地の地積) 　　　　m ×　　　　m = 　　　　㎡ 　(想定整形地の地積)(不整形地の地積)(想定整形地の地積)　(かげ地割合) 　(　　㎡ − 　　㎡) ÷ 　　㎡ = 　　% 　(不整形地補正率表の補正率)(間口狭小補正率)(小数点以下2位未満切捨て) 　　0.　　　　×　　　　= 0.　　　① 　(奥行長大補正率)(間口狭小補正率) 　　　　×　　　　= 0.　　　② [不整形地補正率①、②のいずれか低い率、0.6を下限とする。]　0.			F
	6　地積規模の大きな宅地 　　(AからFまでのうち該当するもの)　規模格差補正率※ 　　　　　円　×　　　　0. 　※規模格差補正率の計算 　(地積(Ⓐ))　　(Ⓑ)　　(Ⓒ)　　(地積(Ⓐ))　(小数点以下2位未満切捨て) 　{(　　㎡×　　　　+ 　　　) ÷ 　　　㎡} × 0.8 = 0.			G
	7　無道路地 　　(F又はGのうち該当するもの)　　　　　(※) 　　　　　円　×　(1 − 0.) 　※割合の計算(0.4を上限とする。) 　(正面路線価)　(通路部分の地積)(F又はGのうち該当するもの)(評価対象地の地積) 　　　円 × 　㎡) ÷ (　　円 × 　㎡) = 0.			H
	8-1　がけ地等を有する宅地　〔 南 、 東 、 西 、 北 〕 　　(AからHまでのうち該当するもの)　(がけ地補正率) 　　　　　円　×　　　　0.			I
	8-2　土砂災害特別警戒区域内にある宅地 　　(AからHまでのうち該当するもの)　特別警戒区域補正率※ 　　　　　円　×　　　　0. 　※がけ地補正率の適用がある場合の特別警戒区域補正率の計算 (0.5を下限とする。) 　　〔 南、東、西、北 〕 　(特別警戒区域補正率表の補正率)(がけ地補正率)(小数点以下2位未満切捨て) 　　　　×　0.　　　= 0.			J
	9　容積率の異なる2以上の地域にわたる宅地 　　(AからJまでのうち該当するもの)　(控除割合(小数点以下3位未満四捨五入)) 　　　　　円　×　(1 − 0.)			K
	10　私　　　道 　　(AからKまでのうち該当するもの) 　　　　　円　×　0.3			L

自用地の評価額	自用地1平方メートル当たりの価額 (AからLまでのうちの該当記号)	地　積	総　　額 (自用地1㎡当たりの価額)×(地積)	
	(B) 213,800 円	370 ㎡	79,106,000 円	M

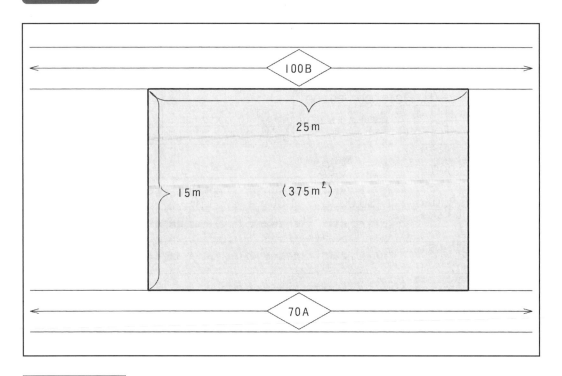

評価上の留意点

1　正面と裏面が路線に接している場合には、その宅地の利用形態に関係なく、各路線価に奥行価格補正率を加味した価格の高いほうの路線が「正面」路線になり、低いほうが「裏面」路線になります。

2　正面路線から奥に向かっての距離を「奥行距離」（この場合は15m）、正面路線に接する距離を「間口距離」（この場合は25m）といいます。

各補正率の適用は？

1　正面路線に関する奥行価格補正率……奥行15mで中小工場地区の場合、0.98です。

2　正面路線に関する間口狭小・奥行長大補正率は1.00です。

3　二方路線影響加算率……中小工場地区の場合、0.02です。

【事例　3】

土地及び土地の上に存する権利の評価明細書（第1表）

	局(所)	署	年分	ページ

(住居表示)	(	)	所有者	住　所 (所在地)		使用者	住　所 (所在地)	
所 在 地 番				氏　名 (法人名)			氏　名 (法人名)	

地　　目	地　積	路　　　　線　　　　価				地 形 図 及 び 参 考 事 項
(宅地) 山　林 田　雑種地 畑　( )	375 ㎡	正　面	側　方	側　方	裏　面	省　略
		100,000 円	円	円	70,000 円	

間口距離	25 m	利 用 区 分	(自用地) 私　道 貸宅地 貸家建付借地権 貸家建付地 転貸借地権 借地権 ( )	地 区 区 分	ビル街地区 (普通住宅地区) 高度商業地区 中小工場地区 繁華街地区 大工場地区 普通商業・併用住宅地区
奥行距離	15 m				

			(1㎡当たりの価額) 円	
自 用 地 1 平 方 メ ー ト ル 当 た り の 価 額	1　一路線に面する宅地 (正面路線価) 　　　　　(奥行価格補正率) 100,000 円 × 0.98		98,000	A
	2　二路線に面する宅地 (A) 　　　　　[側方・(裏面) 路線価] (奥行価格補正率) [側方・(二方) 路線影響加算率] 98,000 円 + (70,000 円 × 0.98 × 0.02)		99,372	B
	3　三路線に面する宅地 (B) 　　　　　[側方・裏面 路線価] (奥行価格補正率) [側方・二方 路線影響加算率] 円 + (円 × . × 0.)		円	C
	4　四路線に面する宅地 (C) 　　　　　[側方・裏面 路線価] (奥行価格補正率) [側方・二方 路線影響加算率] 円 + (円 × . × 0.)		円	D
	5-1　間口が狭小な宅地等 (AからDまでのうち該当するもの) (間口狭小補正率) (奥行長大補正率) 円 × (. × .)		円	E
	5-2　不 整 形 地 (AからDまでのうち該当するもの) 不整形地補正率※ 円 × 0. ※不整形地補正率の計算 (想定整形地の間口距離) (想定整形地の奥行距離) (想定整形地の地積) m × m = ㎡ (想定整形地の地積) (不整形地の地積) (想定整形地の地積) (かげ地割合) (㎡ － ㎡) ÷ ㎡ = % (不整形地補正率表の補正率) (間口狭小補正率) (小数点以下2位未満切捨て) [不整形地補正率] 0. × . = 0. ① { (①、②のいずれか低い (奥行長大補正率) (間口狭小補正率) 率、0.6を下限とする。) . × . = 0. ② }		円	F
	6　地積規模の大きな宅地 (AからFまでのうち該当するもの) 規模格差補正率※ 円 × 0. ※規模格差補正率の計算 (地積(Ⓐ)) (Ⓑ) (Ⓒ) (地積(Ⓐ)) (小数点以下2位未満切捨て) { (㎡× +) ÷ ㎡ } × 0.8 = 0.		円	G
	7　無 道 路 地 (F又はGのうち該当するもの) (※) 円 × (1 － 0.) ※割合の計算(0.4を上限とする。) (正面路線価) (通路部分の地積) (F又はGのうち該当するもの) (評価対象地の地積) 円 × ㎡ ÷ (円 × ㎡) = 0.		円	H
	8-1　がけ地等を有する宅地 〔 南 、 東 、 西 、 北 〕 (AからHまでのうち該当するもの) (がけ地補正率) 円 × 0.		円	I
	8-2　土砂災害特別警戒区域内にある宅地 (AからHまでのうち該当するもの) 特別警戒区域補正率※ 円 × 0. ※がけ地補正率の適用がある場合の特別警戒区域補正率の計算 (0.5を下限とする。) 〔 南 、 東 、 西 、 北 〕 (特別警戒区域補正率表の補正率) (がけ地補正率) (小数点以下2位未満切捨て) 0. × 0. = 0.		円	J
	9　容積率の異なる2以上の地域にわたる宅地 (AからJまでのうち該当するもの) (控除割合(小数点以下3位未満四捨五入)) 円 × (1 － 0.)		円	K
	10　私 道 (AからKまでのうち該当するもの) 円 × 0.3		円	L

自用地の評価額	自用地1平方メートル当たりの価額 (AからLまでのうちの該当記号)	地　積	総　　　　　　　額 (自用地1㎡当たりの価額) × (地　積)	M
	(B) 99,372 円	375 ㎡	37,264,500 円	

事例 4　正面と両側の側面が路線に接している宅地

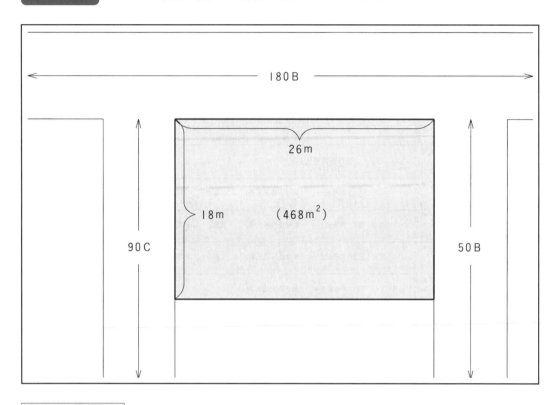

評価上の留意点

1　正面と両側の側面が路線に接している場合には、その宅地の利用形態に関係なく、各路線価に奥行価格補正率を加味した価格の一番高い路線が「正面」路線になり、残りの2つの路線が、「側方」又は「裏面」路線になります。正面路線からの位置関係で、「側方」か「裏面」かが決まります（この場合は180千円が正面路線になり、90千円と50千円が側方路線になる。180×1.00＝180＞90×0.97＝87.3＞50×0.97＝48.5）。

2　正面路線から奥に向かっての距離を「奥行距離」（この場合は18m）、正面路線に接する距離を「間口距離」（この場合は26m）といいます。

3　間口狭小補正と奥行長大補正は正面路線からみて判定します。

各補正率の適用は？

1　正面路線の奥行価格補正率……奥行18mで普通住宅地区の場合、1.00です。

2　側方路線の奥行価格補正率……奥行26mで普通住宅地区の場合、0.97です。

3　側方路線影響加算率……角地の普通住宅地区の場合、0.03です。

4　間口狭小・奥行長大補正率は1.00です。

【事例　4】

土地及び土地の上に存する権利の評価明細書（第1表）

	局(所)	署	年分	ページ

（住居表示）（　　　　　）	所有者	住所（所在地）		使用者	住所（所在地）	
所在地番		氏名（法人名）			氏名（法人名）	

地目 （宅地）山林 田 畑 雑種地（　）	地積 468 ㎡	路線価				地形図及び参考事項
		正面 180,000円	側方 90,000円	側方 50,000円	裏面　円	**省略**

間口距離 26 m	利用区分	（自用地）私道 貸宅地 貸家神付供地権 貸家建付地 転貸借地権 借地権 （　）	地区区分	ビル街地区 高度商業地区 繁華街地区 普通商業・併用住宅地区 （普通住宅地区） 中小工場地区 大工場地区	
奥行距離 18 m					

	自用地1平方メートル当たりの価額			（1㎡当たりの価額）	
自用地1平方メートル当たりの価額	1 一路線に面する宅地 （正面路線価）　　（奥行価格補正率） 180,000円 × 1.00			180,000 円	A
	2 二路線に面する宅地 （A）　　［側方・裏面 路線価］ （奥行価格補正率） ［側方・二方 路線影響加算率］ 180,000円 ＋ （ 90,000円 × 0.97 × 0.03 ）			182,619 円	B
	3 三路線に面する宅地 （B）　　［側方・裏面 路線価］ （奥行価格補正率） ［側方・二方 路線影響加算率］ 182,619円 ＋ （ 50,000円 × 0.97 × 0.03 ）			184,074 円	C
	4 四路線に面する宅地 （C）　　［側方・裏面 路線価］ （奥行価格補正率） ［側方・二方 路線影響加算率］ 円 ＋ （ 円 × ． × ． ）			円	D
	5-1 間口が狭小な宅地等 （AからDまでのうち該当するもの）（間口狭小補正率）（奥行長大補正率） 円 × （ ． × ． ）			円	E
	5-2 不整形地 （AからDまでのうち該当するもの）　不整形地補正率※ 円 × 0. ※不整形地補正率の計算 （想定整形地の間口距離）（想定整形地の奥行距離）（想定整形地の地積） m × m = ㎡ （想定整形地の地積） （不整形地の地積） （想定整形地の地積） （かげ地割合） （ ㎡ － ㎡） ÷ ㎡ = ％ （不整形地補正率表の補正率）（間口狭小補正率）（小数点以下2位未満切捨て） 0. × ． = 0. ① （奥行長大補正率）（間口狭小補正率） ． × ． = 0. ② 不整形地補正率（①、②のいずれか低い率、0.6を下限とする。）0.			円	F
	6 地積規模の大きな宅地 （AからFまでのうち該当するもの）　規模格差補正率※ 円 × 0. ※規模格差補正率の計算 （地積（Ⓐ）） （Ⓑ） （Ⓒ） （地積（Ⓐ）） （小数点以下2位未満切捨て） {（ ㎡× ＋ ） ÷ ㎡}× 0.8 = 0.			円	G
	7 無道路地 （F又はGのうち該当するもの）　　　　　（※） 円 × （ 1 － 0. ） ※割合の計算（0.4を上限とする。）（F又はGのうち該当するもの） （正面路線価） （通路部分の地積） （評価対象地の地積） （ 円 × ㎡） ÷ （ 円 × ㎡） = 0.			円	H
	8-1 がけ地等を有する宅地 〔 南 、 東 、 西 、 北 〕 （AからHまでのうち該当するもの）（がけ地補正率） 円 × 0.			円	I
	8-2 土砂災害特別警戒区域内にある宅地 （AからHまでのうち該当するもの）　特別警戒区域補正率※ 円 × 0. ※がけ地補正率の適用がある場合の特別警戒区域補正率の計算（0.5を下限とする。）〔 南 、 東 、 西 、 北 〕 （特別警戒区域補正率表の補正率）（がけ地補正率）（小数点以下2位未満切捨て） 0. × 0. = 0.			円	J
	9 容積率の異なる2以上の地域にわたる宅地 （AからJまでのうち該当するもの）（控除割合（小数点以下3位未満四捨五入）） 円 × （ 1 － 0. ）			円	K
	10 私道 （AからKまでのうち該当するもの） 円 × 0.3			円	L

自用地の評価額	自用地1平方メートル当たりの価額 （AからLまでのうちの該当記号）	地積	総額 （自用地1㎡当たりの価額）×（地積）	
	（ C ） 184,074 円	468 ㎡	86,146,632 円	M

－123－

事例 5　正面と裏面と側面が路線に接している宅地

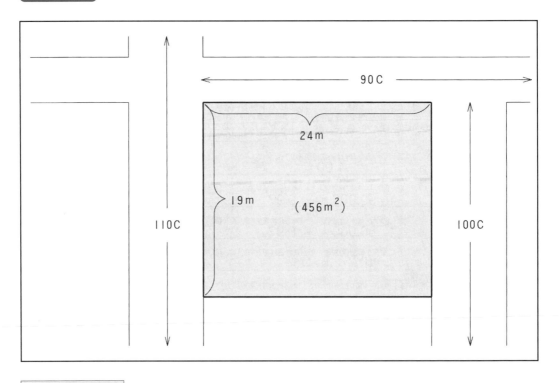

評価上の留意点

1　３つの路線に接している場合には、その宅地の利用形態に関係なく、各路線価に奥行価格補正率を加味した価格の一番高い路線が「正面」路線になり、残りの２つの路線が、「側方」又は「裏面」路線になります。正面路線からの位置関係で、「側方」か「裏面」かが決まります（この場合110千円が正面路線、100千円が裏面路線、90千円が側方路線になる。110×0.97＝106.7＞100×0.97＝97＞90×1.00＝90）。

2　正面路線から奥に向かっての距離を「奥行距離」（この場合は24m）、正面路線に接する距離を「間口距離」（この場合は19m）といいます。

3　間口狭小補正と奥行長大補正は正面路線からみて判定します。

各補正率の適用は？

1　正面路線の奥行価格補正率……奥行24mで普通住宅地区の場合、0.97です。

2　側方路線の奥行価格補正率……奥行19mで普通住宅地区の場合、1.00です。

3　側方路線影響加算率……角地の普通住宅地区の場合、0.03です。

4　裏面路線の奥行価格補正率……奥行24mで普通住宅地区の場合、0.97です。

5　二方路線影響加算率……普通住宅地区の場合、0.02です。

6　間口狭小・奥行長大補正率は1.00です。

【事例　5】

土地及び土地の上に存する権利の評価明細書（第1表）

局(所)	署	年分	ページ

（住居表示）　（　　　　　　　）	所有者	住　所（所在地）		使用者	住　　所（所在地）	
所在地番		氏　名（法人名）			氏　名（法人名）	

地　目	地　積	路　　　線　　　価				地形図及び参考事項
(宅地) 山林 田 畑 雑種地（　　）	456 ㎡	正面 110,000円	側方 90,000円	側方	裏面 100,000円	省略
間口距離 19 m	利用区分	自用地 私道 貸宅地 貸家建付借地権 貸家建付地 転貸借地権 借地権（　　　）		地区区分	ビル街地区　(普通住宅地区) 高度商業地区　中小工場地区 繁華街地区　大工場地区 普通商業・併用住宅地区	
奥行距離 24 m						

			1㎡当たりの価額	
自用地1平方メートル当たりの価額	1　一路線に面する宅地　　（正面路線価）　　　　　　　（奥行価格補正率）　　110,000 円 × 0.97		（1㎡当たりの価額） 106,700 円	A
	2　二路線に面する宅地　（A）　　　（側方・裏面 路線価）　（奥行価格補正率）　［側方・二方 路線影響加算率］　106,700 円 ＋ （ 90,000円 × 1.00 × 0.03 ）		（1㎡当たりの価額） 109,400 円	B
	3　三路線に面する宅地　（B）　　　［側方・裏面 路線価］　（奥行価格補正率）　［側方・二方 路線影響加算率］　109,400 円 ＋ （ 100,000円 × 0.97 × 0.02 ）		（1㎡当たりの価額） 111,340 円	C
	4　四路線に面する宅地　（C）　　　［側方・裏面 路線価］　（奥行価格補正率）　［側方・二方 路線影響加算率］　　　　円 ＋ （ 　　円 ． × 0. ）		（1㎡当たりの価額） 円	D
	5-1　間口が狭小な宅地等　（AからDまでのうち該当するもの）　（間口狭小補正率）　（奥行長大補正率）　　　　円 × （ ． × ． ）		（1㎡当たりの価額） 円	E
	5-2　不整形地　（AからDまでのうち該当するもの）　不整形地補正率※　　　　円 × 0.　　※不整形地補正率の計算　（想定整形地の間口距離）　（想定整形地の奥行距離）　（想定整形地の地積）　　　　m × 　　m = 　　㎡　（想定整形地の地積）　（不整形地の地積）　　（想定整形地の地積）　（かげ地割合）　（ 　　㎡ － 　　㎡ ）÷ 　　㎡ = 　　％　（不整形地補正率表の補正率）（間口狭小補正率）　（小数点以下2位未満切捨て）　0. × ． = 0. ①　（奥行長大補正率）（間口狭小補正率）　　．× ． = 0. ②　［不整形地補正率（①、②のいずれか低い率、0.6を下限とする。）］ 0.		（1㎡当たりの価額） 円	F
	6　地積規模の大きな宅地　（AからFまでのうち該当するもの）　規模格差補正率※　　　　円 × 0.　　※規模格差補正率の計算　（地積（Ⓐ））（Ⓑ）（Ⓒ）（地積（Ⓐ））（小数点以下2位未満切捨て）　{ （ 　　㎡× ＋ ）÷ 　　㎡ } × 0.8 ＝ 0.		（1㎡当たりの価額） 円	G
	7　無　道　路　地　（F又はGのうち該当するもの）　　　（※）　　　　円 × （ 1 － 0. ）　　※割合の計算（0.4を上限とする。）　（正面路線価）　（通路部分の地積）　（F又はGのうち該当するもの）　（評価対象地の地積）　（ 　　円 × 　　㎡ ）÷ （ 　　円 × 　　㎡ ） = 0.		（1㎡当たりの価額） 円	H
	8-1　がけ地等を有する宅地　〔 南 、 東 、 西 、 北 〕　（AからHまでのうち該当するもの）　（がけ地補正率）　　　　円 × 0.		（1㎡当たりの価額） 円	I
	8-2　土砂災害特別警戒区域内にある宅地　（AからHまでのうち該当するもの）　特別警戒区域補正率※　　　　円 × 0.　　※がけ地補正率の適用がある場合の特別警戒区域補正率の計算（0.5を下限とする。）　〔 南 、 東 、 西 、 北 〕　（特別警戒区域補正率表の補正率）（がけ地補正率）（小数点以下2位未満切捨て）　0. × 0. = 0.		（1㎡当たりの価額） 円	J
	9　容積率の異なる2以上の地域にわたる宅地　（AからJまでのうち該当するもの）　（控除割合（小数点以下3位未満四捨五入））　　　　円 × （ 1 － 0. ）		（1㎡当たりの価額） 円	K
	10　私　　　　道　（AからKまでのうち該当するもの）　　　　円 × 0.3		（1㎡当たりの価額） 円	L

自用地の評価額	自用地1平方メートル当たりの価額（AからLまでのうちの該当記号）	地　積	総　　　　　　　額（自用地1㎡当たりの価額）×（地積）	
	（ C ）　111,340 円	456 ㎡	50,771,040 円	M

-125-

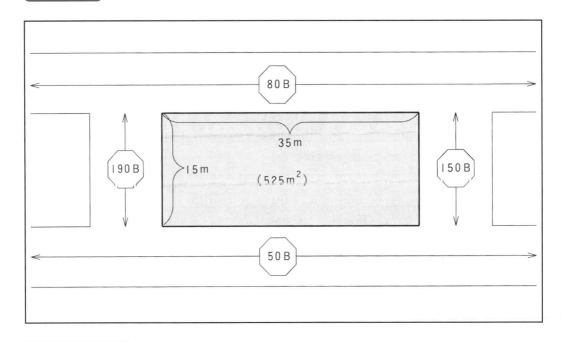

評価上の留意点

1　４つの路線に接している場合には、その宅地の利用形態に関係なく、各路線価に奥行価格補正率を加味した価格の一番高い路線が「正面」路線になり、正面路線の反対側が裏面路線、残りの２つの路線が、側方路線になります（上図では190千円が正面路線、150千円が裏面路線、80千円と50千円が側方路線になる）。

2　間口狭小補正と奥行長大補正は正面路線からみて判定します。

各補正率の適用は？

1　正面路線の奥行価格補正率……奥行35mで繁華街地区の場合、0.96です。

2　側方路線の奥行価格補正率……奥行15mで繁華街地区の場合、1.00です。

3　側方路線影響加算率……角地の繁華街地区の場合、0.10です。

4　裏面路線の奥行価格補正率……奥行35mで繁華街地区の場合、0.96です。

5　二方路線影響加算率……繁華街地区の場合、0.07です。

6　間口狭小・奥行長大補正率は1.00です。

【事例 6】

土地及び土地の上に存する権利の評価明細書（第1表）

					局(所)	署	年分	ページ

所在地番	（住居表示） （ ）	所有者	住 所 （所在地）		使用者	住 所 （所在地）	
			氏 名 （法人名）			氏 名 （法人名）	

地 目		地 積	路 線 価				地形図及び参考事項

（宅地）山 林 田 畑 雑種地 （ ）		㎡ 525	正面 190,000 円	側方 80,000 円	側方 50,000 円	裏面 150,000 円	省略

間口距離	15 m	利用区分	（自用地）私 道 貸宅地 貸家建付借地権	地区区分	ビル街地区 普通住宅地区 高度商業地区 中小工場地区	省略
奥行距離	35 m		貸家建付地 転貸借地権 借地権 （ ）		繁華街地区 大工場地区 普通商業・併用住宅地区	

		（1㎡当たりの価額） 円	
自用地1平方メートル当たりの価額	1 一路線に面する宅地 （正面路線価） （奥行価格補正率） 190,000 円 × 0.96	182,400	A
	2 二路線に面する宅地 (A) ［側方・裏面 路線価］ （奥行価格補正率） ［側方・二方 路線影響加算率］ 182,400 円 + （ 80,000 円 × 1.00 × 0.10 ）	（1㎡当たりの価額） 円 190,400	B
	3 三路線に面する宅地 (B) ［側方・裏面 路線価］ （奥行価格補正率） ［側方・二方 路線影響加算率］ 190,400 円 + （ 50,000 円 × 1.00 × 0.10 ）	（1㎡当たりの価額） 円 195,400	C
	4 四路線に面する宅地 (C) ［側方・裏面 路線価］ （奥行価格補正率） ［側方・二方 路線影響加算率］ 195,400 円 + （ 150,000 円 × 0.96 × 0.07 ）	（1㎡当たりの価額） 円 205,480	D
	5-1 間口が狭小な宅地等 （AからDまでのうち該当するもの） （間口狭小補正率） （奥行長大補正率） 円 × （ . ）	（1㎡当たりの価額） 円	E
	5-2 不 整 形 地 （AからDまでのうち該当するもの） 不整形地補正率※ 円 × 0. ※不整形地補正率の計算 （想定整形地の間口距離） （想定整形地の奥行距離） （想定整形地の地積） m × m = ㎡ （想定整形地の地積） （不整形地の地積） （想定整形地の地積） （かげ地割合） （ ㎡ － ㎡ ） ÷ ㎡ = ％ （不整形地補正率表の補正率）（間口狭小補正率） （小数点以下2 位未満切捨て） 0. × = 0. ① 不整形地補正率 （①、②のいずれか低い 率、0.6を下限とする。） （奥行長大補正率） （間口狭小補正率） × = 0. ② 0.	（1㎡当たりの価額） 円	F
	6 地積規模の大きな宅地 （AからFまでのうち該当するもの） 規模格差補正率※ 円 × 0. ※規模格差補正率の計算 （地積（Ⓐ）） （Ⓑ） （Ⓒ） （地積（Ⓐ）） （小数点以下2 位未満切捨て） ｛（ ㎡× + ） ÷ ㎡｝× 0.8 = 0.	（1㎡当たりの価額） 円	G
	7 無 道 路 地 （F又はGのうち該当するもの） （※） 円 × （ 1 － 0. ） ※割合の計算 （0.4 を上限とする。） （正面路線価） （通路部分の地積） （F又はGのうち 該当するもの） （評価対象地の地積） （ 円 × ㎡） ÷ （ 円 × ㎡） = 0.	（1㎡当たりの価額） 円	H
	8-1 がけ地等を有する宅地 〔 南 、 東 、 西 、 北 〕 （AからHまでのうち該当するもの） （がけ地補正率） 円 × 0.	（1㎡当たりの価額） 円	I
	8-2 土砂災害特別警戒区域内にある宅地 （AからHまでのうち該当するもの） 特別警戒区域補正率※ 円 × 0. ※がけ地補正率の適用がある場合の特別警戒区域補正率の計算（0.5を下限とする。） 〔 南 、 東 、 西、 北 〕 （特別警戒区域補正率表の補正率） （がけ地補正率） （小数点以下2 位未満切捨て） 0. × 0. = 0.	（1㎡当たりの価額） 円	J
	9 容積率の異なる2 以上の地域にわたる宅地 （AからJまでのうち該当するもの） （控除割合（小数点以下3 位未満四捨五入）） 円 × （ 1 － 0. ）	（1㎡当たりの価額） 円	K
	10 私 道 （AからKまでのうち該当するもの） 円 × 0.3	（1㎡当たりの価額） 円	L

自用地の評価額	自用地1平方メートル当たりの価額 （AからLまでのうちの該当記号） （ D ） 205,480 円	地 積 525 ㎡	総 額 （自用地1㎡当たりの価額）×（地 積） 107,877,000 円	M

-127-

事例 7 正面路線の判定（その１）

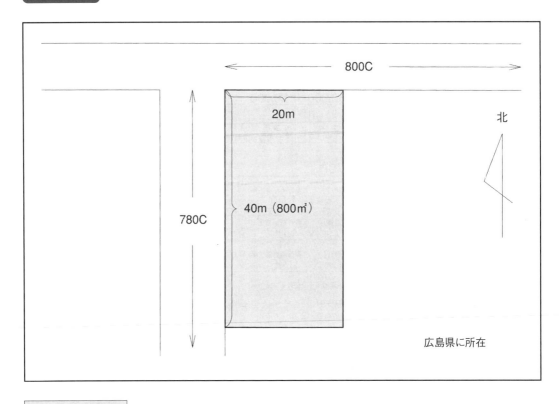

（図中の記載）
800C
780C
20m
40m（800㎡）
北
広島県に所在

評価上の留意点

1　２つの路線に接している場合には、その宅地の利用形態に関係なく、各路線価に奥行価格補正率を加味した価格の高いほうの路線が「正面」路線になります。

2　本事例の場合、路線に付されている数字は北側のほうが高いのですが、奥行価格補正率を加味すると、次のように西側の路線のほうが正面路線となります。

800千円×0.91＝728千円＜780千円×1.00＝780千円

各補正率の適用は？

1　正面路線の奥行価格補正率……奥行20mで普通住宅地区の場合1.00です。

2　側方路線の奥行価格補正率……奥行40mで普通住宅地区の場合0.91です。

3　側方路線影響加算率……角地の普通住宅地区の場合、0.03です。

4　間口狭小・奥行長大補正率は1.00です。

【事例 7】

土地及び土地の上に存する権利の評価明細書（第1表）

		局(所)	署	年分	ページ

（住居表示）	（ ）	所有者	住 所 （所在地）		使用者	住 所 （所在地）	
所 在 地 番			氏 名 （法人名）			氏 名 （法人名）	

地 目	地 積	路 線 価				地 形 図 及 び 参 考 事 項	
宅 地 山 林 田 畑 雑種地 （ ）	㎡ 800	正 面 780,000 円	側 方 800,000 円	側 方 円	裏 面 円	省 略	

間口距離 40 m	利 用 区 分	自用地 貸宅地 貸家建付地 借地権	私 道 貸家建付借地権 転貸借地権（ ）	地 区 区 分	ビル街地区 高度商業地区 繁華街地区 普通商業・併用住宅地区	普通住宅地区 中小工場地区 大工場地区	
奥行距離 20 m							

				(1㎡当たりの価額) 円	
自 用 地 1 平 方 メ ー ト ル 当 た り の 価 額	1 一路線に面する宅地 （正面路線価） （奥行価格補正率） 780,000 円 × 1.00			780,000	A
	2 二路線に面する宅地 （A） 【側方・裏面 路線価】 （奥行価格補正率）【側方・二方 路線影響加算率】 780,000 円 + （ 800,000 円 × 0.91 × 0.03 ）			(1㎡当たりの価額) 円 801,840	B
	3 三路線に面する宅地 （B） ［側方・裏面 路線価］ （奥行価格補正率） ［側方・二方 路線影響加算率］ 円 + （ 円 × . × . ）			(1㎡当たりの価額) 円	C
	4 四路線に面する宅地 （C） ［側方・裏面 路線価］ （奥行価格補正率） ［側方・二方 路線影響加算率］ 円 + （ 円 × . × . ）			(1㎡当たりの価額) 円	D
	5-1 間口が狭小な宅地等 （AからDまでのうち該当するもの） （間口狭小補正率） （奥行長大補正率） 円 × （ . × . ）			(1㎡当たりの価額) 円	E
	5-2 不 整 形 地 （AからDまでのうち該当するもの） 不整形地補正率※ 円 × 0. ※不整形地補正率の計算 （想定整形地の間口距離）（想定整形地の奥行距離） （想定整形地の地積） m × m = ㎡ （想定整形地の地積） （不整形地の地積） （想定整形地の地積） （かげ地割合） （ ㎡ － ㎡） ÷ ㎡ = % （不整形地補正率表の補正率）（間口狭小補正率） （小数点以下2位未満切捨て） 不整形地補正率 0. . = 0. ① ①、②のいずれか低い （奥行長大補正率） （間口狭小補正率） 率、0.6を下限とする。 . × . = 0. ② 0.			(1㎡当たりの価額) 円	F
	6 地積規模の大きな宅地 （AからFまでのうち該当するもの） 規模格差補正率※ 円 × 0. ※規模格差補正率の計算 （地積（Ⓐ）） （Ⓑ） （Ⓒ） （地積（Ⓐ）） （小数点以下2位未満切捨て） ｛（ ㎡× + ） ÷ ㎡｝× 0.8 = 0.			(1㎡当たりの価額) 円	G
	7 無 道 路 地 （F又はGのうち該当するもの） （※） 円 × （ 1 － 0. ） ※割合の計算（0.4を上限とする。） （正面路線価） （通路部分の地積） F又はGのうち 該当するもの （評価対象地の地積） 円 × ㎡） ÷ （ 円 × ㎡） = 0.			(1㎡当たりの価額) 円	H
	8-1 がけ地等を有する宅地 〔 南 、 東 、 西 、 北 〕 （AからHまでのうち該当するもの） （がけ地補正率） 円 × 0.			(1㎡当たりの価額) 円	I
	8-2 土砂災害特別警戒区域内にある宅地 （AからHまでのうち該当するもの） 特別警戒区域補正率※ 円 × 0. ※がけ地補正率の適用がある場合の特別警戒区域補正率の計算（0.5を下限とする。） 〔 南 、 東 、 西 、 北 〕 （特別警戒区域補正率表の補正率） （がけ地補正率） （小数点以下2位未満切捨て） 0. × 0. = 0.			(1㎡当たりの価額) 円	J
	9 容積率の異なる2以上の地域にわたる宅地 （AからJまでのうち該当するもの） （控除割合（小数点以下3位未満四捨五入）） 円 × （ 1 － 0. ）			(1㎡当たりの価額) 円	K
	10 私 道 （AからKまでのうち該当するもの） 円 × 0.3			(1㎡当たりの価額) 円	L
自 用 地 の 評 価 額	自用地1平方メートル当たりの価額 （AからLまでのうちの該当記号） （ B ） 801,840 円	地 積 800 ㎡	総 額 （自用地1㎡当たりの価額）×（地 積） 641,472,000 円		M

-129-

| 事例 8 | 正面路線の判定（その２） |

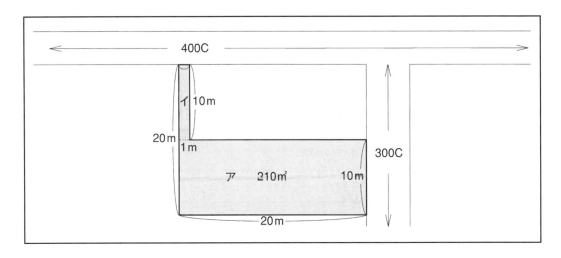

評価上の留意点

1　２つの路線に接している場合には、その宅地の利用形態に関係なく、原則として各路線価に奥行価格補正率を加味した価格の高いほうの路線が「正面」路線となります。

　　しかし、本事例のように通常正面路線（400Ｃの路線）となる道路には、接道義務に基づく道路幅を満たさない間口距離しかない宅地の場合には、最も影響を受ける路線（300Ｃの路線）を正面路線として考えることが認められます。

2　この事例のような形状の土地については、不整形地とはしないで、アとイに区分して、それぞれに奥行価格補正等の画地調整を行って評価します。したがって、ア、イそれぞれ一方でのみ道路と接する土地となります（32ページ参照）。

各補正率の適用は？

1　ア地の奥行価格補正率……奥行20mで普通住宅地区の場合1.00です。
　　イ地の奥行価格補正率……奥行10mで普通住宅地区の場合1.00です。

2　ア地の間口狭小補正率……間口10mで普通住宅地区の場合1.00です。
　　イ地の間口狭小補正率……間口１mで普通住宅地区の場合0.90です。

3　ア地の奥行長大補正率……奥行距離÷間口距離＝20m÷10m＝２で普通住宅地区の場合0.98です。

　　イ地の奥行長大補正率……奥行距離÷間口距離＝10m÷１m＝10で普通住宅地区の場合0.90です。

【事例　8】

土地及び土地の上に存する権利の評価明細書（第1表）

					局(所)		署	年分		ページ

	(住居表示)	(	)		住　所 (所在地)			使用者	住　所 (所在地)	
所在地番				所有者	氏　名 (法人名)				氏　名 (法人名)	

地　　目	地　積	路　　　　線　　　　価	地形図及び参考事項	

(宅地) 山林 田 雑種地 畑 ( )	ア 200 ㎡ イ 10	正　面 a 300,000 円 b 400,000	側　方 円	側　方 円	裏　面 円	**省　略**

間口距離	ア 10 m イ 1	利用区分	自用地 私　　道 貸宅地 貸家建付借地権 貸家建付地 転貸借地権 借地権 ( )	地区区分	ビル街地区 (普通住宅地区) 高度商業地区 中小工場地区 繁華街地区 大工場地区 普通商業・併用住宅地区
奥行距離	ア 20 m イ 10				

				(1㎡当たりの価額) 円	
自用地1平方メートル当たりの価額	1　一路線に面する宅地 (正面路線価) (奥行価格補正率) ア 300,000 円 × 1.00 イ 400,000 円 × 1.00			300,000 400,000	A
	2　二路線に面する宅地 (A) [側方・裏面 路線価] (奥行価格補正率) [側方・二方 路線影響加算率] 円 + (円 × . × 0.)			(1㎡当たりの価額) 円	B
	3　三路線に面する宅地 (B) [側方・裏面 路線価] (奥行価格補正率) [側方・二方 路線影響加算率] 円 + (円 × . × 0.)			(1㎡当たりの価額) 円	C
	4　四路線に面する宅地 (C) [側方・裏面 路線価] (奥行価格補正率) [側方・二方 路線影響加算率] 円 + (円 × . × 0.)			(1㎡当たりの価額) 円	D
	5-1　間口が狭小な宅地等 (AからDまでのうち該当するもの) (間口狭小補正率) (奥行長大補正率) ア 300,000 円 × (1.00 × 0.98) イ 400,000 円 × (0.90 × 0.90)			(1㎡当たりの価額) 円 294,000 324,000	E
	5-2　不整形地 (AからDまでのうち該当するもの) 不整形地補正率※ 円 × 0. ※不整形地補正率の計算 (想定整形地の間口距離) (想定整形地の奥行距離) (想定整形地の地積) m × m = ㎡ (想定整形地の地積) (不整形地の地積) (想定整形地の地積) (かげ地割合) (㎡ － ㎡) ÷ ㎡ = ％ (不整形地補正率表の補正率) (間口狭小補正率) (小数点以下2 位未満切捨て) 0. × = 0. ① (奥行長大補正率) (間口狭小補正率) × = 0. ②			(1㎡当たりの価額) 円 [不整形地補正率 ①、②のいずれか低い 率、0.6を下限とする。] 0.	F
	6　地積規模の大きな宅地 (AからFまでのうち該当するもの) 規模格差補正率※ 円 × 0. ※規模格差補正率の計算 (地積(Ⓐ)) (Ⓑ) (Ⓒ) (地積(Ⓐ)) (小数点以下2位未満切捨て) { (㎡ × +) ÷ ㎡ } × 0.8 ＝ 0.			(1㎡当たりの価額) 円	G
	7　無道路地 (F又はGのうち該当するもの) (※) 円 × (1 － 0.) ※割合の計算(0.4を上限とする。) (正面路線価) (通路部分の地積) (F又はGのうち該当するもの) (評価対象地の地積) 円 × ㎡ ÷ (円 × ㎡) = 0.			(1㎡当たりの価額) 円	H
	8-1　がけ地等を有する宅地 [南 、 東 、 西 、 北] (AからHまでのうち該当するもの) (がけ地補正率) 円 × 0.			(1㎡当たりの価額) 円	I
	8-2　土砂災害特別警戒区域内にある宅地 (AからHまでのうち該当するもの) 特別警戒区域補正率※ 円 × 0. ※がけ地補正率の適用がある場合の特別警戒区域補正率の計算(0.5を下限とする。) [南 、 東 、 西 、 北] (特別警戒区域補正率表の補正率) (がけ地補正率) (小数点以下2位未満切捨て) 0. × 0. ＝ 0.			(1㎡当たりの価額) 円	J
	9　容積率の異なる2以上の地域にわたる宅地 (AからJまでのうち該当するもの) (控除割合(小数点以下3位未満四捨五入)) 円 × (1 － 0.)			(1㎡当たりの価額) 円	K
	10　私　　道 (AからKまでのうち該当するもの) 円 × 0.3			(1㎡当たりの価額) 円	L

自用地の評価額	自用地1平方メートル当たりの価額 (AからLまでのうちの該当記号)	地　積	総　　　　　額 (自用地1㎡当たりの価額) × (地　積)	
	(E) ア 294,000 円 イ 324,000	200 ㎡ 10	58,800,000 3,240,000	62,040,000 円 M

　正面路線に２つの路線価がついている宅地

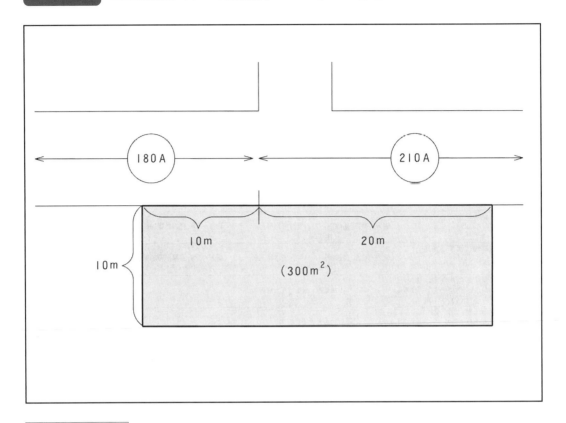

評価上の留意点

1　１つの路線に接している場合には、その路線が「正面」路線になります。

2　正面路線に２つの路線価がある場合には、その路線価が変わる地点までの間口距離に従って各々を加重平均して当該路線価とします。

　　上記のケースの場合には、

$$\frac{(180千円 \times 10m + 210千円 \times 20m)}{10m + 20m} = 200{,}000円$$

となります。

各補正率の適用は？

1　奥行価格補正率……奥行10mで普通商業・併用住宅地区の場合、0.99です。

2　間口狭小補正率……間口30mで普通商業・併用住宅地区の場合、1.00です。

3　奥行長大補正率……奥行率は10m÷30m＝0.33であり、普通商業・併用住宅地区の場合、1.00です。

【事例　9】

土地及び土地の上に存する権利の評価明細書（第1表）

	局(所)	署	年分	ページ

（住居表示）（　　　　　　　　）	所有者	住　所（所在地）		使用者	住　所（所在地）	
所 在 地 番		氏　名（法人名）			氏　名（法人名）	

地　　目	地　積	路　　　　　線　　　　　価	地形図及び参考事項
⊙宅地　山林 田　畑 雑種地 （　　　）	㎡ 300	正面 210,000 円　側方　円　側方　円　裏面　円 180,000	省略

間口距離 30 m	利用区分	⊙自用地　私　道　貸家建付借地権	地区区分	ビル街地区　普通住宅地区 高度商業地区　中小工場地区 繁華街地区　大 工 場 地 区 ⊙普通商業・併用住宅地区
奥行距離 10 m		貸宅地　貸家建付地 貸家建付地 転 貸 借 地 権 借 地 権 （　　　　　　）		

			（1㎡当たりの価額）円	
自用地1平方メートル当たりの価額	1 一路線に面する宅地 （正面路線価）（奥行価格補正率） 200,000 円 × 0.99		198,000	A
	2 二路線に面する宅地 （A） ［側方・裏面 路線価］（奥行価格補正率）［側方 二方 路線影響加算率］ 円 ＋ （ 円 × ． × 0． ）		（1㎡当たりの価額）円	B
	3 三路線に面する宅地 （B） ［側方・裏面 路線価］（奥行価格補正率）［側方・二方 路線影響加算率］ 円 ＋ （ 円 × ． × 0． ）		（1㎡当たりの価額）円	C
	4 四路線に面する宅地 （C） ［側方・裏面 路線価］（奥行価格補正率）［側方・二方 路線影響加算率］ 円 ＋ （ 円 × ． × 0． ）		（1㎡当たりの価額）円	D
	5-1 間口が狭小な宅地等 （AからDまでのうち該当するもの）（間口狭小補正率）（奥行長大補正率） 円 × （ ． × ． ）		（1㎡当たりの価額）円	E
	5-2 不 整 形 地 （AからDまでのうち該当するもの）　不整形地補正率※ 円 × 0． ※不整形地補正率の計算 （想定整形地の間口距離）（想定整形地の奥行距離）（想定整形地の地積） m × m = ㎡ （想定整形地の地積）（不整形地の地積）（想定整形地の地積）（かげ地割合） （ ㎡ － ㎡） ÷ ㎡ ＝ ％ （不整形地補正率表の補正率）（間口狭小補正率）（小数点以下2位未満切捨て） 0． × ＝ 0． ① （奥行長大補正率）（間口狭小補正率） × ＝ 0． ② ［不整形地補正率（①、②のいずれか低い率、0.6を下限とする。）］ 0．		（1㎡当たりの価額）円	F
	6 地積規模の大きな宅地 （AからFまでのうち該当するもの）　規模格差補正率※ 円 × 0． ※規模格差補正率の計算 （地積（Ⓐ））（Ⓑ）（Ⓒ）（地積（Ⓐ））（小数点以下2位未満切捨て） ｛（ ㎡× ＋ ） ÷ ㎡｝× 0.8 ＝ 0．		（1㎡当たりの価額）円	G
	7 無 道 路 地 （F又はGのうち該当するもの）（※） 円 × （ 1 － 0． ） ※割合の計算（0.4を上限とする。）（F又はGのうち （正面路線価）（通路部分の地積）該当するもの）（評価対象地の地積） （ 円 × ㎡） ÷ （ 円 × ㎡）＝ 0．		（1㎡当たりの価額）円	H
	8-1 がけ地等を有する宅地 ［ 南 、 東 、 西 、 北 ］ （AからHまでのうち該当するもの）（がけ地補正率） 円 × 0．		（1㎡当たりの価額）円	I
	8-2 土砂災害特別警戒区域内にある宅地 （AからHまでのうち該当するもの）　特別警戒区域補正率※ 円 × 0． ※がけ地補正率の適用がある場合の特別警戒区域補正率の計算（0.5を下限とする。） ［ 南 、 東 、 西 、 北 ］ （特別警戒区域補正率表の補正率）（がけ地補正率）（小数点以下2位未満切捨て） 0． × 0． ＝ 0．		（1㎡当たりの価額）円	J
	9 容積率の異なる2以上の地域にわたる宅地 （AからJまでのうち該当するもの）（控除割合（小数点以下3位未満四捨五入）） 円 × （ 1 － 0． ）		（1㎡当たりの価額）円	K
	10 私 道 （AからKまでのうち該当するもの） 円 × 0.3		（1㎡当たりの価額）円	L

自用地の評価額	自用地1平方メートル当たりの価額 （AからLまでのうちの該当記号）	地　積	総　　　額 （自用地1㎡当たりの価額）×（地　積）	
	（ A ） 198,000 円	300 ㎡	59,400,000 円	M

-133-

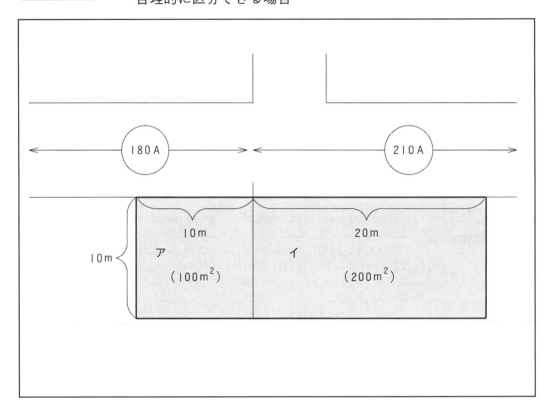

事例　10　正面路線に２つの路線価がついている宅地
　　　　　　──合理的に区分できる場合

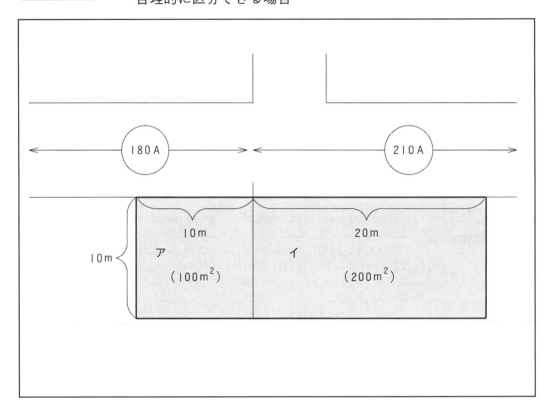

評価上の留意点

1　正面路線に２つの路線価がある場合には【事例９】のように計算するのが原則ですが、この事例のように、路線価が異なる部分（ア、イ）ごとに合理的に分けることができる場合には、異なる部分ごとに分けて評価することも差し支えありません。

各補正率の適用は？

（注）　このように区分して計算する場合に、ア部分、イ部分に分けることにより間口狭小補正率や奥行長大補正率の適用が計算上可能となっても、これらの補正率は適用されません。

1　奥行価格補正率……ア地もイ地も奥行10mで普通商業・併用住宅地区の場合0.99です。

2　間口狭小補正率……間口30m（上記(注)参照）で普通商業・併用住宅地区の場合1.00です。

3　奥行長大補正率……奥行率は10m÷30m＝0.33（上記(注)参照）であり普通商業・併用住宅地区の場合1.00です。

（ア）　180,000×0.99＝178,200
　　　　178,200×100㎡＝17,820,000

（イ）　210,000×0.99＝207,900
　　　　207,900×200㎡＝41,580,000

（ア）＋（イ）＝59,400,000

■海外不動産の評価

　財産評価基本通達による評価方法は、日本の財産に関する評価基準であり、海外の不動産の評価にはそのまま使用することができません。財産評価基本通達によって評価することができない財産は、売買実例価額、精通者意見価格等を参酌して評価することとなっており、売買実例価額はデータが入手しにくいことから、実務的には現地の不動産鑑定評価によることが多いといえます。

　なお、課税上弊害がない場合は、次の価額による評価によることもできるとされています。

　①　その財産の取得価額が明らかなときは、その取得価額を基にその財産が所在する地域若しくは国におけるその財産と同一種類の財産の一般的な価格動向に基づき時点修正して求めた価額（取得価額をベースとした評価）

　②　課税時期後にその財産を譲渡しているときには、その譲渡価額を基に課税時期現在の価額として時点修正等を行い合理的に算出した価額（譲渡価額をベースとした評価）

　両者ともあくまで「課税上弊害がない限り」に認められるものであり、時点修正など価額算定の合理性がない場合や、取得価額又は譲渡価額自体が市場価額と乖離しているよう場合は認められません。

（注）　取得価額又は譲渡価額自体が市場価額と乖離しているような場合とは、例えば、その財産を親族から低額で譲り受けた場合や、債務の返済等のために売り急ぎがあった場合など、をいいます。

■路線価の減額補正

　令和2年はじめ頃から、新型コロナウイルスの感染が拡がり、それまでインバウンドによる消費拡大で潤っていた地域を中心に地価が下落しました。令和2年の7月に公表された路線価は、令和2年1月1日時点の公示価格ベースの地価の80%を基準としていますので、令和2年1月1日以降に20%を超えて地価が下落すると、「路線価>地価」ということになり、路線価の補正が必要となります。言い換えれば、20%以内の下落であれば「路線価<地価」なので、路線価の補正は行う必要がないこととなります。

　その結果、令和2年7～9月の間に相続等により取得した土地等については、大阪市中央区心斎橋筋2丁目、宗右衛門町、道頓堀1丁目の3地域のみが、10～12月の間に相続等により取得した土地等については、この3地域に加えて、心斎橋筋1丁目や難波1丁目・3丁目等10地域が追加（いずれも大阪市中央区）され、路線価に地価変動補正率を乗じて計算することとなりました。

　令和3年については、最も下落した地点で16%だったので、減額補正は行われませんでした。

　今後も感染症の流行や大規模災害、その他の理由で同様のことが起こるかも知れません。

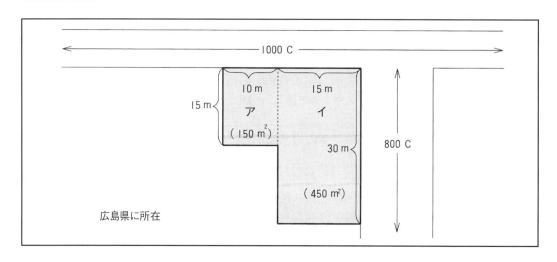

評価上の留意点

1　　図のように不整形地を区分して整形地が得られる形状の不整形地については、①平均的な奥行距離に基づき計算した価額と、②ア、イのそれぞれを別々に評価して、それらを合計した価額とのいずれかで評価します。

　　②の場合、ア、イそれぞれの評価の際には、間口狭小補正率と奥行長大補正率は適用しません。また、同じく②の場合の側方路線からの奥行距離は、側方路線からみた想定整形地の奥行距離（25m）を限度として、アイ全体の地積を側方路線の間口距離で除した数値（600㎡÷30m＝20m＜25mのため20m）となります。

2　　平均的な奥行距離により計算する場合の正面路線に対する奥行距離は、想定整形地の奥行距離（30m）を限度として、アイ全体の地積を正面路線の間口距離で除した数値（600㎡÷25m＝24m＜30mのため24m）となります。

3　　本事例では、1の①による評価額は5億7,850.8万円、②による評価額は5億7,414.3万円となるため、②の別々に区分して計算する方が有利になります。

各補正率の適用は？

1　奥行価格補正率……奥行15m、30m、20m、24mで普通住宅地区の場合、それぞれ1.00、0.95、1.00、0.97です。

2　間口狭小補正率……間口25mで普通住宅地区の場合、1.00です。

3　側方路線影響加算率……普通住宅地区で角地の場合、0.03です。

4　不整形地補正率

　　　かげ地割合……（750㎡－600㎡）÷750㎡＝20％です。

　　　地積区分……面積が600㎡で普通住宅地区ですからBになります。

　　　補　正　率……普通住宅地区でかげ地割合が20％、地積区分がBですから0.97になります（不整形地補正率の計算については、139ページ参照）。

【事例　11】
平均的な奥行距離による方法

土地及び土地の上に存する権利の評価明細書（第1表）

	局(所)	署	年分	ページ

(住居表示)	(　　　　　　)	所有者	住　所 (所在地)		使用者	住　　所 (所在地)	
所 在 地 番			氏　名 (法人名)			氏　　名 (法人名)	

地　目		地　積	路　　　　　線　　　　　価				地形図及び参考事項	
(宅地) 山 林 田　雑種地 畑　(　　)		m²	正面	側方	側方	裏面		
		600	1,000,000円	800,000円	円	円	省略	

間口距離	25 m	利用区分	(自用地) 私　道 貸 宅 地 貸家建付借地権 貸家建付地 転 貸 借 地 権 借 地 権 (　　　　　)	地区区分	ビル街地区　(普通住宅地区) 高度商業地区　中小工場地区 繁華街地区　大工場地区 普通商業・併用住宅地区
奥行距離	24 m				

					1 m²当たりの価額	
自用地1平方メートル当たりの価額	**1** 一路線に面する宅地	(正面路線価)　　　　　　(奥行価格補正率) 1,000,000円 × 0.97			970,000 円	A
	2 二路線に面する宅地	(A)　　　　　[側方・裏面 路線価]　(奥行価格補正率)　[側方・二方 路線影響加算率] 970,000 円 + (800,000 円 × 1.00 × 0.03)			994,000 円	B
	3 三路線に面する宅地	(B)　　　　　[側方・裏面 路線価]　(奥行価格補正率)　[側方・二方 路線影響加算率] 円 + (　円 × . × 0.)			円	C
	4 四路線に面する宅地	(C)　　　　　[側方・裏面 路線価]　(奥行価格補正率)　[側方・二方 路線影響加算率] 円 + (　円 × . × 0.)			円	D
	5-1 間口が狭小な宅地等	(AからDまでのうち該当するもの)　(間口狭小補正率)　(奥行長大補正率) 円 × (. × .)			円	E
	5-2 不 整 形 地	(AからDまでのうち該当するもの)　　不整形地補正率※ 994,000 円 × 0.97 ※不整形地補正率の計算 (想定整形地の間口距離)　(想定整形地の奥行距離)　(想定整形地の地積) 25 m × 30 m = 750 m² (想定整形地の地積)　(不整形地の地積)　(想定整形地の地積)　(かげ地割合) (750 m² − 600 m²) ÷ 750 m² = 20 % (不整形地補正率表の補正率)(間口狭小補正率)　(小数点以下2位未満切捨て)　［不整形地補正率 0.97 × 1.00 = 0.97 ①　①、②のいずれか低い (奥行長大補正率)　(間口狭小補正率)　　　　　　　　率、0.6を下限とする。］ . × . = . ②　　0.97			964,180 円	F
	6 地積規模の大きな宅地	(AからFまでのうち該当するもの)　規模格差補正率※ 円 × 0. ※規模格差補正率の計算 (地積(Ⓐ))　(Ⓑ)　(Ⓒ)　(地積(Ⓐ))　(小数点以下2位未満切捨て) { (m²× +) ÷ m² } × 0.8 = 0.			円	G
	7 無 道 路 地	(F又はGのうち該当するもの)　(※) 円 × (1 − 0.) ※割合の計算 (0.4を上限とする。)　(F又はGのうち該当するもの) (正面路線価)　(通路部分の地積)　(評価対象地の地積) (　円 × m²) ÷ (　円 × m²) = 0.			円	H
	8-1 がけ地等を有する宅地 〔 南 、 東 、 西 、 北 〕	(AからHまでのうち該当するもの)　(がけ地補正率) 円 × 0.			円	I
	8-2 土砂災害特別警戒区域内にある宅地	(AからHまでのうち該当するもの)　特別警戒区域補正率※ 円 × 0. ※がけ地補正率の適用がある場合の特別警戒区域補正率の計算 (0.5を下限とする。) 〔 南 、 東 、 西 、 北 〕 (特別警戒区域補正率表の補正率)　(がけ地補正率)　(小数点以下2位未満切捨て) 0. × 0. = 0.			円	J
	9 容積率の異なる2以上の地域にわたる宅地	(AからJまでのうち該当するもの)　(控除割合 (小数点以下3位未満四捨五入)) 円 × (1 − 0.)			円	K
	10 私　　道	(AからKまでのうち該当するもの) 円 × 0.3			円	L

自用地の評価額	自用地1平方メートル当たりの価額 (AからLまでのうちの該当記号)	地　　積	総　　　　　　額 (自用地1m²当たりの価額) × (地　積)	
	(F)　964,180 円	600 m²	578,508,000 円	M

【事例 11】

区分する方法

土地及び土地の上に存する権利の評価明細書（第1表）

				局(所)	署	年分	ページ

（住居表示）	（ ）	所有者	住　所（所在地）		使用者	住　所（所在地）	
所在地番			氏　名（法人名）			氏　名（法人名）	

地　　目		地　積	路　　　　線　　　　価				地形図及び参考事項
（宅地）山林 田　畑 雑種地（　）		600 ㎡	正　面 1,000,000 円	側　方 800,000 円	側　方 円	裏　面 円	省略

間口距離	ア 10 m イ 15 m	利用区分	（自用地）私　道 貸宅地 貸家建付借地権 貸家建付地 転貸借地権 借地権 （ ）	地区区分	ビル街地区　（普通住宅地区） 高度商業地区　中小工場地区 繁華街地区　大工場地区 普通商業・併用住宅地区	
奥行距離	ア 15 m イ 30 m					

				1㎡当たりの価額		
自用地1平方メートル当たりの価額	**1 一路線に面する宅地** （正面路線価）　　（奥行価格補正率） ア 1,000,000 円 × 1.00 イ 1,000,000 円 × 0.95			1,000,000 円 950,000		A
	2 二路線に面する宅地 （A）　　　　[側方・裏面 路線価]　（奥行価格補正率）　　[側方・二方 路線影響加算率] ア 1,000,000 円 ＋ （ 800,000 円 × 1.00 × 0.03 ） イ 950,000 円 ＋ （ 800,000 円 × 1.00 × 0.03 ）			1,024,000 円 974,000		B
	3 三路線に面する宅地 （B）　　　　[側方・裏面 路線価]　（奥行価格補正率）　　[側方・二方 路線影響加算率] 円 ＋ （ 円 × . × 0. ）			円		C
	4 四路線に面する宅地 （C）　　　　[側方・裏面 路線価]　（奥行価格補正率）　　[側方・二方 路線影響加算率] 円 ＋ （ 円 × . × 0. ）			円		D
	5-1 間口が狭小な宅地等 （AからDまでのうち該当するもの）　（間口狭小補正率）　（奥行長大補正率） 円 × . × .			円		E
	5-2 不整形地 （AからDまでのうち該当するもの）　　不整形地補正率※ ア 1,024,000 円 × 0.97 イ 974,000 円 × 0.97 ※不整形地補正率の計算 （想定整形地の間口距離）　（想定整形地の奥行距離）　（想定整形地の地積） 25 m × 30 m = 750 ㎡ （想定整形地の地積）　（不整形地の地積）　（想定整形地の地積）　（かげ地割合） （ 750 ㎡ － 600 ㎡）÷ 750 ㎡ = 20 ％ （不整形地補正率表の補正率）（間口狭小補正率）　（小数点以下2位未満切捨て） 0.97 × 1.00 = 0.97 ① （奥行長大補正率）　　（間口狭小補正率） . × . = 0. ② [不整形地補正率 ①、②のいずれか低い 率、0.6を下限とする。] 0.97			ア 993,280 イ 944,780		F
	6 地積規模の大きな宅地 （AからFまでのうち該当するもの）　規模格差補正率※ 円 × 0. ※規模格差補正率の計算 （地積（Ⓐ））　（Ⓑ）　（Ⓒ）　（地積（Ⓐ））　（小数点以下2位未満切捨て） { （ ㎡ × ＋ ）÷ ㎡ } × 0.8 = 0.			円		G
	7 無　道　路　地 （F又はGのうち該当するもの）　　　　（※） 円 × （ 1 － 0. ） ※割合の計算（0.4を上限とする。） （正面路線価）　（通路部分の地積）　（F又はGのうち該当するもの）　（評価対象地の地積） （ 円 × ㎡）÷（ 円 × ㎡）= 0.			円		H
	8-1 がけ地等を有する宅地 〔南 、東 、西 、北 〕 （AからHまでのうち該当するもの）　（がけ地補正率） 円 × 0.			円		I
	8-2 土砂災害特別警戒区域内にある宅地 （AからHまでのうち該当するもの）　　特別警戒区域補正率※ 円 × 0. ※がけ地補正率の適用がある場合の特別警戒区域補正率の計算（0.5を下限とする。） 〔南 、東 、西 、北 〕 （特別警戒区域補正率表の補正率）（がけ地補正率）（小数点以下2位未満切捨て） 0. × 0. = 0.			円		J
	9 容積率の異なる2以上の地域にわたる宅地 （AからJまでのうち該当するもの）　　（控除割合（小数点以下3位未満四捨五入）） 円 × （ 1 － 0. ）			円		K
	10 私　　　　　道 （AからKまでのうち該当するもの） 円 × 0.3			円		L

自用地の評価額	自用地1平方メートル当たりの価額 （AからLまでのうちの該当記号）	地　積	総　　　額 （自用地1㎡当たりの価額）×（地積）		M
	（ F ） ア 993,280 円 イ 944,780	150 ㎡ 450	574,143,000 円		

-138-

【事例　11】（不整形地補正率の算定根拠の記載例）

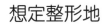

想定整形地

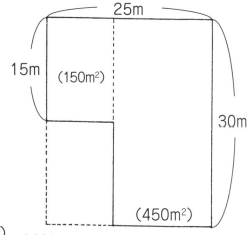

想定整形地の地積　　　　750m²

評価対象地の地積　　　　600m²

かげ地割合の地積 $\dfrac{(750m^2-600m^2)}{750m^2}=20\%$

地 積 区 分 表

地区区分 ＼ 地積区分	A	B	C
高 度 商 業 地 区	1,000㎡未満	1,000㎡以上 1,500㎡未満	1,500㎡以上
繁 華 街 地 区	450㎡未満	450㎡以上 700㎡未満	700㎡以上
普通商業・併用住宅地区	650㎡未満	650㎡以上 1,000㎡未満	1,000㎡以上
普 通 住 宅 地 区	500㎡未満	500㎡以上 750㎡未満	750㎡以上
中 小 工 場 地 区	3,500㎡未満	3,500㎡以上 5,000㎡未満	5,000㎡以上

不 整 形 地 補 正 率 表

かげ地割合 ＼ 地区区分 地積区分	高度商業地区、繁華街地区、普通商業・併用住宅地区、中小工場地区			普 通 住 宅 地 区		
	A	B	C	A	B	C
10%以上	0.99	0.99	1.00	0.98	0.99	0.99
15% 〃	0.98	0.99	0.99	0.96	0.98	0.99
20% 〃	0.97	0.98	0.99	0.94	0.97	0.98
25% 〃	0.96	0.98	0.99	0.92	0.95	0.97
30% 〃	0.94	0.97	0.98	0.90	0.93	0.96
35% 〃	0.92	0.95	0.98	0.88	0.91	0.94
40% 〃	0.90	0.93	0.97	0.85	0.88	0.92
45% 〃	0.87	0.91	0.95	0.82	0.85	0.90
50% 〃	0.84	0.89	0.93	0.79	0.82	0.87
55% 〃	0.80	0.87	0.90	0.75	0.78	0.83
60% 〃	0.76	0.84	0.86	0.70	0.73	0.78
65% 〃	0.70	0.75	0.80	0.60	0.65	0.70

間口距離　25m に伴う間口狭小補正率　1.00

不整形地補正率は、0.97　　（　0.97　×　1.00　）

不整形地補正率　　間口狭小補正率

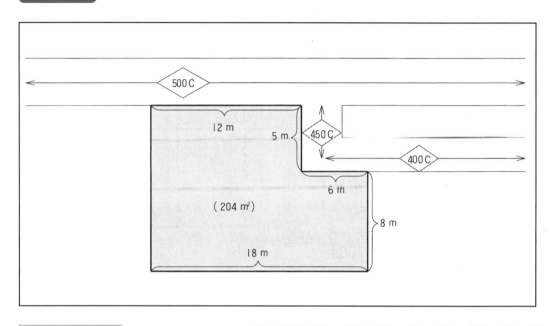

評価上の留意点

1　奥行価格補正率適用の基となる奥行距離は、不整形地の場合には、想定整形地の奥行
　距離を限度として、不整形地の面積を間口距離で除して得た数値とします。

　　上図の正面路線の奥行距離は、13m（204㎡÷12m＝17m＞5m＋8m＝13m）、側方
　路線の奥行距離は、18m（204㎡÷（5m＋6m）＝18.5m＞18m）です。

　　側方路線の奥行距離を算出する場合の間口距離は、（5m＋6m）と（5m＋8m）の
　いずれか小さいほうの数値を使用します。

2　側方路線に2以上の路線価が付されている場合には、路線に接する部分の加重平均等
　によって側方路線影響加算率を調整します。

　　上図の場合の側方路線影響加算率は中小工場地区で角地の場合の0.03に（5m＋6m）
　／（5m＋6m＋8m）を乗じた0.0173…になります。

3　1路線に2以上の路線価が付されている場合には、路線に接する距離により加重平均
　した価額をその宅地の接する路線の路線価とします。上図の側方路線の場合は、

$$\frac{450千円 \times 5m + 400千円 \times 6m}{11m} = 422,727円になります。$$

各補正率の適用は？

1　奥行価格補正率……奥行13m、18mで中小工場地区の場合0.97、0.99です。

2　側方路線影響加算率……上記説明のとおり0.0173…です。

3　間口狭小補正率は1.00です。

4　不整形地補正率……かげ地割合　（234㎡－204㎡）÷234㎡＝0.128
　　　　　　　　　　　　地積区分　　中小工場地区の面積204㎡は3,500㎡未満でA
　　　　　　　　　　　　中小工場地区Aの10％以上で0.99になります。

【事例　12】

土地及び土地の上に存する権利の評価明細書（第１表）

	局(所)	署	年分	ページ

（住居表示）	（　　　　　　　）		住　所（所在地）			使用者	住　所（所在地）	
所在地番		所有者	氏　名（法人名）				氏　名（法人名）	

地　目	地　積	路　　　　線　　　　価				地形図及び参考事項

(宅地) 山林 田 雑種地 畑 ( )	204 ㎡	正面 500,000 円	側方 422,727 円	側方 円	裏面 円	省略

間口距離 12 m	利用区分	(自用地) 私　道　貸宅地　貸家建付借地権　貸家建付地　転貸借地権　借地権　( )	地区区分	ビル街地区　高度商業地区　繁華街地区　普通商業・併用住宅地区 普通住宅地区 (中小工場地区) 大工場地区	省略
奥行距離 13 m					

				（１㎡当たりの価額）	
自用地１平方メートル当たりの価額	1 一路線に面する宅地　（正面路線価）　（奥行価格補正率） 500,000 円 × 0.97			485,000 円	A
	2 二路線に面する宅地　(A)　[側方・裏面 路線価]　（奥行価格補正率）　[側方・二方 路線影響加算率] 485,000 円 ＋ (422,727 円 × 0.99 × 0.03 × 11/19)			492,268 円	B
	3 三路線に面する宅地　(B)　[側方・裏面 路線価]　（奥行価格補正率）　[側方・二方 路線影響加算率] 円 ＋ (円 × ． ×)			円	C
	4 四路線に面する宅地　(C)　[側方・裏面 路線価]　（奥行価格補正率）　[側方・二方 路線影響加算率] 円 ＋ (円 × ． ×)			円	D
	5-1 間口が狭小な宅地等　（AからDまでのうち該当するもの）　（間口狭小補正率）　（奥行長大補正率） 円 × ． × ．			円	E
	5-2 不整形地　（AからDまでのうち該当するもの）　不整形地補正率※ 492,268 円 × 0.99 ※不整形地補正率の計算 （想定整形地の間口距離）　（想定整形地の奥行距離）　（想定整形地の地積） 18 m × 13 m ＝ 234 ㎡ （想定整形地の地積）　（不整形地の地積）　（想定整形地の地積）　（かげ地割合） (234 ㎡ － 204 ㎡) ÷ 234 ㎡ ＝ 12.8 % （不整形地補正率表の補正率）（間口狭小補正率）　（小数点以下2位未満切捨て） 0.99 × 1.00 ＝ 0.99 ① （奥行長大補正率）　（間口狭小補正率） ． × ． ＝ ． ②　不整形地補正率（①、②のいずれか低い率、0.6を下限とする。）0.99			487,345 円	F
	6 地積規模の大きな宅地　（AからFまでのうち該当するもの）　規模格差補正率※ 円 × 0. ※規模格差補正率の計算 （地積（Ⓐ））　（Ⓑ）　（Ⓒ）　（地積（Ⓐ））　（小数点以下2位未満切捨て） { (㎡× ＋) ÷ ㎡ } × 0.8 ＝ 0.			円	G
	7 無道路地　（F又はGのうち該当するもの）　（※） 円 × (1 － 0.) ※割合の計算（0.4を上限とする。）　（F又はGのうち該当するもの） （正面路線価）　（通路部分の地積）　（評価対象地の地積） 円 × ㎡) ÷ (円 × ㎡) ＝ 0.			円	H
	8-1 がけ地等を有する宅地　〔 南 、 東 、 西 、 北 〕 （AからHまでのうち該当するもの）　（がけ地補正率） 円 × 0.			円	I
	8-2 土砂災害特別警戒区域内にある宅地　（AからHまでのうち該当するもの）　特別警戒区域補正率※ 円 × 0. ※がけ地補正率の適用がある場合の特別警戒区域補正率の計算（0.5を下限とする。） 〔 南 、 東 、 西 、 北 〕 （特別警戒区域補正率表の補正率）　（がけ地補正率）　（小数点以下2位未満切捨て） 0. × 0. ＝ 0.			円	J
	9 容積率の異なる2以上の地域にわたる宅地　（AからJまでのうち該当するもの）　（控除割合（小数点以下3位未満四捨五入）） 円 × (1 － 0.)			円	K
	10 私　道　（AからKまでのうち該当するもの） 円 × 0.3			円	L

自用地の評価額	自用地１平方メートル当たりの価額（AからLまでのうちの該当記号） (F) 487,345 円	地　積 204 ㎡	総　　額（自用地１㎡当たりの価額）×（地　積） 99,418,380 円	M

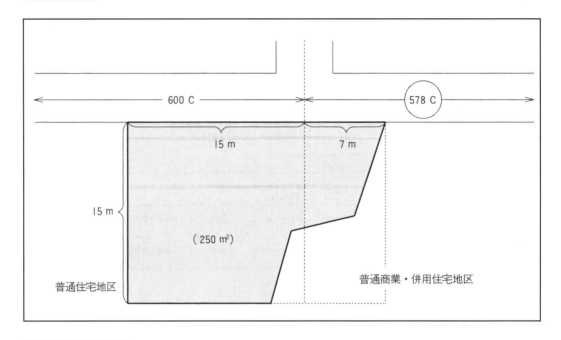

評価上の留意点

1　１路線に２以上の路線価が付されている場合には、路線に接する距離により加重平均した価額をその宅地の接する路線の路線価とします。

$$\frac{600千円 \times 15m + 578千円 \times 7m}{22m} = 593千円$$

2　２以上の地区にまたがる宅地は、原則としてその宅地の面積等により、いずれか一の地区を判定し、判定した地区に係る画地調整率を用いて評価します。上図の場合は、大部分が普通住宅地区にあるため、普通住宅地区の調整率を使用します。

3　奥行価格補正率適用の基となる奥行距離は、不整形地の場合には、想定整形地の奥行距離を限度として、不整形地の面積を間口距離で除して得た数値とします。

　　上図の場合は、11.36m（250㎡÷22m＝11.36m＜15m）になります。

各補正率の適用は？

1　奥行価格補正率……奥行11.36mで、普通住宅地区の場合1.00です。

2　間口狭小補正率は、1.00です。

3　不整形地補正率……かげ地割合　（330㎡－250㎡）÷330㎡＝0.242
　　　　　　　　　　　地積区分　　普通住宅地区の面積250㎡は500㎡未満でA
　　　　　　　　　　　普通住宅地区Aの20％以上で0.94になります。

【事例　13】

土地及び土地の上に存する権利の評価明細書（第1表）

局(所)	署	年分	ページ

（住居表示）（　　　　　　　　）	所有者	住　所（所在地）	使用者	住　所（所在地）
所在地番		氏　名（法人名）		氏　名（法人名）

地　目		地　積	路　　　線　　　価				地形図及び参考事項
⑩宅地　山林　田　畑　雑種地（　　）		250 ㎡	正面 593,000円	側方 円	側方 円	裏面 円	**省略**

間口距離	22 m	利用区分	⑩自用地　私　道／貸宅地　貸家建付借地権／貸家建付地　転貸借地権／借地権（　　）	地区区分	ビル街地区　⑩普通住宅地区／高度商業地区　中小工場地区／繁華街地区　大工場地区／普通商業・併用住宅地区
奥行距離	11.36 m				

自用地1平方メートル当たりの価額				(1㎡当たりの価額)	

自用地1平方メートル当たりの価額

	1　一路線に面する宅地 （正面路線価）　　　　　　　　　（奥行価格補正率） **593,000**円　×　**1.00**	(1㎡当たりの価額)　円 **593,000**	A
自用地	2　二路線に面する宅地 （A）　　　　［側方・裏面 路線価］　（奥行価格補正率）　　　［側方・二方 路線影響加算率］ 円　＋　（　　円　×　．　×　0.　）	(1㎡当たりの価額)　円	B
	3　三路線に面する宅地 （B）　　　　［側方・裏面 路線価］　（奥行価格補正率）　　　［側方・二方 路線影響加算率］ 円　＋　（　　円　×　．　×　0.　）	(1㎡当たりの価額)　円	C
1	4　四路線に面する宅地 （C）　　　　［側方・裏面 路線価］　（奥行価格補正率）　　　［側方・二方 路線影響加算率］ 円　＋　（　　円　×　．　×　0.　）	(1㎡当たりの価額)　円	D
平	5-1　間口が狭小な宅地等 （AからDまでのうち該当するもの）　（間口狭小補正率）　（奥行長大補正率） 円　×　（　．　×　．　）	(1㎡当たりの価額)　円	E
方	5-2　不整形地 （AからDまでのうち該当するもの）　　不整形地補正率※ **593,000**円　×　**0.94** ※不整形地補正率の計算 （想定整形地の間口距離）　（想定整形地の奥行距離）　（想定整形地の地積） **22** m　×　**15** m　＝　**330** ㎡ （想定整形地の地積）　（不整形地の地積）　（想定整形地の地積）　　（かげ地割合） （　**330** ㎡　－　**250** ㎡）÷　**330** ㎡　＝　**24.2** ％ （不整形地補正率表の補正率）（間口狭小補正率）　（小数点以下2位未満切捨て） **0.94**　×　**1.00**　＝　**0.94** ①　　｛不整形地補正率（①、②のいずれか低い率、0.6を下限とする。） （奥行長大補正率）　　（間口狭小補正率） 　．　×　　．　＝　　②	(1㎡当たりの価額)　円 **557,420**	F
メ	6　地積規模の大きな宅地 （AからFまでのうち該当するもの）　　規模格差補正率※ 円　×　0. ※規模格差補正率の計算 （地積（Ⓐ））　（Ⓑ）　（Ⓒ）　（地積（Ⓐ））　（小数点以下2位未満切捨て） ｛（　㎡×　＋　）÷　㎡｝× 0.8　＝　0.	(1㎡当たりの価額)　円	G
ー	7　無道路地 （F又はGのうち該当するもの）　　　　　　　（※） 円　×　（ 1 － 0. ） ※割合の計算（0.4を上限とする。）　（F又はGのうち該当するもの） （正面路線価）　（通路部分の地積）　　　　　　（評価対象地の地積） 円　×　㎡）÷（　円　×　㎡）= 0.	(1㎡当たりの価額)　円	H
ト	8-1　がけ地等を有する宅地　〔南　、東　、西　、北　〕 （AからHまでのうち該当するもの）　（がけ地補正率） 円　×　0.	(1㎡当たりの価額)　円	I
ル	8-2　土砂災害特別警戒区域内にある宅地 （AからHまでのうち該当するもの）　　特別警戒区域補正率※ 円　×　0. ※がけ地補正率の適用がある場合の特別警戒区域補正率の計算（0.5を下限とする。） 〔南　、東　、西　、北　〕 （特別警戒区域補正率表の補正率）（がけ地補正率）　（小数点以下2位未満切捨て） 0.　×　0.　＝　0.	(1㎡当たりの価額)　円	J
当	9　容積率の異なる2以上の地域にわたる宅地 （AからJまでのうち該当するもの）　　　（控除割合（小数点以下3位未満四捨五入）） 円　×　（ 1 － 0. ）	(1㎡当たりの価額)　円	K
たり	10　私　道 （AからKまでのうち該当するもの） 円　×　0.3	(1㎡当たりの価額)　円	L

自用地の評価額	自用地1平方メートル当たりの価額 （AからLまでのうちの該当記号）	地　積	総　　　　　額 （自用地1㎡当たりの価額）×（地　積）	
	（ F ）　**557,420** 円	**250** ㎡	**139,355,000** 円	M

-143-

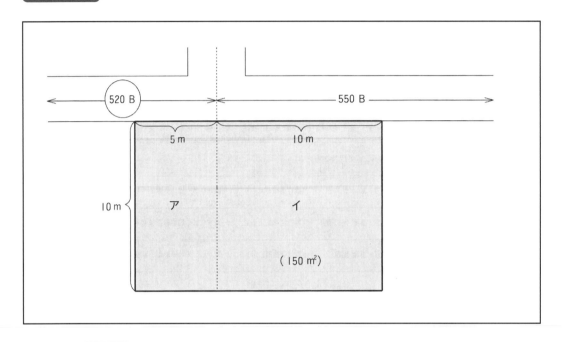

評価上の留意点

1　２以上の地区にまたがる宅地は、原則としてその宅地の面積等により、いずれか一の地区を判定し、判定した地区に係る画地調整率を用いて評価します。ただし、それぞれの地区の画地調整率を用いて、合理的な方法によって評価することができる場合には、原則法にかえて、それぞれの地区の画地補正率を適用して評価することができます。その場合には、間口狭小・奥行長大補正については全体で判定します。上図の場合、ア部分だけで判定すると間口狭小補正の適用がありますが、全体で判定するため適用はありません。上図の場合は、ア部分とイ部分を別々に評価した上で合算する方法をとることができます。

原則法によった場合

$$\frac{520千円 \times 5m + 550千円 \times 10m}{15m} = 540千円$$

540千円 × 1.00 × 150㎡ = 81,000千円

上図の場合80,740千円＜81,000千円で、それぞれの地区の画地補正率を用いて評価したほうが有利になります。

2　ア部分について間口狭小補正及び奥行長大補正は行いません。

各補正率の適用は？

1　正面路線の奥行価格補正率……奥行10mでア部分は普通商業・併用住宅地区のため0.99、イ部分は普通住宅地区のため1.00です。

2　間口狭小・奥行長大補正率……1.00

【事例 14】

土地及び土地の上に存する権利の評価明細書（第1表）

	局(所)	署	年分	ページ

	（住居表示）（　　　　　　）	所有者	住　所（所在地）		使用者	住　所（所在地）	
所在地番			氏　名（法人名）			氏　名（法人名）	

地　目	地　積	路　　線　　価	地形図及び参考事項
⦅宅　地⦆　山　林 田　　　畑 雑種地 （　　　）	150 ㎡	正　面　　　側　方　　　側　方　　　裏　面 ア 520,000円　　　円　　　　円　　　　円 イ 550,000　　　　　　　　　　イ	省 略

間口距離	ア 5 m イ 10	利用区分	⦅自用地⦆　私　　　道 貸宅地　貸家建付借地権 貸家建付地　転貸借地権 借　地　権　（　　　　　）	地区区分	ビル街地区　　　⦅普通住宅地区⦆ 高度商業地区　　中小工場地区 繁華街地区　　　大工場地区 ⦅普通商業・併用住宅地区⦆	
奥行距離	ア 10 イ 10					

				（1㎡当たりの価額）円	
自 用 地 1 平 方 メ ー ト ル 当 た り の 価 額	1　一路線に面する宅地 　　（正面路線価）　　　　　　（奥行価格補正率） 　ア 520,000……円　×　　　0.99 　イ 550,000……　　　　　　　1.00			514,800 550,000	A
	2　二路線に面する宅地 　　（A）　　　　　[側方・裏面 路線価]　（奥行価格補正率）　[側方・二方 路線影響加算率] 　　　　　円　＋（　　　　円　×　．　　×　0.　）			（1㎡当たりの価額）円	B
	3　三路線に面する宅地 　　（B）　　　　　[側方・裏面 路線価]　（奥行価格補正率）　[側方・二方 路線影響加算率] 　　　　　円　＋（　　　　円　×　．　　×　0.　）			（1㎡当たりの価額）円	C
	4　四路線に面する宅地 　　（C）　　　　　[側方・裏面 路線価]　（奥行価格補正率）　[側方・二方 路線影響加算率] 　　　　　円　＋（　　　　円　×　．　　×　0.　）			（1㎡当たりの価額）円	D
	5-1　間口が狭小な宅地等 　　（AからDまでのうち該当するもの）　（間口狭小補正率）　（奥行長大補正率） 　　　　　円　×（　．　　×　．　　）			（1㎡当たりの価額）円	E
	5-2　不　整　形　地 　　（AからDまでのうち該当するもの）　不整形地補正率※ 　　　　　円　×　0. 　※不整形地補正率の計算 　　（想定整形地の間口距離）（想定整形地の奥行距離）　（想定整形地の地積） 　　　　　m　×　　　　m　＝　　　　㎡ 　　（想定整形地の地積）　（不整形地の地積）　（想定整形地の地積）　（かげ地割合） 　　（　　㎡　－　　　㎡）÷　　　㎡　＝　　　% 　　（不整形地補正率表の補正率）（間口狭小補正率）　（小数点以下2位未満切捨て）　　不整形地補正率 　　　0.　　×　　．　　＝　0.　①　　（①、②のいずれか低い率、0.6を下限とする。） 　　（奥行長大補正率）　（間口狭小補正率） 　　　．　　×　　．　　＝　0.　②			（1㎡当たりの価額）円	F
	6　地積規模の大きな宅地 　　（AからFまでのうち該当するもの）　規模格差補正率※ 　　　　　円　×　0. 　※規模格差補正率の計算 　　（地積（Ⓐ））（Ⓑ）　（Ⓒ）　（地積（Ⓐ））　（小数点以下2位未満切捨て） 　　{（　　㎡×　　＋　　）÷　　㎡}×　0.8　＝　0.			（1㎡当たりの価額）円	G
	7　無　道　路　地 　　（F又はGのうち該当するもの）　　　　（※） 　　　　　円　×（　1　－　0.　） 　※割合の計算（0.4を上限とする。） 　　（正面路線価）　（通路部分の地積）　F又はGのうち該当するもの　（評価対象地の地積） 　　　　円　×　　㎡）÷（　　円　×　　㎡）＝ 0.			（1㎡当たりの価額）円	H
	8-1　がけ地等を有する宅地　　〔　南　、　東　、　西　、　北　〕 　　（AからHまでのうち該当するもの）　（がけ地補正率） 　　　　　円　×　0.			（1㎡当たりの価額）円	I
	8-2　土砂災害特別警戒区域内にある宅地 　　（AからHまでのうち該当するもの）　特別警戒区域補正率※ 　　　　　円　×　0. 　※がけ地補正率の適用がある場合の特別警戒区域補正率の計算（0.5を下限とする。） 　　　　　　　　　　　　〔　南　、東　、西　、北　〕 　　（特別警戒区域補正率表の補正率）（がけ地補正率）　（小数点以下2位未満切捨て） 　　　0.　　×　0.　　＝　0.			（1㎡当たりの価額）円	J
	9　容積率の異なる2以上の地域にわたる宅地 　　（AからJまでのうち該当するもの）　（控除割合（小数点以下3位未満四捨五入）） 　　　　　円　×（　1　－　0.　）			（1㎡当たりの価額）円	K
	10　私　　道 　　（AからKまでのうち該当するもの） 　　　　　円　×　0.3			（1㎡当たりの価額）円	L

自用地の評価額	自用地1平方メートル当たりの価額 （AからLまでのうちの該当記号）	地　積	総　　　額 （自用地1㎡当たりの価額）×（地積）	
	（ A ）ア 514,800 円 　　　　イ 550,000	50 ㎡ 100	80,740,000 円	M

-145-

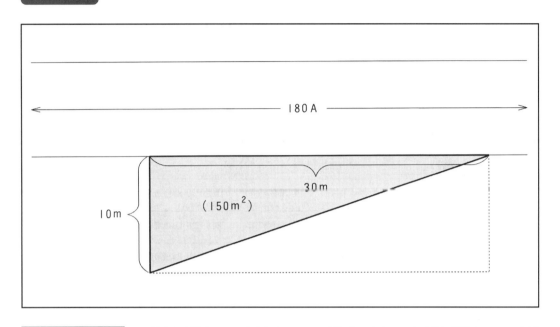

事例　15　　１つの路線に接している三角形の宅地

評価上の留意点

1　　１つの路線に接している場合には、その路線が「正面」路線になります。

2　　三角形の土地は、不整形地として不整形地補正率が適用されます。

3　　間口狭小補正率の適用がある場合は、不整形地補正率に間口狭小補正率を乗じて得た数値（0.6を下限とする）を補正率とします。

4　　奥行価格補正率適用の基となる奥行距離は、不整形地の場合には、想定整形地の奥行距離を限度として、不整形地の面積を間口距離で除して得た数値とします。上図の場合５ｍ（150㎡÷30ｍ＝５ｍ＜10ｍ）になります。

各補正率の適用は？

1　　奥行価格補正率……奥行５ｍで、普通住宅地区の場合、0.92です。

2　　間口狭小補正率……間口30ｍで、普通住宅地区の場合、1.00です。

3　　不整形地補正率

かげ地割合……想定整形地は四角形になりますので、当該三角地では50％です。

地積区分……面積が150㎡で普通住宅地区の場合、Aになります。

したがって、不整形地補正率はかげ地割合50％以上の普通住宅地区Aより、0.79になります。

【事例 15】

土地及び土地の上に存する権利の評価明細書（第1表）

	局(所)	署	年分	ページ

（住居表示）（ ）	所有者	住 所 （所在地）		使用者	住 所 （所在地）	
所 在 地 番		氏 名 （法人名）			氏 名 （法人名）	

地　目	地　積	路　　　　線　　　　価				地形図及び参考事項
㉗地 山林 田 雑種地 畑 （ ）	150 ㎡	正　面 180,000円	側　方 円	側　方 円	裏　面 円	省略

間口距離	30 m	利用区分	（自用地）私　道 貸 宅 地　貸家建付借地権 貸家建付地　転貸借地権 借 地 権　（ ）	地区区分	ビル街地区　普通住宅地区 高度商業地区　中小工場地区 繁華街地区　大工場地区 普通商業・併用住宅地区
奥行距離	5 m				

				（1㎡当たりの価額）円	
自用地1平方メートル当たりの価額	1　一路線に面する宅地 （正面路線価）　　　　　（奥行価格補正率） 180,000 円 × 0.92			165,600	A
	2　二路線に面する宅地 （A）　　　［側方・裏面 路線価］（奥行価格補正率）　［側方 二方 路線影響加算率］ 円 ＋ (円 × ． × 0.)			（1㎡当たりの価額）円	B
	3　三路線に面する宅地 （B）　　　［側方・裏面 路線価］（奥行価格補正率）　［側方・二方 路線影響加算率］ 円 ＋ (円 × ． × 0.)			（1㎡当たりの価額）円	C
	4　四路線に面する宅地 （C）　　　［側方・裏面 路線価］（奥行価格補正率）　［側方・二方 路線影響加算率］ 円 ＋ (円 × ． × 0.)			（1㎡当たりの価額）円	D
	5-1　間口が狭小な宅地等 （AからDまでのうち該当するもの）　（間口狭小補正率）（奥行長大補正率） 円 × (． × ．)			（1㎡当たりの価額）円	E
	5-2　不整形地 （AからDまでのうち該当するもの）　不整形地補正率※ 165,600 円 × 0.79 ※不整形地補正率の計算 （想定整形地の間口距離）（想定整形地の奥行距離）（想定整形地の地積） 30 m × 10 m = 300 ㎡ （想定整形地の地積）（不整形地の地積）（想定整形地の地積）　（かげ地割合） (300 ㎡ － 150 ㎡) ÷ 300 ㎡ = 50 % （不整形地補正率表の補正率）（間口狭小補正率）　（小数点以下2位未満切捨て）　　［不整形地補正率 0.79 × 1.00 = 0.79 ①　　　（①、②のいずれか低い （奥行長大補正率）（間口狭小補正率）　　　　　　　　　　率、0.6を下限とする。） ． × ． = ． ②　　　0.79			130,824	F
	6　地積規模の大きな宅地 （AからFまでのうち該当するもの）　規模格差補正率※ 円 × 0. ※規模格差補正率の計算 （地積（Ⓐ））　Ⓑ　　（©）　（地積（Ⓐ））　（小数点以下2位未満切捨て） {(㎡× ＋) ÷ ㎡} × 0.8 =			（1㎡当たりの価額）円	G
	7　無道路地 （F又はGのうち該当するもの）　　　　　　（※） 円 × (1 － 0.) ※割合の計算（0.4を上限とする。）　　　（F又はGのうち （正面路線価）　　（通路部分の地積）　該当するもの）　（評価対象地の地積） 円 × ㎡) ÷ (円 × ㎡) = 0.			（1㎡当たりの価額）円	H
	8-1　がけ地等を有する宅地〔南、東、西、北〕 （AからHまでのうち該当するもの）　（がけ地補正率） 円 × 0.			（1㎡当たりの価額）円	I
	8-2　土砂災害特別警戒区域内にある宅地 （AからHまでのうち該当するもの）　特別警戒区域補正率※ ※がけ地補正率の適用がある場合の特別警戒区域補正率の計算（0.5を下限とする。） 〔南、東、西、北〕 （特別警戒区域補正率表の補正率）（がけ地補正率）（小数点以下2位未満切捨て） 0. × 0. = 0.			（1㎡当たりの価額）円	J
	9　容積率の異なる2以上の地域にわたる宅地 （AからJまでのうち該当するもの）　（控除割合（小数点以下3位未満四捨五入）） 円 × (1 － 0.)			（1㎡当たりの価額）円	K
	10　私　道 （AからKまでのうち該当するもの） 円 × 0.3			（1㎡当たりの価額）円	L

自用地の評価額	自用地1平方メートル当たりの価額 （AからLまでのうちの該当記号）	地　積	総　　　　　額 （自用地1㎡当たりの価額）×（地積）	
	（ F ）　130,824 円	150 ㎡	19,623,600 円	M

－ 147 －

事例 16　２つの路線に接している三角形の宅地

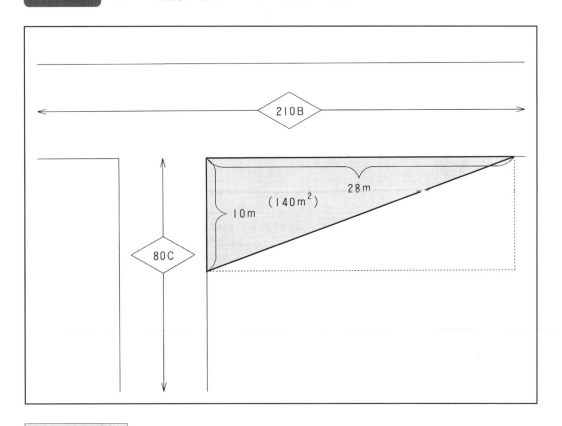

評価上の留意点

1　２つの路線に接している場合には、その宅地の利用形態に関係なく、各路線価に奥行価格補正率を加味した価格の高いほうの路線が「正面」路線になり、低いほうが「側方」路線になります（上図の場合は、210千円のほうが正面路線になる）。

2　三角形の土地は、不整形地として不整形地補正率が適用されます。

3　奥行価格補正率適用の基となる奥行距離は、不整形地の場合には、想定整形地の奥行距離を限度として、不整形地の面積を間口距離で除して得た数値とします。上図の場合は、5 m（140㎡÷28m＝5 m＜10m）、14m（140㎡÷10m＝14m＜28m）になります。

各補正率の適用は？

1　奥行価格補正率……奥行5 m、14mで中小工場地区の場合、0.90、0.98です。

2　側方路線影響加算率……角地の中小工場地区の場合、0.03です。

3　間口狭小補正率は、1.00です。

4　不整形地補正率

　　かげ地割合……想定整形地は四角形になりますので、当該三角地では50％です。

　　地積区分……面積が140㎡で中小工場地区の場合、Aになります。

　　したがって、不整形地補正率はかげ地割合50％以上の中小工場地区Aより、0.84になります。

【事例 16】

土地及び土地の上に存する権利の評価明細書（第1表）

		局(所)	署	年分	ページ

(住居表示)	( )	所有者	住 所 (所在地)		使用者	住 所 (所在地)	
所 在 地 番			氏 名 (法人名)			氏 名 (法人名)	

地 目	地 積	路 線 価	地形図及び参考事項				
(宅地) 山 林 田 雑種地 畑 ( )	㎡ 140	正 面 210,000 円	側 方 80,000 円	側 方 円	裏 面 円		省 略

間口距離	28 m	利用区分	自用地 私 道 貸 宅 地 貸家建付借地権 貸家建付地 転 貸 借 地 権 借 地 権 ( )	地区区分	ビル街地区 普通住宅地区 高度商業地区 中小工場地区 繁華街地区 大工場地区 普通商業・併用住宅地区	
奥行距離	5 m					

			(1㎡当たりの価額)	
自 用 地 1 平 方 メ ー ト ル 当 た り の 価 額	1 一路線に面する宅地 (正面路線価) (奥行価格補正率) 210,000 円 × 0.90		円 189,000	A
	2 二路線に面する宅地 (A) [側方・裏面 路線価] (奥行価格補正率) [側方・二方 路線影響加算率] 189,000 円 + (80,000 円 × 0.98 × 0.03)		円 191,352	B
	3 三路線に面する宅地 (B) [側方・裏面 路線価] (奥行価格補正率) [側方・二方 路線影響加算率] 円 + (円 × . × 0.)		円	C
	4 四路線に面する宅地 (C) [側方・裏面 路線価] (奥行価格補正率) [側方・二方 路線影響加算率] 円 + (円 × . × 0.)		円	D
	5-1 間口が狭小な宅地等 (AからDまでのうち該当するもの) (間口狭小補正率) (奥行長大補正率) 円 × . × .		円	E
	5-2 不整形地 (AからDまでのうち該当するもの) 不整形地補正率※ 191,352 円 × 0.84 ※不整形地補正率の計算 (想定整形地の間口距離) (想定整形地の奥行距離) (想定整形地の地積) 28 m × 10 m = 280 ㎡ (想定整形地の地積) (不整形地の地積) (想定整形地の地積) (かげ地割合) (280 ㎡ - 140 ㎡) ÷ 280 ㎡ = 50 % (不整形地補正率表の補正率) (間口狭小補正率) (小数点以下2位未満切捨て) ┌不整形地補正率┐ 0.84 × 1.00 = 0.84 ① │①、②のいずれか低い│ (奥行長大補正率) (間口狭小補正率) │率、0.6を下限とする。│ × = 0. ② └ 0.84 ┘		円 160,735	F
	6 地積規模の大きな宅地 (AからFまでのうち該当するもの) 規模格差補正率※ 円 × 0. ※規模格差補正率の計算 (地積(Ⓐ)) (Ⓑ) (Ⓒ) (地積(Ⓐ)) (小数点以下2位未満切捨て) {(㎡× +) ÷ ㎡} × 0.8 = 0.		円	G
	7 無 道 路 地 (F又はGのうち該当するもの) (※) 円 × (1 - 0.) ※割合の計算 (0.4を上限とする。) (正面路線価) (通路部分の地積) (F又はGのうち該当するもの) (評価対象地の地積) (円 × ㎡) ÷ (円 × ㎡) = 0.		円	H
	8-1 がけ地等を有する宅地 〔 南 、 東 、 西 、 北 〕 (AからHまでのうち該当するもの) (がけ地補正率) 円 × 0.		円	I
	8-2 土砂災害特別警戒区域内にある宅地 (AからHまでのうち該当するもの) 特別警戒区域補正率※ 円 × 0. ※がけ地補正率の適用がある場合の特別警戒区域補正率の計算 (0.5を下限とする。) 〔 南 、 東 、 西 、 北 〕 (特別警戒区域補正率表の補正率) (がけ地補正率) (小数点以下2位未満切捨て) 0. × 0. = 0.		円	J
	9 容積率の異なる2以上の地域にわたる宅地 (AからJまでのうち該当するもの) (控除割合(小数点以下3位未満四捨五入)) 円 × (1 - 0.)		円	K
	10 私 道 (AからKまでのうち該当するもの) 円 × 0.3		円	L

自用地の評価額	自用地1平方メートル当たりの価額 (AからLまでのうちの該当記号) (F)　160,735 円	地 積 140 ㎡	総 額 (自用地1㎡当たりの価額)×(地 積) 22,502,900 円	M

-149-

　３つの路線に接している三角形の宅地

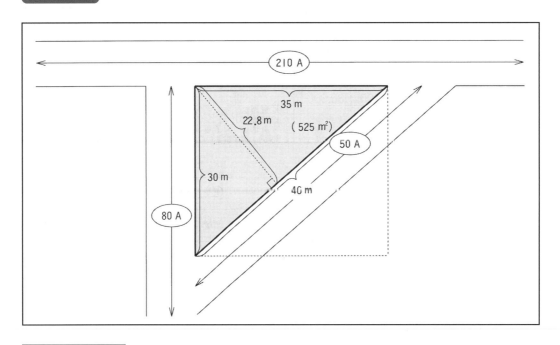

評価上の留意点

1　３つの路線に接している場合には、その宅地の利用形態に関係なく、各路線価に奥行
　価格補正率を加味した価格の一番高い路線が「正面」路線になり、残りの２路線が、
　「側方」路線になります。
2　奥行価格補正率適用の基となる奥行距離は、不整形地の場合には、想定整形地の奥行
　距離を限度として、不整形地の面積を間口距離で除して得た数値とします。
　　上図の場合、15m（525㎡÷35m＝15m＜30m）、17.5m（525㎡÷30m＝17.5m＜35m）、
　11.4m（525㎡÷46m＝11.4m＜22.8m）になります。
3　三角形の土地は、不整形地として不整形地補正率が適用されます。
4　間口狭小補正率の適用がある場合は、不整形地補正率に間口狭小補正率を乗じて得た
　数値（0.6を下限とする）を補正率とします。

各補正率の適用は？

1　奥行価格補正率……奥行15m、17.5m、11.4mで高度商業地区の場合、それぞれ、1.00、
　　　　　　　　　　　1.00、0.98です。
2　側方路線影響加算率……角地の高度商業地区の場合、0.10です。
3　間口狭小補正率は、1.00です。
4　不整形地補正率
　かげ地割合……想定整形地は四角形になりますので、当該三角地では50％です。
　地積区分……面積が525㎡で高度商業地区の場合、Aになります。
　　したがって、不整形地補正率はかげ地割合50％以上の高度商業地区Aより、0.84にな
ります。

【事例　17】

土地及び土地の上に存する権利の評価明細書（第1表）

	局(所)	署	年分	ページ

（住居表示）	（　　　）	所有者	住　所（所在地）		使用者	住　所（所在地）	
所在地番			氏　名（法人名）			氏　名（法人名）	

地　目		地　積	路　　線　　価				地形図及び参考事項
㋭地 山林 田 畑	雑種地（　　）	㎡ 525	正面 210,000 円	側方 80,000 円	側方 50,000 円	裏面 円	省略

間口距離	35 m	利用区分	自用地 貸家建付地 借地権（　　）	私　道 貸宅地 貸家建付借地権 転貸借地権	貸家建付地 借地権	地区区分	ビル街地区 高度商業地区 繁華街地区 普通商業・併用住宅地区	普通住宅地区 中小工場地区 大工場地区
奥行距離	15 m							

					（1㎡当たりの価額）円	
自 用 地 1 平 方 メ ー ト ル 当 た り の 価 額	1　一路線に面する宅地 （正面路線価）　　　　　　　　　（奥行価格補正率） 210,000 円　×　　1.00				210,000	A
	2　二路線に面する宅地 （A）　　　　　　［側方・裏面 路線価］（奥行価格補正率）［側方・二方 路線影響加算率］ 210,000 円　+　（　80,000 円　×　1.00　×　0.10）				218,000	B
	3　三路線に面する宅地 （B）　　　　　　［側方・裏面 路線価］（奥行価格補正率）［側方・二方 路線影響加算率］ 218,000 円　+　（　50,000 円　×　0.98　×　0.10）				222,900	C
	4　四路線に面する宅地 （C）　　　　　［側方・裏面 路線価］（奥行価格補正率）［側方・二方 路線影響加算率］ 円　+　（　　　円　×　．　×　0.）					D
	5-1　間口が狭小な宅地等 （AからDまでのうち該当するもの）（間口狭小補正率）（奥行長大補正率） 　　　　　×　．　×　.					E
	5-2　不 整 形 地 （AからDまでのうち該当するもの）　　不整形地補正率※ 222,900 円　　　　　0.84 ※不整形地補正率の計算 （想定整形地の間口距離）（想定整形地の奥行距離）（想定整形地の地積） 　35　m　×　30　m　=　1,050　㎡ （想定整形地の地積）　（不整形地の地積）　　　（想定整形地の地積）　（かげ地割合） （　1,050　㎡　−　525　㎡）÷　1,050　㎡　=　50　% （不整形地補正率表の補正率）（間口狭小補正率）　　（小数点以下2位未満切捨て）　［不整形地補正率 0.84　×　1.00　=　0.84　①　　　　　①、②のいずれか低い （奥行長大補正率）（間口狭小補正率）　　　　　　　　　　　　率、0.6を下限とする。］ 　　×　．　　×　　=　0.　②　　　　　　　0.84				187,236	F
	6　地積規模の大きな宅地 （AからFまでのうち該当するもの）　規模格差補正率※ 円　×　0. ※規模格差補正率の計算 （地積（㋐））（Ⓑ）　　　（Ⓒ）　　　（地積（㋐））　　（小数点以下2位未満切捨て） {（　㎡×　　+　　）÷　　㎡}×　0.8　=　0.					G
	7　無 道 路 地 （F又はGのうち該当するもの）　　　　　　　　（※） 円　×　（　1　−　0.　） ※割合の計算（0.4を上限とする。） （正面路線価）　（通路部分の地積）　　　　F又はGのうち該当するもの　　（評価対象地の地積） 円　×　㎡）÷　（　円　×　㎡）= 0.					H
	8-1　がけ地等を有する宅地　〔　南　、東　、西　、北　〕 （AからHまでのうち該当するもの）　　（がけ地補正率） 円　×　0.					I
	8-2　土砂災害特別警戒区域内にある宅地 （AからHまでのうち該当するもの）　特別警戒区域補正率※ 円　×　0. ※がけ地補正率の適用がある場合の特別警戒区域補正率の計算（0.5を下限とする。） 〔　南　、東　、西　、北　〕 （特別警戒区域補正率表の補正率）（がけ地補正率）（小数点以下2位未満切捨て） 0.　×　0.　=　0.					J
	9　容積率の異なる2以上の地域にわたる宅地 （AからJまでのうち該当するもの）　　　　（控除割合（小数点以下3位未満四捨五入）） 円　×　（　1　−　0.　）					K
	10　私　　道 （AからKまでのうち該当するもの） 円　×　0.3					L

自用地の評価額	自用地1平方メートル当たりの価額 （AからLまでのうちの該当記号）	地　積	総　　額 （自用地1㎡当たりの価額）×（地　積）	
	（ F ）　187,236 円	525 ㎡	98,298,900 円	M

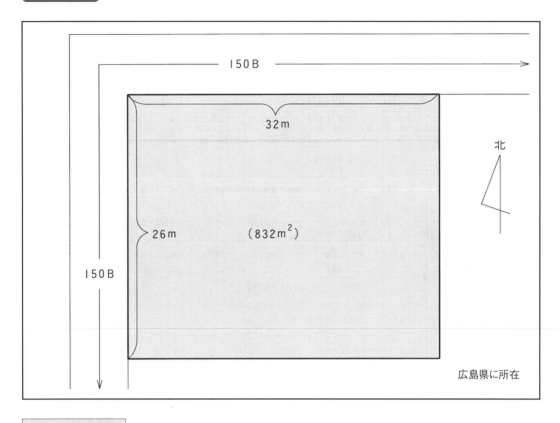

広島県に所在

評価上の留意点

1　連続する１つの路線の内側に接している場合、奥行価格補正後の価格の高いほうの路線が正面路線になります。仮に、その価格が同じ場合には、路線に接している距離が長いほうの路線が正面路線になり、残りが側方路線になります（上図の場合、北側の路線が正面路線になる）。

2　この図のような地形を準角地といい、側方路線影響加算率を適用します。

3　間口狭小補正や奥行長大補正は正面路線からみて判定します。

各補正率の適用は？

1　正面路線の奥行価格補正率……奥行26mで普通住宅地区の場合、0.97です。

2　正面路線に関する間口狭小・奥行長大補正率は1.00です。

3　側方路線の奥行価格補正率……奥行32mで、普通住宅地区の場合、0.93です。

4　側方路線影響加算率……準角地の普通住宅地区の場合、0.02です。

【事例　18】

土地及び土地の上に存する権利の評価明細書（第1表）

	局(所)	署	年分	ページ

（住居表示）（　　　　　　　）	所有者	住　所 （所在地）		使用者	住　所 （所在地）	
所 在 地 番		氏　名 （法人名）			氏　名 （法人名）	

地　目		地　積		路　　　線　　　価				地形図及び参考事項
㊣宅地　山林 田 畑　雑種地 （　　）		832	㎡	正面 150,000 円	側方 150,000 円	側方 円	裏面 円	
間口距離	32 m	利用区分	㊣自用地　私　道 貸宅地　貸家建付借地権 貸家建付地　転貸借地権 借地権（　　　　　）	地区区分	ビル街地区　㊣普通住宅地区 高度商業地区　中小工場地区 繁華街地区　大工場地区 普通商業・併用住宅地区			省略
奥行距離	26 m							

自用地1平方メートル当たりの価額

自 用 地 1 平 方 メ | ト ル 当 た り の 価 額	1　一路線に面する宅地 　　（正面路線価）　　　　　（奥行価格補正率） 　　　150,000 円 ×　　0.97				（1㎡当たりの価額） 145,500 円	A
	2　二路線に面する宅地 　　（A）　　　　　　［側方・裏面 路線価］　（奥行価格補正率）　［側方・二方 路線影響加算率］ 　　145,500 円 ＋（150,000 円 × 0.93 × 0.02 ）				（1㎡当たりの価額） 148,290 円	B
	3　三路線に面する宅地 　　（B）　　　　　　［側方・裏面 路線価］　（奥行価格補正率）　［側方・二方 路線影響加算率］ 　　　　円 ＋（　　円 ×　.　×　0.　）				（1㎡当たりの価額） 円	C
	4　四路線に面する宅地 　　（C）　　　　　　［側方・裏面 路線価］　（奥行価格補正率）　［側方・二方 路線影響加算率］ 　　　　円 ＋（　　円 ×　.　×　0.　）				（1㎡当たりの価額） 円	D
	5-1　間口が狭小な宅地等 　　（AからDまでのうち該当するもの）（間口狭小補正率）（奥行長大補正率） 　　　　円 ×（　.　×　.　）				（1㎡当たりの価額） 円	E
	5-2　不 整 形 地 　　（AからDまでのうち該当するもの）　　　不整形地補正率※ 　　　　円 × 0. 　※不整形地補正率の計算 　（想定整形地の間口距離）（想定整形地の奥行距離）（想定整形地の地積） 　　　　m ×　　　m ＝　　㎡ 　（想定整形地の地積）　（不整形地の地積）　（想定整形地の地積）　　（かげ地割合） 　（　　㎡ −　　㎡）÷　　㎡ ＝　　％ 　（不整形地補正率表の補正率）（間口狭小補正率）　（小数点以下2位未満切捨て） 　0.　×　.　＝ 0.　　①　　　　　　　［不整形地補正率 　（奥行長大補正率）　（間口狭小補正率）　　　　　　　　　　　　　①、②のいずれか低い 　　.　×　.　＝ 0.　　②　　　　　　　率、0.6を下限とする。］ 　　　　　　　　　　　　　　　　　　　0.				（1㎡当たりの価額） 円	F
	6　地積規模の大きな宅地 　　（AからFまでのうち該当するもの）　規模格差補正率※ 　　　　円 × 0. 　※規模格差補正率の計算 　（地積（Ⓐ））　　（Ⓑ）　　（Ⓒ）　　（地積（Ⓐ））　　（小数点以下2位未満切捨て） 　｛（　　㎡×　　＋　　）÷　　㎡｝× 0.8 ＝ 0.				（1㎡当たりの価額） 円	G
	7　無 道 路 地 　　（F又はGのうち該当するもの）　　　　　　（※） 　　　　円 ×（ 1 − 0.　） 　※割合の計算（0.4を上限とする。） 　（正面路線価）　（通路部分の地積）　（F又はGのうち該当するもの）　（評価対象地の地積） 　（　　円 ×　　㎡）÷（　　円 ×　　㎡）＝ 0.				（1㎡当たりの価額） 円	H
	8-1　がけ地等を有する宅地　〔 南 、 東 、 西 、 北 〕 　　（AからHまでのうち該当するもの）（がけ地補正率） 　　　　円 × 0.				（1㎡当たりの価額） 円	I
	8-2　土砂災害特別警戒区域内にある宅地 　　（AからHまでのうち該当するもの）　特別警戒区域補正率※ 　　　　円 × 0. 　※がけ地補正率の適用がある場合の特別警戒区域補正率の計算（0.5を下限とする。） 　　　　　　　　　　　〔 南 、 東 、 西 、 北 〕 　（特別警戒区域補正率表の補正率）（がけ地補正率）　（小数点以下2位未満切捨て） 　　0.　×　0.　＝ 0.				（1㎡当たりの価額） 円	J
	9　容積率の異なる2以上の地域にわたる宅地 　　（AからJまでのうち該当するもの）　　　（控除割合（小数点以下3位未満四捨五入）） 　　　　円 ×（ 1 − 0.　）				（1㎡当たりの価額） 円	K
	10　私　　道 　　（AからKまでのうち該当するもの） 　　　　円 × 0.3				（1㎡当たりの価額） 円	L

自用地の評価額	自用地1平方メートル当たりの価額 （AからLまでのうちの該当記号）	地　積	総　　　　　額 （自用地1㎡当たりの価額）×（地　積）	
	（ B ） 148,290 円	832 ㎡	123,377,280 円	M

－153－

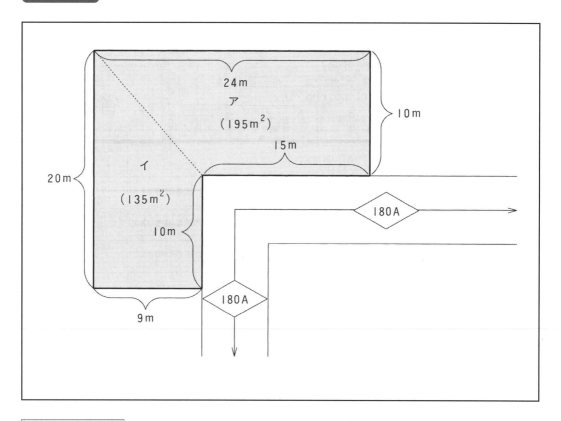

評価上の留意点

1　　連続する１つの路線の外側に接している場合、上図の点線でアとイの２つに分割し別々に評価し、アとイの評価額を合計します。

2　　正面路線は、アは15mの部分、イは10mの部分になります。

3　　この図のような地形は、複数の路線に接しているわけではないので準角地とはいいません。側方路線影響加算もありません。

4　　ア・イ両方とも台形の形になりますが、不整形地補正率の適用はありません。

各補正率の適用は？

1　　アの正面路線の奥行価格補正率……奥行10mで中小工場地区の場合、0.96です。

2　　イの正面路線の奥行価格補正率……奥行９mで中小工場地区の場合、0.95です。

【事例　19】

土地及び土地の上に存する権利の評価明細書（第1表）

	局(所)	署	年分	ページ

（住居表示）	（　　　　　）	所有者	住　所（所在地）		使用者	住　所（所在地）	
所 在 地 番			氏　名（法人名）			氏　名（法人名）	

地　目	地　積	路　　線　　価				地形図及び参考事項

宅地 山林　田 雑種地 畑（　　　）

ア 195 ㎡　イ 135

正面 180,000 円　側方 円　側方 円　裏面 円

間口距離 ア 15m イ 10

奥行距離 ア 10m イ 9

利用区分：自用地　私道　貸宅地　貸家建付借地権　貸家建付地　転貸借地権　借地権（　　）

地区区分：ビル街地区　高度商業地区　繁華街地区　普通商業・併用住宅地区　普通住宅地区　(中小工場地区)　大工場地区

地形図及び参考事項：**省略**

		（1㎡当たりの価額）円	
自用地1平方メートル当たりの価額	1　一路線に面する宅地　（正面路線価）（奥行価格補正率）　ア 180,000 円 × 0.96　イ 180,000 円 × 0.95	172,800　171,000	A
	2　二路線に面する宅地（A）　円 + （[側方・裏面 路線価] 円 × [奥行価格補正率] . × [側方・二方 路線影響加算率] 0.）	（1㎡当たりの価額）円	B
	3　三路線に面する宅地（B）　円 + （[側方・裏面 路線価] 円 × [奥行価格補正率] . × [側方・二方 路線影響加算率] 0.）	（1㎡当たりの価額）円	C
	4　四路線に面する宅地（C）　円 + （[側方・裏面 路線価] 円 × [奥行価格補正率] . × [側方・二方 路線影響加算率] 0.）	（1㎡当たりの価額）円	D
	5-1　間口が狭小な宅地等　（AからDまでのうち該当するもの）（間口狭小補正率）（奥行長大補正率）　円 × （ . × . ）	（1㎡当たりの価額）円	E
	5-2　不　整　形　地　（AからDまでのうち該当するもの）　不整形地補正率※　円 × 0.　※不整形地補正率の計算　（想定整形地の間口距離）（想定整形地の奥行距離）（想定整形地の地積）　m × m = ㎡　（想定整形地の地積）（不整形地の地積）（想定整形地の地積）（かげ地割合）　（ ㎡ － ㎡） ÷ ㎡ = ％　（不整形地補正率表の補正率）（間口狭小補正率）（小数点以下2位未満切捨て）　0. × . = 0. ①　（奥行長大補正率）（間口狭小補正率）　. × . = 0. ②　[不整形地補正率 ①、②のいずれか低い率、0.6を下限とする。] 0.	（1㎡当たりの価額）円	F
	6　地積規模の大きな宅地　（AからFまでのうち該当するもの）　規模格差補正率※　円 × 0.　※規模格差補正率の計算　（地積（Ⓐ））（Ⓑ）（Ⓒ）（地積（Ⓐ））（小数点以下2位未満切捨て）　{（ ㎡ × ＋ ） ÷ ㎡} × 0.8 = 0.	（1㎡当たりの価額）円	G
	7　無　道　路　地　（F又はGのうち該当するもの）（※）　円 × （ 1 － 0. ）　※割合の計算（0.4を上限とする。）（正面路線価）（通路部分の地積）（F又はGのうち該当するもの）（評価対象地の地積）　円 × ㎡ ÷ （ 円 × ㎡） = 0.	（1㎡当たりの価額）円	H
	8-1　がけ地等を有する宅地　［南　、東　、西　、北　］　（AからHまでのうち該当するもの）（がけ地補正率）　円 × 0.	（1㎡当たりの価額）円	I
	8-2　土砂災害特別警戒区域内にある宅地　（AからHまでのうち該当するもの）　特別警戒区域補正率※　円 × 0.　※がけ地補正率の適用がある場合の特別警戒区域補正率の計算（0.5を下限とする。）［南　、東　、西　、北　］（特別警戒区域補正率表の補正率）（がけ地補正率）（小数点以下2位未満切捨て）　0. × 0. = 0.	（1㎡当たりの価額）円	J
	9　容積率の異なる2以上の地域にわたる宅地　（AからJまでのうち該当するもの）（控除割合（小数点以下3位未満四捨五入））　円 × （ 1 － 0. ）	（1㎡当たりの価額）円	K
	10　私　　道　（AからKまでのうち該当するもの）　円 × 0.3	（1㎡当たりの価額）円	L

自用地の評価額	自用地1平方メートル当たりの価額（AからLまでのうちの該当記号）	地　積	総　　額（自用地1㎡当たりの価額）×（地　積）	額	
	（ A ）ア 172,800 円　イ 171,000	195 ㎡　135	33,696,000　23,085,000	56,781,000 円	M

－155－

事例 20　1つの道路を取り囲んでいる土地

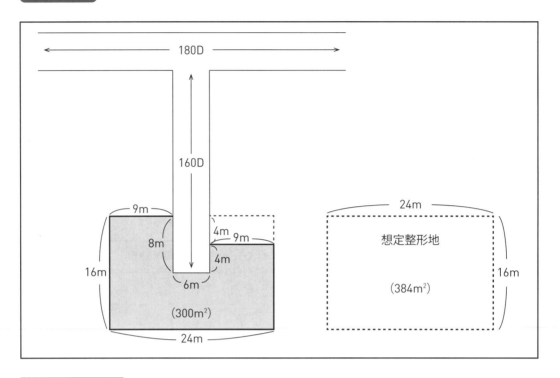

評価上の留意点

1　1つの道路を取り囲んでいる土地は、複数の道路（路線）に接しているわけではないので角地や準角地にも当たらず、側方路線影響加算の適用はありません。

2　このような土地の場合、接している長さが最も長い8mの部分を正面として、そこから垂直に敷地全体が収まるように、上記のような想定整形地をとります。

3　間口は、8mとします。

4　奥行距離は、想定整形地の奥行距離を限度として、不整形地の面積を間口距離で除して得た数値とします。

　　上図の奥行距離は24m（300m^2÷8m＝37.5m＞24m）になります。

各補正率の適用は？

1　奥行価格補正率……奥行24mで普通住宅地区の場合、0.97です。

2　間口狭小補正率……間口8mで普通住宅地区の場合、1.00です。

3　奥行長大補正率……奥行距離÷間口距離＝24m÷8m＝3で普通住宅地区の場合、0.96です

4　不整形地補正率

　　かげ地割合……（384m^2－300m^2）÷384m^2≒21.8％です。

　　地積区分……面積が300m^{2}で普通住宅地区の場合Aになります。

　　補正率……普通住宅地区でかげ地割合が21.8％、地積区分がAですから0.94になります（間口狭小補正率×奥行長大補正率＝1.00×0.96＝0.96＞0.94）。

【事例 20】

土地及び土地の上に存する権利の評価明細書（第1表）

局(所)		署	年分	ページ

| 所在地番 | (住居表示)（　　　　　） | 所有者 | 住所(所在地) | | 使用者 | 住所(所在地) | |
| | | | 氏名(法人名) | | | 氏名(法人名) | |

地目	地積	路　　線　　価				地形図及び参考事項
(宅地) 山林 田 畑 雑種地 (　　)	300 ㎡	正面 160,000 円	側方 円	側方 円	裏面 円	省略
間口距離 8 m	利用区分	自用地 貸宅地 貸家建付地 借地権	私道 貸家建付借地権 転貸借地権 (　　)	地区区分	ビル街地区　普通住宅地区 高度商業地区　中小工場地区 繁華街地区　大工場地区 普通商業・併用住宅地区	
奥行距離 24 m						

			(1㎡当たりの価額) 円	
自用地1平方メートル当たりの価額	1 一路線に面する宅地 （正面路線価）　　　（奥行価格補正率） 160,000 円 × 0.97		155,200	A
	2 二路線に面する宅地 (A) 円 ＋ （ 　［側方・裏面 路線価］　 ［奥行価格補正率］　 ［側方・二方 路線影響加算率］ 円 × ． × 0． ）		(1㎡当たりの価額) 円	B
	3 三路線に面する宅地 (B) 円 ＋ （ 　［側方・裏面 路線価］　 ［奥行価格補正率］　 ［側方・二方 路線影響加算率］ 円 × ． × 0． ）		(1㎡当たりの価額) 円	C
	4 四路線に面する宅地 (C) 円 ＋ （ 　［側方・裏面 路線価］　 ［奥行価格補正率］　 ［側方・二方 路線影響加算率］ 円 × ． × 0． ）		(1㎡当たりの価額) 円	D
	5-1 間口が狭小な宅地等 （AからDまでのうち該当するもの）　 （間口狭小補正率）　 （奥行長大補正率） 円 × ． × ．		(1㎡当たりの価額) 円	E
	5-2 不整形地 （AからDまでのうち該当するもの）　　　 不整形地補正率※ 155,200 円 × 0.94 ※不整形地補正率の計算 　（想定整形地の間口距離）　　 （想定整形地の奥行距離）　　 （想定整形地の地積） 　　　 m × 　　 m = 　　 ㎡ 　（想定整形地の地積）　（不整形地の地積）　 （想定整形地の地積）　 （かげ地割合） 　（ 384 ㎡ － 300 ㎡ ）÷ 384 ㎡ = 21.8 ％ 　（不整形地補正率表の補正率） （間口狭小補正率）　　 （小数点以下2 位未満切捨て） 　　 0.94 × 1.00 = 0.94 ①　　 ｛不整形地補正率｝（①、②のいずれか低い率、0.6を下限とする。） 　（奥行長大補正率）　 （間口狭小補正率） 　　 0.96 × 1.00 = 0.96 ②　　 0.94		145,888	F
	6 地積規模の大きな宅地 （AからFまでのうち該当するもの）　　 規模格差補正率※ 円 × 0． ※規模格差補正率の計算 　（地積（Ⓐ））　 （Ⓑ）　 （Ⓒ）　 （地積（Ⓐ））　　 （小数点以下2 位未満切捨て） 　｛（ ㎡ × ＋ ）÷ ㎡｝× 0.8 = 0．		(1㎡当たりの価額) 円	G
	7 無 道 路 地 （F又はGのうち該当するもの）　　　　　　　 （※） 円 × （ 1 － 0． ） ※割合の計算（0.4 を上限とする。） 　（正面路線価）　 （通路部分の地積）　 ｛F又はGのうち該当するもの｝　 （評価対象地の地積） 　 円 × ㎡）÷（ 円 × ㎡）= 0．		(1㎡当たりの価額) 円	H
	8-1 がけ地等を有する宅地 〔 南 、 東 、 西 、 北 〕 （AからHまでのうち該当するもの）　 （がけ地補正率） 円 × 0．		(1㎡当たりの価額) 円	I
	8-2 土砂災害特別警戒区域内にある宅地 （AからHまでのうち該当するもの）　　 特別警戒区域補正率※ 円 × 0． ※がけ地補正率の適用がある場合の特別警戒区域補正率の計算（0.5 を下限とする。） 　　　　　　　　　　 〔 南 、 東 、 西 、 北 〕 　（特別警戒区域補正率表の補正率）　（がけ地補正率）　 （小数点以下2 位未満切捨て） 　　 0． × 0． = 0．		(1㎡当たりの価額) 円	J
	9 容積率の異なる2以上の地域にわたる宅地 （AからJまでのうち該当するもの）　　 （控除割合（小数点以下3位未満四捨五入）） 円 × （ 1 － 0． ）		(1㎡当たりの価額) 円	K
	10 私 道 （AからKまでのうち該当するもの） 円 × 0.3		(1㎡当たりの価額) 円	L

自用地の評価額	自用地1平方メートル当たりの価額 （AからLまでのうちの該当記号） （ F ） 145,888 円	地 積 300 ㎡	総 額 （自用地1㎡当たりの価額）×（地積） 43,766,400 円	M

－157－

事例 21	正面路線と側方路線の地区区分が異なる宅地

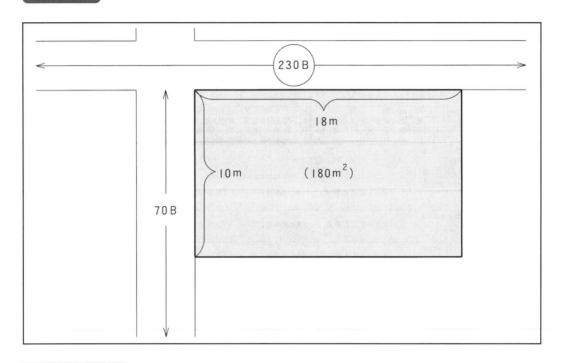

評価上の留意点

1　2つの路線に接している場合には、その宅地の利用形態に関係なく、各路線価に当該地区区分に対応する奥行価格補正率を加味した価格の高いほうの路線が「正面」路線になり、低いほうが「側方」路線になります（上図の場合、230千円のほうが正面路線になる）。

2　正面路線と側方路線の地区区分が異なる場合、正面路線は通常の場合と同様に正面路線の地区区分を適用しますが、側方路線も正面路線の地区区分を適用します。

　　したがって、側方路線の奥行価格補正率や側方路線影響加算率も、正面路線の地区区分で判定します。

3　間口狭小補正や奥行長大補正は正面路線からみて判定します。

各補正率の適用は？

1　正面路線の奥行価格補正率……奥行10mで普通商業・併用住宅地区の場合、0.99です。

2　側方路線の奥行価格補正率……奥行18mで普通商業・併用住宅地区の場合、1.00です。

3　側方路線影響加算率……角地の普通商業・併用住宅地区の場合、0.08です。

4　間口狭小・奥行長大補正率は1.00です。

【事例　21】

土地及び土地の上に存する権利の評価明細書（第1表）

	局(所)	署	年分	ページ

（住居表示）	（　　　　　　　）		住　所 (所在地)		住　所 (所在地)	
所在地番		所有者	氏　名 (法人名)	使用者	氏　名 (法人名)	

地　　目		地　積	路　　　線　　　価				地
㉒宅地 山林 田 雑種地 畑 （　　　）		㎡ 180	正　面 230,000円	側　方 70,000円	側　方 円	裏　面 円	形 図 及 び 参 考 事 項

間口距離	18 ⎵	利 用 区 分	㉒自 用 地　私　　道 貸 宅 地　貸家建付借地権 貸家建付地　転 貸 借 地 権 借 地 権　（　　　　　）	地 区 区 分	ビ ル 街 地 区　普通住宅地区 高度商業地区　中小工場地区 繁 華 街 地 区　大工場地区 ㉒普通商業・併用住宅地区

省　略

			（1㎡当たりの価額）	円	
自 用 地 1 平 方 メ ー ト ル 当 た り の 価 額	1　一路線に面する宅地 　　　（正面路線価）　　　　　　　　　　（奥行価格補正率） 　　　230,000 円 × 　　　　0.99			227,700	A
	2　二路線に面する宅地 　　　（A）　　　　　　　［側方・裏面 路線価］　（奥行価格補正率）　［側方・二方 路線影響加算率］ 　227,700 円 + （ 70,000 円 × 1.00 × 0.08 ）		（1㎡当たりの価額） 円	233,300	B
	3　三路線に面する宅地 　　　（B）　　　　　　　［側方・裏面 路線価］　（奥行価格補正率）　［側方・二方 路線影響加算率］ 　　　　　円 + （ 　　　　円 × . × 0. ）		（1㎡当たりの価額） 円		C
	4　四路線に面する宅地 　　　（C）　　　　　　　［側方・裏面 路線価］　（奥行価格補正率）　［側方・二方 路線影響加算率］ 　　　　　円 + （ 　　　　円 × . × 0. ）		（1㎡当たりの価額） 円		D
	5-1　間口が狭小な宅地等 　　　（AからDまでのうち該当するもの）　（間口狭小補正率）　（奥行長大補正率） 　　　　　円 × （ 　. × 　. ）		（1㎡当たりの価額） 円		E
	5-2　不 整 形 地 　　　（AからDまでのうち該当するもの）　　　不整形地補正率※ 　　　　　円 × 0. 　※不整形地補正率の計算 　　（想定整形地の間口距離）（想定整形地の奥行距離）（想定整形地の地積） 　　　　　　m × 　　　　m = 　　　　㎡ 　　（想定整形地の地積）（不整形地の地積）（想定整形地の地積）　　（かげ地割合） 　　（ 　　㎡ − 　　㎡）÷ 　　㎡ = 　　% 　　（不整形地補正率表の補正率）（間口狭小補正率）（小数点以下2位未満切捨て） 　　　　0. × 　. = 0. ①　　　　　　　　　　不整形地補正率 　　（奥行長大補正率）（間口狭小補正率）　　　　　　　　　（①、②のいずれか低い 　　　　　. × 　. = 0. ②　　　　率、0.6を下限とする。） 　　　　　　　　　　　　　　　　　　　0.		（1㎡当たりの価額） 円		F
	6　地積規模の大きな宅地 　　　（AからFまでのうち該当するもの）　　規模格差補正率※ 　　　　　円 × 0. 　※規模格差補正率の計算 　　（地積（Ⓐ））　　（Ⓑ）　　（Ⓒ）　（地積（Ⓐ））　（小数点以下2位未満切捨て） 　　{（ 　　㎡× 　　 + 　　 ）÷ 　　㎡}× 0.8 = 0.		（1㎡当たりの価額） 円		G
	7　無 道 路 地 　　　（F又はGのうち該当するもの）　　　　　　（※） 　　　　　円 × （ 1 − 0. ） 　※割合の計算（0.4を上限とする。）　　（F又はGのうち 　　（正面路線価）　　（通路部分の地積）　 該当するもの ）　（評価対象地の地積） 　　（ 　　円 × 　　㎡）÷ （ 　　円 × 　　㎡）= 0.		（1㎡当たりの価額） 円		H
	8-1　がけ地等を有する宅地　〔 南 、 東 、 西 、 北 〕 　　　（AからHまでのうち該当するもの）　（がけ地補正率） 　　　　　円 × 0.		（1㎡当たりの価額） 円		I
	8-2　土砂災害特別警戒区域内にある宅地 　　　（AからHまでのうち該当するもの）　　特別警戒区域補正率※ 　　　　　円 × 0. 　※がけ地補正率の適用がある場合の特別警戒区域補正率の計算（0.5を下限とする。） 　　　　　　　　　　　　　　〔 南 、 東 、 西 、 北 〕 　　（特別警戒区域補正率表の補正率）（がけ地補正率）（小数点以下2位未満切捨て） 　　　　0. × 0. = 0.		（1㎡当たりの価額） 円		J
	9　容積率の異なる2以上の地域にわたる宅地 　　　（AからJまでのうち該当するもの）　　　（控除割合（小数点以下3位未満四捨五入）） 　　　　　円 × （ 1 − 0. ）		（1㎡当たりの価額） 円		K
	10　私　　道 　　　（AからKまでのうち該当するもの） 　　　　　円 × 0.3		（1㎡当たりの価額） 円		L

自用地の 評価額	自用地1平方メートル当たりの価額 （AからLまでのうちの該当記号） （ B ） 233,300 円	地　積 180 ㎡	総　　　　　　　額 （自用地1㎡当たりの価額）×（地積） 41,994,000 円	M

事例 22　角地が路線に接していない宅地

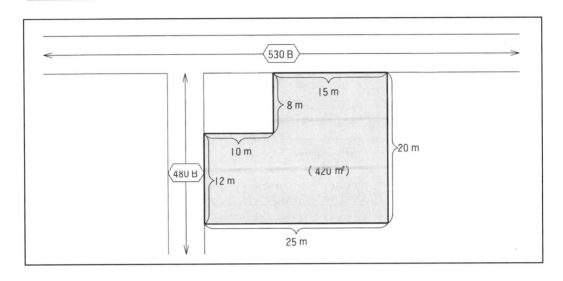

評価上の留意点

1　角地が路線に接しておらず、角地としての機能を有していない場合（他人が所有している角地の面積が大きい場合）には、側方路線影響加算率を適用せず、二方路線影響加算率を適用します。正面路線は、路線価に奥行価格補正率を加味した価格が高いほうがなります。上図の場合、15mのほうが正面路線になります。

2　二方路線影響加算率は、側方路線に接する部分がその宅地に係る想定整形地の側方距離に占める割合により調整します。

　　上図の場合、ビル街地区の二方路線影響加算率0.03に$\dfrac{12\mathrm{m}}{12\mathrm{m}+8\mathrm{m}}$を乗じた0.018が調整後の二方路線影響加算率になります。

3　このような形状の宅地は、不整形地となりますが、この宅地はビル街地区にあるため不整形地補正は行いません。

　　(注)　上図のような不整形地の場合、【事例37】のような計算をすることもできます。

各補正率の適用は？

1　正面路線の奥行価格補正率……奥行20mでビル街地区の場合、0.94です。

　　(注)　不整形地の奥行距離については、【事例12】参照。

2　側方路線の奥行価格補正率……奥行25mでビル街地区の場合、0.95です。

3　二方路線影響加算率……上記説明のとおり0.018です。

4　間口狭小補正率は0.97、奥行長大補正率は1.00です。

【事例 22】

土地及び土地の上に存する権利の評価明細書（第1表）

		局(所)	署	年分	ページ

（住居表示）	（　　　　　）	所有者	住　所 (所在地)		使用者	住　所 (所在地)	
所 在 地 番			氏　名 (法人名)			氏　名 (法人名)	

地　　目	地　積	路　　　線　　　価	地形図及び参考事項
㊥宅地 山林 田　畑 雑種地 （　　）	420 ㎡	正　面 530,000 円　側　方 480,000 円　側　方 円　裏　面 円	省　略

間口距離 15 m	利用区分	㊥自用地　私　道　　貸家建付地区 貸　宅　地　貸家建付借地権 貸家建付地　転　貸　借　地　権 借　地　権　（　　　　　　）	地区区分	ビル街地区　普通住宅地区 高度商業地区　中小工場地区 繁華街地区　大工場地区 普通商業・併用住宅地区
奥行距離 20 m				

				（1㎡当たりの価額）	
自用地1平方メートル当たりの価額	**1　一路線に面する宅地** 　（正面路線価）　　　　　　（奥行価格補正率） 　530,000 円　×　　　0.94			498,200 円	A
	2　二路線に面する宅地 　（A）　　　　　　（側方・裏面 路線価）（奥行価格補正率）〔側方・二方 路線影響加算率〕 　498,200 円　＋（ 480,000 円　× 0.95 × 0.03×12⁄20 ）			506,408 円	B
	3　三路線に面する宅地 　（B）　　　　　　〔側方・裏面 路線価〕　（奥行価格補正率）〔側方・二方 路線影響加算率〕 　　　円　＋（ 　円　× 0. × 0. ）			円	C
	4　四路線に面する宅地 　（C）　　　　　　〔側方・裏面 路線価〕　（奥行価格補正率）〔側方・二方 路線影響加算率〕 　　　円　＋（ 　円　× 0. × 0. ）			円	D
	5-1　間口が狭小な宅地等 　（AからDまでのうち該当するもの）　（間口狭小補正率）　（奥行長大補正率） 　506,408 円　×　　（ 0.97 × 1.00 ）			491,215 円	E
	5-2　不整形地 　（AからDまでのうち該当するもの）　　不整形地補正率※ 　　　円　×　　　　0. 　※不整形地補正率の計算 　（想定整形地の間口距離）（想定整形地の奥行距離）（想定整形地の地積） 　　　m ×　　　m ＝　　　㎡ 　（想定整形地の地積）（不整形地の地積）　（想定整形地の地積）　　（かげ地割合） 　（　　㎡ －　　㎡）÷　　㎡ ＝　　％ 　（不整形地補正率表の補正率）（間口狭小補正率）（小数点以下2位未満切捨て）〔不整形地補正率 　0.　　×　　．　＝　0.　　①　①、②のいずれか低い 　（奥行長大補正率）　（間口狭小補正率）　　　　　　　　率、0.6を下限とする。〕 　×　．　＝　0.　　②　0.			円	F
	6　地積規模の大きな宅地 　（AからFまでのうち該当するもの）　規模格差補正率※ 　　　円　×　　　0. 　※規模格差補正率の計算 　（地積（Ⓐ））　　（Ⓑ）　　　（Ⓒ）　　（地積（Ⓐ））　　（小数点以下2位未満切捨て） 　{（ 　㎡× 　＋ 　）÷ 　㎡}× 0.8 ＝ 0.			円	G
	7　無道路地 　（F又はGのうち該当するもの）　　　　　　　　　（※） 　　　円　×　（ 1 － 0. ） 　※割合の計算（0.4を上限とする。） 　（正面路線価）　（通路部分の地積）　（F又はGのうち該当するもの）　（評価対象地の地積） 　（ 　円 × 　㎡）÷（ 　円 × 　㎡）＝ 0.			円	H
	8-1　がけ地等を有する宅地　〔 南 、 東 、 西 、 北 〕 　（AからHまでのうち該当するもの）　（がけ地補正率） 　　　円　×　　　0.			円	I
	8-2　土砂災害特別警戒区域内にある宅地 　（AからHまでのうち該当するもの）　　特別警戒区域補正率※ 　　　円　×　　　0. 　※がけ地補正率の適用がある場合の特別警戒区域補正率の計算（0.5を下限とする。） 　　　　　　　　　　　〔 南 、 東 、 西 、 北 〕 　（特別警戒区域補正率表の補正率）（がけ地補正率）（小数点以下2位未満切捨て） 　0.　　× 0.　　＝ 0.			円	J
	9　容積率の異なる2以上の地域にわたる宅地 　（AからJまでのうち該当するもの）　　（控除割合（小数点以下3位未満四捨五入）） 　　　円　×　（ 1 － 0. ）			円	K
	10　私　道 　（AからKまでのうち該当するもの） 　　　円　×　　0.3			円	L

自用地の評価額	自用地1平方メートル当たりの価額 （AからLまでのうちの該当記号）	地　積	総　　　　額 （自用地1㎡当たりの価額）×（地　積）	
	（ E ）　　491,215 円	420 ㎡	206,310,300 円	M

事例　23　正面路線と側方路線の借地権割合が異なる貸宅地

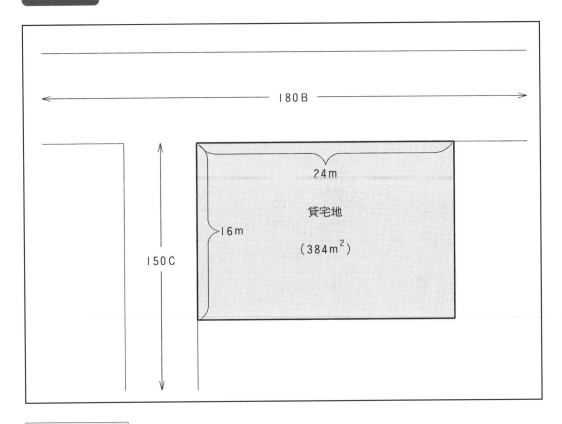

評価上の留意点

1　2つの路線に接している場合には、その宅地の利用形態に関係なく、各路線価に奥行価格補正率を加味した価格の高いほうの路線が「正面」路線になり、低いほうが「側方」路線になります（上図の場合、180千円のほうが正面路線になる）。
2　正面と側方で借地権割合が異なる場合、正面路線の割合を評価上の割合とします（側方路線の借地権割合は無視する）。
3　間口狭小補正と奥行長大補正は正面路線からみて判定します。

各補正率の適用は？

1　正面路線に関する奥行価格補正率……奥行16mで普通住宅地区の場合、1.00です。
2　側方路線に関する奥行価格補正率……奥行24mで普通住宅地区の場合、0.97です。
3　側方路線影響加算率……角地の普通住宅地区の場合、0.03です。
4　正面路線に関する間口狭小・奥行長大補正率は1.00です。
5　借地権割合……正面路線のBより80％です。

【事例　23】

土地及び土地の上に存する権利の評価明細書（第1表）

	局(所)	署	年分	ページ

(住居表示)	(　　　　　)	所有者	住所 (所在地)		使用者	住所 (所在地)	
所在地番			氏名 (法人名)			氏名 (法人名)	

地目	地積	路線価				地形図及び参考事項
⊙宅地 山林 田 畑 雑種地 (　)	384 ㎡	正面 180,000 円	側方 150,000 円	側方 円	裏面 円	省略

| 間口距離 | 24 m | 利用区分 | ⊙貸宅地 自用地 私道 貸家建付借地権 貸家建付地 転貸借地権 借地権 (　) | 地区区分 | ビル街地区 高度商業地区 繁華街地区 普通商業・併用住宅地区 | 普通住宅地区 中小工場地区 大工場地区 | |

自用地	1 一路線に面する宅地 (正面路線価) 180,000 円 × (奥行価格補正率) 1.00	(1㎡当たりの価額) 180,000 円	A
	2 二路線に面する宅地 (A) 180,000 円 + (側方・裏面 路線価) (150,000 円 × 奥行価格補正率 0.97 × 側方 二方 路線影響加算率 0.03)	(1㎡当たりの価額) 184,365 円	B
	3 三路線に面する宅地 (B) 円 + (側方・裏面 路線価) (円 × 奥行価格補正率 . × 側方・二方 路線影響加算率 0.)	(1㎡当たりの価額) 円	C
	4 四路線に面する宅地 (C) 円 + (側方・裏面 路線価) (円 × 奥行価格補正率 . × 側方・二方 路線影響加算率 0.)	(1㎡当たりの価額) 円	D

自用地の評価額	自用地1平方メートル当たりの価額 (AからLまでのうちの該当記号) (B) 184,365 円	地積 384 ㎡	総額 (自用地1㎡当たりの価額) × (地積) 70,796,160 円	M

土地及び土地の上に存する権利の評価明細書（第2表）

セットバックを必要とする宅地の評価額	(自用地の評価額) 円 − ((自用地の評価額) 円 × 該当地積 ㎡ / 総地積 ㎡ × 0.7)	(自用地の評価額) 円	N
都市計画道路予定地の区域内にある宅地の評価額	(自用地の評価額) (補正率) 円 × 0.	(自用地の評価額) 円	O

大規模工場用地等の評価額	○ 大規模工場用地等 (正面路線価) (地積) (地積が20万㎡以上の場合は0.95) 円 × ㎡ ×	円	P
	○ ゴルフ場用地等 (宅地とした場合の価額)(地積) (1㎡当たりの造成費) (地積) (円 × ㎡×0.6) − (円 × ㎡)	円	Q

区分所有財産に係る敷地利用権の評価額	(自用地の評価額) (敷地利用権(敷地権)の割合) 円 × ───	(自用地の評価額) 円	R
	居分の所有住用の場財区産合 (自用地の評価額) (区分所有補正率) 円 × .	(自用地の評価額) 円	S

	利用区分	算式	総額	記号
総	貸宅地	(自用地の評価額) (借地権割合) 70,796,160 円 × (1− 0.8)	14,159,232 円	T

-163-

事例 24　裏面路線の一部しか接していない宅地

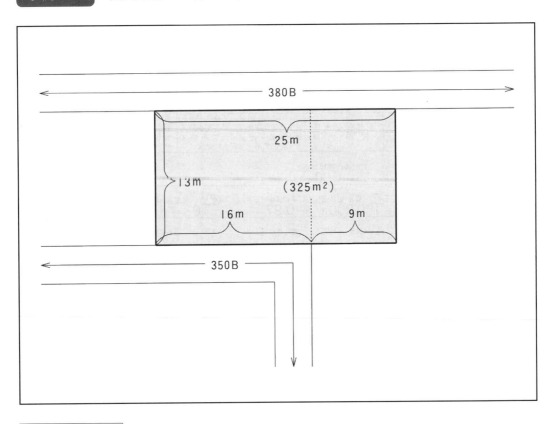

評価上の留意点

1　正面と裏面が路線に接している場合には、その宅地の利用形態に関係なく、各路線価に奥行価格補正率を加味した価格の高いほうの路線が「正面」路線になり、低いほうが「裏面」路線になります（上図の場合は、380千円のほうが正面路線になる）。

2　裏面路線に接する部分がその宅地に係る想定整形地の間口距離よりも短い場合には、裏面路線に接する部分がその宅地に係る想定整形地の間口距離に占める割合により二方路線影響加算率を調整します。

各補正率の適用は？

1　奥行価格補正率……奥行13mで普通住宅地区の場合、1.00です。

2　二方路線影響加算率……普通住宅地区の場合、0.02です。これに$\dfrac{16m}{25m}$を乗じて計算します。

3　間口狭小・奥行長大補正率は1.00です。

【事例　24】

土地及び土地の上に存する権利の評価明細書（第１表）

					局(所)	署	年分	ページ

（住居表示）	（　　　　　　　　）	所有者	住　所 （所在地）		使用者	住　所 （所在地）	
所 在 地 番			氏　　名 （法人名）			氏　　名 （法人名）	

地　　目		地　積	路　　　　　線　　　　　価				地 形 図 及 び 参 考 事 項	
⑥宅 地　山 林 田　畑 雑種地 （　　　）		㎡ 325	正　面 380,000円	側　方 円	側　方 円	裏　面 350,000円		**省　略**

間口距離	25 m	利 用 区 分	⑥自用地　私　　　道 貸 宅 地　貸家建付借地権 貸家建付地　転 貸 借 地 権 借 地 権　（　　　　　）	地 区 区 分	ビル街地区　　⑥普通住宅地区 高度商業地区　中小工場地区 繁華街地区　　大工場地区 普通商業・併用住宅地区
奥行距離	13 m				

			（1 ㎡当たりの価額）		
自 用 地 １ 平 方 メ ー ト ル 当 た り の 価 額	1　一路線に面する宅地 　　（正面路線価）　　　　　　　（奥行価格補正率） 　　380,000 円 ×　　　　　1.00		380,000	円	A
	2　二路線に面する宅地 　　（A）　　　　　　「側方・⑥裏面」路線価　　（奥行価格補正率）　　　　［側方・⑥二方 路線影響加算率］ 　　380,000 円 ＋ （ 350,000円 × 1.00 ）　　　×　　0.02 × ¹⁶/₂₅）		384,480	円	B
	3　三路線に面する宅地 　　（B）　　　　　　［側方・裏面 路線価］　（奥行価格補正率）　　［側方・二方 路線影響加算率］ 　　　　　円　＋ （　　　円 ×　　．　）　×　0．　）			円	C
	4　四路線に面する宅地 　　（C）　　　　　　［側方・裏面 路線価］　（奥行価格補正率）　　［側方・二方 路線影響加算率］ 　　　　　円　＋ （　　　円 ×　　．　）　×　0．　）			円	D
	5-1　間口が狭小な宅地等 　（AからDまでのうち該当するもの）　（間口狭小補正率）　（奥行長大補正率） 　　　　円 ×　　（　　．　×　　．　）			円	E
	5-2　不　整　形　地 　（AからDまでのうち該当するもの）　　不整形地補正率※ 　　　　円 ×　　0. 　※不整形地補正率の計算 　（想定整形地の間口距離）（想定整形地の奥行距離）（想定整形地の地積） 　　　　m ×　　　　m ＝　　　　㎡ 　（想定整形地の地積）（不整形地の地積）　（想定整形地の地積）　（かげ地割合） 　（　　㎡ －　　㎡）÷　　㎡ ＝　　％ 　（不整形地補正率表の補正率）（間口狭小補正率）　（小数点以下2位未満切捨て） 　　0.　×　　．　＝　0.　①　　　［不整形地補正率］ 　（奥行長大補正率）（間口狭小補正率）　　　　　　　　（①、②のいずれか低い率、0.6を下限とする。） 　　．　×　　．　＝　0.　②　　　0.			円	F
	6　地積規模の大きな宅地 　（AからFまでのうち該当するもの）　規模格差補正率※ 　　　　円 ×　　0. 　※規模格差補正率の計算 　（地積（Ⓐ））　（Ⓑ）　（Ⓒ）　（地積（Ⓐ））　（小数点以下2位未満切捨て） 　{（　　㎡×　　＋　　）÷　　㎡} × 0.8 ＝ 0.			円	G
	7　無　道　路　地 　（F又はGのうち該当するもの）　　　　（※） 　　　　円 × （ 1 － 0.　） 　※割合の計算（0.4を上限とする。） 　（正面路線価）（通路部分の地積）　（F又はGのうち該当するもの）（評価対象地の地積） 　（　　円 ×　　㎡）÷ （　　円 ×　　㎡）＝ 0.			円	H
	8-1　がけ地等を有する宅地　　〔 南 、 東 、 西 、 北 〕 　（AからHまでのうち該当するもの）　（がけ地補正率） 　　　　円 ×　　0.			円	I
	8-2　土砂災害特別警戒区域内にある宅地 　（AからHまでのうち該当するもの）　特別警戒区域補正率※ 　　　　円 ×　　0. 　※がけ地補正率の適用がある場合の特別警戒区域補正率の計算（0.5を下限とする。） 　　　　　　〔 南 、 東 、 西 、 北 〕 　（特別警戒区域補正率表の補正率）（がけ地補正率）（小数点以下2位未満切捨て） 　　0.　×　0.　＝　0.			円	J
	9　容積率の異なる2以上の地域にわたる宅地 　（AからJまでのうち該当するもの）　　　　（控除割合（小数点以下3位未満四捨五入）） 　　　　円 × （ 1 － 0.　　　）			円	K
	10　私　　　道 　（AからKまでのうち該当するもの） 　　　　円 ×　　0.3			円	L

自用地の 評価額	自用地1平方メートル当たりの価額 （AからLまでのうちの該当記号）	地　　積	総　　　　　　　　額 （自用地1 ㎡当たりの価額）×（地　積）	
	（ B ） 384,480 円	325 ㎡	124,956,000 円	M

事例 25　裏面路線に宅地の一部が接する不整形な宅地

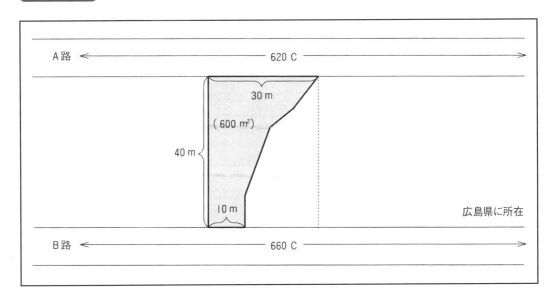

評価上の留意点

1　2つの路線に接している場合には、その宅地の利用形態に関係なく、各路線価に奥行価格補正率を加味した価格の高いほうの路線が「正面」路線になり、低いほうが「裏面」路線となります。

2　奥行価格補正率適用の基となる奥行距離は、不整形地の場合には、想定整形地の奥行距離を限度として、不整形地の面積を間口距離で除して得た数値とします。

　　A路の奥行距離は、20m（600㎡÷30m＝20m＜40m）で、奥行価格補正率は、1.00

　　B路の奥行距離は、40m（600㎡÷10m＝60m＞40m）で、奥行価格補正率は、0.91

　　したがって、上図の場合、A路線が正面路線となります。

$$620×1.00＝620＞660×0.91＝600.6$$

3　裏面路線に接する部分がその宅地に係る想定整形地の間口距離より短い場合には、路線に接する部分がその宅地に係る想定整形地の間口距離に占める割合により加算率を調整します。

　　上図の場合の二方路線影響加算率は、普通住宅地区の0.02に10m／30mを乗じた0.0066…になります。

各補正率の適用は？

1　奥行価格補正率……奥行20m、40mで普通住宅地区の場合、1.00、0.91です。

2　間口狭小補正率は、1.00です。

3　二方路線影響加算率……上記説明のとおり0.0066…です。

4　不整形地補正率……かげ地割合　（1,200㎡－600㎡）÷1,200㎡＝0.5

　　　　　　　　　　　地積区分　　普通住宅地区の面積600㎡は500㎡以上750㎡未満でB

　　　　　　　　　　　普通住宅地区Bの50％以上で0.82になります。

－166－

【事例　25】

土地及び土地の上に存する権利の評価明細書（第1表）

	局(所)	署	年分	ページ

（住居表示）（　　　　　　　）	所有者	住　所（所在地）		使用者	住　所（所在地）	
所在地番		氏　名（法人名）			氏　名（法人名）	

地　　目	地　積	路　　　線　　　価				地形図及び参考事項
㊥地 山　林 田　畑 雑種地（　）	600 ㎡	正　面 620,000 円	側　方 円	側　方 円	裏　面 660,000 円	省　略

間口距離	30 m	利用区分	㊙用地　私　道 貸宅地　貸家建付借地権 貸家建付地　転貸借地権 借地権（　　）	地区区分	ビル街地区　　　　　㊙通住宅地区 高度商業地区　　　　中小工場地区 繁華街地区　　　　　大工場地区 普通商業・併用住宅地区	
奥行距離	20 m					

			（1㎡当たりの価額）円	
自用地1平方メートル当たりの価額	**1　一路線に面する宅地** （正面路線価）　　　　　　（奥行価格補正率） 620,000 円 × 1.00		620,000	A
	2　二路線に面する宅地 （A） 620,000 円 ＋（側方・㊙面 路線価）（奥行価格補正率）（側方・㊙方 路線影響加算率） 620,000 円 ＋ （ 660,000 円 × 0.91 × 0.02 × $\frac{10}{30}$ ）		624,004	B
	3　三路線に面する宅地 （B） 円 ＋（側方・裏面 路線価）（奥行価格補正率）（側方・二方 路線影響加算率） 円 ＋ （ 円 × ． × 0． ）			C
	4　四路線に面する宅地 （C） 円 ＋（側方・裏面 路線価）（奥行価格補正率）（側方・二方 路線影響加算率） 円 ＋ （ 円 × ． × 0． ）			D
	5-1　間口が狭小な宅地等 （AからDまでのうち該当するもの）（間口狭小補正率）（奥行長大補正率） 円 × （ ． × ． ）			E
	5-2　不整形地 （AからDまでのうち該当するもの）　　不整形地補正率※ 624,004 円 × 0.82 ※不整形地補正率の計算 （想定整形地の間口距離）（想定整形地の奥行距離）（想定整形地の地積） 30 m × 40 m = 1,200 ㎡ （想定整形地の地積）（不整形地の地積）（想定整形地の地積）（かげ地割合） （ 1,200 ㎡ － 600 ㎡ ）÷ 1,200 ㎡ = 50 ％ （不整形地補正率表の補正率）（間口狭小補正率）（小数点以下2位未満切捨て）［不整形地補正率 ①、②のいずれか低い 率、0.6を下限とする。］ 0.82 × 1.00 = 0.82 ① （奥行長大補正率）（間口狭小補正率） 0. × ． = 0. ②　　0.82		511,683	F
	6　地積規模の大きな宅地 （AからFまでのうち該当するもの）　　規模格差補正率※ 円 × 0. ※規模格差補正率の計算 （地積(Ⓐ)）　　（Ⓑ）　　（Ⓒ）　　（地積(Ⓐ)）（小数点以下2位未満切捨て） {（ ㎡× ＋ ）÷ ㎡ }× 0.8 = 0.			G
	7　無道路地 （F又はGのうち該当するもの）　　　　（※） 円 × （ 1 － 0. ） ※割合の計算（0.4を上限とする。） （正面路線価）（通路部分の地積）（F又はGのうち該当するもの）（評価対象地の地積） （ 円 × ㎡ ）÷（ 円 × ㎡ ）= 0.			H
	8-1　がけ地等を有する宅地　〔 南 、 東 、 西 、 北 〕 （AからHまでのうち該当するもの）（がけ地補正率） 円 × 0.			I
	8-2　土砂災害特別警戒区域内にある宅地 （AからHまでのうち該当するもの）　　特別警戒区域補正率※ 円 × 0. ※がけ地補正率の適用がある場合の特別警戒区域補正率の計算（0.5を下限とする。） 〔 南 、 東 、 西 、 北 〕 （特別警戒区域補正率表の補正率）（がけ地補正率）（小数点以下2位未満切捨て） 0. × 0. = 0.			J
	9　容積率の異なる2以上の地域にわたる宅地 （AからJまでのうち該当するもの）（控除割合（小数点以下3位未満四捨五入）） 円 × （ 1 － 0. ）			K
	10　私　　　道 （AからKまでのうち該当するもの） 円 × 0.3			L

自用地の評価額	自用地1平方メートル当たりの価額（AからLまでのうちの該当記号）	地　積	総　額（自用地1㎡当たりの価額）×（地積）	
	（ F ） 511,683 円	600 ㎡	307,009,800 円	M

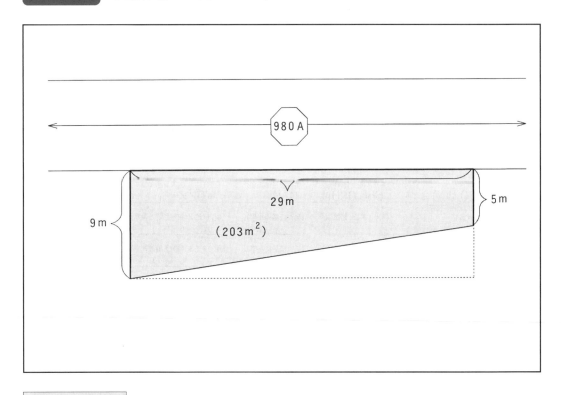

評価上の留意点

1　1つの路線に面している場合には、その路線が「正面」路線になります。

2　奥行距離は正面路線から垂直に奥に向かって測った距離をいいますが、上図のように
その距離が一定でない不整形地の場合には、平均的な奥行距離をとります。

　　具体的には、想定整形地の奥行距離を限度として、不整形地の面積を間口距離で除し
て得た数値とします。

　　上図の正面路線の奥行距離は、7 m（203㎡÷29m＝7 m＜9 m）になります。

3　図のような土地は、不整形地として不整形地補正率が適用されます。

各補正率の適用は？

1　奥行価格補正率……奥行7 mで繁華街地区の場合、0.95です。

2　間口狭小補正率……間口29mで繁華街地区の場合、1.00です。

3　不整形地補正率

　　かげ地割合……想定整形地の面積は261㎡ですから、かげ地割合は、（261㎡－203㎡）÷
　　　　　　　　　　261㎡＝22.2％です。

　　地積区分……面積が203㎡で繁華街地区の場合、Aになります。

　　したがって、不整形地補正率は、かげ地割合20％以上の繁華街地区Aにより、0.97に
なります。

【事例　26】

土地及び土地の上に存する権利の評価明細書（第１表）

	局(所)	署	年分	ページ

（住居表示）（ ）	所有者	住 所（所在地）		使用者	住 所（所在地）	
所 在 地 番		氏 名（法人名）			氏 名（法人名）	

地　目	地　積	路　　線　　価				地 形 図 及 び 参 考 事 項
(宅 地) 山 林 田 雑種地 畑 ( )	㎡ **203**	正 面 **980,000** 円	側 方 円	側 方 円	裏 面 円	**省 略**

間口距離 **29** m	利用区分	自用地 私 道 貸宅地 貸家建付借地権 貸家建付地 転貸借地権 借地権 （ ）	地区区分	ビル街地区 高度商業地区 繁華街地区 普通商業・併用住宅地区	普通住宅地区 中小工場地区 大工場地区
奥行距離 **7** m					

自用地 1 平方メートル当たりの価額					(1㎡当たりの価額)	
	1 一路線に面する宅地 （正面路線価） （奥行価格補正率） **980,000**円 × **0.95**				931,000 円	A
	2 二路線に面する宅地 (A) ［側方・裏面 路線価］ （奥行価格補正率） ［側方・二方 路線影響加算率］ 円 ＋ （ 円 × ． × 0. ）				円	B
	3 三路線に面する宅地 (B) ［側方・裏面 路線価］ （奥行価格補正率） ［側方・二方 路線影響加算率］ 円 ＋ （ 円 × ． × 0. ）				円	C
	4 四路線に面する宅地 (C) ［側方・裏面 路線価］ （奥行価格補正率） ［側方・二方 路線影響加算率］ 円 ＋ （ 円 × ． × 0. ）				円	D
	5-1 間口が狭小な宅地等 （AからDまでのうち該当するもの） （間口狭小補正率） （奥行長大補正率） 円 × （ ． × ． ）				円	E
	5-2 不 整 形 地 （AからDまでのうち該当するもの） 不整形地補正率※ **931,000** 円 × **0.97** ※不整形地補正率の計算 （想定整形地の間口距離） （想定整形地の奥行距離） （想定整形地の地積） **29** m × **9** m = **261** ㎡ （想定整形地の地積） （不整形地の地積） （想定整形地の地積） （かげ地割合） （ **261** ㎡ － **203** ㎡ ）÷ **261** ㎡ = **22.2** ％ （不整形地補正率表の補正率）（間口狭小補正率） （小数点以下2位未満切捨て） ［不整形地補正率 ①、②のいずれか低い 率、0.6を下限とする。］ **0.97** × **1.00** = **0.97** ① （奥行長大補正率） （間口狭小補正率） **0.97** × ． = 0. ②				903,070 円	F
	6 地積規模の大きな宅地 （AからFまでのうち該当するもの） 規模格差補正率※ 円 × 0. ※規模格差補正率の計算 （地積（Ⓐ）） （Ⓑ） （Ⓒ） （地積（Ⓐ）） （小数点以下2位未満切捨て） ｛（ ㎡× ＋ ）÷ ㎡｝× 0.8 ＝ 0.				円	G
	7 無 道 路 地 （F又はGのうち該当するもの） （※） 円 × （ 1 － 0. ） ※割合の計算（0.4を上限とする。） （正面路線価） （通路部分の地積） ［F又はGのうち該当するもの］ （評価対象地の地積） （ 円 × ㎡）÷（ 円 × ㎡）＝ 0.				円	H
	8-1 がけ地等を有する宅地 ［ 南 、 東 、 西 、 北 ］ （AからHまでのうち該当するもの） （がけ地補正率） 円 × 0.				円	I
	8-2 土砂災害特別警戒区域内にある宅地 （AからHまでのうち該当するもの） 特別警戒区域補正率※ 円 × 0. ※がけ地補正率の適用がある場合の特別警戒区域補正率の計算（0.5を下限とする。） ［ 南 、 東 、 西 、 北 ］ （特別警戒区域補正率表の補正率） （がけ地補正率） （小数点以下2位未満切捨て） 0. × 0. ＝ 0.				円	J
	9 容積率の異なる2以上の地域にわたる宅地 （AからJまでのうち該当するもの） （控除割合（小数点以下3位未満四捨五入）） 円 × （ 1 － 0. ）				円	K
	10 私 道 （AからKまでのうち該当するもの） 円 × 0.3				円	L

自用地の評価額	自用地1平方メートル当たりの価額 （AからLまでのうちの該当記号）	地 積	総 額 （自用地1㎡当たりの価額）×（地 積）	
	（ **F** ） **903,070** 円	**203** ㎡	**183,323,210** 円	M

-169-

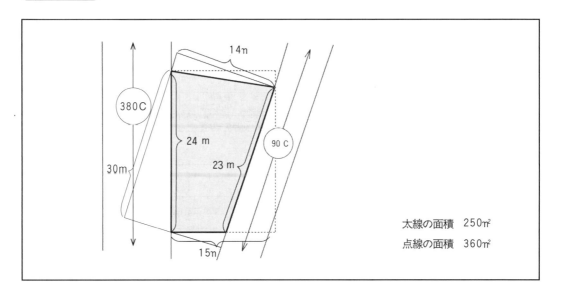

事例 27　三角形に類似する不整形な宅地

太線の面積　250㎡
点線の面積　360㎡

評価上の留意点

1　2つの路線に接している場合には、その宅地の利用形態に関係なく、各路線価に奥行価格補正率を加味した価格の高いほうの路線が「正面」路線になり、低いほうが「裏面」路線になります（上図の場合は、380千円のほうが正面路線になる）。

2　三角形に類似する土地は、不整形地として不整形地補正率が適用されます。

3　奥行価格補正率適用の基となる奥行距離は、不整形地の場合には、想定整形地の奥行距離を限度として、不整形地の面積を間口距離で除して得た数値とします。

　　上図の場合、10.4m（250㎡÷24m＝10.4m＜15m）、10.8m（250㎡÷23m＝10.8m＜14m）になります。

4　不整形地補正率を計算する場合の想定整形地は、正面路線から最長に延ばした垂線と正面路線が描く長方形（上図の点線部分）にしなければなりません（裏面路線から長方形を描いて想定整形地としてはいけない）。

各補正率の適用は？

1　正面路線及び裏面路線の奥行価格補正率……奥行10.4m、10.8mで普通商業・併用住宅地区（以下「普通商業地区」と略す）の場合、いずれも0.99です。

2　二方路線影響加算率……普通商業地区の場合、0.05です。これに$\dfrac{23m}{30m}$を乗じて計算します

3　間口狭小補正率は、1.00です。

4　不整形地補正率

　　かげ地割合……（360㎡－250㎡）÷360㎡＝0.305です。

　　地積区分……面積が250㎡で普通商業地区の場合、Aになります。

　　したがって、不整形地補正率はかげ地割合30％以上の普通商業地区Aより、0.94となります。

【事例　27】

土地及び土地の上に存する権利の評価明細書（第1表）

	局(所)	署	年分	ページ

(住居表示)	( )		所有者	住　所 (所在地)		使用者	住　　　所 (所在地)	
所在地番				氏　名 (法人名)			氏　　　名 (法人名)	

地　　目	地　積	路　　　線　　　価				地	
宅地　山林 田　　雑種地 畑　　( )	㎡ 250	正　面 380,000 円	側　方 円	側　方 円	裏　面 90,000 円	形図及び参考事項	省略

間口距離	24 m	利用区分	自用地　　私　　道 貸宅地　貸家建付借地権 貸家建付地　転　貸　借　地　権 借　地　権　　( )	地区区分	ビル街地区　普通住宅地区 高度商業地区　中小工場地区 繁華街地区　大工場地区 普通商業・併用住宅地区
奥行距離	10.4 m				

					(1㎡当たりの価額) 円	
自 用 地 1 平 方 メ ー ト ル 当 た り の 価 額	1　一路線に面する宅地 　　(正面路線価)　　　　　　　(奥行価格補正率) 　　380,000 円 × 0.99				376,200	A
	2　二路線に面する宅地 　　(A)　　　　[側方・裏面 路線価]　(奥行価格補正率)　[側方・二方 路線影響加算率] 　376,200 円 ＋ (90,000 円 × 0.99 × 0.05×23/30)				379,615	B
	3　三路線に面する宅地 　　(B)　　　　[側方・裏面 路線価]　(奥行価格補正率)　[側方・二方 路線影響加算率] 　　　　円 ＋ (　円 × ． × 0．)				(1㎡当たりの価額) 円	C
	4　四路線に面する宅地 　　(C)　　　　[側方・裏面 路線価]　(奥行価格補正率)　[側方・二方 路線影響加算率] 　　　　円 ＋ (　円 × ． × 0．)				(1㎡当たりの価額) 円	D
	5-1　間口が狭小な宅地等 　　(AからDまでのうち該当するもの)　(間口狭小補正率)　(奥行長大補正率) 　　　　円 × (． × ．)				(1㎡当たりの価額) 円	E
	5-2　不　整　形　地 　　(AからDまでのうち該当するもの)　　不整形地補正率※ 　　379,615 円 × 0.94 ※不整形地補正率の計算 　(想定整形地の間口距離)　(想定整形地の奥行距離)　(想定整形地の地積) 　　24 m × 15 m ＝ 360 ㎡ 　(想定整形地の地積)　(不整形地の地積)　(想定整形地の地積)　(かげ地割合) 　(360 ㎡ － 250 ㎡) ÷ 360 ㎡ ＝ 30.5 % 　(不整形地補正率表の補正率)(間口狭小補正率)　(小数点以下2位未満切捨て)　不整形地補正率 　　0.94 × 1.00 ＝ 0.94 ①　(①、②のいずれか低い 　(奥行長大補正率)(間口狭小補正率)　　　　　　　　　　率、0.6を下限とする。) 　　　． × ． ＝ 0． ②　　0.94				356,838	F
	6　地積規模の大きな宅地 　(AからFまでのうち該当するもの)　　規模格差補正率※ 　　　　円 × 0． ※規模格差補正率の計算 　(地積(Ⓐ))　　(Ⓑ)　　(Ⓒ)　(地積(Ⓐ))　　(小数点以下2位未満切捨て) 　{ ㎡× ＋) ÷ ㎡} × 0.8 ＝ 0．				(1㎡当たりの価額) 円	G
	7　無　道　路　地 　(F又はGのうち該当するもの)　　(※) 　　　　円 × (1 － 0．) ※割合の計算(0.4を上限とする。)　F又はGのうち 　(正面路線価)　(通路部分の地積)　該当するもの　(評価対象地の地積) 　　　円 × ㎡) ÷ (円 × ㎡) ＝ 0．				(1㎡当たりの価額) 円	H
	8-1　がけ地等を有する宅地　〔 南　、東　、西　、北 〕 　(AからHまでのうち該当するもの)　(がけ地補正率) 　　　　円 × 0．				(1㎡当たりの価額) 円	I
	8-2　土砂災害特別警戒区域内にある宅地 　(AからHまでのうち該当するもの)　特別警戒区域補正率※ 　　　　円 × 0． ※がけ地補正率の適用がある場合の特別警戒区域補正率の計算(0.5を下限とする。) 　　　　　　　　〔 南　、東　、西　、北 〕 　(特別警戒区域補正率表の補正率)(がけ地補正率)(小数点以下2位未満切捨て) 　　　． × 0． ＝ 0．				(1㎡当たりの価額) 円	J
	9　容積率の異なる2以上の地域にわたる宅地 　(AからJまでのうち該当するもの)　　(控除割合(小数点以下3位未満四捨五入)) 　　　　円 × (1 － 0．)				(1㎡当たりの価額) 円	K
	10　私　　　道 　(AからKまでのうち該当するもの) 　　　　円 × 0.3				(1㎡当たりの価額) 円	L

自用地の評価額	自用地1平方メートル当たりの価額 (AからLまでのうちの該当記号) (F) 356,838 円	地　　積 250 ㎡	総　　　　額 (自用地1㎡当たりの価額) × (地　積) 89,209,500 円	M

事例　28　間口の著しく狭い袋地

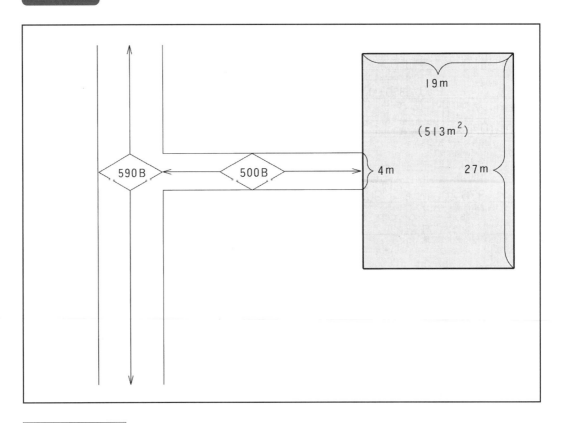

評価上の留意点

1　1つの路線に接している場合には、その路線が「正面」路線になります。
2　間口の狭い宅地は、間口狭小補正の対象になります。
3　また、間口に対して奥行が長い場合には、かさねて奥行長大補正の対象にもなります。
4　奥行価格補正も普通どおり加味して評価します。

各補正率の適用は？

1　奥行価格補正率……奥行19mで中小工場地区の場合、0.99です。
2　間口狭小補正率……間口4mで中小工場地区の場合、0.85です。
3　奥行長大補正率……奥行÷間口＝19m÷4m＝4.75であり、中小工場地区の場合、
　　　　　　　　　　　0.98です。

-172-

【事例 28】

土地及び土地の上に存する権利の評価明細書（第1表）

		局（所）	署	年分	ページ

（住居表示） （ ）	所有者	住 所 （所在地）		使用者	住 所 （所在地）	
所在地番		氏 名 （法人名）			氏 名 （法人名）	

地 目	地 積	路 線 価	地形図及び参考事項
⑰宅地 山 林 田 畑 雑種地 （ ）	513 ㎡	正 面 500,000 円　側 方 円　側 方 円　裏 面 円	省 略

間口距離	4 m	利用区分	⑰自用地 私 道 貸 宅 地 貸家建付借地権 貸家建付地 転 貸 借 地 権 借 地 権 （ ）	地区区分	ビル街地区 普通住宅地区 高度商業地区 ⑰中小工場地区 繁華街地区 大工場地区 普通商業・併用住宅地区
奥行距離	19 ㎡				

			（1 ㎡当たりの価額）円	
自用地1平方メートル当たりの価額	1 一路線に面する宅地 （正面路線価）　　　　　　　（奥行価格補正率） 500,000 円 ×　0.99		495,000	A
	2 二路線に面する宅地 （A）　　　　　[側方・裏面 路線価]　（奥行価格補正率）　[側方・二方 路線影響加算率] 円 ＋ （　　　円 ×　.　×　0.　）		円	B
	3 三路線に面する宅地 （B）　　　　　[側方・裏面 路線価]　（奥行価格補正率）　[側方・二方 路線影響加算率] 円 ＋ （　　　円 ×　.　×　0.　）		円	C
	4 四路線に面する宅地 （C）　　　　　[側方・裏面 路線価]　（奥行価格補正率）　[側方・二方 路線影響加算率] 円 ＋ （　　　円 ×　.　×　0.　）		円	D
	5-1 間口が狭小な宅地等 （AからDまでのうち該当するもの）（間口狭小補正率）（奥行長大補正率） 495,000 円 × （ 0.85 × 0.98 ）		412,335	E
	5-2 不 整 形 地 （AからDまでのうち該当するもの）　不整形地補正率※ 円 ×　0. ※不整形地補正率の計算 （想定整形地の間口距離）（想定整形地の奥行距離）（想定整形地の地積） m × 　m = 　㎡ （想定整形地の地積）（不整形地の地積）（想定整形地の地積）　　（かげ地割合） （ ㎡ － ㎡ ） ÷ 　㎡ = 　% （不整形地補正率表の補正率）（間口狭小補正率）（小数点以下2位未満切捨て）　［不整形地補正率 0. × 　= 0. ①　 ①、②のいずれか低い （奥行長大補正率）（間口狭小補正率）　　　　　率、0.6を下限とする。］ × 　= 0. ②　 0.		円	F
	6 地積規模の大きな宅地 （AからFまでのうち該当するもの）　規模格差補正率※ 円 × 　0. ※規模格差補正率の計算 （地積（Ⓐ））　　（Ⓑ）　　　（Ⓒ）　　（地積（Ⓐ））　　（小数点以下2位未満切捨て） ｛（ ㎡× ＋ ） ÷ 　㎡｝× 0.8 = 0.		円	G
	7 無 道 路 地 （F又はGのうち該当するもの）　　　　　（※） 円 × （ 1 － 0. ） ※割合の計算（0.4を上限とする。）　（F又はGのうち該当するもの） （正面路線価）（通路部分の地積）　　　　　　　　　　（評価対象地の地積） 円 × 　㎡） ÷ （ 円 × 　㎡） = 0.		円	H
	8-1 がけ地等を有する宅地 〔 南 、 東 、 西 、 北 〕 （AからHまでのうち該当するもの）（がけ地補正率） 円 × 　0.		円	I
	8-2 土砂災害特別警戒区域内にある宅地 （AからHまでのうち該当するもの）　特別警戒区域補正率※ 円 × 　0. ※がけ地補正率の適用がある場合の特別警戒区域補正率の計算（0.5を下限とする。） 〔 南 、 東 、 西 、 北 〕 （特別警戒区域補正率表の補正率）（がけ地補正率）（小数点以下2位未満切捨て） 0. × 0. = 0.		円	J
	9 容積率の異なる2以上の地域にわたる宅地 （AからJまでのうち該当するもの）　　　　　（控除割合（小数点以下3位未満四捨五入）） 円 × （ 1 － 0. ）		円	K
	10 私 道 （AからKまでのうち該当するもの） 円 × 　0.3		円	L

自用地の評価額	自用地1平方メートル当たりの価額 （AからLまでのうちの該当記号）	地 積	総 額 （自用地1㎡当たりの価額）×（地 積）	
	（ E ）　412,335 円	513 ㎡	211,527,855 円	M

事例　29　少し折れ曲がった路線に接した宅地

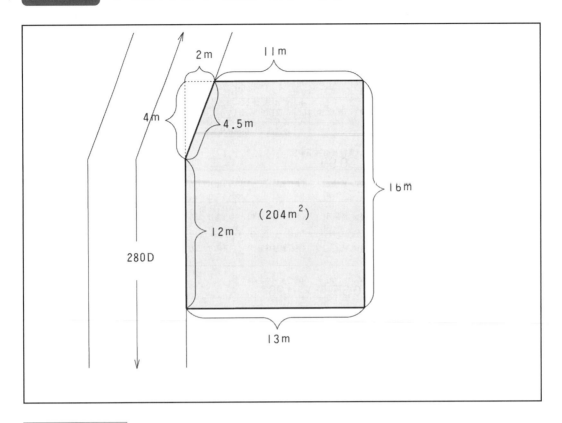

評価上の留意点

1　少し折れ曲がった路線に接しており、実質的に角地としての効用がない場合には、側方路線影響加算を行う必要はありません。

2　上図の場合は、曲がっている角度が小さいため、不整形地にも該当しません。
　　（不整形地であると評価しても、不整形地補正率が1.00となり実質的に同じ結果になる）

3　1つの路線にしか接していないため、280千円が正面路線となり、間口距離は12m＋4m＝16m、奥行距離は13m＞204㎡÷16m＝12.75mで12.75mになります。

各補正率の適用は？

1　奥行価格補正率……奥行12.75mで普通住宅地区の場合、1.00です。

2　間口狭小、奥行長大補正率は、1.00です。

【事例　29】

土地及び土地の上に存する権利の評価明細書（第1表）

	局(所)　署	年分	ページ

(住居表示)	(	)	所有者	住　所 (所在地)		使用者	住　　所 (所在地)	
所在地番				氏　名 (法人名)			氏　　名 (法人名)	

地　　目	地　積		路　　　　線　　　　価				地形図及び参考事項

宅地　山　林 田　畑　雑種地	204 m²	正　面 280,000 円	側　方 円	側　方 円	裏　面 円	省略

間口距離 16 m	利用区分	自用地　私　　道 貸宅地　貸家建付借地権 貸家建付地　転貸借地権 ( ) 借地権	地区区分	ビル街地区 高度商業地区 繁華街地区 普通商業・併用住宅地区	普通住宅地区 中小工場地区 大工場地区
奥行距離 12.75 m					

			(1 m²当たりの価額) 円	
自用地1平方メートル当たりの価額	1　一路線に面する宅地　(正面路線価)　　　　　　　　(奥行価格補正率)　280,000 円 × 1.00		280,000	A
	2　二路線に面する宅地　(A)　[側方・裏面 路線価]　(奥行価格補正率)　[側方・二方 路線影響加算率]　円 ＋ (　　円 ×　　　 × 0.　　)			B
	3　三路線に面する宅地　(B)　[側方・裏面 路線価]　(奥行価格補正率)　[側方・二方 路線影響加算率]　円 ＋ (　　円 ×　　　 × 0.　　)			C
	4　四路線に面する宅地　(C)　[側方・裏面 路線価]　(奥行価格補正率)　[側方・二方 路線影響加算率]　円 ＋ (　　円 ×　　　 × 0.　　)			D
	5-1　間口が狭小な宅地等　(AからDまでのうち該当するもの)　(間口狭小補正率)　(奥行長大補正率)　円 × (　.　　 ×　.　　)			E
	5-2　不整形地　(AからDまでのうち該当するもの)　不整形地補正率※　円 × 0.　　 ※不整形地補正率の計算　(想定整形地の間口距離)　(想定整形地の奥行距離)　(想定整形地の地積)　　m ×　　m =　　m²　(想定整形地の地積)　(不整形地の地積)　(想定整形地の地積)　(かげ地割合)　(　　m² -　　m²) ÷　　m² =　　%　(不整形地補正率表の補正率)　(間口狭小補正率)　(小数点以下2位未満切捨て)　0.　　 ×　.　　 = 0.　　 ①　不整形地補正率 (①、②のいずれか低い率、0.6を下限とする。)　(奥行長大補正率)　(間口狭小補正率)　　.　　 ×　.　　 = 0.　　 ②　0.			F
	6　地積規模の大きな宅地　(AからFまでのうち該当するもの)　規模格差補正率※　円 × 0.　　 ※規模格差補正率の計算　(地積(Ⓐ))　(Ⓑ)　(Ⓒ)　(地積(Ⓐ))　(小数点以下2位未満切捨て)　{(　　m² ×　　＋　　) ÷　　m²} × 0.8 = 0.			G
	7　無道路地　(F又はGのうち該当するもの)　(※)　円 × (1 - 0.　　) ※割合の計算 (0.4を上限とする。)　(正面路線価)　(通路部分の地積)　F又はGのうち該当するもの　(評価対象地の地積)　(　　円 ×　　m²) ÷ (　　円 ×　　m²) = 0.			H
	8-1　がけ地等を有する宅地　〔南、東、西、北〕　(AからHまでのうち該当するもの)　(がけ地補正率)　円 × 0.			I
	8-2　土砂災害特別警戒区域内にある宅地　(AからHまでのうち該当するもの)　特別警戒区域補正率※　円 × 0.　　 ※がけ地補正率の適用がある場合の特別警戒区域補正率の計算 (0.5を下限とする。)　〔南、東、西、北〕　(特別警戒区域補正率表の補正率)　(がけ地補正率)　(小数点以下2位未満切捨て)　0.　　 ×　.　　 = 0.			J
	9　容積率の異なる2以上の地域にわたる宅地　(AからJまでのうち該当するもの)　(控除割合 (小数点以下3位未満四捨五入))　円 × (1 - 0.　　)			K
	10　私　　道　(AからKまでのうち該当するもの)　円 × 0.3			L

自用地の評価額	自用地1平方メートル当たりの価額 (AからLまでのうちの該当記号)	地　積	総　　　　額 (自用地1m²当たりの価額) × (地　積)	
	(A) 280,000 円	204 m²	57,120,000 円	M

-175-

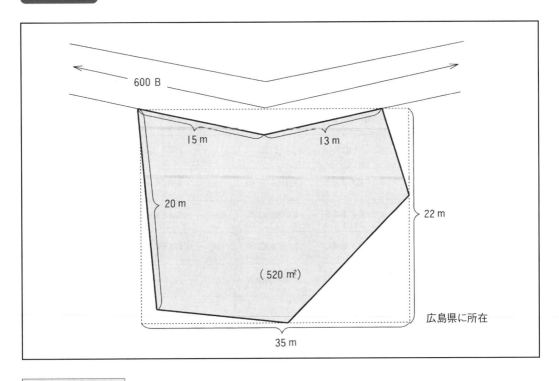

600 B

15 m　　　　13 m

20 m

22 m

（520 ㎡）

広島県に所在

35 m

評価上の留意点

1　奥行価格補正率適用の基となる奥行距離は、不整形地の場合には、想定整形地の奥行距離を限度として、不整形地の面積を間口距離で除して得た数値とします。なお、上図のように屈折路に接している不整形地の間口距離は、その不整形地に係る想定整地の間口に相当する距離（上図の場合35m）と、屈折路に実際に接している距離（上図の場合15m＋13m＝28m）とのいずれか短い距離とします。

　　上図の正面路線の奥行距離は、18.5m（520㎡÷28m＝18.5m＜22m）です。

2　屈折路に接する不整形地に係る想定整形地は、いずれかの路線からの垂線によって又は路線に接する両端を結ぶ直線によって、その宅地の全体を囲む形又は正方形のうち最も面積の小さいものをいいます。

各補正率の適用は？

1　奥行価格補正率……奥行18.5mで普通住宅地区の場合、1.00です。

2　間口狭小補正率……間口28mで普通住宅地区の場合1.00です。

3　不整形地補正率……かげ地割合　　（770㎡－520㎡）÷770㎡＝0.324

　　　　　　　　　　　地積区分　　　普通住宅地区の面積520㎡は、500㎡以上750㎡未満でB

　　　　　　　　　　普通住宅地区Bの30％以上で0.93になります。

【事例　30】

土地及び土地の上に存する権利の評価明細書（第1表）

				局(所)	署	年分	ページ

(住居表示)	(	)	所有者	住　　所 (所在地)		使用者	住　　所 (所在地)	
所 在 地 番				氏　　名 (法人名)			氏　　名 (法人名)	

地　　　目		地　積	路　　　　　線　　　　　価				地 形 図 及 び 参 考 事 項	
宅 地　山 林 田　雑種地 畑		㎡ 520	正　面 600,000 円	側　方 円	側　方 円	裏　面 円	**省　略**	
間口距離	28 m	利 用 区 分	自 用 地　私　　道 貸宅地　貸家建付借地権 貸家建付地　転 貸 借 地 権 借 地 権　( )	地 区 区 分	ビ ル 街 地 区　普通住宅地区 高度商業地区　中小工場地区 繁 華 街 地 区　大 工 場 地 区 普通商業・併用住宅地区			
奥行距離	18.5 m							

			(1 ㎡当たりの価額)　円	
自 用 地 1 平 方 メ ー ト ル 当 た り の 価 額	1　一路線に面する宅地 　　(正面路線価)　　　　　(奥行価格補正率) 　　600,000 円 ×　　　　　1.00	**600,000**	A
	2　二路線に面する宅地 　　(A)　　　［側方・裏面 路線価］ (奥行価格補正率) ［側方・二方 路線影響加算率］ 　　　　　円 ＋ (　　　円 ×　 .　 ×　 0.　)	(1 ㎡当たりの価額)　円	B
	3　三路線に面する宅地 　　(B)　　　［側方・裏面 路線価］ (奥行価格補正率) ［側方・二方 路線影響加算率］ 　　　　　円 ＋ (　　　円 ×　 .　 ×　 0.　)	(1 ㎡当たりの価額)　円	C
	4　四路線に面する宅地 　　(C)　　　［側方・裏面 路線価］ (奥行価格補正率) ［側方・二方 路線影響加算率］ 　　　　　円 ＋ (　　　円 ×　 .　 ×　 0.　)	(1 ㎡当たりの価額)　円	D
	5-1　間口が狭小な宅地等 　　(AからDまでのうち該当するもの) (間口狭小補正率) (奥行長大補正率) 　　　　　円 × (.　 × .　)	(1 ㎡当たりの価額)　円	E
	5-2　不　整　形　地 　　(AからDまでのうち該当するもの)　　不整形地補正率※ 　　600,000 円 ×　　　0.93 　※不整形地補正率の計算 　(想定整形地の間口距離) (想定整形地の奥行距離) (想定整形地の地積) 　　35 m ×　　　　22 m ＝　　　770 ㎡ 　(想定整形地の地積) (不整形地の地積) (想定整形地の地積) (かげ地割合) 　(770 ㎡ －　520 ㎡) ÷　770 ㎡ ＝　32.4 % 　(不整形地補正率表の補正率)(間口狭小補正率) (小数点以下2 位未満切捨て) ［不整形地補正率 　 0.93 × 1.00 ＝ 0.93 ① (①、②のいずれか低い 　(奥行長大補正率) (間口狭小補正率) 　　　　　 率、0.6 を下限とする。) 　 . × . ＝ 0. ② 0.93	**558,000**	F
	6　地積規模の大きな宅地 　　(AからFまでのうち該当するもの)　　規模格差補正率※ 　　　　　円 ×　　　0. 　※規模格差補正率の計算 　(地積(Ⓐ)) (Ⓑ) (Ⓒ) (地積(Ⓐ)) (小数点以下 2 位未満切捨て) 　{ (　 ㎡×　 ＋　) ÷　 ㎡} × 0.8 ＝ 0.	(1 ㎡当たりの価額)　円	G
	7　無　道　路　地 　　(F 又はGのうち該当するもの)　　　(※) 　　　　　円 × (1 － 0.　) 　※割合の計算 (0.4 を上限とする。) 　(正面路線価) (通路部分の地積) (F 又はGのうち該当するもの) (評価対象地の地積) 　(　 円 ×　 ㎡) ÷ (　 円 ×　 ㎡) ＝ 0.	(1 ㎡当たりの価額)　円	H
	8-1　がけ地等を有する宅地　　〔 南 、 東 、 西 、 北 〕 　　(AからHまでのうち該当するもの) (がけ地補正率) 　　　　　円 ×　　0.	(1 ㎡当たりの価額)　円	I
	8-2　土砂災害特別警戒区域内にある宅地 　　(AからHまでのうち該当するもの)　　特別警戒区域補正率※ 　　　　　円 ×　　0. 　※がけ地補正率の適用がある場合の特別警戒区域補正率の計算 (0.5 を下限とする。) 　　　　　　　　〔 南 、 東 、 西 、 北 〕 　(特別警戒区域補正率表の補正率) (がけ地補正率) (小数点以下 2 位未満切捨て) 　 0. × 0. ＝ 0.	(1 ㎡当たりの価額)　円	J
	9　容積率の異なる 2 以上の地域にわたる宅地 　　(AからJまでのうち該当するもの) (控除割合 (小数点以下 3 位未満四捨五入)) 　　　　　円 × (1 － 0.　)	(1 ㎡当たりの価額)　円	K
	10　私　　道 　　(AからKまでのうち該当するもの) 　　　　　円 ×　　0.3	(1 ㎡当たりの価額)　円	L

	自用地 1 平方メートル当たりの価額 (AからLまでのうちの該当記号)	地　積	総　　　　　額 (自用地 1 ㎡当たりの価額) × (地　積)	
自 用 地 の 評 価 額	(F) 558,000 円	㎡ 520	290,160,000 円	M

　角地ではないが側方路線の影響を受ける宅地

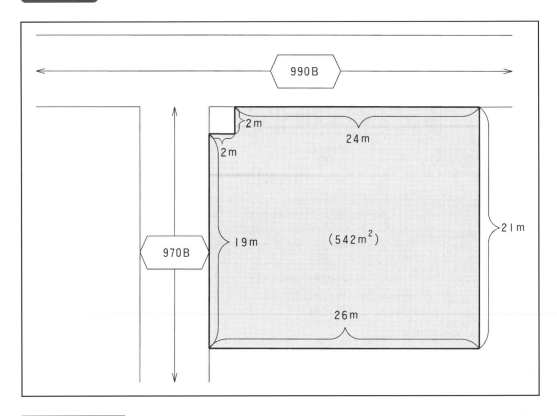

評価上の留意点

1　角地が路線に接していないが、角地としての機能を有している場合（他人が所有している角地の面積が小さい場合）には、側方路線影響加算率を適用します。

2　正面路線は、路線価に奥行価格補正率を加味した価格が高いほうがなります。上図の場合、24mのほうが正面路線になります（990×0.94＝930.6＞970×0.95＝921.5）。

3　上図の場合は、角地としての機能が減少しているとは認められないため、側方路線影響加算率の調整は行いません（【事例22】参照）。

各補正率の適用は？

1　正面路線の奥行価格補正率……奥行21mでビル街地区の場合、0.94です。

2　間口狭小補正率、奥行長大補正率は1.00です。

3　側方路線の奥行価格補正率……奥行26mでビル街地区の場合、0.95です。

4　側方路線影響加算率……角地でビル街地区の場合、0.07です。

5　不整形地補正率

ビル街地区については、平成19年分より、不整形地についての補正を行わないこととなっています。

【事例　31】

土地及び土地の上に存する権利の評価明細書（第1表）

		局(所)	署	年分	ページ

(住居表示)	(	)	所有者	住　所 (所在地)		使用者	住　所 (所在地)	
所在地番				氏　名 (法人名)			氏　名 (法人名)	

地　目		地　積	路　　　　線　　　　価				地	
(宅　地) 山　林 田　　　雑種地 畑　　（　　）		m² 542	正　面 990,000 円	側　方 970,000 円	側　方 円	裏　面 円	形図及び参考事項	省　略

間口距離	24 m	利 用 区 分	(自用地) 私　　道 貸 宅 地　貸家建付借地権 貸家建付地　転 貸 借 地 権 借　地　権　（　　　　　）	地 区 区 分	(ビル街地区)　普通住宅地区 高度商業地区　中小工場地区 繁華街地区　大工場地区 普通商業・併用住宅地区			
奥行距離	21 m							

						(1m²当たりの価額) 円	
自 用 地 1 平 方 メ ー ト ル 当 た り の 価 額	1　一路線に面する宅地 　（正面路線価）　　　　　　　　（奥行価格補正率） 　990,000 円 ×　　　　　　　　0.94					930,600	A
	2　二路線に面する宅地 　（A）　　　　［側方・裏面］路線価　（奥行価格補正率）　　［側方・二方］路線影響加算率 　930,600 円 + （ 970,000 円 ×　0.95　×　　0.07 ）					(1m²当たりの価額) 円 995,105	B
	3　三路線に面する宅地 　（B）　　　　［側方・裏面］路線価　（奥行価格補正率）　　［側方・二方］路線影響加算率 　　　円 + （　　　円 ×　．　　×　　0. ）					(1m²当たりの価額) 円	C
	4　四路線に面する宅地 　（C）　　　　［側方・裏面］路線価　（奥行価格補正率）　　［側方・二方］路線影響加算率 　　　円 + （　　　円 ×　．　　×　　0. ）					(1m²当たりの価額) 円	D
	5-1　間口が狭小な宅地等 　（AからDまでのうち該当するもの）　（間口狭小補正率）　（奥行長大補正率） 　　　円 ×　　（　．　　×　　．　　）					(1m²当たりの価額) 円	E
	5-2　不整形地 　（AからDまでのうち該当するもの）　　不整形地補正率※ 　　　円 ×　　　　0. ※不整形地補正率の計算 　（想定整形地の間口距離）（想定整形地の奥行距離）　（想定整形地の地積） 　　　　m ×　　　　m =　　　　m² 　（想定整形地の地積）（不整形地の地積）（想定整形地の地積）　（かげ地割合） 　（　　　m² −　　　m²）÷　　　m² =　　　％ 　（不整形地補正率表の補正率）（間口狭小補正率）（小数点以下2位未満切捨て）　［不整形地補正率 　0.　　　×　　．　　=　　0.　　①　①、②のいずれか低い 　（奥行長大補正率）（間口狭小補正率）　　　　　　　　　　　　率、0.6を下限とする。］ 　　．　　×　　．　　=　　0.　　②｝　　0.					(1m²当たりの価額) 円	F
	6　地積規模の大きな宅地 　（AからFまでのうち該当するもの）　規模格差補正率※ 　　　円 ×　　　0. ※規模格差補正率の計算 　（地積（Ⓐ））　　（Ⓑ）　　（Ⓒ）　　（地積（Ⓐ））　（小数点以下2位未満切捨て） 　{（　　m² ×　　　+　　　）÷　　　m²}× 0.8 =　0.					(1m²当たりの価額) 円	G
	7　無　道　路　地 　（F又はGのうち該当するもの）　　　　　　（※） 　　　円 ×　（　1　−　0.　　） 　※割合の計算（0.4を上限とする。） 　（正面路線価）　（通路部分の地積）　（F又はGのうち該当するもの）　（評価対象地の地積） 　（　　円 ×　　m²）÷（　　円 ×　　m²）= 0.					(1m²当たりの価額) 円	H
	8-1　がけ地等を有する宅地　〔　南　、　東　、　西　、　北　〕 　（AからHまでのうち該当するもの）　　（がけ地補正率） 　　　円 ×　　　0.					(1m²当たりの価額) 円	I
	8-2　土砂災害特別警戒区域内にある宅地 　（AからHまでのうち該当するもの）　特別警戒区域補正率※ 　　　円 ×　　　0. 　※がけ地補正率の適用がある場合の特別警戒区域補正率の計算（0.5を下限とする。） 　　　　　　　　　〔　南　、　東　、　西　、　北　〕 　（特別警戒区域補正率表の補正率）（がけ地補正率）（小数点以下2位未満切捨て） 　　0.　　　×　0.　　=　　0.					(1m²当たりの価額) 円	J
	9　容積率の異なる2以上の地域にわたる宅地 　（AからJまでのうち該当するもの）　　　　　（控除割合（小数点以下3位未満四捨五入）） 　　　円 ×　（　1　−　0.　　）					(1m²当たりの価額) 円	K
	10　私　　　　道 　（AからKまでのうち該当するもの） 　　　円 ×　　　0.3					(1m²当たりの価額) 円	L

自用地の評価額	自用地1平方メートル当たりの価額 （AからLまでのうちの該当記号）	地　　積	総　　　　　　　額 （自用地1m²当たりの価額）×（地　積）	
	（ B ） 995,105 円	m² 542	539,346,910 円	M

-179-

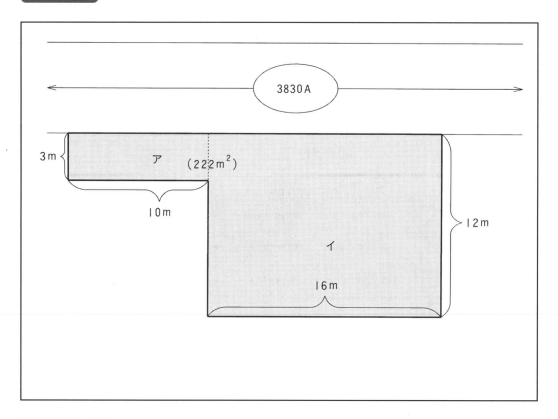

評価上の留意点

　上図のように帯状部分を有する場合は、不整形地であるにもかかわらず不整形地補正を行わず、アとイの部分に便宜上分割し、それぞれについて奥行価格補正等の画地調整を行って評価し、アとイの合計額をもって全体の評価額とします（32ページ参照）。

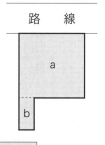

　左図の場合にも、ａとｂを別々に評価し、その合計をもって全体の評価額とします。

各補正率の適用は？

1　アの奥行価格補正率……奥行３ｍで高度商業地区の場合、0.90です。

2　アの間口狭小補正率と奥行長大補正率は、1.00です。

3　イの奥行価格補正率……奥行12ｍで高度商業地区の場合、0.99です。

4　イの間口狭小補正率と奥行長大補正率は、1.00です。

【事例　32】

土地及び土地の上に存する権利の評価明細書（第1表）

	局(所)	署	年分	ページ

(住居表示)	(	)	所有者	住　所(所在地)		使用者	住　所(所在地)	
所 在 地 番				氏　名(法人名)			氏　名(法人名)	

地　　目	地　積		路　　　　線　　　　価				地 形 図 及 び 参 考 事 項
(宅 地) 山 林 田 畑 雑種地	㎡ 222	正　面 円 3,830,000	側　方 円	側　方 円	裏　面 円		省　略

間口距離	ア 10 m イ 16	利用区分	(自用地) 私　道 貸 宅 地 貸家建付借地権 貸家建付地 転 貸 借 地 権 借 地 権 ( )	地区区分	ビル街地区 (高度商業地区) 繁華街地区 普通商業・併用住宅地区	普通住宅地区 中小工場地区 大工場地区
奥行距離	ア 3 m イ 12					

				(1 ㎡当たりの価額) 円	
自 用 地 1 平 方 メ ー ト ル 当 た り の 価 額	1 一路線に面する宅地	(正面路線価)　　　　　　(奥行価格補正率) ア 3,830,000 円 × 0.90 イ 3,830,000 円 × 0.99		3,447,000 3,791,700	A
	2 二路線に面する宅地 (A)	[側方・裏面 路線価] (奥行価格補正率) [側方・二方 路線影響加算率] 円 ＋ (円 × . × 0.)		(1 ㎡当たりの価額) 円	B
	3 三路線に面する宅地 (B)	[側方・裏面 路線価] (奥行価格補正率) [側方・二方 路線影響加算率] 円 ＋ (円 × . × 0.)		(1 ㎡当たりの価額) 円	C
	4 四路線に面する宅地 (C)	[側方・裏面 路線価] (奥行価格補正率) [側方・二方 路線影響加算率] 円 ＋ (円 × . × 0.)		(1 ㎡当たりの価額) 円	D
	5-1 間口が狭小な宅地等 (AからDまでのうち該当するもの)	(間口狭小補正率) (奥行長大補正率) 円 × (. × .)		(1 ㎡当たりの価額) 円	E
	5-2 不 整 形 地 (AからDまでのうち該当するもの) ※不整形地補正率の計算 (想定整形地の間口距離) (想定整形地の奥行距離) (想定整形地の地積) m × m = ㎡ (想定整形地の地積) (不整形地の地積) (想定整形地の地積) (かげ地割合) (㎡ － ㎡) ÷ ㎡ = % (不整形地補正率表の補正率) (間口狭小補正率) 0. × . = 0. ① (奥行長大補正率) (間口狭小補正率) . × . = 0. ②	不整形地補正率※ 0. (小数点以下2 位未満切捨て) [不整形地補正率] (①、②のいずれか低い) (率、0.6を下限とする。) 0.		(1 ㎡当たりの価額) 円	F
	6 地積規模の大きな宅地 (AからFまでのうち該当するもの) ※規模格差補正率の計算 (地積(Ⓐ)) (Ⓑ) (Ⓒ) (地積(Ⓐ)) (小数点以下2 位未満切捨て) { (㎡× ＋) ÷ ㎡} × 0.8 = 0.	規模格差補正率※ 円 × 0.		(1 ㎡当たりの価額) 円	G
	7 無 道 路 地 (F又はGのうち該当するもの) (※) 円 × (1 － 0.) ※割合の計算 (0.4を上限とする。) (正面路線価) (通路部分の地積) (F又はGのうち該当するもの) (評価対象地の地積) (円 × ㎡) ÷ (円 × ㎡) = 0.			(1 ㎡当たりの価額) 円	H
	8-1 がけ地等を有する宅地 〔 南 、東 、西 、北 〕 (AからHまでのうち該当するもの) (がけ地補正率)			(1 ㎡当たりの価額) 円	I
	8-2 土砂災害特別警戒区域内にある宅地 (AからHまでのうち該当するもの) 特別警戒区域補正率※ 円 × 0. ※がけ地補正率の適用がある場合の特別警戒区域補正率の計算 (0.5を下限とする。) 〔 南 、東 、西 、北 〕 (特別警戒区域補正率表の補正率) (がけ地補正率) (小数点以下2 位未満切捨て) 0. × 0. = 0.			(1 ㎡当たりの価額) 円	J
	9 容積率の異なる2 以上の地域にわたる宅地 (AからJまでのうち該当するもの) (控除割合(小数点以下3 位未満四捨五入)) 円 × (1 － 0.)			(1 ㎡当たりの価額) 円	K
	10 私　　　道 (AからKまでのうち該当するもの) 円 × 0.3			(1 ㎡当たりの価額) 円	L

自用地の評価額	自用地1平方メートル当たりの価額 (AからLまでのうちの該当記号)	地　積	総　　　　　額 (自用地1㎡当たりの価額) × (地積)		M
	(A) ア 3,447,000 円 イ 3,791,700	30 ㎡ 192	103,410,000 728,006,400	831,416,400 円	

- 181 -

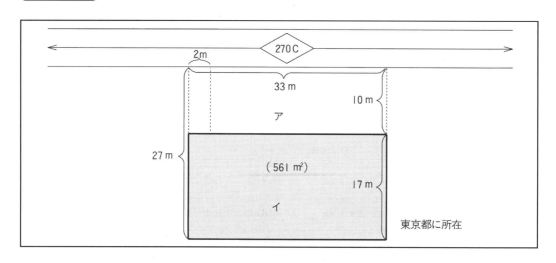

評価上の留意点

1　上図のように、道路との間に他人の土地があり、直接道路に接していない土地は、アとイを合わせた想定整形地に基づいて求めた不整形地補正率と間口狭小補正率との連乗による数値又は間口狭小補正率と奥行長大補正率との連乗による数値のいずれかにより評価します。この場合の間口距離は、建築基準法等において定められている道路に接すべき長さ（接道義務）によります。

　　上図の場合、東京都に所在し、道路までの距離が10mであるため、接道義務（東京都建築安全条例の場合）（35ページの〔参考〕）から道路に接すべき長さは2mになります。したがって間口狭小補正率は0.80です。

2　無道路地は、上記1による不整形地としての補正をした後の価額から、100分の40の範囲内において相当と認める金額を控除して評価します。

　　この控除額は、無道路地に接道義務に基づき最小限度の通路を設けるとした場合の、その通路に相当する面積の評価額（画地調整をしない）となります。

　　上図の場合、間口2m、奥行10mの通路部分の評価額5,400千円が控除額になります。

（194,400円×561㎡×0.4＝43,623千円＞5,400千円）

$$270千円×2m×10m＝5,400千円$$

各補正率の適用は？

1　奥行価格補正率……奥行27mで中小工場地区の場合、1.00です。

2　間口狭小・奥行長大補正率……間口狭小補正率0.80、奥行長大補正率0.90です。

3　不整形地補正率……中小工場地区Aの35％以上で0.92に間口狭小補正率0.80を乗じた
0.73（小数点第2位未満切捨て）になります。
かげ地割合　（891㎡－561㎡）÷891㎡＝0.370
地積区分　　中小工場地区の面積561㎡は3,500㎡未満でA
しかし間口狭小・奥行長大補正率を適用した方（0.80×0.90＝
0.72）が有利となるため、補正率は0.72になります。

【事例　33】

土地及び土地の上に存する権利の評価明細書（第1表）

		局(所)	署	年分	ページ

(住居表示)	(	)	住　所(所在地)		使用者	住　所(所在地)	
所在地番			所有者 氏　名(法人名)			氏　名(法人名)	

地　　　目	地　積	路　　　　　線　　　　　価				地形図及び参考事項
(宅　地)　山　林 田　　　　畑 雑種地　( )	561 ㎡	正　面 270,000 円	側　方 円	側　方 円	裏　面 円	省　略

間口距離	2 m	利用区分	(自用地) 私　　道 貸　宅　地　貸家建付借地権 貸家建付地　転　貸　借　地　権 借　地　権　( )	地区区分	ビル街地区　普通住宅地区 高度商業地区　(中小工場地区) 繁華街地区　大工場地区 普通商業・併用住宅地区
奥行距離	27 m				

	1　一路線に面する宅地	(1㎡当たりの価額) 円	A
自	(正面路線価)　　　　　　　　　　　　　(奥行価格補正率) 　　270,000 円 × 　　　　　　1.00	270,000	
	2　二路線に面する宅地	(1㎡当たりの価額) 円	B
用	(A)　　　　　　　[側方・裏面 路線価]　(奥行価格補正率)　　[側方・二方 路線影響加算率] 　　　　円 ＋ (　　　　　円 ×　　　　　　　　× 0. 　　　)		
	3　三路線に面する宅地	(1㎡当たりの価額) 円	C
地	(B)　　　　　　　[側方・裏面 路線価]　(奥行価格補正率)　　[側方・二方 路線影響加算率] 　　　　円 ＋ (　　　　　円 ×　　　　　　　　× 0. 　　　)		
	4　四路線に面する宅地	(1㎡当たりの価額) 円	D
1	(C)　　　　　　　[側方・裏面 路線価]　(奥行価格補正率)　　[側方・二方 路線影響加算率] 　　　　円 ＋ (　　　　　円 ×　　　　　　　　× 0. 　　　)		
	5-1　間口が狭小な宅地等	(1㎡当たりの価額) 円	E
平	(AからDまでのうち該当するもの)　(間口狭小補正率)　(奥行長大補正率) 　　　　　円 × (　　.　×　　.　　)		
	5-2　不　整　形　地	(1㎡当たりの価額) 円	
方	(AからDまでのうち該当するもの)　　　不整形地補正率※ 　　270,000 円 × 　　　　0.72		
	※不整形地補正率の計算		
メ	(想定整形地の間口距離)　(想定整形地の奥行距離)　(想定整形地の地積) 　　　　33　m ×　　　27　m ＝　　　891　㎡		
	(想定整形地の地積)　(不整形地の地積)　(想定整形地の地積)　　(かげ地割合) 　(　　891　㎡ －　　561　㎡) ÷　　891　㎡ ＝　37　%		F
｜	(不整形地補正率表の補正率)(間口狭小補正率)　(小数点以下2位未満切捨て) 　　　0.92　×　0.80　＝ 0.73 ① 　(奥行長大補正率)　(間口狭小補正率) 　　　0.90　×　0.80　＝ 0.72 ②	[不整形地補正率 ①、②のいずれか低い 率、0.6を下限とする。] 0.72	
ト		194,400	
	6　地積規模の大きな宅地	(1㎡当たりの価額) 円	
ル	(AからFまでのうち該当するもの)　　　規模格差補正率※ 　　　　　円 × 0.		G
	※規模格差補正率の計算		
当	(地積 (Ⓐ))　　　(Ⓑ)　　　(Ⓒ)　　　(地積 (Ⓐ))　　(小数点以下2位未満切捨て) 　{(　　㎡ ×　　＋　　) ÷　　㎡} × 0.8 ＝ 0.		
	7　無　道　路　地	(1㎡当たりの価額) 円	
た	(F又はGのうち該当するもの)　　　　　　(※) 　　194,400 円 × (　1　－　0.04951…)		
	※割合の計算 (0.4を上限とする。) 　(正面路線価)　(通路部分の地積)　(F又はGのうち該当するもの)　(評価対象地の地積) 　(270,000 円 × 20 ㎡) ÷ (194,400 円 × 561 ㎡) ＝ 0.04951…		H
り		184,774	
	8-1　がけ地等を有する宅地　[南、東、西、北]	(1㎡当たりの価額) 円	I
の	(AからHまでのうち該当するもの)　(がけ地補正率) 　　　　　円 × 0.		
	8-2　土砂災害特別警戒区域内にある宅地	(1㎡当たりの価額) 円	
価	(AからHまでのうち該当するもの)　　特別警戒区域補正率※ 　　　　　円 × 0.		
	※がけ地補正率の適用がある場合の特別警戒区域補正率の計算 (0.5を下限とする。) 　　　　　　　　　　　　　　　　　　[南、東、西、北]		J
額	(特別警戒区域補正率表の補正率)　(がけ地補正率)　(小数点以下2位未満切捨て) 　　　0.　　　　　× 0.　　　　＝ 0.		
	9　容積率の異なる2以上の地域にわたる宅地	(1㎡当たりの価額) 円	
	(AからJまでのうち該当するもの)　　　(控除割合 (小数点以下3位未満四捨五入)) 　　　　　円 × (　1　－　0. 　　)		K
	10　私　　道	(1㎡当たりの価額) 円	
	(AからKまでのうち該当するもの) 　　　　　円 ×　　0.3		L

自用地の評価額	自用地1平方メートル当たりの価額 (AからLまでのうちの該当記号)	地　積	総　　　　　額 (自用地1㎡当たりの価額) × (地　積)	
	(　H　) 184,774 円	561 ㎡	103,658,214 円	M

－183－

事例　34　橋によってのみ道路に接している宅地

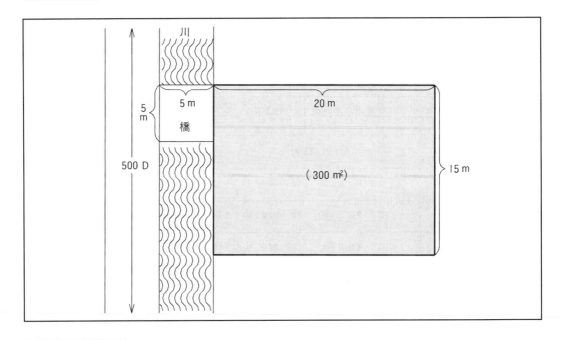

評価上の留意点

1　道路との間に河川又は水路があり、橋が架設してある場合には、その橋の部分も含めて不整形地としての斟酌を行います。

　　したがって、本事例の場合 　　　　　 という形の不整形地になりますから、①不整形地補正率に、間口狭小補正率を適用して評価する方法（0.94×0.94＝0.8836→0.88）と②間口狭小補正率に奥行長大補正率を適用して評価する方法（0.94×0.92＝0.8648→0.86）のうち低いほうの②を適用します。

2　橋の部分を含めて不整形地として評価するのですから、上記1で①を適用することとなった場合の想定整形地は、間口15m、奥行25m（橋5ｍ＋宅地20m）のく形となります。

各補正率の適用は？

1　奥行価格補正率……奥行25mで普通住宅地区の場合、0.97です。

2　間口狭小補正率……間口5ｍで普通住宅地区の場合0.94です。

3　奥行長大補正率……奥行距離÷間口距離＝25m÷5ｍ＝5で普通住宅地区の場合0.92です。

4　不整形地補正率

　　かげ地割合……（375㎡－300㎡）÷375㎡＝20％です。

　　地積区分……面積が300㎡で普通住宅地区の場合Aになります。

　　補　正　率……普通住宅地区でかげ地割合が20％、地積区分がAですから0.94になります。

【事例　34】

土地及び土地の上に存する権利の評価明細書（第1表）

				局(所)	署	年分	ページ

（住居表示）	（　　　　）	所有者	住所（所在地）		使用者	住所（所在地）	
所在地番			氏名（法人名）			氏名（法人名）	

地　目		地　積	路　　　線　　　価				地形図及び参考事項
（宅地）山林　田畑　雑種地（　）		300 ㎡	正面 500,000 円	側方　　円	側方　　円	裏面　　円	省略

間口距離	5 m	利用区分	（自用地）私道　貸宅地　貸家建付借地権　貸家建付地　転貸借地権　借地権（ ）	地区区分	ビル街地区　高度商業地区　繁華街地区　普通商業・併用住宅地区　（普通住宅地区）　中小工場地区　大工場地区
奥行距離	25 m				

			（1㎡当たりの価額）円	
自用地1平方メートル当たりの価額	1　一路線に面する宅地 （正面路線価）　　　（奥行価格補正率） 500,000 円 × 0.97		485,000	A
	2　二路線に面する宅地 （A）　［側方・裏面 路線価］（奥行価格補正率）［側方・二方 路線影響加算率］ 円 ＋ （ 円 × . × 0. ）			B
	3　三路線に面する宅地 （B）　［側方・裏面 路線価］（奥行価格補正率）［側方・二方 路線影響加算率］ 円 ＋ （ 円 × . × 0. ）			C
	4　四路線に面する宅地 （C）　［側方・裏面 路線価］（奥行価格補正率）［側方・二方 路線影響加算率］ 円 ＋ （ 円 × . × 0. ）			D
	5-1　間口が狭小な宅地等 （AからDまでのうち該当するもの）（間口狭小補正率）（奥行長大補正率） 円 × （ . × . ）			E
	5-2　不整形地 （AからDまでのうち該当するもの）　不整形地補正率※ 485,000 円 × 0.86 ※不整形地補正率の計算 （想定整形地の間口距離）（想定整形地の奥行距離）（想定整形地の地積） 15 m × 25 m ＝ 375 ㎡ （想定整形地の地積）（不整形地の地積）（想定整形地の地積）（かげ地割合） （ 375 ㎡ － 300 ㎡） ÷ 375 ㎡ ＝ 20 % （不整形地補正率表の補正率）（間口狭小補正率）（小数点以下2位未満切捨て） 0.94 × 0.94 ＝ 0.88 ① （奥行長大補正率）（間口狭小補正率） 0.92 × 0.94 ＝ 0.86 ② ［不整形地補正率　①、②のいずれか低い率、0.6を下限とする。］ 0.86	417,100	F
	6　地積規模の大きな宅地 （AからFまでのうち該当するもの）　規模格差補正率※ 円 × 0. ※規模格差補正率の計算 （地積（Ⓐ））（Ⓑ）（Ⓒ）（地積（Ⓐ））（小数点以下2位未満切捨て） ｛（ ㎡× ＋ ） ÷ ㎡｝ × 0.8 ＝ 0.		G
	7　無道路地 （F又はGのうち該当するもの）　　（※） 円 × （ 1 － 0. ） ※割合の計算（0.4を上限とする。） （正面路線価）（通路部分の地積）（F又はGのうち該当するもの）（評価対象地の地積） （ 円 × ㎡） ÷ （ 円 × ㎡） ＝ 0.		H
	8-1　がけ地等を有する宅地　〔 南 、 東 、 西 、 北 〕 （AからHまでのうち該当するもの）（がけ地補正率） 円 × 0.		I
	8-2　土砂災害特別警戒区域内にある宅地 （AからHまでのうち該当するもの）　特別警戒区域補正率※ 円 × 0. ※がけ地補正率の適用がある場合の特別警戒区域補正率の計算（0.5を下限とする。） 〔 南 、東、 西 、 北 〕 （特別警戒区域補正率表の補正率）（がけ地補正率）（小数点以下2位未満切捨て） 0. × 0. ＝ 0.		J
	9　容積率の異なる2以上の地域にわたる宅地 （AからJまでのうち該当するもの）（控除割合（小数点以下3位未満四捨五入）） 円 × （ 1 － 0. ）		K
	10　私道 （AからKまでのうち該当するもの） 円 × 0.3		L

自用地の評価額	自用地1平方メートル当たりの価額（AからLまでのうちの該当記号）	地積	総額（自用地1㎡当たりの価額）×（地積）	
	（ F ） 417,100 円	300 ㎡	125,130,000 円	M

－185－

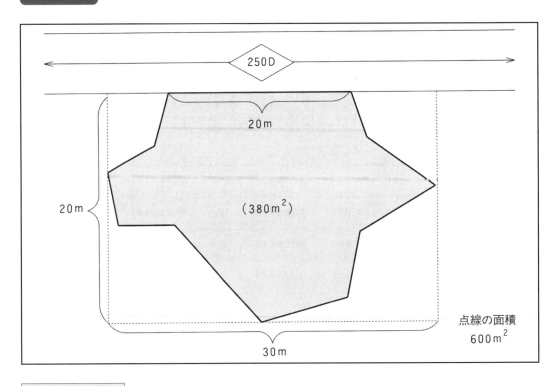

評価上の留意点

1 奥行価格補正率適用の基となる奥行距離は、不整形地の場合には、想定整形地の奥行距離を限度として、不整形地の面積を間口距離で除して得た数値とします。

上図の正面路線の奥行距離は、19m（380㎡÷20m＝19m＜20m）になります。

2 不整形地を囲む点線で示される土地を想定整形地として不整形地補正率を適用します。

各補正率の適用は？

1 奥行価格補正率……奥行19mで中小工場地区の場合、0.99です。

2 不整形地補正率

かげ地割合……（600㎡－380㎡）÷600㎡＝36.6％です。

地積区分……面積が380㎡で中小工場地区の場合、Aになります。

したがって、不整形地補正率はかげ地割合35％以上の中小工場地区Aより、0.92になります。

なお、本事例は、間口が20mで中小工場地区のため間口狭小補正率は1.00ですから、0.92×1.00＝0.92が不整形地補正率になります。

【事例 35】

土地及び土地の上に存する権利の評価明細書（第1表）

	局(所)	署	年分	ページ

（住居表示）	（　　）	所有者	住　所（所在地）		使用者	住　所（所在地）	
所 在 地 番			氏　名（法人名）			氏　名（法人名）	

地　目	地　積	路　　　線　　　価				地形図及び参考事項
⦿宅地 山林 田 畑 雑種地（　）	㎡ 380	正　面 250,000円	側　方 円	側　方 円	裏　面 円	省略

間口距離 20 m	利用区分	⦿自用地 私道 貸宅地 貸家建付借地権 貸家建付地 転貸借地権 借地権（　）	地区区分	ビル街地区　普通住宅地区 高度商業地区 ⦿中小工場地区 繁華街地区　大工場地区 普通商業・併用住宅地区		
奥行距離 19 m						

自 用 地 1 平 方 メ ー ト ル 当 た り の 価 額			
1　一路線に面する宅地　（正面路線価）　　　　　　　　（奥行価格補正率） 　　250,000円　×　　　0.99	（1㎡当たりの価額） 247,500　円	A
2　二路線に面する宅地 　　（A）　　　　　[側方・裏面 路線価]　（奥行価格補正率）　　[側方 二方 路線影響加算率] 　　円　＋　（　　　円　×　　　　×　0.　）	（1㎡当たりの価額） 円	B
3　三路線に面する宅地 　　（B）　　　　　[側方・裏面 路線価]　（奥行価格補正率）　　[側方・二方 路線影響加算率] 　　円　＋　（　　　円　×　　　　×　0.　）	（1㎡当たりの価額） 円	C
4　四路線に面する宅地 　　（C）　　　　　[側方・裏面 路線価]　（奥行価格補正率）　　[側方・二方 路線影響加算率] 　　円　＋　（　　　円　×　　　　×　0.　）	（1㎡当たりの価額） 円	D
5-1　間口が狭小な宅地等 　　（AからDまでのうち該当するもの）　（間口狭小補正率）（奥行長大補正率） 　　円　×　（　　.　　×　　.　）	（1㎡当たりの価額） 円	E
5-2　不 整 形 地 　（AからDまでのうち該当するもの）　　不整形地補正率※ 　　247,500円　×　　　0.92 　※不整形地補正率の計算 　（想定整形地の間口距離）　（想定整形地の奥行距離）　（想定整形地の地積） 　　　30 m　×　　20 m　＝　　600 ㎡ 　（想定整形地の地積）　（不整形地の地積）　（想定整形地の地積）　（かげ地割合） 　（　600 ㎡ －　380 ㎡）÷　600 ㎡ ＝　36.6 % 　（不整形地補正率表の補正率）（間口狭小補正率）　　（小数点以下2位未満切捨て） 　　0.92　×　1.00　＝　0.92　①　［不整形地補正率（①、②のいずれか低い率、0.6を下限とする。） 　（奥行長大補正率）（間口狭小補正率） 　　　.　×　　.　＝　0.　②　0.92	（1㎡当たりの価額） 円 227,700	F
6　地積規模の大きな宅地 　（AからFまでのうち該当するもの）　規模格差補正率※ 　　円　×　0. 　※規模格差補正率の計算 　（地積（Ⓐ））（Ⓑ）　（Ⓒ）　　（地積（Ⓐ））　（小数点以下2位未満切捨て） 　{（　㎡×　＋　）÷　㎡}×0.8　＝　0.	（1㎡当たりの価額） 円	G
7　無 道 路 地 　（F又はGのうち該当するもの）　　　　（※） 　　円　×　（　1　－　0.　） 　※割合の計算（0.4を上限とする。）　（F又はGのうち該当するもの） 　（正面路線価）　（通路部分の地積）　　　　　　　　（評価対象地の地積） 　（　円　×　　㎡）÷（　円　×　　㎡）＝0.	（1㎡当たりの価額） 円	H
8-1　がけ地等を有する宅地　〔南　、東　、西　、北　〕 　（AからHまでのうち該当するもの）　　（がけ地補正率） 　　円　×　0.	（1㎡当たりの価額） 円	I
8-2　土砂災害特別警戒区域内にある宅地 　（AからHまでのうち該当するもの）　　特別警戒区域補正率※ 　　円　×　0. 　※がけ地補正率の適用がある場合の特別警戒区域補正率の計算（0.5を下限とする。） 　　　　　　　　〔南　、東　、西　、北　〕 　（特別警戒区域補正率表の補正率）（がけ地補正率）（小数点以下2位未満切捨て） 　　0.　×　0.　＝　0.	（1㎡当たりの価額） 円	J
9　容積率の異なる2以上の地域にわたる宅地 　（AからJまでのうち該当するもの）　　（控除割合（小数点以下3位未満四捨五入）） 　　円　×　（　1　－　0.　）	（1㎡当たりの価額） 円	K
10　私　　道 　（AからKまでのうち該当するもの） 　　円　×　0.3	（1㎡当たりの価額） 円	L

自用地の評価額	自用地1平方メートル当たりの価額（AからLまでのうちの該当記号） （　F　）　227,700　円	地　積 380　㎡	総　　　額（自用地1㎡当たりの価額）×（地　積） 86,526,000　円	M

-187-

近似する整形地に修正する不整形地

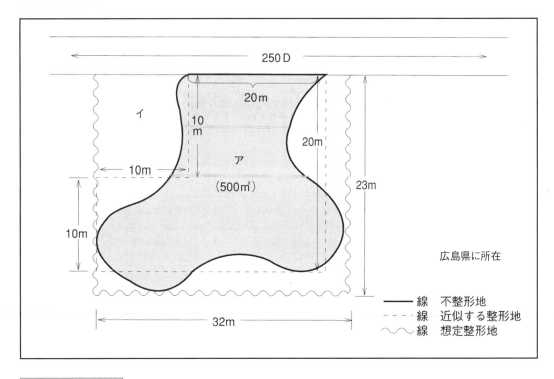

評価上の留意点

1　不整形地の評価は、まず不整形地補正率を適用するための評価対象地の評価額を計算し、次にこの評価額を基として一定の減額を行います。

2　図のような不整形地は、近似整形地アと隣接する整形地イをあわせて全体の整形地の価額の計算をしてから、隣接する整形地イの価額を差し引いて不整形地補正率を適用するための評価対象地の評価額を計算します。

3　不整形地を囲む～～線で示される土地を想定整形地として不整形地補正率を適用します。

各補正率の適用は？

1　奥行価格補正率……奥行20mで普通住宅地区の場合1.00です。

2　不整形地補正率

　かげ地割合……（32m×23m−500㎡）÷（32m×23m）＝32.0％です。

　地積区分……面積が500㎡で普通住宅地区の場合Bになります。

　したがって、不整形地補正率はかげ地割合30％以上の普通住宅地区Bより0.93になります。

【事例　36】

土地及び土地の上に存する権利の評価明細書（第1表）

						局(所)	署	年分	ページ

(住居表示)	(				)		住　　所 (所在地)				使用者	住　　所 (所在地)	
所在地番				所有者	氏　　名 (法人名)						氏　　名 (法人名)	

地　　目	地　　積		路　　　　線　　　　価				地
(宅地) 山　林 田　　畑　雑種地		㎡	正　面	側　方	側　方	裏　面	形
	500		250,000 円	円	円	円	図 及 び 参 考 事 項

地形図及び参考事項：**省　略**

間口距離	20 m	利用区分	(自 用 地) 私　　道 貸 宅 地　貸家建付借地権 貸家建付地　転 貸 借 地 権 借 地 権　( )	地区区分	ビル街地区　(普通住宅地区) 高度商業地区　中小工場地区 繁華街地区　大工場地区 普通商業・併用住宅地区
奥行距離	20 m				

自	1 一路線に面する宅地		(1㎡当たりの価額)	
	(正面路線価) (奥行価格補正率)		250,000 円	A
	ア+イ 250,000 円 × 1.00		250,000	
	イ 250,000 円 × 1.00			
	2 二路線に面する宅地		(1㎡当たりの価額) 円	

1	5-1 間口が狭小な宅地等		(1㎡当たりの価額) 円	E
平	(AからDまでのうち該当するもの) (間口狭小補正率) (奥行長大補正率) 円 × (. × .)			
方	5-2 不整形地		(1㎡当たりの価額) 円	F
メ	(AからDまでのうち該当するもの) 不整形地補正率※ *250,000 円 × 0.93			
	※不整形地補正率の計算			
	(想定整形地の間口距離) (想定整形地の奥行距離) (想定整形地の地積) 32 m × 23 m = 736 ㎡			
ー	(想定整形地の地積) (不整形地の地積) (想定整形地の地積) (かげ地割合) (736 ㎡ － 500 ㎡) ÷ 736 ㎡ = 32 %			
ト	(不整形地補正率表の補正率)(間口狭小補正率) (小数点以下2 位未満切捨て)	不整形地補正率 (①、②のいずれか低い 率、0.6を下限とする。)		
	0.93 × 1.00 = 0.93 ①			
	(奥行長大補正率) (間口狭小補正率) × = ②	0.93	232,500	
	6 地積規模の大きな宅地		(1㎡当たりの価額) 円	

自用地の評価額	自用地1平方メートル当たりの価額 (AからLまでのうちの該当記号)	地　積	総　　　　　額 (自用地1㎡当たりの価額) × (地積)	M
	(F) 232,500 円	500 ㎡	116,250,000 円	

土地及び土地の上に存する権利の評価明細書（第2表）

セットバックを 必 要 と す る 宅地の評価額	(自用地の評価額) 円 － (	(自用地の評価額) 円 ×	(該当地積) ㎡ (総地積) ㎡ × 0.7)	(自用地の評価額) 円	N

備 考	* ア+イ=250,000×(500㎡+100㎡)=150,000,000 イ=250,000×100㎡=25,000,000 (ア+イ)－イ=125,000,000　　125,000,000÷500㎡=250,000

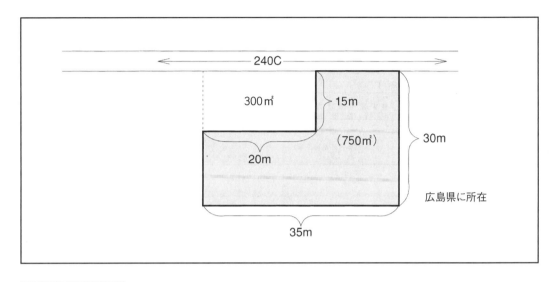

評価上の留意点

　図のような不整形地の評価額は、全体の整形地（奥行30mの整形地）の評価額から隣接する整形地（奥行15mの整形地）の評価額を控除した価額を基として、計算できます。

各補正率の適用は？

1　全体の整形地の奥行価格補正率……奥行30mで普通住宅地区の場合、0.95です。
2　隣接する整形地の奥行価格補正率……奥行15mで普通住宅地区の場合、1.00です。
3　間口狭小補正率……間口15mで普通住宅地区の場合、1.00です。
4　奥行長大補正率……奥行距離（30m）÷間口距離（15m）＝2.0
　　　　　　　　　　　　普通住宅地区の場合、0.98です。
5　不整形地補正率
　　　　かげ地割合……（1,050㎡－750㎡）÷1,050㎡＝0.285
　　　　地区区分……面積が750㎡で普通住宅地区の場合Ｃになります。
　したがって、不整形地補正率はかげ地割合25％以上の普通住宅地区Ｃより、0.97になります。
①　不整形地補正率×間口狭小補正率＝0.97×1.00＝0.97
②　奥行長大補正率×間口狭小補正率＝0.98×1.00＝0.98
　①と②のうち低いほうの0.97を補正率とします。

【事例　37】

土地及び土地の上に存する権利の評価明細書（第1表）

	局(所)	署	年分	ページ

(住居表示)	(	)	所有者	住　所 (所在地)		使用者	住　所 (所在地)	
所在地番				氏　名 (法人名)			氏　名 (法人名)	

地　目	地　積	路　　線　　価	地

(宅 地) 山 林 田 畑 雑種地 ( )	750 ㎡	正　面 240,000 円	側　方 円	側　方 円	裏　面 円	形 図 及 び 参 考 事 項

間口距離	15 m	利用区分	(自用地) 私　道 貸 宅 地 貸家建付借地権 貸家建付地 転 貸 借 地 権 借 地 権 ( )	地区区分	ビル街地区 (普通住宅地区) 高度商業地区 中小工場地区 繁華街地区 大 工 場 地 区 普通商業・併用住宅地区	省　略
奥行距離	30 m					

			(1㎡当たりの価額) 円	
自 用 地 1 平 方 メ ー ト ル 当 た り の 価 額	1　一路線に面する宅地 　　(正価路線価)　　　　　　(奥行価格補正率) 　　全体－240,000 円 ×　　　0.95 　　隣接地－240,000 円 ×　　　1.00		228,000 240,000	A
	2　二路線に面する宅地 　　　　(A)　　　　　[側方・裏面 路線価]　(奥行価格補正率)　[側方・一方 路線影響加算率] 　　　　　　　　　円 ＋ (　　　　　円 ×　　．　　　× 0．　　)		(1㎡当たりの価額) 円	B
	3　三路線に面する宅地 　　　　(B)　　　　　[側方・裏面 路線価]　(奥行価格補正率)　[側方・二方 路線影響加算率] 　　　　　　　　　円 ＋ (　　　　　円 ×　　．　　　× 0．　　)		(1㎡当たりの価額) 円	C
	4　四路線に面する宅地 　　　　(C)　　　　　[側方・裏面 路線価]　(奥行価格補正率)　[側方・二方 路線影響加算率] 　　　　　　　　　円 ＋ (　　　　　円 ×　　．　　　× 0．　　)		(1㎡当たりの価額) 円	D
	5-1　間口が狭小な宅地等 　　(AからDまでのうち該当するもの)　(間口狭小補正率)　(奥行長大補正率) 　　　　　　　　円 ×　　(　　．　　　×　　．　　)		(1㎡当たりの価額) 円	E
	5-2　不 整 形 地 　　(AからDまでのうち該当するもの)　　不整形地補正率※ 　＊223,200 円 ×　　　　0.97 ※不整形地補正率の計算 　(想定整形地の間口距離)　(想定整形地の奥行距離)　(想定整形地の地積) 　　　　35　 m ×　　　　30　　 m ＝　　　1,050　 ㎡ 　(想定整形地の地積)　(不整形地の地積)　(想定整形地の地積)　　(かげ地割合) 　(　1,050　㎡ －　　750　㎡) ÷ (　1,050　㎡ ＝　28.5　% 　(不整形地補正率表の補正率)　(間口狭小補正率)　　　　(小数点以下2 　　　　　　　　　　　　　　　　　　　　　　　　　位未満切捨て)　［不整形地補正率 　　0.97　×　1.00　＝　0.97　　　①　　　　　　(①、②のいずれか低い 　(奥行長大補正率)　(間口狭小補正率)　　　　　　　　　　　　　率、0.6を下限とする。) 　　0.98　×　1.00　＝　0.98　　　②　　　　　0.97		216,504	F
	6　地積規模の大きな宅地 　　(AからFまでのうち該当するもの)　　規模格差補正率※ 　　　　　　　　円 ×　　　0． 　　※規模格差補正率の計算 　　(地積(Ⓐ))　　(Ⓑ)　　(Ⓒ)　　(地積(Ⓐ)) 　　　　　　　　　　　　　　　　　　　　　(小数点以下2位未満切捨て) 　｛(　　㎡× 　　＋ 　　) ÷　　㎡｝× 0.8 ＝ 0.		(1㎡当たりの価額) 円	G
	7　無 道 路 地 　　(F又はGのうち該当するもの)　　　　　　(※) 　　　　　　　　円 × (　1 －　0.　　) 　　※割合の計算 (0.4を上限とする。) 　　(正面路線価)　　(通路部分の地積)　(F又はGのうち 該当するもの)　(評価対象地の地積) 　　　　　円 ×　　㎡) ÷ (　　　円 ×　　㎡) ＝ 0.		(1㎡当たりの価額) 円	H
	8-1　がけ地等を有する宅地　　〔南 、東 、西 、北 〕 　　(AからHまでのうち該当するもの)　　(がけ地補正率) 　　　　　　　　円 ×　　　0.		(1㎡当たりの価額) 円	I
	8-2　土砂災害特別警戒区域内にある宅地 　　(AからHまでのうち該当するもの)　　特別警戒区域補正率※ 　　　　　　　　円 ×　　　0. 　　※がけ地補正率の適用がある場合の特別警戒区域補正率の計算 (0.5を下限とする。) 　　　　　　　　　　　　〔南 、東、 西、 北〕 　　(特別警戒区域補正率表の補正率)　(がけ地補正率)　(小数点以下2位未満切捨て) 　　　　0.　　　　×　0.　　　＝　0.		(1㎡当たりの価額) 円	J
	9　容積率の異なる2以上の地域にわたる宅地 　　(AからJまでのうち該当するもの)　　(控除割合 (小数点以下3位未満四捨五入)) 　　　　　　　　円 × (　1 －　0.　　)		(1㎡当たりの価額) 円	K
	10　私 　　　　道 　　(AからKまでのうち該当するもの) 　　　　　　　　円 ×　0.3		(1㎡当たりの価額) 円	L

自用地の評価額	自用地1平方メートル当たりの価額 (AからLまでのうちの該当記号)	地　積	総　　　　　　額 (自用地1㎡当たりの価額) ×（地 積)	
	(　F　) 216,504 円	750 ㎡	162,378,000 円	M

＊　228,000×1,050㎡－240,000×300㎡＝167,400,000

　　167,400,000÷750㎡＝223,200

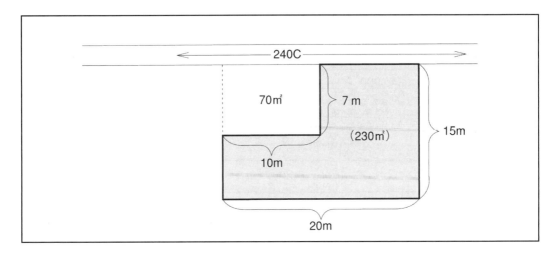

評価上の留意点

1　　図のような不整形地の評価額は、全体の整形地（奥行15mの整形地）の評価額から隣接する整形地（奥行７mの整形地）の評価額を控除した価額を基として、計算します。
2　　本事例も【事例37】と同様に、中抜き方式により評価しますが、本事例の場合には全体の整形地の奥行価格補正率が、15mで1.00であるのに対し、隣接地の奥行価格補正率は７mで0.95であるため、【事例37】と同じ計算をすると評価対象地の整形地の価額は1.00を上回る乗数により算出された単価になってしまいます。

　　　そこで、このようなケースでは、納税者に不利にならないために、控除する画地（隣接地）の奥行価格補正率を1.00とみなすことが認められています。

各補正率の適用は？

1　　全体の整形地の奥行価格補正率……奥行15mで普通住宅地区の場合1.00です。
2　　隣接する整形地の奥行価格補正率……奥行７mで普通住宅地区の場合0.95ですが全体の整形地の奥行価格補正率1.00とみなします。
3　　間口狭小補正率及び奥行長大補正率は、いずれも1.00です。
4　　不整形地補正率
　　　　　かげ地割合……（300㎡－230㎡）÷300㎡＝0.233
　　　　　地区区分……面積が230㎡で普通住宅地区の場合Aになります。
　　　したがって、不整形地補正率はかげ地割合20％以上の普通住宅地区Aより、0.94になります。

【事例　38】

土地及び土地の上に存する権利の評価明細書（第1表）

	局(所)　署	年分	ページ

（住居表示）	（　　　　　）	所有者	住　所 (所在地)		使用者	住　所 (所在地)	
所在地番			氏　名 (法人名)			氏　名 (法人名)	

地　目	地　積	路　　　線　　　価				地形図及び参考事項
		正　面	側　方	側　方	裏　面	

宅　地　山　林 田　畑　雑種地 （　　）	230 ㎡	240,000 円	円	円	円	**省　略**

間口距離 10 m	利用区分	自用地　私　道 貸 宅 地　貸家建付借地権 貸家建付地　転貸借地権 借　地　権　（　　　）	地区区分	ビル街地区　普通住宅地区 高度商業地区　中小工場地区 繁華街地区　大 工 場 地 区 普通商業・併用住宅地区
奥行距離 15 m				

		（1㎡当たりの価額）円	
自 用 地 1 平 方 メ ー ト ル 当 た り の 価 額	1 一路線に面する宅地　（正面路線価）　　　（奥行価格補正率） 全体 240,000 円 × 1.00 隣接地 240,000 円 × 1.00	240,000 240,000	A
	2 二路線に面する宅地 （A） 　［側方・裏面 路線価］（奥行価格補正率）　［側方・二方 路線影響加算率］ 円 ＋ （ 円 × ・ × ・ ）	（1㎡当たりの価額）円	B
	3 三路線に面する宅地 （B） 　［側方・裏面 路線価］（奥行価格補正率）　［側方・二方 路線影響加算率］ 円 ＋ （ 円 × ・ × ・ ）	（1㎡当たりの価額）円	C
	4 四路線に面する宅地 （C） 　［側方・裏面 路線価］（奥行価格補正率）　［側方・二方 路線影響加算率］ 円 ＋ （ 円 × ・ × ・ ）	（1㎡当たりの価額）円	D
	5-1 間口が狭小な宅地等 　（AからDまでのうち該当するもの）　（間口狭小補正率）（奥行長大補正率） 円 × （ ・ ・ ）	（1㎡当たりの価額）円	E
	5-2 不 整 形 地 　（AからDまでのうち該当するもの）　不整形地補正率※ ＊240,000 円 × 0.94 ※不整形地補正率の計算 　（想定整形地の間口距離）　（想定整形地の奥行距離）　（想定整形地の地積） 　　　20 m × 15 m ＝ 300 ㎡ 　（想定整形地の地積）（不整形地の地積）（想定整形地の地積）（かげ地割合） 　（ 300 ㎡ － 230 ㎡ ）÷ 300 ㎡ ＝ 23.3 ％ 　（不整形地補正率表の補正率）（間口狭小補正率）（小数点以下2位未満切捨て）　［不整形地補正率（①、②のいずれか低い率、0.6を下限とする。）］ 　　0.94 × 1.00 ＝ 0.94 ① 　（奥行長大補正率）（間口狭小補正率） 　　　 × ＝ 0. ②　　　　0.94	225,600	F
	6 地積規模の大きな宅地 　（AからFまでのうち該当するもの）　規模格差補正率※ 円 × 0. ※規模格差補正率の計算 　（地積（Ⓐ））（Ⓑ）（Ⓒ）（地積（Ⓐ））（小数点以下2位未満切捨て） 　｛ ㎡× ＋ ）÷ ㎡｝× 0.8 ＝ 0.	（1㎡当たりの価額）円	G
	7 無 道 路 地 　（F又はGのうち該当するもの）　（※） 円 × （ 1 － 0. ） ※割合の計算（0.4を上限とする。） 　（正面路線価）（通路部分の地積）（F又はGのうち該当するもの）（評価対象地の地積） 　（ 円 × ㎡）÷（ 円 × ㎡）＝ 0.	（1㎡当たりの価額）円	H
	8-1 がけ地等を有する宅地　〔南 、東 、西 、北 〕 　（AからHまでのうち該当するもの）　（がけ地補正率） 円 × 0.	（1㎡当たりの価額）円	I
	8-2 土砂災害特別警戒区域内にある宅地 　（AからHまでのうち該当するもの）　特別警戒区域補正率※ 円 × 0. ※がけ地補正率の適用がある場合の特別警戒区域補正率の計算（0.5を下限とする。） 　　　　〔南 、東 、西 、北 〕 　（特別警戒区域補正率表の補正率）（がけ地補正率）（小数点以下2位未満切捨て） 　　0. × 0. ＝ 0.	（1㎡当たりの価額）円	J
	9 容積率の異なる2以上の地域にわたる宅地 　（AからJまでのうち該当するもの）（控除割合（小数点以下3位未満四捨五入）） 円 × （ 1 － 0. ）	（1㎡当たりの価額）円	K
	10 私 道 　（AからKまでのうち該当するもの） 円 × 0.3	（1㎡当たりの価額）円	L

自用地の評価額	自用地1平方メートル当たりの価額 （AからLまでのうちの該当記号）	地　積	総　　　　　　　額 （自用地1㎡当たりの価額）×（地　積）	
	（ F ） 225,600 円	230 ㎡	51,888,000 円	M

＊　240,000×300㎡－240,000×70㎡＝55,200,000 　　55,200,000÷230㎡＝240,000

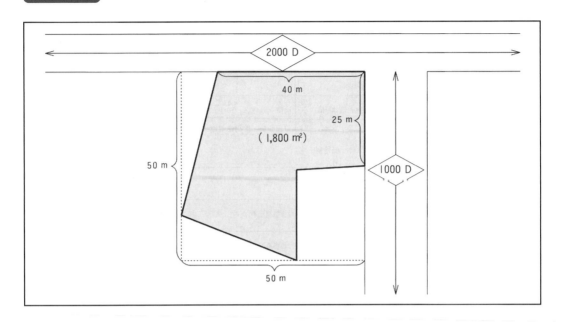

評価上の留意点

1　奥行距離が一様でない不整形地の奥行距離は、不整形地の面積をその間口距離で除して得られた数値（ただし、その不整形地に係る想定整形地の奥行距離を限度とする）とします。

　　したがって、本事例の場合、正面路線に対する奥行距離は45m（1,800㎡÷40m＝45m＜50m）に、側方路線に対する奥行距離は50m（1,800㎡÷25m＝72m＞50m）になります。

2　側方路線に接する距離が、不整形地に係る想定整形地の側方距離より短い場合には側方路線に接する部分（25m）がその宅地に係る想定整形地の側方距離（50m）に占める割合により側方路線影響加算率を調整します。

3　不整形地を囲む点線で示される土地を想定整形地として不整形地補正率を適用します。

各補正率の適用は？

1　奥行価格補正率……奥行45m、50mで中小工場地区の場合1.00、1.00です。

2　間口狭小補正率……間口40mで中小工場地区の場合1.00です。

3　側方路線影響加算率……角地の中小工場地区の場合の0.03に$\dfrac{25m}{50m}$を乗じた0.015になります。

4　不整形地補正率

　　かげ地割合……（2,500㎡－1,800㎡）÷2,500㎡＝28％です。

　　地積区分……面積が1,800㎡で中小工場地区の場合Aになります。

　　補　正　率……中小工場地区でかげ地割合が25％以上、地積区分がAですから0.96になります。

【事例　39】

土地及び土地の上に存する権利の評価明細書（第1表）

		局(所)	署	年分	ページ

（住居表示）	（　　　）	所有者	住　所 （所在地）		使用者	住　所 （所在地）	
所 在 地 番			氏　名 （法人名）			氏　名 （法人名）	

地　　目	地　積	路　　　線　　　価				地形図及び参考事項
㊱地　山　林 田 畑　雑種地 （　　）	1,800 ㎡	正　面 2,000,000 円	側　方 1,000,000 円	側　方 円	裏　面 円	省　略

間口距離	40 m	利用区分	自用地　私　　道 貸宅地　貸家建付借地権 貸家建付地　転貸借地権 借地権　（　　　　）	地区区分	ビル街地区　普通住宅地区 高度商業地区　中小工場地区 繁華街地区　大工場地区 普通商業・併用住宅地区
奥行距離	45 m				

					（1㎡当たりの価額）円	
自 用 地 1 平 方 メ ー ト ル 当 た り の 価 額	1　一路線に面する宅地 　（正面路線価） 　2,000,000 円 ×（奥行価格補正率） 　　　　　　　　　　　1.00				2,000,000	A
	2　二路線に面する宅地 　（A） 　2,000,000 円 ＋ [側方・裏面 路線価] 　　　　　　　　　1,000,000円 ×（奥行価格補正率） 　　　　　　　　　　　　　　　1.00 × [側方・二方 路線影響加算率] 　　　　　　　　　　　　　　　　　　　0.03 × 25m/50m				2,015,000	B
	3　三路線に面する宅地 　（B） 　　　　　円 ＋ [側方・裏面 路線価]（　　　　円 ×（奥行価格補正率）　.　） × [側方・二方 路線影響加算率]　0.					C
	4　四路線に面する宅地 　（C） 　　　　　円 ＋ [側方・裏面 路線価]（　　　　円 ×（奥行価格補正率）　.　） × [側方・二方 路線影響加算率]　0.					D
	5-1　間口が狭小な宅地等 　（AからDまでのうち該当するもの）（間口狭小補正率）（奥行長大補正率） 　　　　　円 ×（　.　×　.　）					E
	5-2　不整形地 　（AからDまでのうち該当するもの）　不整形地補正率※ 　2,015,000 円 ×　　　　　0.96 　※不整形地補正率の計算 　（想定整形地の間口距離）（想定整形地の奥行距離）（想定整形地の地積） 　　　50　m ×　　50　m ＝　　2,500　㎡ 　（想定整形地の地積）（不整形地の地積）（想定整形地の地積）（かげ地割合） 　（　2,500　㎡ －　1,800　㎡）÷　2,500　㎡ ＝　28　% 　（不整形地補正率表の補正率）（間口狭小補正率）（小数点以下2位未満切捨て） 　　0.96 ×　1.00 ＝　0.96 ① 　（奥行長大補正率）（間口狭小補正率） 　　　.　×　　　.　＝　0. ② 　［不整形地補正率（①、②のいずれか低い率、0.6を下限とする。）　0.96 ］				1,934,400	F
	6　地積規模の大きな宅地 　（AからFまでのうち該当するもの）　規模格差補正率※ 　　　　　円 ×　. 　※規模格差補正率の計算 　（地積（Ⓐ））（Ⓑ）（Ⓒ）（地積（Ⓐ））（小数点以下2位未満切捨て） 　{（　　㎡ ×　　＋　　）÷　　㎡}× 0.8 ＝ 0.					G
	7　無道路地 　（F又はGのうち該当するもの）（※） 　　　　　円 ×（ 1 － 0.　） 　※割合の計算（0.4を上限とする。） 　（正面路線価）（通路部分の地積）[F又はGのうち該当するもの]（評価対象地の地積） 　（　　円 ×　　㎡）÷（　　円 ×　　㎡）＝ 0.					H
	8-1　がけ地等を有する宅地 〔 南 、 東 、 西 、 北 〕 　（AからHまでのうち該当するもの）（がけ地補正率） 　　　　　円 ×　0.					I
	8-2　土砂災害特別警戒区域内にある宅地 　（AからHまでのうち該当するもの）　特別警戒区域補正率※ 　　　　　円 ×　0. 　※がけ地補正率の適用がある場合の特別警戒区域補正率の計算（0.5を下限とする。） 　　　　　　　　〔 南 、 東 、 西 、 北 〕 　（特別警戒区域補正率表の補正率）（がけ地補正率）（小数点以下2位未満切捨て） 　　0.　×　0.　＝　0.					J
	9　容積率の異なる2以上の地域にわたる宅地 　（AからJまでのうち該当するもの）（控除割合（小数点以下3位未満四捨五入）） 　　　　　円 ×（ 1 － 0.　）					K
	10　私　道 　（AからKまでのうち該当するもの） 　　　　　円 ×　0.3					L

自用地の評価額	自用地1平方メートル当たりの価額 （AからLまでのうちの該当記号）	地　積	総　　　　　額 （自用地1㎡当たりの価額）×（地　積）	
	（ F ） 1,934,400 円	1,800 ㎡	3,481,920,000 円	M

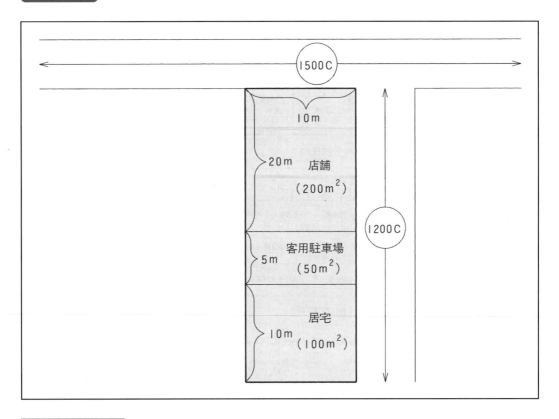

評価上の留意点

1　同一敷地内（登記簿上の同一地番ではない）に店舗と住宅を建築し、それぞれ自用家屋として利用している場合は、全体を1利用単位として評価します。

　　この際、店舗の客用に駐車場を設置している場合、その駐車場は店舗と一体のものとしますので、駐車場も含めて1利用単位として評価することになります。

2　正面路線の地区区分が普通商業・併用住宅地区である場合の角地の側方路線影響加算率は、0.08です。

各補正率の適用は？

1　奥行価格補正率……普通商業・併用住宅地区の場合、奥行35mで0.97、10mで0.99です。

2　間口狭小補正率……普通商業・併用住宅地区の場合、間口10mで1.00です。

3　奥行長大補正率……普通商業・併用住宅地区の場合、奥行÷間口＝35m÷10m＝3.5で0.99です。

【事例 40】

土地及び土地の上に存する権利の評価明細書（第１表）

	局(所)	署	年分	ページ

（住居表示）	（ ）		所有者	住　所 (所在地)		使用者	住　所 (所在地)	
所 在 地 番				氏　名 (法人名)			氏　名 (法人名)	

地　　目	地　積	路　　　　線　　　　価				地形図及び参考事項
⃝宅 地　山 林 田　畑 雑種地	㎡ 350	正　面	側　方	側　方	裏　面	
		円 1,500,000	円 1,200,000	円	円	省　略

間口距離	10 m	利用区分	⃝自用地　　私　　道 貸 宅 地　貸家建付借地権 貸家建付地　転 貸 借 地 権 借 地 権　（　　　　）	地区区分	ビル街地区　普通住宅地区 高度商業地区　中小工場地区 繁華街地区　大 工 場 地 区 ⃝普通商業・併用住宅地区
奥行距離	35 m				

			（1㎡当たりの価額）円	
自 用 地 １ 平 方 メ ー ト ル 当 た り の 価 額	1　一路線に面する宅地 　　（正面路線価）　　　　　　　　　（奥行価格補正率） 　　1,500,000 円 ×　　　　0.97		1,455,000	A
	2　二路線に面する宅地 　　　（A）　　　　　　　［側方・裏面 路線価］（奥行価格補正率）　［側方・二方 路線影響加算率］ 　　1,455,000 円 ＋（1,200,000円 ×　0.99　×　　0.08　）		（1㎡当たりの価額）円 1,550,040	B
	3　三路線に面する宅地 　　　（B）　　　　　　　［側方・裏面 路線価］（奥行価格補正率）　［側方・二方 路線影響加算率］ 　　　　　円 ＋（　　　円 ×　　　×　　　　）		（1㎡当たりの価額）円	C
	4　四路線に面する宅地 　　　（C）　　　　　　　［側方・裏面 路線価］（奥行価格補正率）　［側方・二方 路線影響加算率］ 　　　　　円 ＋（　　　円 ×　　　×　　　　）		（1㎡当たりの価額）円	D
	5-1　間口が狭小な宅地等 　　（AからDまでのうち該当するもの）　（間口狭小補正率）（奥行長大補正率） 　　1,550,040 円 ×　（ 1.00　×　0.99 ）		（1㎡当たりの価額）円 1,534,539	E
	5-2　不整形地 　　（AからDまでのうち該当するもの）　　　不整形地補正率※ 　　　　　円 ×　　　0. 　　※不整形地補正率の計算 　　（想定整形地の間口距離）（想定整形地の奥行距離）（想定整形地の地積） 　　　　　m ×　　　　m ＝　　　　㎡ 　　（想定整形地の地積）（不整形地の地積）（想定整形地の地積）（かげ地割合） 　　（　　㎡ －　　㎡）÷　　　㎡ ＝　　　％ 　　（不整形地補正率表の補正率）（間口狭小補正率）　（小数点以下2位未満切捨て） 　　　0.　　×　　　＝ 0.　　① 　［不整形地補正率 　　（奥行長大補正率）（間口狭小補正率）　　　　　（①、②のいずれか低い 　　　0.　　×　　　＝ 0.　　② 　率、0.6を下限とする。）0.		（1㎡当たりの価額）円	F
	6　地積規模の大きな宅地 　　（AからFまでのうち該当するもの）　規模格差補正率※ 　　　　　円 ×　　　0. 　　※規模格差補正率の計算 　　（地積（Ⓐ））　　（Ⓑ）　　（Ⓒ）　　（地積（Ⓐ））　（小数点以下2位未満切捨て） 　　｛（　　㎡× 　＋　 ）÷ 　　㎡｝× 0.8 ＝ 0.		（1㎡当たりの価額）円	G
	7　無 道 路 地 　　（F又はGのうち該当するもの）　　　　（※） 　　　　　円 ×（ 1 － 0.　） 　　※割合の計算（0.4を上限とする。） 　　（正面路線価）（通路部分の地積）（該当するもの）（評価対象地の地積） 　　（　　円 ×　　㎡）÷（　　　円 ×　　㎡）＝ 0.		（1㎡当たりの価額）円	H
	8-1　がけ地等を有する宅地　〔 南 、 東 、 西 、 北 〕 　　（AからHまでのうち該当するもの）　　（がけ地補正率） 　　　　　円 ×　　　0.		（1㎡当たりの価額）円	I
	8-2　土砂災害特別警戒区域内にある宅地 　　（AからHまでのうち該当するもの）　　特別警戒区域補正率※ 　　　　　円 ×　　　0. 　　※がけ地補正率の適用がある場合の特別警戒区域補正率の計算（0.5を下限とする。） 　　　　　　　　〔 南 、 東 、 西 、 北 〕 　　（特別警戒区域補正率表の補正率）（がけ地補正率）（小数点以下2位未満切捨て） 　　　0.　　×　　0.　　＝ 0.		（1㎡当たりの価額）円	J
	9　容積率の異なる2以上の地域にわたる宅地 　　（AからJまでのうち該当するもの）　　　　　（控除割合（小数点以下3位未満四捨五入）） 　　　　　円 ×（ 1 － 0.　）		（1㎡当たりの価額）円	K
	10　私　道 　　（AからKまでのうち該当するもの） 　　　　　円 ×　　0.3		（1㎡当たりの価額）円	L

自用地の評価額	自用地1平方メートル当たりの価額 （AからLまでのうちの該当記号）	地　積	総　　　　　　額 （自用地1㎡当たりの価額）×（地　積）	
	（ E ）　　　円 1,534,539	350 ㎡	円 537,088,650	M

－197－

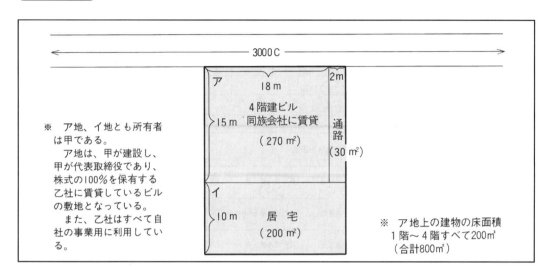

※　ア地、イ地とも所有者は甲である。
　ア地は、甲が建設し、甲が代表取締役であり、株式の100%を保有する乙社に賃貸しているビルの敷地となっている。
　また、乙社はすべて自社の事業用に利用している。

3000 C

ア　18 m
4 階建ビル
同族会社に賃貸
（270 ㎡）
15 m
2 m
通路
（30 ㎡）

イ
10 m　　居　宅
（200 ㎡）

※　ア地上の建物の床面積
1 階〜 4 階すべて200㎡
（合計800㎡）

評価上の留意点

1　土地を評価する場合は、その土地を利用単位ごとに区分して、それぞれについて評価します。

　したがって、上図の場合、乙社に賃貸されているビルの敷地であるア地と、自宅用地であるイ地は利用単位が異なりますから、別々に評価することになります。この場合、乙社がその土地の所有者である甲の同族会社であることは特に考慮しません。

2　ア地は貸家建付地となりますから、自用地としての評価額から、その評価額に借地権割合と借家権割合（30％）と賃貸割合を乗じた価額を控除します。

3　イ地は通路部分が明確に区分されているため、間口 2 m、奥行25mの袋地として評価します。イ地（通路を含む）のような形状の不整形地は、①不整形地補正率に間口狭小補正率を適用して評価する方法（本事例の場合0.79×0.90＝0.711→0.71）と②間口狭小補正率と奥行長大補正率を適用して評価する方法（本事例の場合0.90×0.90＝0.81）のうち、低いほうの①を適用します。

　（注）　上図のような不整形地の場合、【事例37】のような計算をすることもできます。

各補正率の適用は？

1　奥行価格補正率……奥行15m、25mで普通住宅地区の場合、1.00、0.97です。

2　間口狭小補正率……間口18m、 2 mで普通住宅地区の場合、1.00、0.90です。

3　奥行長大補正率……奥行距離÷間口距離＝15m÷18m＝0.833、25m÷ 2 m＝12.5で普通住宅地区の場合、1.00、0.90です。

4　不整形地補正率

　　かげ地割合……（500㎡－230㎡）÷500㎡＝54％です。

　　地積区分……面積が230㎡で普通住宅地区の場合Aになります。

　　補　正　率……普通住宅地区でかげ地割合が50％以上、地積区分がAですから0.79になります。

5　賃　貸　割　合……100％同族会社に賃貸しています。

【事例　41】

ア地

土地及び土地の上に存する権利の評価明細書（第1表）

		局(所)	署	年分	ページ

(住居表示)	( )	所有者	住所 (所在地)		使用者	住所 (所在地)	
所在地番			氏名 (法人名)			氏名 (法人名)	

地目		地積		路線価				地形図及び参考事項
(宅地)　山林 田　　雑種地 畑　　( )		270 ㎡	正面 3,000,000 円	側方 円	側方 円	裏面 円		省略

間口距離	18 m	利用区分	自用地　私道 貸宅地　貸家建付借地権	地区区分	ビル街地区　(普通住宅地区) 高度商業地区　中小工場地区	
奥行距離	15 m		(貸家建付地)　転貸借地権 借地権　( )		繁華街地区　大工場地区 普通商業・併用住宅地区	

自用地	1　一路線に面する宅地 （正面路線価）　　　　　（奥行価格補正率） 3,000,000 円　×　1.00		(1㎡当たりの価額) 3,000,000 円	A
	2　二路線に面する宅地		(1㎡当たりの価額) 円	

自用地の評価額	自用地1平方メートル当たりの価額 （AからLまでのうちの該当記号） (A)　3,000,000 円	地積 270 ㎡	総額 （自用地1㎡当たりの価額）×（地積） 810,000,000 円	M

土地及び土地の上に存する権利の評価明細書（第2表）

セットバックを必要とする宅地の評価額	（自用地の評価額） 円 － (（自用地の評価額） 円 × ㎡/総地積㎡ × 0.7)	（自用地の評価額） 円	N
都市計画道路予定地の区域内にある宅地の評価額	（自用地の評価額）　　　　（補正率） 円 × 0.	（自用地の評価額） 円	O

大規模工場用地等の評価額	○　大規模工場用地等 （正面路線価）　（地積）　　（地積が20万㎡以上の場合は0.95） 円 × ㎡ ×	円	P
	○　ゴルフ場用地等 （宅地とした場合の価額）（地積）　（1㎡当たりの造成費）　　（地積） (円 × ㎡×0.6) － (円× ㎡)	円	Q

区分所有財産に係る敷地利用権の評価額	（自用地の評価額）　　　（敷地利用権（敷地権）の割合） 円 × ―――――――	（自用地の評価額） 円	R
	居住用の区分所有財産の場合 （自用地の評価額）　　　（区分所有補正率） 円 × .	（自用地の評価額） 円	S

総額	利用区分	算式	総額	記号
	貸宅地	（自用地の評価額）　　　（借地権割合） 円 × (1－ 0.)	円	T
	貸家建付地	（自用地の評価額又はV）　（借地権割合）（借家権割合）（賃貸割合） 810,000,000 円 × (1－ 0.7 × 0.3 × 800㎡/800㎡)	639,900,000 円	U

【事例 41】

イ地

土地及び土地の上に存する権利の評価明細書（第1表）

	局(所)	署	年分	ページ

(住居表示)	(	)	住 所 (所在地)		住 所 (所在地)	
所 在 地 番			所有者 氏 名 (法人名)		使用者 氏 名 (法人名)	

地 目	地 積	路 線 価				地形図及び参考事項	
(宅地) 山 林 田 雑種地 畑 ( )	230 ㎡	正面 3,000,000 円	側方 円	側方 円	裏面 円	省略	

間口距離	2 m	利用区分	(自用地) 私 道 貸宅地 貸家建付借地権 貸家建付地 転貸借地権 借地権 ( )	地区区分	ビル街地区 (普通住宅地区) 高度商業地区 中小工場地区 繁華街地区 大工場地区 普通商業・併用住宅地区	
奥行距離	25 m					

			(1 ㎡当たりの価額) 円	
自用地1平方メートル当たりの価額	1 一路線に面する宅地 (正面路線価) (奥行価格補正率) 3,000,000 円 × 0.97		2,910,000	A
	2 二路線に面する宅地 (A) [側方・裏面 路線価] (奥行価格補正率) [側方・二方 路線影響加算率] 円 + (円 × . × 0.)		(1 ㎡当たりの価額) 円	B
	3 三路線に面する宅地 (B) [側方・裏面 路線価] (奥行価格補正率) [側方・二方 路線影響加算率] 円 + (円 × . × 0.)		(1 ㎡当たりの価額) 円	C
	4 四路線に面する宅地 (C) [側方・裏面 路線価] (奥行価格補正率) [側方・二方 路線影響加算率] 円 + (円 × . × 0.)		(1 ㎡当たりの価額) 円	D
	5-1 間口が狭小な宅地等 (AからDまでのうち該当するもの) (間口狭小補正率) (奥行長大補正率) 円 × (×)		(1 ㎡当たりの価額) 円	E
	5-2 不 整 形 地 (AからDまでのうち該当するもの) 不整形地補正率※ 2,910,000 円 × 0.71 ※不整形地補正率の計算 (想定整形地の間口距離) (想定整形地の奥行距離) (想定整形地の地積) 20 m × 25 m = 500 ㎡ (想定整形地の地積) (不整形地の地積) (想定整形地の地積) (かげ地割合) (500 ㎡ − 230 ㎡) ÷ 500 ㎡ = 54 % (不整形地補正率表の補正率) (間口狭小補正率) (小数点以下2位未満切捨て) [不整形地補正率 (①、②のいずれか低い率、0.6を下限とする。)] 0.79 × 0.90 = 0.71 ① (奥行長大補正率) (間口狭小補正率) 0.71 0.90 × 0.90 = 0.81 ②		2,066,100	F
	6 地積規模の大きな宅地 (AからFまでのうち該当するもの) 規模格差補正率※ 円 × 0. ※規模格差補正率の計算 (地積(Ⓐ)) (Ⓑ) (Ⓒ) (地積(Ⓐ)) (小数点以下2位未満切捨て) { (㎡× +) ÷ ㎡} × 0.8 = 0.		(1 ㎡当たりの価額) 円	G
	7 無 道 路 地 (F又はGのうち該当するもの) (※) 円 × (1 − 0.) ※割合の計算 (0.4を上限とする。) (正面路線価) (通路部分の地積) (F又はGのうち該当するもの) (評価対象地の地積) (円 × ㎡) ÷ (円 × ㎡) = 0.		(1 ㎡当たりの価額) 円	H
	8-1 がけ地等を有する宅地 [南 、 東 、 西 、 北] (AからHまでのうち該当するもの) (がけ地補正率) 円 × 0.		(1 ㎡当たりの価額) 円	I
	8-2 土砂災害特別警戒区域内にある宅地 (AからHまでのうち該当するもの) 特別警戒区域補正率※ 円 × 0. ※がけ地補正率の適用がある場合の特別警戒区域補正率の計算 (0.5を下限とする。) [南 、 東 、 西 、 北] (特別警戒区域補正率表の補正率) (がけ地補正率) (小数点以下2位未満切捨て) 0. × 0. = 0.		(1 ㎡当たりの価額) 円	J
	9 容積率の異なる2以上の地域にわたる宅地 (AからJまでのうち該当するもの) (控除割合 (小数点以下3位未満四捨五入)) 円 × (1 − 0.)		(1 ㎡当たりの価額) 円	K
	10 私 道 (AからKまでのうち該当するもの) 円 × 0.3		(1 ㎡当たりの価額) 円	L

	自用地1平方メートル当たりの価額 (AからLまでのうちの該当記号)	地 積	総 額 (自用地1㎡当たりの価額) × (地 積)	
自用地の評価額	(F) 2,066,100 円	230 ㎡	475,203,000 円	M

-200-

　　一部を自己が利用している建物の敷地と居宅とが連接している場合

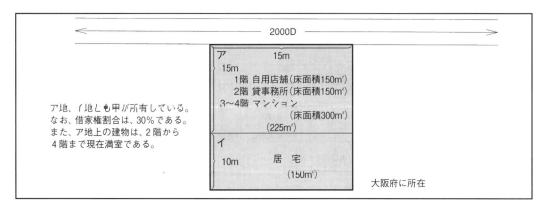

評価上の留意点

1　ア地の建物の１階部分と、イ地の居宅とは共に"自用"ですが、ア地の建物の２〜４階は貸家となっているため、ア地とイ地は利用の単位が異なることから、別々に評価することになります。

2　ア地のように自用部分と貸付部分がある建物の敷地となっている宅地の場合には、自用部分（１階150㎡）と貸付部分（２〜４階450㎡）の床面積の比により按分し、貸付部分の床面積に対応する面積（$225㎡ × \frac{450㎡}{150㎡ + 450㎡} = 168.75㎡$）を貸家建付地として評価します。この場合の減額割合は、借地権割合×借家権割合×賃貸割合＝0.6×0.3×1.00＝0.18です。

3　イ地は表道路に出るための通路が明確に区分されていませんので、大阪府の条例によりイ地が居宅（住宅）ですから、幅員２mの通路が設置されている宅地として評価します（34ページ（9）参照）。この場合、その通路部分の面積（２m×15m＝30㎡）はイ地の評価には加算しません。

4　ア地、イ地とも甲の所有地であるため、イ地について無道路地の斟酌は行いません。

5　イ地は　　　という形の不整形地ですから①不整形地補正率に間口狭小補正率を適用して評価する方法（0.70×0.90＝0.63）と②間口狭小補正率と奥行長大補正率を適用して評価する方法（0.90×0.90＝0.81）の低いほうである①を適用します。

　　（注）　イ地のような不整形地の場合、【事例37】のような計算をすることもできます。

6　ア地の建物は、所有者甲が一棟を所有しており、区分建物の登記はされていないため、新しいマンション評価通達の適用はありません。

各補正率の適用は？

1　奥行価格補正率……奥行15m、25mで普通住宅地区の場合、1.00、0.97です。

2　間口狭小補正率……間口15m、２mで普通住宅地区の場合、1.00、0.90です。

3　奥行長大補正率……奥行距離÷間口距離＝15m÷15m＝1.00、25m÷２m＝12.5で普通住宅地区の場合、1.00、0.90です。

4　不整形地補正率

　　かげ地割合……（375㎡−150㎡）÷375㎡＝60％です。

　　地積区分……面積が150㎡で普通住宅地区の場合Ａになります。

　　補　正　率……普通住宅地区でかげ地割合が60％、地積区分がＡですから、0.70になります。

【事例　42】

ア地

土地及び土地の上に存する権利の評価明細書（第1表）

			局(所)	署	年分	ページ

| 所在地番 | (住居表示) ( ) | 所有者 | 住 所 (所在地) | | 使用者 | 住 所 (所在地) | |
| | | | 氏 名 (法人名) | | | 氏 名 (法人名) | |

地　目	地　積	路　　　　線　　　　価				地形図及び参考事項
(宅地) 山林 田 雑種地 畑 ( )	225 ㎡	正面 2,000,000 円	側方 円	側方 円	裏面 円	省略

| 間口距離 15 m | 利用区分 | (自用地) 私　道 貸宅地 貸家建付借地権 (貸家建付地) 転貸借地権 ( ) 借地権 | 地区区分 | ビル街地区 高度商業地区 繁華街地区 普通商業・併用住宅地区 | (普通住宅地区) 中小工場地区 大工場地区 | |
| 奥行距離 15 m | | | | | | |

自用地の評価額	1　一路線に面する宅地 (正面路線価) 2,000,000円 ×　(奥行価格補正率) 1.00			(1㎡当たりの価額) 2,000,000 円	A
	2　二路線に面する宅地			(1㎡当たりの価額) 円	

自用地の評価額	自用地1平方メートル当たりの価額 (AからLまでのうちの該当記号) (　A　) 2,000,000 円	地　積 56.25 ㎡ 168.75	総　　　　　　　額 (自用地1㎡当たりの価額) × (地　積) 112,500,000 円 337,500,000	M

土地及び土地の上に存する権利の評価明細書（第2表）

セットバックを必要とする宅地の評価額	(自用地の評価額) 円 － ((自用地の評価額) 円 × (該当地積) ㎡/(総地積) ㎡ × 0.7)	(自用地の評価額) 円	N

総	利用区分	算　　　　　　　式	総　　額	記号
	貸宅地	(自用地の評価額) 円 × (1－ 0. (借地権割合))	円	T
	貸家建付地	(自用地の評価額又はV) 337,500,000 円 ×(1－ (借地権割合) 0.6 × (借家権割合) 0.3 × (賃貸割合) 450㎡/450㎡)	276,750,000 円	U

備考	ア地全体の評価額 (M) (U) 112,500,000+276,750,000=389,250,000円

【事例　42】

イ地

土地及び土地の上に存する権利の評価明細書（第1表）

			局(所)　署	年分	ページ

所在地番	(住居表示) (　　　)	所有者	住所 (所在地)	使用者	住所 (所在地)
			氏名 (法人名)		氏名 (法人名)

地目	地積	路　　線　　価				地形図及び参考事項
(宅地) 山林 田畑 雑種地 (　)	150 ㎡	正面 2,000,000 円	側方 円	側方 円	裏面 円	**省略**

間口距離	2 m	利用区分	(自用地) 私道 貸宅地 貸家建付借地権 貸家建付地 転貸借地権 借地権 (　　　)	地区区分	ビル街地区　(普通住宅地区) 高度商業地区　中小工場地区 繁華街地区　大工場地区 普通商業・併用住宅地区	
奥行距離	25 m					

				(1㎡当たりの価額)	
自用地1平方メートル当たりの価額	1　一路線に面する宅地 (正面路線価) (奥行価格補正率) 2,000,000円 × 0.97			1,940,000 円	A
	2　二路線に面する宅地 (A) 円 ＋ ([側方・裏面 路線価] 円 × (奥行価格補正率) ． × [側方・二方 路線影響加算率] 0.)			円	B
	3　三路線に面する宅地 (B) 円 ＋ ([側方・裏面 路線価] 円 × (奥行価格補正率) ． × [側方・二方 路線影響加算率] 0.)			円	C
	4　四路線に面する宅地 (C) 円 ＋ ([側方・裏面 路線価] 円 × (奥行価格補正率) ． × [側方・二方 路線影響加算率] 0.)			円	D
	5-1　間口が狭小な宅地等 (AからDまでのうち該当するもの) (間口狭小補正率) (奥行長大補正率) 円 × (　　． × 　　．)			円	E
	5-2　不整形地 (AからDまでのうち該当するもの) 不整形地補正率※ 1,940,000円 0.63 ※不整形地補正率の計算 (想定整形地の間口距離) (想定整形地の奥行距離) (想定整形地の地積) 15 m × 25 m = 375 ㎡ (想定整形地の地積) (不整形地の地積) (想定整形地の地積) (かげ地割合) (375 ㎡ － 150 ㎡) ÷ 375 ㎡ = 60 % (不整形地補正率表の補正率) (間口狭小補正率) (小数点以下2位未満切捨て) 0.70 × 0.90 = 0.63 ① (奥行長大補正率) (間口狭小補正率) 0.90 × 0.90 = 0.81 ② ［不整形地補正率 (①、②のいずれか低い率、0.6を下限とする。)］ 0.63			1,222,200	F
	6　地積規模の大きな宅地 (AからFまでのうち該当するもの) 規模格差補正率※ 円 × 0. ※規模格差補正率の計算 (地積(Ⓐ)) (Ⓑ) (Ⓒ) (地積(Ⓐ)) (小数点以下2位未満切捨て) { (㎡× ＋) ÷ ㎡} × 0.8 = 0.			円	G
	7　無道路地 (F又はGのうち該当するもの) (※) 円 × (1 － 0.) ※割合の計算 (0.4を上限とする。) (正面路線価) (通路部分の地積) (F又はGのうち該当するもの) (評価対象地の地積) 円 × ㎡ ÷ (円 × ㎡) = 0.			円	H
	8-1　がけ地等を有する宅地 〔南 、東 、西 、北 〕 (AからHまでのうち該当するもの) (がけ地補正率) 円 × 0.			円	I
	8-2　土砂災害特別警戒区域内にある宅地 (AからHまでのうち該当するもの) 特別警戒区域補正率※ 円 × 0. ※がけ地補正率の適用がある場合の特別警戒区域補正率の計算 (0.5を下限とする。) 〔南、東、西、北〕 (特別警戒区域補正率表の補正率) (がけ地補正率) (小数点以下2位未満切捨て) 0. × 0. = 0.			円	J
	9　容積率の異なる2以上の地域にわたる宅地 (AからJまでのうち該当するもの) (控除割合 (小数点以下3位未満四捨五入)) 円 × (1 － 0.)			円	K
	10　私道 (AからKまでのうち該当するもの) 円 × 0.3			円	L

自用地の評価額	自用地1平方メートル当たりの価額 (AからLまでのうちの該当記号) (F) 1,222,200 円	地積 150 ㎡	総　　　　　額 (自用地1㎡当たりの価額) × (地積) 183,330,000 円	M

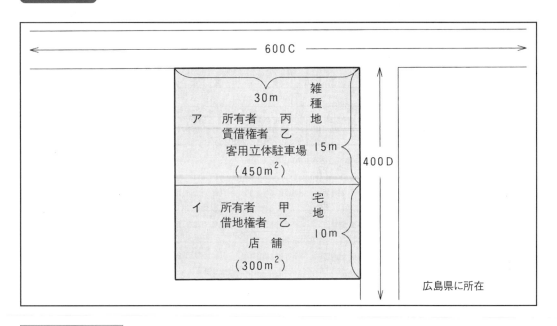

事例 43 複数の地目の土地を一体利用している借地権等の評価—乙の評価

広島県に所在

図中の記載：

600C

30m

雑種地

ア　所有者　丙

賃借権者　乙

客用立体駐車場　15m

（450m²）

400D

イ　所有者　甲

借地権者　乙

宅地

店　舗　10m

（300m²）

評価上の留意点

1　土地は、宅地、田、雑種地など、その地目の別に評価するのが原則ですが、一体として利用されている一団の土地が2以上の地目からなる場合には、その一団の土地はそのうちの主たる地目からなるものとして、その一団の土地ごとに評価します。

　　本事例の場合、ア地の立体駐車場はイ地の店舗の利用客のための駐車場であり、イ地と一体として利用されていますので、ア地、イ地を一団の土地として評価します。

　　また、駐車場のほうが面積は広いですが、あくまで主たる目的は店舗ですから、主たる地目は宅地となります。

2　ア地の賃借権とイ地の借地権を有する乙の権利は、次の手順で評価します。

①　ア地、イ地を一体の土地として評価額を計算する。

②　①の金額をア地、イ地の地積の割合に応じて按分して、ア地、イ地の評価額を算出する。

③　ア地の評価額に賃借権の割合（本事例では20％とする）、イ地の評価額に借地権割合をそれぞれ乗じて賃借権及び借地権の価額を評価する。

3　イ地の借地権割合は、ア地、イ地全体を評価する際の正面路線（600C）に付されている記号Cにより70％です。また、側方路線影響加算率は、普通住宅地区で角地の場合0.03です。

各補正率の適用は？

1　奥行価格補正率……奥行25m、30mで普通住宅地区の場合、それぞれ0.97、0.95です。

2　間口狭小補正率……間口30mで普通住宅地区の場合、1.00です。

3　奥行長大補正率……奥行÷間口＝25m÷30m＝0.83で普通住宅地区の場合、1.00です。

【事例　43】

土地及び土地の上に存する権利の評価明細書（第1表）

		局(所)	署	年分	ページ

（住居表示）	（　　　　　）	所有者	住所(所在地)		使用者	住所(所在地)	
所在地番			氏名(法人名)			氏名(法人名)	

地　目	地　積	路　　線　　価				地形図及び参考事項

| 宅地　山林
田　雑種地
畑　（　　） | 750 ㎡ | 正面
600,000円 | 側方
400,000円 | 側方
円 | 裏面
円 | 省略 |

間口距離	30 m	利用区分	自用地　私道　ビル街地区　普通住宅地区

利用区分：自用地　私　道　ビル街地区　普通住宅地区
貸宅地　貸家建付借地権　高度商業地区　中小工場地区
貸家建付地　転　貸　借　地　権　繁華街地区　大工場地区
借地権（　賃借権　）　普通商業・併用住宅地区

奥行距離	25 m

自用地

1	一路線に面する宅地						(1㎡当たりの価額)		
	（正面路線価） 600,000円	×	（奥行価格補正率） 0.97				582,000 円	A	

2	二路線に面する宅地						(1㎡当たりの価額)		
	(A) 582,000円	+	側方・裏面 路線価 （400,000円	×	奥行価格補正率 0.95	×	側方 二方 路線影響加算率 0.03 ）	593,400 円	B

3	三路線に面する宅地		(1㎡当たりの価額)	

自用地の評価額	自用地1平方メートル当たりの価額 （AからLまでのうちの該当記号）	地　積	総　　　額 （自用地1㎡当たりの価額）×（地積）		M
	（ B ）　593,400 円	ア　450 ㎡ イ　300	267,030,000 円 178,020,000		

土地及び土地の上に存する権利の評価明細書（第2表）

セットバックを必要とする宅地の評価額	（自用地の評価額） 円 － （	（自用地の評価額） 円 × 該当地積 ㎡ / 総地積 ㎡ × 0.7 ）	（自用地の評価額） 円	N

計	借地権	（自用地の評価額） 178,020,000 円	×	（借地権割合） 0.7	124,614,000 円	W

価額	賃借権	（自用地の評価額） 267,030,000 円	×	（賃借権割合） 0.2	53,406,000 円	AB
	権利が競合する場合の土地	（T, Vのうちの該当記号）（　） 円 × (1－ 0.　)		割合	円	AC
額	他の権利と競合する場合の土地	（W, ABのうちの該当記号）（　） 円 × (1－ 0.　)		割合	円	AD

備考	ア地（賃借権）の評価額（AB）　53,406,000 イ地（借地権）の評価額（W）　124,614,000

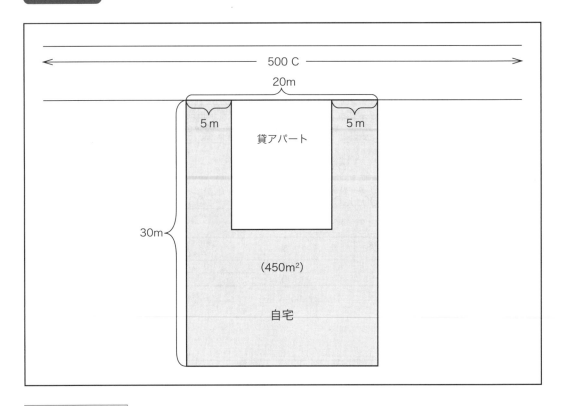

各図中: 500 C、20m、5ｍ、5ｍ、貸アパート、30m、（450m²）、自宅

評価上の留意点

1　全体の敷地の一部を別の用途（本事例では自宅敷地の一部をアパートとして貸している）に供している場合には、その利用単位ごとに1画地の土地として判断します。

2　上図の場合、自宅部分の間口は、全体敷地の20mではなく、自宅として利用している土地が実際に道路に接している部分（5ｍ＋5ｍ＝10m）となります。

3　また、全体は整形地ですが、自宅部分は凵といった形の不整形地として評価することになります。

各補正率の適用は？

1　奥行価格補正率……奥行30mで普通住宅地区の場合、0.95です。

2　間口狭小補正率……間口10mで普通住宅地区の場合、1.00です。

3　奥行長大補正率……奥行÷間口＝30m÷10m＝3.0で普通住宅地区の場合0.96です。

4　不整形地補正率
　かげ地割合……（600㎡－450㎡）÷600㎡＝0.25
　地区区分……面積が450㎡で普通住宅地区の場合Ａとなります。
　したがって不整形地補正率は、かげ地割合25％以上の普通住宅地区Ａにより0.92となります。
　①　不整形地補正率×間口狭小補正率＝0.92×1.00＝0.92
　②　奥行長大補正率×間口狭小補正率＝0.96×1.00＝0.96

【事例　44】

土地及び土地の上に存する権利の評価明細書（第1表）

			局(所)　署　年分　ページ

（住居表示）　（　　　　　　　　）	所有者	住　所（所在地）		使用者	住　　所（所在地）	
所在地番		氏　名（法人名）			氏　名（法人名）	

地　目	地　積	路　　線　　価				地形図及び参考事項
(宅地) 山林 田 畑 雑種地 （　）	㎡ 450	正面 500,000円	側方 円	側方 円	裏面 円	省略

間口距離 10 m	利用区分	(自用地) 私道 貸宅地 貸家建付借地権 貸家建付地 転貸借地権 借地権 （　）	地区区分	ビル街地区　(普通住宅地区) 高度商業地区　中小工場地区 繁華街地区　大工場地区 普通商業・併用住宅地区	
奥行距離 30 m					

自用地1平方メートル当たりの価額

1　一路線に面する宅地 （正面路線価）　　　（奥行価格補正率） 500,000円 × 0.95		（1㎡当たりの価額）475,000 円	A
2　二路線に面する宅地 （A）　　　　　[側方・裏面 路線価]　（奥行価格補正率）　[側方・二方 路線影響加算率] 円 ＋ （　　円 × ．　× 0.　）		（1㎡当たりの価額）円	B
3　三路線に面する宅地 （B）　　　　　[側方・裏面 路線価]　（奥行価格補正率）　[側方・二方 路線影響加算率] 円 ＋ （　　円 × ．　× 0.　）		（1㎡当たりの価額）円	C
4　四路線に面する宅地 （C）　　　　　[側方・裏面 路線価]　（奥行価格補正率）　[側方・二方 路線影響加算率] 円 ＋ （　　円 × ．　× 0.　）		（1㎡当たりの価額）円	D
5-1　間口が狭小な宅地等 （AからDまでのうち該当するもの）　（間口狭小補正率）　（奥行長大補正率） 円 × （　　　× 　　　）		（1㎡当たりの価額）円	E
5-2　不整形地 （AからDまでのうち該当するもの）　不整形地補正率※ 475,000 円 × 0.92 ※不整形地補正率の計算 （想定整形地の間口距離）　（想定整形地の奥行距離）　（想定整形地の地積） 20 m × 30 m ＝ 600 ㎡ （想定整形地の地積）　（不整形地の地積）　（想定整形地の地積）　　（かげ地割合） （ 600 ㎡ － 450 ㎡）÷ 600 ㎡ ＝ 25 ％ （不整形地補正率表の補正率）（間口狭小補正率）（小数点以下2位未満切捨て） 0.92 × 1.00 ＝ 0.92 ① （奥行長大補正率）（間口狭小補正率） 0.96 × 1.00 ＝ 0.96 ② ［不整形地補正率（①、②のいずれか低い率、0.6を下限とする。）］ 0.92		（1㎡当たりの価額）円 437,000	F
6　地積規模の大きな宅地 （AからFまでのうち該当するもの）　規模格差補正率※ 円 × 0. ※規模格差補正率の計算 （地積（Ⓐ））　　（Ⓑ）　（Ⓒ）　（地積（Ⓐ））　（小数点以下2位未満切捨て） {（　　㎡× 　＋ 　）÷ 　㎡} × 0.8 ＝ 0.		（1㎡当たりの価額）円	G
7　無道路地 （F又はGのうち該当するもの）　　　　（※） 円 × （ 1 － 0. ） ※割合の計算（0.4を上限とする。） （正面路線価）　（通路部分の地積）［F又はGのうち該当するもの］（評価対象地の地積） （　　円 × 　㎡）÷（　　円 × 　㎡）＝ 0.		（1㎡当たりの価額）円	H
8-1　がけ地等を有する宅地　〔 南 、 東 、 西 、 北 〕 （AからHまでのうち該当するもの）　（がけ地補正率） 円 × 0.		（1㎡当たりの価額）円	I
8-2　土砂災害特別警戒区域内にある宅地 （AからHまでのうち該当するもの）　特別警戒区域補正率※ 円 × 0. ※がけ地補正率の適用がある場合の特別警戒区域補正率の計算（0.5を下限とする。） 〔 南 、 東 、 西 、 北 〕 （特別警戒区域補正率表の補正率）（がけ地補正率）（小数点以下2位未満切捨て） × 0. ＝ 0.		（1㎡当たりの価額）円	J
9　容積率の異なる2以上の地域にわたる宅地 （AからJまでのうち該当するもの）　（控除割合（小数点以下3位未満四捨五入）） 円 × （ 1 － 0. ）		（1㎡当たりの価額）円	K
10　私道 （AからKまでのうち該当するもの） 円 × 0.3		（1㎡当たりの価額）円	L

自用地の評価額	自用地1平方メートル当たりの価額（AからLまでのうちの該当記号）	地　積	総　　　　　額（自用地1㎡当たりの価額）×（地積）	
	（ F ） 437,000 円	450 ㎡	196,650,000 円	M

－207－

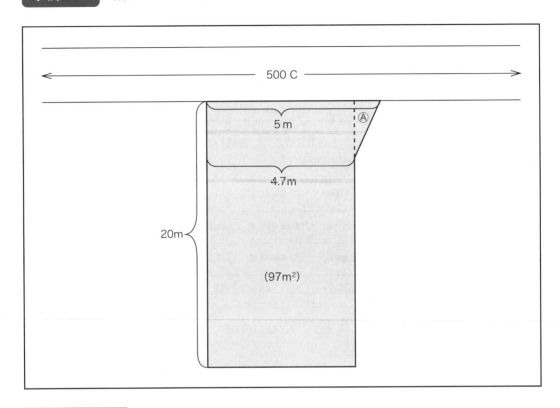

評価上の留意点

1　上図のように「隅きり」がある土地の間口距離は、隅きり部分を除いた部分（4.7m）とします。

　　ただし、「隅きり」の部分（図の④）の地積がある程度あり、駐車場等として利用可能な場合等には、実際に道路に接している部分（5m）とする場合もあります。

各補正率の適用は？

1　奥行価格補正率……奥行20mで普通住宅地区の場合、1.00です。

2　間口狭小補正率……間口4.7mで普通住宅地区の場合、0.94です。

3　奥行長大補正率……奥行÷間口＝20m÷4.7m＝4.25で普通住宅地区の場合0.94です。

4　不整形地補正率

　　かげ地割合……（100㎡－97㎡）÷100㎡＝0.03

　　地区区分……面積が97㎡で普通住宅地区の場合Aになります。

　　したがって、不整形地補正率は、かげ地割合10%未満ですから適用はありません。

【事例 45】

土地及び土地の上に存する権利の評価明細書（第１表）

	局(所)	署	年分	ページ

（住居表示）	（ ）			
所在地番		所有者 住所(所在地) 氏名(法人名)	使用者 住所(所在地) 氏名(法人名)	

地目	地積	路線価	地形図及び参考事項

地目：(宅地) 山林 田 畑 雑種地 ( )
地積：97 ㎡
路線価：正面 500,000 円　側方 円　側方 円　裏面 円

間口距離 4.7 m
奥行距離 20 m

利用区分：(自用地) 私道 貸家建付借地権 貸宅地 貸家建付地 転貸借地権 ( ) 借地権

地区区分：ビル街地区 高度商業地区 繁華街地区 普通商業・併用住宅地区 (普通住宅地区) 中小工場地区 大工場地区

地形図及び参考事項：**省略**

自用地１平方メートル当たりの価額			（1㎡当たりの価額）	
自用地	1 一路線に面する宅地 （正面路線価） （奥行価格補正率） 500,000 円 × 1.00		500,000 円	A
	2 二路線に面する宅地 （A） [側方・裏面 路線価] （奥行価格補正率） [側方・二方 路線影響加算率] 円 + (円 × . × 0.)		（1㎡当たりの価額） 円	B
	3 三路線に面する宅地 （B） [側方・裏面 路線価] （奥行価格補正率） [側方・二方 路線影響加算率] 円 + (円 × . × 0.)		（1㎡当たりの価額） 円	C
	4 四路線に面する宅地 （C） [側方・裏面 路線価] （奥行価格補正率） [側方・二方 路線影響加算率] 円 + (円 × . × 0.)		（1㎡当たりの価額） 円	D
	5-1 間口が狭小な宅地等 （AからDまでのうち該当するもの） （間口狭小補正率） （奥行長大補正率） 500,000 円 × (0.94 × 0.94)		（1㎡当たりの価額） 441,800 円	E
	5-2 不整形地 （AからDまでのうち該当するもの） 不整形地補正率※ 円 × 0. ※不整形地補正率の計算 （想定整形地の間口距離）（想定整形地の奥行距離）（想定整形地の地積） m × m = ㎡ （想定整形地の地積） （不整形地の地積） （想定整形地の地積） （かげ地割合） (㎡ − ㎡) ÷ ㎡ = % （不整形地補正率表の補正率）（間口狭小補正率）（小数点以下2位未満切捨て） 0. × = 0. ① （奥行長大補正率） （間口狭小補正率） × = 0. ②	不整形地補正率 ①、②のいずれか低い率、0.6を下限とする。 0.	F
	6 地積規模の大きな宅地 （AからFまでのうち該当するもの） 規模格差補正率※ 円 × 0. ※規模格差補正率の計算 （地積（Ⓐ）） （Ⓑ） （Ⓒ） （地積（Ⓐ）） （小数点以下2位未満切捨て） { (㎡× +) ÷ ㎡ } × 0.8 = 0.		（1㎡当たりの価額） 円	G
	7 無道路地 （F又はGのうち該当するもの） （※） 円 × (1 − 0.) ※割合の計算（0.4を上限とする。） （正面路線価） （通路部分の地積） F又はGのうち該当するもの （評価対象地の地積） (円 × ㎡) ÷ (円 × ㎡) = 0.		（1㎡当たりの価額） 円	H
	8-1 がけ地等を有する宅地 〔 南 、 東 、 西 、 北 〕 （AからHまでのうち該当するもの） （がけ地補正率） 円 × 0.		（1㎡当たりの価額） 円	I
	8-2 土砂災害特別警戒区域内にある宅地 （AからHまでのうち該当するもの） 特別警戒区域補正率※ 円 × 0. ※がけ地補正率の適用がある場合の特別警戒区域補正率の計算（0.5を下限とする。） 〔 南 、 東 、 西 、 北 〕 （特別警戒区域補正率表の補正率） （がけ地補正率） （小数点以下2位未満切捨て） 0. × 0. = 0.		（1㎡当たりの価額） 円	J
	9 容積率の異なる2以上の地域にわたる宅地 （AからJまでのうち該当するもの） （控除割合（小数点以下3位未満四捨五入）） 円 × (1 − 0.)		（1㎡当たりの価額） 円	K
	10 私道 （AからKまでのうち該当するもの） 円 × 0.3		（1㎡当たりの価額） 円	L

自用地の評価額	自用地1平方メートル当たりの価額 （AからLまでのうちの該当記号）	地積	総額 （自用地1㎡当たりの価額）×（地積）	
	(E) 441,800 円	97 ㎡	42,854,600 円	M

-209-

事例　46　私道に接する貸宅地―イ地の評価

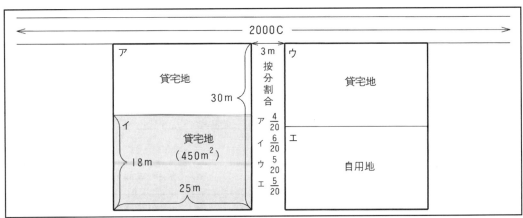

※　私道の特定路線価を1,600千円とする。また、ア地、イ地、ウ地、エ地及び私道は甲の所有地である。

評価上の留意点

1　私道に接する宅地は、その私道に特定路線価を設定してもらい、その特定路線価を基に、その私道を正面路線として評価します。

　　この事例の場合、私道の特定路線価は1,600千円ですから、イ地は正面路線価1,600千円、間口18m、奥行25mの普通住宅地区にある宅地ということになります。

2　私道については、アイウエという特定の者の通行の用に供されるものですから、この私道が宅地であるとして計算した価額の30%で評価します。この際、特定路線価が設定された場合には、特定路線価の30%相当額を基に計算した金額を評価額にできます。

　　この私道が宅地であるとして計算する際には、正面路線価2,000千円、間口3m、奥行30mの普通住宅地区にある宅地ということになります。

　　　　1,539,000円（次ページの記載例のE欄の金額）×30％＝461,700円

　　この461,700円は、特定路線価1,600千円の30％相当額480,000円より小さいため、小さいほうの461,700円が私道の評価単価となります。

　　また、貸宅地に係る共同利用の私道は、貸宅地として評価しますが、アイウエそれぞれの土地に係る私道の価額は、各土地の面積に基づく按分割合（イは6/20）に応じた金額となります。

3　貸宅地であるイ地及びイ地に係る私道の借地権割合は、私道が接している路線に付されている記号Cにより、70%となります。

各補正率の適用は？

1　奥行価格補正率……普通住宅地区の場合、イ地は奥行25mで0.97、私道は奥行30mで0.95です。

2　間口狭小補正率……普通住宅地区の場合、イ地は間口18mで1.00、私道は間口3mで0.90です。

3　奥行長大補正率……普通住宅地区の場合、イ地は奥行÷間口＝25m÷18m＝1.38で1.00、私道は奥行÷間口＝30m÷3m＝10で0.90です。

【事例　46】

a→イ地　b→私道

土地及び土地の上に存する権利の評価明細書（第1表）

			局(所)	署	年分	ページ

(住居表示)	(	)	所有者	住　所 (所在地)		使用者	住　所 (所在地)	
所在地番				氏　名 (法人名)			氏　名 (法人名)	

地　目	地　積	路　　　線　　　価				地形図及び参考事項
(宅地) 山林 田　雑種地 畑　( )	a 450 ㎡ b 90×⁶/₂₀	正　面 a 1,600,000円 b 2,000,000	側　方 円	側　方 円	裏　面 円	省略

間口距離	a 18 m b 3	利用区分	(自用地) (私道) (貸宅地) 貸家建付借地権 貸家建付地 転貸借地権 借地権　( )	地区区分	ビル街地区　(普通住宅地区) 高度商業地区　中小工場地区 繁華街地区　大工場地区 普通商業・併用住宅地区
奥行距離	a 25 m b 30				

1 一路線に面する宅地				(1㎡当たりの価額) 円	A
	(正面路線価) a 1,600,000 b 2,000,000 円 ×	(奥行価格補正率) 0.97 0.95		a 1,552,000 b 1,900,000	

1	5-1 間口が狭小な宅地等			(1㎡当たりの価額) 円	E
	(AからDまでのうち該当するもの) b 1,900,000 円 ×	(間口狭小補正率) (0.90	(奥行長大補正率) × 0.90)	1,539,000	
平	5-2 不整形地			(1㎡当たりの価額) 円	F
	(AからDまでのうち該当するもの) 円 ×	不整形地補正率※ 0.			
方	※不整形地補正率の計算				
	(想定整形地の間口距離)　(想定整形地の奥行距離)　(想定整形地の地積) 　m ×　　m ＝　　㎡				
メ	(想定整形地の地積)　(不整形地の地積)　(想定整形地の地積)　(かげ地割合) (　㎡ −　㎡) ÷　㎡ ＝　%				
	(不整形地補正率表の補正率)　(間口狭小補正率)　(小数点以下2位未満切捨て)		不整形地補正率 (①、②のいずれか低い 率、0.6を下限とする。)		
ー	0.　×　＝ 0.　① (奥行長大補正率)　(間口狭小補正率) 0.　×　＝ 0.　②		0.		

10 私　　　道			(1㎡当たりの価額) 円	L
(AからKまでのうち該当するもの) b 1,539,000 円 ×　　0.3			461,700	

	評価額	自用地1平方メートル当たりの価額 (AからLまでのうちの該当記号)	地　積	総　　額 (自用地1㎡当たりの価額) × (地積)		
自用地の		(A) a　1,552,000　円	450 ㎡	698,400,000	円	M
		(L) b　461,700	90×⁶/₂₀ 27	12,465,900	710,865,900	

土地及び土地の上に存する権利の評価明細書（第2表）

セットバックを必要とする宅地の評価額	(自用地の評価額) 円 − (	(自用地の評価額) 円 ×	(該当地積) ㎡ ────── (総地積)㎡　× 0.7	)	(自用地の評価額) 円	N

	利用区分	算　　　式	総　　額	記号
総	貸宅地	(自用地の評価額)　(借地権割合) 710,865,900 円 × (1− 0.7)	213,259,770 円	T

-211-

事例　47　共有する私道に接する宅地—エ地の評価（その１）

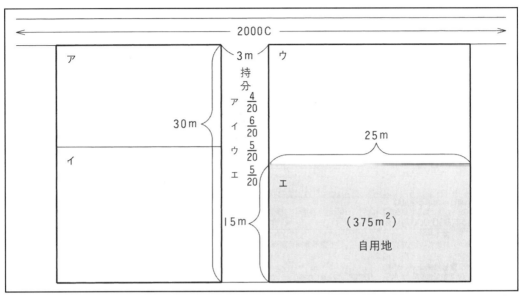

※　私道の特定路線価を1,500千円とする。なお、アイウエの各地は、それぞれ所有者が異なるが、私道は共有。

評価上の留意点

1　私道に接する宅地は、その私道に特定路線価を設定してもらい、その特定路線価を基に、その私道を正面路線として評価します。

　　この事例の場合、私道の特定路線価は1,500千円ですから、エ地は、正面路線価1,500千円、間口15m、奥行25mの普通住宅地区にある宅地ということになります。

2　私道については、アイウエという特定の者の通行の用に供されるものですから、この私道が宅地であるとして計算した価額の30％で評価します。この際、特定路線価が設定された場合には、特定路線価の30％相当額を基に計算した金額を評価額にできます。

　　この私道が宅地であるとして計算する際には、正面路線価2,000千円、間口３m、奥行30mの普通住宅地区にある宅地ということになります。

　　　1,539,000円×30％＝461,700円（【事例46】参照）

　　この461,700円は、特定路線価1,500千円の30％相当額450,000円より大きいため、小さいほうの450,000円が私道の評価単価となります。

　　また、共有となっている私道の価額は、私道の評価額にエ地の所有者の持分割合を乗じた価額となります。

各補正率の適用は？

1　奥行価格補正率……普通住宅地区の場合、エ地は奥行25mで0.97、私道は奥行30mで0.95です。

2　間口狭小補正率……普通住宅地区の場合、エ地は間口15mで1.00、私道は間口３mで0.90です。

3　奥行長大補正率……普通住宅地区の場合、エ地は奥行÷間口＝25m÷15m＝1.66で1.00、私道は奥行÷間口＝30m÷３m＝10で0.90です。

【事例　47】

a→工地　b→私道

土地及び土地の上に存する権利の評価明細書（第1表）

		局(所)	署	年分	ページ

所在地番	(住居表示)　(　　　)	所有者	住　所 (所在地)		使用者	住　所 (所在地)	
			氏　名 (法人名)			氏　名 (法人名)	

地　目	地　積	路　線　価				地形図及び参考事項
(宅地) 山林 田 雑種地 畑 (　　)	a 375 ㎡ b 90×5/20	正面 a 1,500,000 円 b 2,000,000	側方 円	側方 円	裏面 円	省略

間口距離	a 15 m b 3	利用区分	(自用地) (私道) 貸家建付 借地権 貸宅地 貸家建付地 転貸借地権 (　) 貸家建付地 借地権	地区区分	ビル街地区 (普通住宅地区) 高度商業地区 中小工場地区 繁華街地区 大工場地区 普通商業・併用住宅地区	
奥行距離	a 25 m b 30					

			(1㎡当たりの価額) 円	
自用地1平方メートル当たりの価額	1　一路線に面する宅地 　　（正面路線価）　　　　　（奥行価格補正率） a 1,500,000 円 × 0.97		1,455,000	A
	2　二路線に面する宅地 　　（A）　　［側方・裏面 路線価］（奥行価格補正率）［側方・二方 路線影響加算率］ 　　　　円 ＋（　　　円 × . × 0. ）		(1㎡当たりの価額) 円	B
	3　三路線に面する宅地 　　（B）　　［側方・裏面 路線価］（奥行価格補正率）［側方・二方 路線影響加算率］ 　　　　円 ＋（　　　円 × . × 0. ）		(1㎡当たりの価額) 円	C
	4　四路線に面する宅地 　　（C）　　［側方・裏面 路線価］（奥行価格補正率）［側方・二方 路線影響加算率］ 　　　　円 ＋（　　　円 × . × 0. ）		(1㎡当たりの価額) 円	D
	5-1　間口が狭小な宅地等 　　（AからDまでのうち該当するもの）（間口狭小補正率）（奥行長大補正率） 　　　　円 ×（　. × 　. ）		(1㎡当たりの価額) 円	E
	5-2　不 整 形 地 　　（AからDまでのうち該当するもの）　不整形地補正率※ 　　　　円 × 0. ※不整形地補正率の計算 （想定整形地の間口距離）（想定整形地の奥行距離）（想定整形地の地積） 　　　m ×　　　m ＝　　　㎡ （想定整形地の地積）（不整形地の地積）（想定整形地の地積）（かげ地割合） （　　㎡ －　　㎡）÷　　㎡ ＝ ％ （不整形地補正率表の補正率）（間口狭小補正率）（小数点以下2位未満切捨て） 　0. × 　. ＝ 0.　① （奥行長大補正率）（間口狭小補正率） 　. × 　. ＝ 0.　②　　不整形地補正率（①、②のいずれか低い率、0.6を下限とする。） 0.		(1㎡当たりの価額) 円	F
	6　地積規模の大きな宅地 　　（AからFまでのうち該当するもの）　規模格差補正率※ 　　　　円 × 0. ※規模格差補正率の計算 （地積(Ⓐ)）（Ⓑ）　（Ⓒ）　（地積(Ⓐ)）（小数点以下2位未満切捨て） ｛（　㎡×　　＋　　）÷　㎡｝× 0.8 ＝ 0.		(1㎡当たりの価額) 円	G
	7　無 道 路 地 　　（F又はGのうち該当するもの）　　　　（※） 　　　　円 ×（ 1 － 0. ） ※割合の計算（0.4を上限とする。） （正面路線価）（通路部分の地積）（F又はGのうち該当するもの）（評価対象地の地積） 　円 ×　㎡）÷（　円 ×　㎡）＝ 0.		(1㎡当たりの価額) 円	H
	8-1　がけ地等を有する宅地　〔 南 、 東 、 西 、 北 〕 　　（AからHまでのうち該当するもの）（がけ地補正率） 　　　　円 × 0.		(1㎡当たりの価額) 円	I
	8-2　土砂災害特別警戒区域内にある宅地 　　（AからHまでのうち該当するもの）　特別警戒区域補正率※ 　　　　円 × 0. ※がけ地補正率の適用がある場合の特別警戒区域補正率の計算（0.5を下限とする。） 　　〔 南 、東 、 西 、 北 〕 （特別警戒区域補正率表の補正率）（がけ地補正率）（小数点以下2位未満切捨て） 　0. × 0. ＝ 0.		(1㎡当たりの価額) 円	J
	9　容積率の異なる2以上の地域にわたる宅地 　　（AからJまでのうち該当するもの）（控除割合（小数点以下3位未満四捨五入）） 　　　　円 ×（ 1 － 0. ）		(1㎡当たりの価額) 円	K
	10　私　　道 　　（AからKまでのうち該当するもの） b 1,500,000 円 × 0.3		(1㎡当たりの価額) 円 450,000	L

自用地の評価額	自用地1平方メートル当たりの価額 （AからLまでのうちの該当記号）	地　積	総　額 （自用地1㎡当たりの価額）×（地 積）	
	（A）a 1,455,000 円	375 ㎡	545,625,000 円	M
	（L）b 450,000	90×5/20 22.5	10,125,000	

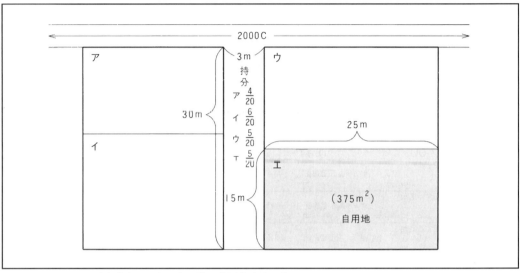

※ ア、イ、ウ、エ地を含むこのあたり一帯は普通住宅地である。

評価上の留意点

1　私道に接する宅地は、当該私道と評価対象地（本事例ではエ地）の全域を１画地とみなして、不整形地補正を行って、評価することができます。

この事例の場合、——————————————という形状の宅地とみなし……部分が想定整形地となります。

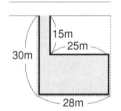

2　私道については、アイウエという特定の者の通行の用に供されるものですから、この私道が宅地であるとして計算した価額の30％で評価します。

また、共有となっている私道の価額は、私道の評価額にエ地の所有者の持分割合を乗じた価額となります。

各補正率の適用は？

1　奥行価格補正率……奥行30m（$\frac{465㎡}{3 m}$ ＝ 155m ＞ 30m ）で普通住宅地区の場合0.95です。
計算上の奥行距離　実際の奥行距離

2　間口狭小補正率……間口３mで普通住宅地区の場合0.90です。

3　奥行長大補正率……奥行÷間口＝30m÷３m＝10で普通住宅地区の場合0.90です。

4　不整形地補正率

かげ地割合……（840㎡－465㎡）÷840㎡＝44.6％です。

地積区分………　面積が465㎡で普通住宅地区の場合Aになります。

補正率…………普通住宅地区でかげ地割合44.6％、地積区分がAですから0.85になります。

【事例　48】

a→工地　b→私道

土地及び土地の上に存する権利の評価明細書（第1表）

									局(所)	署	年分	ページ

所在地番	(住居表示) (　　　　　　)	所有者	住　所 (所在地)		使用者	住　所 (所在地)	
			氏　名 (法人名)			氏　名 (法人名)	

地　　目	地　積	路　　　　線　　　　価				地形図及び参考事項
㉛地 山林 田 雑種地 畑	a 375 ㎡ b 90×5/20	正面 2,000,000 円	側方 円	側方 円	裏面 円	省　略

間口距離	3 m	利用区分	㉖用地 私道 貸宅地 貸家建付借地権 貸家建付地 転貸借地権 借地権 (　　)	地区区分	ビル街地区　普通住宅地区 高度商業地区　中小工場地区 繁華街地区　大工場地区 普通商業・併用住宅地区	
奥行距離	30 m					

自 用 地 1 平 方 メ ー ト ル 当 た り の 価 額

			(1㎡当たりの価額) 円	
1 一路線に面する宅地 　(正面路線価)　　　　　　(奥行価格補正率) 　2,000,000 円 × 0.95			1,900,000	A
2 二路線に面する宅地 　(A)　　　　[側方・裏面 路線価]　(奥行価格補正率)　[側方・二方 路線影響加算率] 　円 + (　　　　円 × ． × 0.　　)			(1㎡当たりの価額) 円	B
3 三路線に面する宅地 　(B)　　　　[側方・裏面 路線価]　(奥行価格補正率)　[側方・二方 路線影響加算率] 　円 + (　　　　円 × ． × 0.　　)			(1㎡当たりの価額) 円	C
4 四路線に面する宅地 　(C)　　　　[側方・裏面 路線価]　(奥行価格補正率)　[側方・二方 路線影響加算率] 　円 + (　　　　円 × ． × 0.　　)			(1㎡当たりの価額) 円	D
5-1 間口が狭小な宅地等 　(AからDまでのうち該当するもの)　(間口狭小補正率)　(奥行長大補正率) 　円 × (　．　　× ．　　)			(1㎡当たりの価額) 円	E

5-2 不整形地

(AからDまでのうち該当するもの)　　不整形地補正率※

1,900,000 円 × 0.76

※不整形地補正率の計算

(想定整形地の間口距離)　(想定整形地の奥行距離)　(想定整形地の地積)
28 m × 30 m = 840 ㎡

(想定整形地の地積)　(不整形地の地積)　(想定整形地の地積)　　(かげ地割合)
(840 ㎡ − 465 ㎡) ÷ 840 ㎡ = 44.6 %

(不整形地補正率表の補正率)(間口狭小補正率)　(小数点以下2位未満切捨て)
0.85 × 0.90 = 0.76 ①

(奥行長大補正率)　(間口狭小補正率)
0.90 × 0.90 = 0.81 ②

不整形地補正率 (①、②のいずれか低い率、0.6を下限とする。) = 0.76

(1㎡当たりの価額)	
1,444,000	F

6 地積規模の大きな宅地 　(AからFまでのうち該当するもの)　規模格差補正率※ 　円 × 0.　　 　※規模格差補正率の計算 　(地積(Ⓐ))　　(Ⓑ)　　(Ⓒ)　　(地積(Ⓐ))　　(小数点以下2位未満切捨て) 　{(　　㎡× 　 + 　) ÷ 　　㎡} × 0.8 = 0.	(1㎡当たりの価額) 円	G
7 無道路地 　(F又はGのうち該当するもの)　　　　　(※) 　円 × (1 − 0.　　) 　※割合の計算 (0.4を上限とする。) 　(正面路線価)　(通路部分の地積)　(F又はGのうち該当するもの)　(評価対象地の地積) 　円 × 　　㎡ ÷ (　円 × 　　㎡) = 0.	(1㎡当たりの価額) 円	H
8-1 がけ地等を有する宅地　〔 南 、 東 、 西 、 北 〕 　(AからHまでのうち該当するもの)　(がけ地補正率) 　円 × 0.	(1㎡当たりの価額) 円	I
8-2 土砂災害特別警戒区域内にある宅地 　(AからHまでのうち該当するもの)　特別警戒区域補正率※ 　円 × 0.　　 　※がけ地補正率の適用がある場合の特別警戒区域補正率の計算 (0.5を下限とする。) 　　〔 南 、 東 、 西 、 北 〕 　(特別警戒区域補正率表の補正率)　(がけ地補正率)　(小数点以下2位未満切捨て) 　0.　　× 0.　　= 0.	(1㎡当たりの価額) 円	J
9 容積率の異なる2以上の地域にわたる宅地 　(AからJまでのうち該当するもの)　(控除割合(小数点以下3位未満四捨五入)) 　円 × (1 − 0.　　)	(1㎡当たりの価額) 円	K
10 私　　道 　(AからKまでのうち該当するもの) 　1,444,000 円 × 0.3	(1㎡当たりの価額) 円 433,200	L

自用地の評価額	自用地1平方メートル当たりの価額 (AからLまでのうちの該当記号)	地　積	総　　　額 (自用地1㎡当たりの価額) × (地　積)	
	(F) a 1,444,000 円	375 ㎡	541,500,000 円	M
	(L) b 433,200	90×5/20 22.5	9,747,000	

-215-

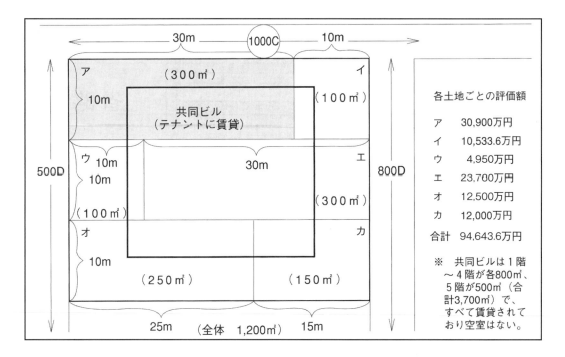

評価上の留意点

1　宅地アイウエオカの各所有者が共同でその全体の土地の上に、共同ビルを建築している場合で、アイウエオカのそれぞれの土地の価額比と、共同ビルの各人の持分の比が等しい場合には、借地権は発生しません。

2　このような共同ビルの敷地となっている土地の場合は、その全体を1画地の宅地として評価した価額を、各土地の価額の比により按分します。

　　この場合、価額の比は、次の計算式によって計算します。

$$価額の比 = \frac{各土地ごとに財産評価基本通達により評価した価額}{各土地ごとに財産評価基本通達により評価した価額の合計額}$$

　　ア地の場合、$\dfrac{309,000,000円（ア地）}{946,436,000円}$ になります。

3　全体を評価する場合、正面路線が普通商業・併用住宅地区の角地ですから、側方路線影響加算率は0.08となります。なお、借家権割合は30％です。

各補正率の適用は？

1　奥行価格補正率……正面路線に対する奥行30m、側方路線に対する奥行40mで、普通商業・併用住宅地区の場合、それぞれ1.00、0.93です。

2　間口狭小補正率……間口40mで普通商業・併用住宅地区の場合、1.00です。

3　奥行長大補正率……奥行距離÷間口距離＝30m÷40m＝0.75で普通商業・併用住宅地区の場合、1.00です。

【事例　49】

土地及び土地の上に存する権利の評価明細書（第１表）

					局(所)　署　年分　ページ
所在地番	(住居表示) (　　　　　)	所有者	住所(所在地)　氏名(法人名)	使用者	住所(所在地)　氏名(法人名)

地目	地積	路線価	地区区分	地形図及び参考事項
(宅地) 山林 田 雑種地 畑 ( )	1,200 ㎡　×309,000　946,436	正面 1,000,000 円　側方 800,000 円　側方 500,000 円　裏面 円	ビル街地区　普通住宅地区　高度商業地区　中小工場地区　繁華街地区　大工場地区　(普通商業・併用住宅地区)	省 略
間口距離 10 m　奥行距離 30 m	利用区分	自用地 私道　貸宅地 貸家建付借地権　(貸家建付地) 転貸借地権　借地権 ( )		

自用地	1　一路線に面する宅地	(正面路線価) 1,000,000 円　×　(奥行価格補正率) 1.00	(1㎡当たりの価額) 1,000,000 円	A
	2　二路線に面する宅地	(A) 1,000,000 円　+　[側方・裏面 路線価] (800,000 円　× 0.93)（奥行価格補正率）×[側方 二方 路線影響加算率] 0.08	(1㎡当たりの価額) 1,059,520 円	B
	3　三路線に面する宅地	(B) 1,059,520 円　+　[側方・裏面 路線価] (500,000 円　× 0.93)（奥行価格補正率）×[側方 二方 路線影響加算率] 0.08	(1㎡当たりの価額) 1,096,720 円	C

自用地の評価額	自用地１平方メートル当たりの価額 (AからLまでのうちの該当記号) (C) 1,096,720 円	地積 1,200×309,000 千円　946,436 千円 ㎡	総額 (自用地１㎡当たりの価額)×(地積) 429,679,107 円	M

土地及び土地の上に存する権利の評価明細書（第２表）

セットバックを必要とする宅地の評価額	(自用地の評価額) 円　−　((自用地の評価額) 円　×　(該当地積) ㎡　/　(総地積) ㎡　× 0.7)	(自用地の評価額) 円	N
都市計画道路予定地の区域内にある宅地の評価額	(自用地の評価額) 円　× 0. (補正率)	(自用地の評価額) 円	O

大規模工場用地等の評価額	○ 大規模工場用地等 (正面路線価) 円　×　(地積) ㎡　×　(地積が20万㎡以上の場合は0.95)	円	P
	○ ゴルフ場用地等 (宅地とした場合の価額)(地積) 円　× ㎡×0.6　−　((1㎡当たりの造成費) 円×　(地積) ㎡)	円	Q

区分所有財産に係る敷地利用権の評価額	(自用地の評価額) 円　× (敷地利用権(敷地権)の割合) ―――――――――	(自用地の評価額) 円	R
	居分の住所用の財産区分 (自用地の評価額) 円　× . (区分所有補正率)	(自用地の評価額) 円	S

	利用区分	算式	総額	記号
総額	貸宅地	(自用地の評価額) 円　×(1− 0.) (借地権割合)	円	T
	貸家建付地	(自用地の評価額又はV) 429,679,107 円　×(1− 0.7 (借地権割合)×0.3 (借家権割合) 3,700㎡／3,700㎡ (賃貸割合))	339,446,494 円	U

事例 50 　共同ビルの建設予定地—オ地の評価

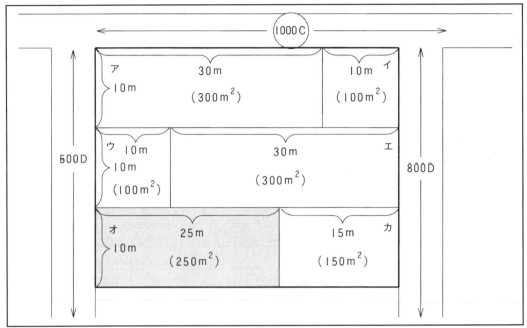

※ 宅地アイウエオカはそれぞれ甲乙丙丁戊己さんが自宅や店舗等を有していたが、全員で共同ビルを建設することになり、すべての建物を取り壊した。
　その直後に戊さんが亡くなったが、その相続税の評価額はいくらになるか？

評価上の留意点

1 　共同ビルの敷地となっている宅地は、その全体を1画地の宅地として評価した価額を各土地の価額の比により按分して計算します。

　　また、ビルをテナントに賃貸している場合には、その敷地は貸家建付地としての評価減も行います。

　　しかし、共同ビルを建設する予定で、既存の建物をすべて取り壊した状態では、全体の敷地を一体として評価するのは適切ではなく、個々の宅地ごとに評価することになります。

2 　したがって、戊さんの土地は、500千円の路線にだけ接する、間口10m、奥行25mの宅地ということになります。

　　また、建て替えるために、既存の建物をすべて取り壊した状態では、貸家建付地としての評価減はできませんので、自用地としての評価をします。

各補正率の適用は？

1 　奥行価格補正率……奥行25mで普通住宅地区の場合、0.97です。
2 　間口狭小補正率……間口10mで普通住宅地区の場合、1.00です。
3 　奥行長大補正率……奥行÷間口＝25m÷10m＝2.5で普通住宅地区の場合、0.98です。

【事例　50】

土地及び土地の上に存する権利の評価明細書（第1表）

| | | | 局(所)　　署 | 年分 | ページ |

所在地番	(住居表示)	(	)	所有者	住　所 (所在地)		使用者	住　所 (所在地)	
					氏　名 (法人名)			氏　名 (法人名)	

地　目		地　積	路　　　線　　　価					地形図及び参考事項
⓪宅地　山林 田　畑 雑種地 ( )		250 ㎡	正面 500,000円	側方 円	側方 円	裏面 円		省略

間口距離	10 m	利用区分	⓪自用地　私　道 貸宅地　貸家建付借地権 貸家建付地　転貸借地権 借地権　( )	地区区分	ビル街地区　⓪普通住宅地区 高度商業地区　中小工場地区 繁華街地区　大工場地区 普通商業・併用住宅地区
奥行距離	25 m				

自 用 地 1 平 方 メ ー ト ル 当 た り の 価 額	1　一路線に面する宅地		(1㎡当たりの価額) 円	A
	(正面路線価)　　　　　　(奥行価格補正率) 　500,000 円 × 　　0.97		485,000	
	2　二路線に面する宅地 (A)　　　　　[側方・裏面 路線価]　(奥行価格補正率)　　[側方・二方 路線影響加算率] 円 ＋ (円 × . × 0.)		(1㎡当たりの価額) 円	B
	3　三路線に面する宅地 (B)　　　　　[側方・裏面 路線価]　(奥行価格補正率)　　[側方・二方 路線影響加算率] 円 ＋ (円 × . × 0.)		(1㎡当たりの価額) 円	C
	4　四路線に面する宅地 (C)　　　　　[側方・裏面 路線価]　(奥行価格補正率)　　[側方・二方 路線影響加算率] 円 ＋ (円 × . × 0.)		(1㎡当たりの価額) 円	D
	5-1　間口が狭小な宅地等 (AからDまでのうち該当するもの)　(間口狭小補正率)　(奥行長大補正率) 485,000 円 × (1.00 × 0.98)		(1㎡当たりの価額) 円 475,300	E
	5-2　不　整　形　地 (AからDまでのうち該当するもの)　　　　不整形地補正率※ 円 ×　　　　0. ※不整形地補正率の計算 (想定整形地の間口距離)　(想定整形地の奥行距離)　(想定整形地の地積) 　　　m ×　　　　m =　　　　㎡ (想定整形地の地積)　(不整形地の地積)　(想定整形地の地積)　　　(かげ地割合) (㎡ － ㎡) ÷ ㎡ = % (不整形地補正率表の補正率)(間口狭小補正率)　(小数点以下2位未満切捨て) 0. × 　= 0.　① (奥行長大補正率)　　　(間口狭小補正率) 　× 　= 0.　② 　　　　　　　[不整形地補正率 (①、②のいずれか低い 率、0.6を下限とする。)] 0.		(1㎡当たりの価額) 円	F
	6　地積規模の大きな宅地 (AからFまでのうち該当するもの)　　規模格差補正率※ 円 ×　　　　0. ※規模格差補正率の計算 (地積(Ⓐ))　(Ⓑ)　(Ⓒ)　(地積(Ⓐ))　(小数点以下2位未満切捨て) {(㎡× ＋) ÷ ㎡} × 0.8 = 0.		(1㎡当たりの価額) 円	G
	7　無　道　路　地 (F又はGのうち該当するもの)　　　　　(※) 円 × (1 － 0.) ※割合の計算（0.4を上限とする。） (正面路線価)　(通路部分の地積)　[F又はGのうち該当するもの]　(評価対象地の地積) (円 × ㎡) ÷ (円 × ㎡) = 0.		(1㎡当たりの価額) 円	H
	8-1　がけ地等を有する宅地　　〔 南 、 東 、 西 、 北 〕 (AからHまでのうち該当するもの)　　(がけ地補正率) 円 ×　　　　0.		(1㎡当たりの価額) 円	I
	8-2　土砂災害特別警戒区域内にある宅地 (AからHまでのうち該当するもの)　　特別警戒区域補正率※ 円 ×　　　　0. ※がけ地補正率の適用がある場合の特別警戒区域補正率の計算（0.5を下限とする。） 〔 南 、 東 、 西 、 北 〕 (特別警戒区域補正率表の補正率)　(がけ地補正率)　(小数点以下2位未満切捨て) 0. × 0. = 0.		(1㎡当たりの価額) 円	J
	9　容積率の異なる2以上の地域にわたる宅地 (AからJまでのうち該当するもの)　　　(控除割合(小数点以下3位未満四捨五入)) 円 × (1 － 0.)		(1㎡当たりの価額) 円	K
	10　私　　　道 (AからKまでのうち該当するもの) 円 ×　　　　0.3		(1㎡当たりの価額) 円	L

自用地の評価額	評価額	自用地1平方メートル当たりの価額 (AからLまでのうちの該当記号)	地　積	総　　　　　　額 (自用地1㎡当たりの価額) × (地　積)	M
		(E) 475,300 円	250 ㎡	118,825,000 円	

-219-

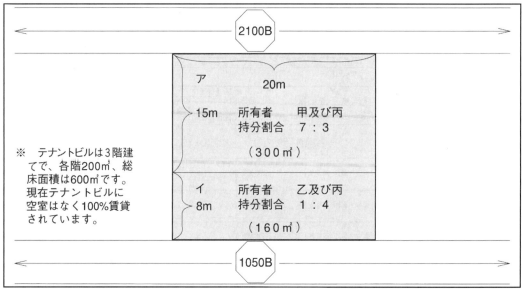

事例 51 の枠内:

隣接する共有地の上に共有者全員でテナントビルを建設した場合
―甲の評価

2100B

ア　　　　　20m

15m　　所有者　　甲及び丙
　　　　持分割合　　7：3

（300㎡）

※　テナントビルは3階建
　　てで、各階200㎡、総
　　床面積は600㎡です。
　　現在テナントビルに
　　空室はなく100％賃貸
　　されています。

イ　　　　所有者　　乙及び丙
8m　　　持分割合　　1：4

（160㎡）

1050B

※　ア地の所有者甲と、イ地の所有者乙は、それぞれの土地の30％、80％を丙に売却し、三者共同でテナントビルを建築した。売却価格はア地が10,000千円／㎡、イ地が6,400千円／㎡であった。ビルの建築代金は、この売却価格をもとに計算した甲、乙、丙の土地の時価に応じて負担し、ビルの持分割合もこの負担割合によっている。

評価上の留意点

1　共同ビルの敷地については、【事例49】でみたように、全体を1画地として評価した金額を、各土地の価額の比により按分します。

　　通常は、各土地の相続税評価額によって按分しますが、この事例のようにビル建築時の土地の時価が明らかになっており、その後のビルの持分割合もこれによっている場合には、この土地の時価により按分することも認められます。

　　ア地のビル建設時の時価＝10,000千円×300㎡＝3,000,000千円

　　イ地のビル建設時の時価＝ 6,400千円×160㎡＝1,024,000千円

2　土地を共有している場合には、その土地の価額に持分割合を乗じたものが、その共有者の持分の価額となります。

3　繁華街地区の場合、二方路線影響加算率は0.07となります。

4　テナントビルの敷地ですから、貸家建付地となり、借地権割合×借家権割合の分だけ評価額が減額されます。借地権割合はB＝80％となります。また、借家権割合は30％です。

各補正率の適用は？

1　奥行価格補正率……奥行23mで繁華街地区の場合、1.00です。

2　間口狭小補正率……間口20mで繁華街地区の場合、1.00です。

3　奥行長大補正率……奥行÷間口＝23m÷20m＝1.15で繁華街地区の場合、1.00です。

4　賃　貸　割　合……すべて賃貸されているため $\frac{600㎡}{600㎡}$ （＝1.00）です。

【事例　51】

土地及び土地の上に存する権利の評価明細書（第1表）

							局(所)	署	年分	ページ

（住居表示）	（　　　　　　　　）		住　所 （所在地）				住　所 （所在地）		
所 在 地 番		所有者	氏　名 （法人名）			使用者	氏　名 （法人名）		

地　　目	地　積		路　　　線　　　価				地形図及び参考事項	
⃝宅地　山　林 田 畑　雑種地 （　　　）	460 ㎡	正　面 2,100,000 円	側　方 円	側　方 円	裏　面 1,050,000 円		省略	

間口距離	20 m	利用区分	⃝宅地　私　道 貸　宅　地　貸家建付借地権 ⃝貸家建付地　転　貸　借　地　権（　　　） 借　地　権	地区区分	ビル街地区　普通住宅地区 高度商業地区　中小工場地区 ⃝繁華街地区　大工場地区 普通商業・併用住宅地区
奥行距離	23 m				

		区分					(1㎡当たりの価額)	
自 用 地	1	一路線に面する宅地 （正面路線価）　　　　　　　　　（奥行価格補正率） 2,100,000 円　×　1.00					2,100,000 円	A
	2	二路線に面する宅地 （A）　　　　　　［側方・⃝裏面 路線価］（奥行価格補正率）　［側方・⃝二方 路線影響加算率］ 2,100,000 円　+　(1,050,000 円　×　1.00　×　0.07　)					2,173,500 円	B
	3	三路線に面する宅地					(1㎡当たりの価額)　円	

自用地の評価額	自用地1平方メートル当たりの価額 （AからLまでのうちの該当記号）	地　積	総　　　　　　　額 （自用地1㎡当たりの価額）×（地　積）	
	（ B ）　2,173,500 円	460 ㎡	999,810,000 円	M

土地及び土地の上に存する権利の評価明細書（第2表）

セットバックを必要とする宅地の評価額	（自用地の評価額） 円　−　(（自用地の評価額）円　×　該当地積 ㎡ / 総地積 ㎡ × 0.7　)	（自用地の評価額） 円	N

	利用区分	算　　　　　　　式	総　　額	記号
総　　額	貸宅地	（自用地の評価額）　　　　　（借地権割合） 円　×（1−　0.　）	円	T
	貸家建付地	（自用地の評価額又はV）　　（借地権割合）（借家権割合）（賃貸割合） ＊521,769,631 円　×（1−　0.8　×0.3　×600㎡/600㎡　）	396,544,919 円	U

備 考	と　場 （M） ア地の評価999,810,000円×　3,000,000千円 / (3,000,000千円+1,024,000千円)　=745,385,188円 ＊　甲の共有持分の評価　745,385,188円× 7/10 =521,769,631円

事例 52　自己所有地と、隣接する借地を一体として利用している場合 —貸家建付地と貸家建付借地権

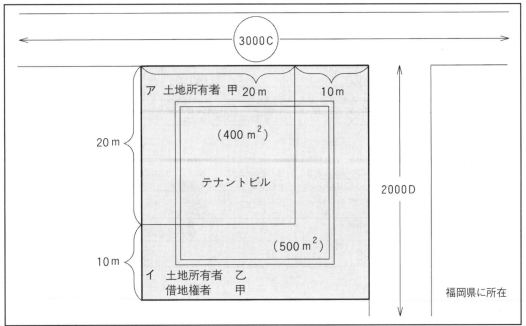

※　甲は、自己の土地アに隣接する土地イを乙から賃借りし、借地権を設定している。甲は、ア地、イ地の上に、テナントビルを建築し、貸し付けている。なお、借家権割合は30％である。また、テナントは3階建てで各階500㎡、総床面積は1,500㎡で、満室状態である。

評価上の留意点

1　所有する土地に隣接する土地を賃借りして、所有する土地と一体として利用している場合、所有する土地と借地権は、一団の土地として評価します。

2　1のうち、借地権部分については、自用地価額に正面路線に付されている借地権割合（本事例の場合C＝70％）を乗じて計算します。

3　正面と側方が路線に接している場合の側方路線影響加算率は正面路線の地区区分で判定します（本事例の場合、普通商業・併用住宅地区の角地であるため0.08）。

4　貸家建付地の価額は、「自用地価額×（1−借地権割合×借家権割合×賃貸割合）」で、貸家建付借地権の価額は、「借地権価額×（1−借家権割合×賃貸割合）」で計算します（本事例の場合、借地権割合は70％、借家権割合は30％）。

各補正率の適用は？

1　奥行価格補正率……奥行が30mで普通商業・併用住宅地区の場合、正面、側方とも1.00です。

2　間口狭小補正率……間口40mで普通商業・併用住宅地区の場合、1.00です。

3　奥行長大補正率……奥行距離÷間口距離＝40m÷40m＝1で普通商業・併用住宅地区の場合、1.00です。

4　賃　貸　割　合……満室のため$\dfrac{1,500㎡}{1,500㎡}$（＝1.00）です。

【事例 52】

土地及び土地の上に存する権利の評価明細書（第1表）

		局(所)	署	年分	ページ

所在地番	（住居表示）（ ）	所有者	住所（所在地）		使用者	住所（所在地）
			氏名（法人名）			氏名（法人名）

地目	地積	路線価				地形図及び参考事項
ⓐ宅地 山林 田 畑 雑種地 （ ）	900 ㎡	正面 3,000,000円	側方 2,000,000円	側方 円	裏面 円	**省 略**

間口距離	30 m	利用区分	自用地 私道 貸宅地 ⓐ貸家建付地 借地権	貸家建付借地権 転貸借地権 （ ）	地区区分	ビル街地区 普通住宅地区 高度商業地区 中小工場地区 繁華街地区 大工場地区 ⓐ普通商業・併用住宅地区
奥行距離	30 m					

自用地	1 一路線に面する宅地 （正面路線価） 3,000,000 円 × （奥行価格補正率） 1.00		（1㎡当たりの価額）円 3,000,000	A
	2 二路線に面する宅地 （A） 3,000,000 円 ＋ （［側方・裏面 路線価］ （奥行価格補正率） 2,000,000円 × 1.00 ×［側方 二方 路線影響加算率］ 0.08 ）		（1㎡当たりの価額）円 3,160,000	B
	3 三路線に面する宅地		（1㎡当たりの価額）円	

自用地の評価額	自用地1平方メートル当たりの価額（AからLまでのうちの該当記号） （ B ） 3,160,000 円	地積		総額（自用地1㎡当たりの価額）×（地積）	M
		ア	400 ㎡	1,264,000,000 円	
		イ	500	1,580,000,000	

土地及び土地の上に存する権利の評価明細書（第2表）

セットバックを必要とする宅地の評価額	（自用地の評価額）円 － （ （自用地の評価額）円 × 該当地積 ㎡ / 総地積 ㎡ × 0.7 ）	（自用地の評価額）円	N

総額計算	貸家建付地	（自用地の評価額又はV） 1,264,000,000 円 × (1－ （借地権割合）0.7 × （借家権割合）0.3 × 1,500㎡/1,500㎡)	円 998,560,000	U
	目的となっている権利の土地	（自用地の評価額）円 × (1－0. （割合） ）	円	V
	借地権	（自用地の評価額）1,580,000,000 円 × （借地権割合）0.7	円 1,106,000,000	W
	貸家建付借地権	（W,ADのうちの該当記号）（ W ）1,106,000,000 円 × (1－ （借家権割合）0.3 × （賃貸割合）1,500㎡/1,500㎡)	円 774,200,000	X

備考	合計（U＋X） 998,560,000円 ＋774,200,000円＝1,772,760,000

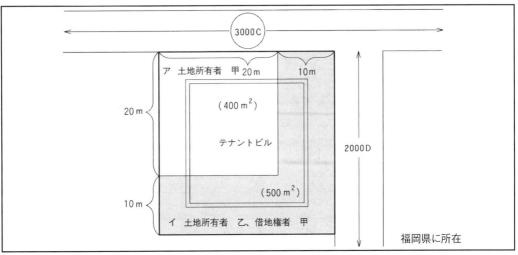

事例 53　自己所有地を隣接する土地の所有者が一体として利用している場合 —貸宅地

（図中）
3000C
ア　土地所有者　甲 20m　　10m
（400㎡）
テナントビル
20m
2000D
10m
（500㎡）
イ　土地所有者 乙、借地権者 甲
福岡県に所在

※　前事例と同じ場合であるが、イ地の所有者乙の貸宅地を評価する。

評価上の留意点

1　前例と異なり、乙の宅地（底地権）の評価に当たっては、甲所有の土地と一団の土地として評価することはしません。

2　乙の所有地のような形状の不整形地については、①不整形地補正率に間口狭小補正率を適用して評価する方法と②間口狭小補正率と奥行長大補正率を適用して評価する方法、の2つの方法のうち、評価額の低いほうで評価します。

　①の場合の想定整形地は、甲の所有地と合せた形であり、この想定整形地の面積は900㎡、かげ地割合は$\dfrac{900㎡-500㎡}{900㎡}$÷44.44％となり、不整形地補正率は0.90となります。また、間口狭小補正率は1.00、奥行長大補正率は0.99となります。

　したがって、①不整形地補正率と間口狭小補正率を適用する場合の補正率は0.90×1.00＝0.90、②間口狭小補正率と奥行長大補正率を適用する場合の補正率は1.00×0.99＝0.99となり、①のほうが有利になります。

　（注）　乙の所有地のような形状の不整形地については、【事例37】のような計算をすることもできます。

3　甲に賃貸し、借地権が設定されているので自用地価額から借地権価額を控除します。

4　正面と側方が路線に接している場合の側方路線影響加算率は、正面路線の地区区分で判定します（本事例の場合、普通商業・併用住宅地区の角地であるため0.08）。

各補正率の適用は？

1　奥行価格補正率……正面、側方とも奥行30mで普通商業・併用住宅地区の場合、1.00です。

2　間口狭小補正率……間口10mで普通商業・併用住宅地区の場合、1.00です。

3　奥行長大補正率……奥行距離÷間口距離＝30m÷10m＝3.00で普通商業・併用住宅地区の場合、0.99です。

【事例 53】

土地及び土地の上に存する権利の評価明細書（第1表）

			局(所)	署	年分	ページ

所在地番	(住居表示) （　　　　　　）	所有者	住　所(所在地)		使用者	住　所(所在地)	
			氏　名(法人名)			氏　名(法人名)	

地　目	地　積	路　　線　　価				地形図及び参考事項
(宅地) 山　林 田　畑 雑種地 （　　）	500 ㎡	正　面 3,000,000 円	側　方 2,000,000 円	側　方 円	裏　面 円	省略

間口距離	10 m	利用区分	自用地 貸家建付地 借地権	私　道 貸家建付借地権 転貸借地権（　　）	地区区分	ビル街地区　普通住宅地区 高度商業地区　中小工場地区 繁華街地区　大工場地区
奥行距離	30 m		(貸宅地)			(普通商業・併用住宅地区)

自	1 一路線に面する宅地			(1㎡当たりの価額)	
	(正面路線価) 3,000,000 円 ×	(奥行価格補正率) 1.00		3,000,000 円	A
	2 二路線に面する宅地			(1㎡当たりの価額)	
	(A) 3,000,000 円 ＋	(側方・裏面 路線価) (奥行価格補正率) (2,000,000 円 × 1.00	(側方)二方 路線影響加算率) × 0.08)	3,160,000 円	B

1	5-1 間口が狭小な宅地等			(1㎡当たりの価額)	
平	(AからDまでのうち該当するもの) (間口狭小補正率) (奥行長大補正率) 円 × （　.　×　.　）			円	E
方	5-2 不 整 形 地			(1㎡当たりの価額)	
メ	(AからDまでのうち該当するもの) 不整形地補正率※ 3,160,000 円 0.90			円	
	※不整形地補正率の計算				
	(想定整形地の間口距離) (想定整形地の奥行距離) (想定整形地の地積) 30 m × 30 m ＝ 900 ㎡				F
	(想定整形地の地積) (不整形地の地積) (想定整形地の地積) （ 900 ㎡ － 500 ㎡） ÷ 900 ㎡ ＝ 44.44 ％				
ト	(不整形地補正率表の補正率) (間口狭小補正率) (小数点以下2 位未満切捨て) 0.90 × 1.00 ＝ 0.90 ①		[不整形地補正率 ①、②のいずれか低い 率、0.6を下限とする。]		
	(奥行長大補正率) (間口狭小補正率) 0.99 × 1.00 ＝ 0.99 ②		0.90	2,844,000 円	
	6 地積規模の大きな宅地			(1㎡当たりの価額)	

自用地の評価額	自用地1平方メートル当たりの価額 (AからLまでのうちの該当記号)	地　積	総　　額 (自用地1㎡当たりの価額)×(地　積)	
	（ F ） 2,844,000 円	500 ㎡	1,422,000,000 円	M

土地及び土地の上に存する権利の評価明細書（第2表）

セットバックを必要とする宅地の評価額	(自用地の評価額) 円 －	(自用地の評価額) (該当地積) （ 円 × ㎡／(総地積)㎡ × 0.7 ）	(自用地の評価額) 円	N

総	利用区分	算　　　　　式	総　　額	記号
	貸宅地	(自用地の評価額) (借地権割合) 1,422,000,000 円 × (1－ 0.7)	426,600,000 円	T
	貸		円	

-225-

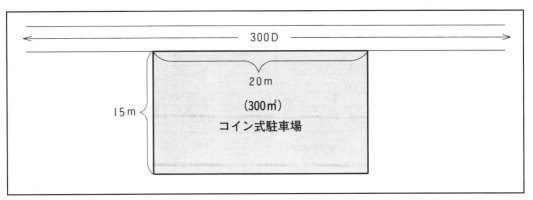

※ この土地は昭和45年に地主甲と乙が「土地賃貸借契約」を結んだ土地で、乙の自宅を建てる目的で甲から乙が土地を借り受け、保証金200万円を支払った。

その後、平成17年に乙がなくなり、誰も住まなくなって10年後の平成27年に建物が完全に朽廃したため、乙の相続人丙は建物を取り壊して、コイン式駐車場として利用している。

甲と乙が結んだ「土地賃貸借契約」に基づく毎月の地代は、乙の死亡後も引き続き丙が支払っている。

今般甲が、この土地を丁に贈与する際の評価をする。

評価上の留意点

1 税務評価における借地権とは、「建物の所有を目的とする地上権又は賃借権」をいいます。したがって、コイン式駐車場のような一定の工作物の所有を目的とする賃借権は、税務評価における借地権には該当しません。また建物が朽廃し、取り壊したことにより、借地権はその時点で消滅しています。

2 土地の賃貸借時に、建物所有の目的で保証金の授受があったとしても、あくまでも課税時期（本問では甲から丁への贈与の日）における現況で判断しますので、本土地は、駐車場用地として貸されているものとして、自用地として評価します。

各補正率の適用は？

1 奥行価格補正率……奥行15mで普通住宅地区の場合1.00です。

2 間口狭小補正率……間口20mで普通住宅地区の場合1.00です。

3 奥行長大補正率……奥行距離÷間口距離=15m÷20m=0.75で普通住宅地区の場合1.00です。

【事例　54】

土地及び土地の上に存する権利の評価明細書（第1表）

		局(所)	署	年分	ページ

(住居表示)	（　　　　　　）	所有者	住　所(所在地)	使用者	住　所(所在地)
所在地番			氏　名(法人名)		氏　名(法人名)

地　　目	地　積	路　　　　線　　　　価	地形図及び参考事項
(宅地) 山　林田　畑　雑種地（　　）	300 ㎡	正面 300,000円　側方 円　側方 円　裏面 円	省　略
間口距離 20 m	利用区分	(自用地) 私　道　地区区分 ビル街地区 (普通住宅地区)貸宅地 貸家建付借地権　　高度商業地区 中小工場地区貸家建付地 転貸借地権　　繁華街地区 大工場地区借地権 （　　　　　　） 普通商業・併用住宅地区	
奥行距離 15 m			

			(1㎡当たりの価額)		
自用地1平方メートル当たりの価額	1　一路線に面する宅地　(正面路線価)　　　　　　　　　(奥行価格補正率)　300,000 円 × 1.00		300,000	円	A
	2　二路線に面する宅地　(A)　　　　　　[側方・裏面 路線価]　(奥行価格補正率)　[側方・二方 路線影響加算率]　円 ＋ （　　　円 × ．　　 × 0.　　）			円	B
	3　三路線に面する宅地　(B)　　　　　　[側方・裏面 路線価]　(奥行価格補正率)　[側方・二方 路線影響加算率]　円 ＋ （　　　円 × ．　　 × 0.　　）			円	C
	4　四路線に面する宅地　(C)　　　　　　[側方・裏面 路線価]　(奥行価格補正率)　[側方・二方 路線影響加算率]　円 ＋ （　　　円 × ．　　 × 0.　　）			円	D
	5-1　間口が狭小な宅地等　(AからDまでのうち該当するもの)　(間口狭小補正率)　(奥行長大補正率)　円 × （ ．　　 × ．　　）			円	E
	5-2　不整形地　(AからDまでのうち該当するもの)　不整形地補正率※　円 × 0.　　※不整形地補正率の計算　(想定整形地の間口距離)　(想定整形地の奥行距離)　(想定整形地の地積)　m × 　m ＝ 　㎡　(想定整形地の地積)　(不整形地の地積)　(想定整形地の地積)　(かげ地割合)　（　㎡ － 　㎡）÷ 　㎡ ＝ 　%　(不整形地補正率表の補正率)　(間口狭小補正率)　(小数点以下2位未満切捨て)　［不整形地補正率 (①、②のいずれか低い率、0.6を下限とする。)］　0.　　　× ．　　　= 0.　　①　(奥行長大補正率)　(間口狭小補正率)　0.　　　× ．　　　= 0.　　②　0.			円	F
	6　地積規模の大きな宅地　(AからFまでのうち該当するもの)　規模格差補正率※　円 × 0.　　※規模格差補正率の計算　(地積(Ⓐ))　(Ⓑ)　(Ⓒ)　(地積(Ⓐ))　(小数点以下2位未満切捨て)　｛（　㎡× 　＋ 　）÷ 　㎡｝× 0.8　= 0.			円	G
	7　無道路地　(F又はGのうち該当するもの)　(※)　円 × （ 1 － 0.　　 ）　※割合の計算 (0.4を上限とする。)　(正面路線価)　(通路部分の地積)　(F又はGのうち該当するもの)　(評価対象地の地積)　（　円 × 　㎡）÷ （　円 × 　㎡) = 0.			円	H
	8-1　がけ地等を有する宅地　〔 南 、 東 、 西 、 北 〕　(AからHまでのうち該当するもの)　(がけ地補正率)　円 × 0.			円	I
	8-2　土砂災害特別警戒区域内にある宅地　(AからHまでのうち該当するもの)　特別警戒区域補正率※　円 × 0.　　※がけ地補正率の適用がある場合の特別警戒区域補正率の計算 (0.5を下限とする。)　〔 南、東、西、北 〕　(特別警戒区域補正率表の補正率)　(がけ地補正率)　(小数点以下2位未満切捨て)　0.　　　× 0.　　　= 0.			円	J
	9　容積率の異なる2以上の地域にわたる宅地　(AからJまでのうち該当するもの)　(控除割合 (小数点以下3位未満四捨五入))　円 × （ 1 － 0.　　 ）			円	K
	10　私　道　(AからKまでのうち該当するもの)　円 × 0.3			円	L

	自用地1平方メートル当たりの価額(AからLまでのうちの該当記号)	地　積	総　額(自用地1㎡当たりの価額) × (地　積)	
自用地の評価額	(A) 300,000 円	300 ㎡	90,000,000 円	M

-227-

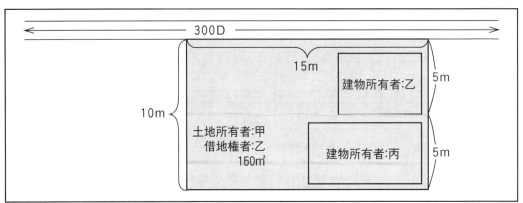

※　この土地は、甲の父が30年程前に乙の父に、乙の居住用建物を建設するために貸し付けたものである。昨年、相続によりこの土地を引き継いだ甲がこの土地を見に来てみると、乙の父も数年前に亡くなっており、ここには乙の居住用建物と、丙の居住用建物が建っていた。乙に話を聞くと、乙の父の相続時に、庭であった場所を丙に賃貸（又貸し）して、丙から地代を受け取っていることがわかった。

評価上の留意点

　甲が契約上土地を賃貸しているのは乙であり、乙が丙に又貸ししているのは契約違反ですが、実体として、2軒の家が建ってしまっている以上、別々の土地として評価するべきと考えます。

　この場合、丙名義の建物が建っている土地（ア地）は、【事例33】と同じく、接道義務を満たす2mの間口の土地として評価します。

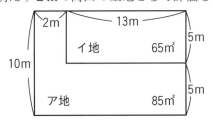

したがって、丙名義の建物が建っている土地（ア地）は間口2m、奥行10mの「」という形の土地となり、乙名義の建物が建っている土地（イ地）は間口13m、奥行5mの土地となります。

各補正率の適用は？

1　奥行価格補正率……奥行10m、5mで普通住宅地区の場合、それぞれ1.00、0.92です。

2　間口狭小補正率……間口2m、13mで普通住宅地区の場合、それぞれ0.90、1.00です。

3　奥行長大補正率……奥行距離÷間口距離が5、$\frac{5}{13}$で普通住宅地区の場合、それぞれ0.92、1.00です。

4　不整形地補正率（ア地）……普通住宅地区で地積区分Aで、かげ地割合が43.3%（$\frac{65㎡}{150㎡}$）の補正率0.85に間口狭小補正率0.90を乗じた0.76と、間口狭小補正率0.9に奥行長大補正率0.92を乗じた0.82とを比較し、低い方の0.76となります。

【事例 55】

土地及び土地の上に存する権利の評価明細書（第1表）

	局(所)	署	年分	ページ

（住居表示）	（　　　　　）	所有者	住　所（所在地）		使用者	住　所（所在地）	
所 在 地 番			氏　名（法人名）			氏　名（法人名）	

地　目	地　積	路　　線　　価				地形図及び参考事項
⊕宅地 山　林 田　　雑種地 畑（　　　）	ア地 85 ㎡ イ地 65 300,000	正　面 300,000 円	側　方 円	側　方 円	裏　面 円	省略

間口距離	ア地 2 m イ地 13	利用区分	⊕自用地 私　道 貸宅地 貸家建付借地権 貸家建付地 転貸借地権 借地権（　　　）	地区区分	ビル街地区 ⊕普通住宅地区 高度商業地区 中小工場地区 繁華街地区 大工場地区 普通商業・併用住宅地区	省略
奥行距離	ア地 10 m イ地 5					

	1　一路線に面する宅地		（1㎡当たりの価額）円	A
自	（正面路線価）　　　　　　　　　（奥行価格補正率） 　ア地 300,000 円 × 　　　1.00 　イ地 300,000 　 × 　　　0.92		300,000 276,000	
	2　二路線に面する宅地		（1㎡当たりの価額）円	

平	5-2　不 整 形 地 　（AからDまでのうち該当するもの）　　不整形地補正率※ 　ア地　300,000円　×　　　0.76	（1㎡当たりの価額）円	F
方 メ ー ト	※不整形地補正率の計算 （想定整形地の間口距離）（想定整形地の奥行距離）（想定整形地の地積） 　　15　　 m　×　　 10 　　m ＝ 　 150 　㎡ （想定整形地の地積）（不整形地の地積）（想定整形地の地積）　　（かげ地割合）% （　　150 ㎡ － 　85 ㎡）÷ 　 150 　㎡ ＝ 　43 　% 　　　　　　　　　　　　　　　　　　　　　小数点以下2　［不整形地補正率 （不整形地補正率表の補正率）（間口狭小補正率）位未満切捨て　①、②のいずれか低い 　　0.85　　 × 　0.90　 ＝ 　0.76　①　 率、0.6を下限とする。］ （奥行長大補正率）（間口狭小補正率） 　　0.92　　 × 　0.90　 ＝ 　0.82　② 　　　　0.76	228,000	
	6　地積規模の大きな宅地	（1㎡当たりの価額）円	

自用地の評価額	自用地1平方メートル当たりの価額 （AからLまでのうちの該当記号）	地　積	総　　　　　額 （自用地1㎡当たりの価額）×（地積）	M
	（F）　ア地 228,000 円	85 ㎡	19,380,000 円	
	（A）　イ地 276,000	65	17,940,000	

土地及び土地の上に存する権利の評価明細書（第2表）

セットバックを 必要とする 宅地の評価額	（自用地の評価額） 　　　　　　円 － （	（自用地の評価額） 　　　　円 ×	（該当地積） ㎡ ───── （総地積）㎡	× 0.7 ）	（自用地の評価額） 円	N

額	貸 借（地） 権の 目 的 と な っ て い る 土	（自用地の評価額） ア地 19,380,000 イ地 17,940,000 円 ×	（借地権割合） (1－ 0.6 　)	7,752,000 7,176,000	円	V

事例　56　　借地権と転借権を一体として利用している宅地―乙の権利の評価

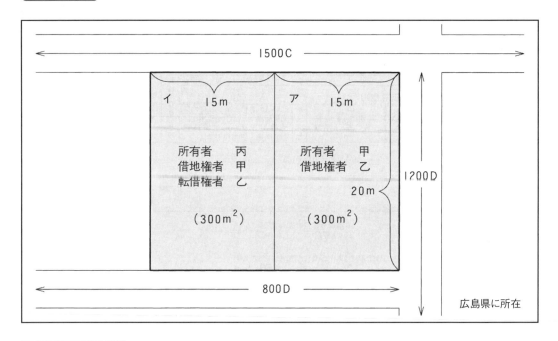

評価上の留意点

1　宅地の評価は、一筆ごとではなく利用単位ごとに行います。ア地を甲から賃借りし、隣接するイ地を借地人甲から又借りして、両方を合わせて自己で利用している乙にとっては、ア、イは一体利用の宅地となりますので、一体として評価します（甲の場合の評価も一体利用として評価するが、丙の場合の評価は、イ地のみを１利用単位として評価する）。

2　乙の有するア地に対する借地権及びイ地に対する転借権の価額は、次の算式により計算します。

$$\text{借地権の価額} = \left[\begin{array}{c} \text{ア、イを一体の土地} \\ \text{として評価した価額} \end{array} \right] \times \frac{\text{アの地積}}{\text{ア、イの総地積}} \times \text{借地権割合}$$

$$\text{転借権の価額} = \left[\begin{array}{c} \text{ア、イを一体の土地} \\ \text{として評価した価額} \end{array} \right] \times \frac{\text{イの地積}}{\text{ア、イの総地積}} \times \text{借地権割合} \times \text{借地権割合}$$

　借地権の割合は、正面路線の路線価に付された記号がＣですから70％になります。

3　正面路線の地区区分が普通住宅地区の角地ですから、側方路線影響加算率は0.03、二方路線影響加算率は0.02になります。

各補正率の適用は？

1　奥行価格補正率……奥行20ｍ、30ｍで普通住宅地区の場合、それぞれ、1.00、0.95です。

2　間口狭小補正率……間口30ｍで普通住宅地区の場合、1.00です。

3　奥行長大補正率……奥行÷間口＝20ｍ÷30ｍ＝0.67で普通住宅地区の場合、1.00です。

【事例　56】

土地及び土地の上に存する権利の評価明細書（第1表）

	局（所）	署	年分	ページ

（住居表示）	（　　　）	所有者	住所（所在地）		使用者	住所（所在地）	
所在地番			氏名（法人名）			氏名（法人名）	

地目	地積	路　　線　　価				地形図及び参考事項	
㊀宅地　山林　田畑　雑種地　（　　）	600 ㎡	正面 1,500,000 円	側方 1,200,000 円	側方 円	裏面 800,000 円	**省略**	

間口距離	30 m	利用区分	自用地　私道　貸宅地　貸家建付地　㊀借地権　転貸借地権　（㊀転借権）	地区区分	ビル街地区　㊀普通住宅地区　高度商業地区　中小工場地区　繁華街地区　大工場地区　普通商業・併用住宅地区
奥行距離	20 m				

自用地	1　一路線に面する宅地			（1㎡当たりの価額）円	A
	（正面路線価）	（奥行価格補正率）		1,500,000	
	1,500,000 円　×　1.00				
	2　二路線に面する宅地			（1㎡当たりの価額）円	B
	（A）	［側方・裏面 路線価］（奥行価格補正率）	［側方・二方 路線影響加算率］	1,534,200	
	1,500,000 円　+　（1,200,000 円　×　0.95　×　0.03　）				
	3　三路線に面する宅地			（1㎡当たりの価額）円	C
	（B）	［側方・裏面 路線価］（奥行価格補正率）	［側方・二方 路線影響加算率］	1,550,200	
	1,534,200 円　+　（800,000 円　×　1.00　×　0.02　）				

自用地の評価額	自用地1平方メートル当たりの価額（AからLまでのうちの該当記号）		地積	総額（自用地1㎡当たりの価額）×（地積）		M
	（C）	1,550,200 円	ア 300 ㎡	465,060,000 円		
			イ 300 ㎡	465,060,000		

土地及び土地の上に存する権利の評価明細書（第2表）

セットバックを必要とする宅地の評価額	（自用地の評価額）円　−　（（自用地の評価額）円　×　該当地積 ㎡／総地積 ㎡　×　0.7　）	（自用地の評価額）円	N

計算による	のつ地 借地権	（自用地の評価額）	（借地権割合）	円	W
		ア 465,060,000	0.7	325,542,000	
		イ 465,060,000 円　×	0.7	325,542,000	
	貸家建付借地権	（W, ADのうちの該当記号）（　）	（借家権割合）（賃貸割合）	円	X
		円　×（1− 0.　　×　㎡／㎡）			
	転貸借地権	（W, ADのうちの該当記号）（　）	（借地権割合）	円	Y
		円　×（1− 0.　　）			
	転借権	（W, X, ADのうちの該当記号）（W）	（借地権割合）	円	Z
		イ 325,542,000 円　×	0.7	227,879,400	

備考	ア地（借地権）の評価額（W）325,542,000円 イ地（転借権）の評価額（Z）227,879,400円

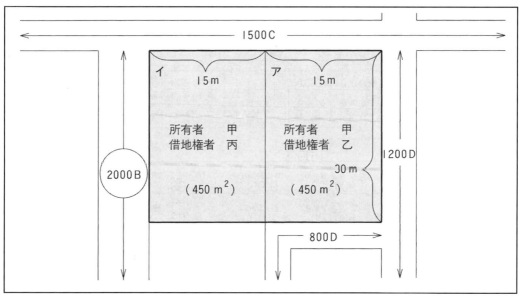

※　ア地・イ地とも、借地権者が建物を建築している。

評価上の留意点

1　　1区画の宅地を、2つに区分し、それぞれを異なる相手に賃貸している時は、利用単位が異なりますから、それぞれを1利用単位として評価します。

　　したがって、本事例の場合、ア地は三方が路線に接する宅地（正面路線価1,500千円、側方路線価1,200千円、裏面路線価800千円）、イ地は二方が路線に接する宅地（正面路線価2,000千円、側方路線価1,500千円）となります。

2　　ア地は、正面路線の地区区分が普通住宅地区の角地ですから、側方路線影響加算率は0.03、二方路線影響加算率は0.02となります。また、正面路線に付されている借地権割合の記号がCですから、借地権割合は70％となります。

3　　イ地は、正面路線の地区区分が普通商業・併用住宅地区の角地ですから、側方路線影響加算率は0.08になります。また、正面路線に付されている借地権割合の記号がBですから借地権割合は80％となります。

各補正率の適用は？

1　　奥行価格補正率……普通住宅地区の場合、奥行30m、15mに対する補正率は、それぞれ0.95、1.00です。普通商業・併用住宅地区の場合、奥行15m、30mに対する補正率は、それぞれ1.00、1.00です。

2　　間口狭小補正率……普通住宅地区、普通商業・併用住宅地区の場合とも、間口15m、30mに対する補正率は1.00です。

3　　奥行長大補正率……普通住宅地区、普通商業・併用住宅地区の場合、奥行÷間口＝30m÷15m＝2.0、15m÷30m＝0.50に対する補正率は、それぞれ0.98、1.00です。

【事例 57】

ア地

土地及び土地の上に存する権利の評価明細書 （第1表）

						局(所)	署	年分	ページ

(住居表示)	(	)	所有者	住 所 (所在地)		使用者	住 所 (所在地)	
所 在 地 番				氏 名 (法人名)			氏 名 (法人名)	

地　　目	地　積	路　　　　　線　　　　　価				地形図及び参考事項
⦿宅 地 　山 林 田 　　雑種地 畑 （　）	450 ㎡	正　面 1,500,000 円	側　方 1,200,000 円	側　方 円	裏　面 800,000 円	省 略

間口距離	15 m	利用区分	自 用 地　　私 道 ⦿貸 宅 地　貸家建付借地権 貸家建付地　転貸　借地権 借 地 権　（　　）	地区区分	ビル街地区　⦿普通住宅地区 高度商業地区　中小工場地区 繁華街地区　大工場地区 普通商業・併用住宅地区
奥行距離	30 m				

	区分	算式	(1㎡当たりの価額) 円	記号
自 用 地 1 平 方	1 一路線に面する宅地 (正面路線価)　　　　　　　(奥行価格補正率) 1,500,000 円 × 0.95		1,425,000	A
	2 二路線に面する宅地 (A)　　[側方・裏面 路線価] (奥行価格補正率) [側方 二方 路線影響加算率] 1,425,000 円 ＋ (1,200,000 円 × 1.00 × 0.03)		1,461,000	B
	3 三路線に面する宅地 (B)　　[側方・裏面 路線価] (奥行価格補正率) [側方 二方 路線影響加算率] 1,461,000 円 ＋ (800,000 円 × 0.95 × 0.02)		1,476,200	C
	4 四路線に面する宅地 (C)　　[側方・裏面 路線価] (奥行価格補正率) [側方・二方 路線影響加算率] 円 ＋ (円 × . × .)		円	D
	5-1 間口が狭小な宅地等 (AからDまでのうち該当するもの) (間口狭小補正率) (奥行長大補正率) 1,476,200 円 × (1.00 × 0.98)		1,446,676	E

自用地の評価額	自用地1平方メートル当たりの価額 (AからLまでのうちの該当記号) (E)　1,446,676 円	地　積 450 ㎡	総　　　　　　　額 (自用地1㎡当たりの価額) × (地　積) 651,004,200 円	M

土地及び土地の上に存する権利の評価明細書 （第2表）

セットバックを必要とする宅地の評価額	(自用地の評価額) 円 － (	(自用地の評価額) 円 × (該当地積) ㎡/(総地積)㎡ × 0.7)	(自用地の評価額) 円	N

	利用区分	算　　　　　　　式	総　　額	記号
総	貸宅地	(自用地の評価額)　　　　(借地権割合) 651,004,200 円 × (1－ 0.7)	195,301,260 円	T
	貸家建付地	(自用地の評価額又はV) (借地権割合)(借家権割合) (賃貸割合) 円 × (1－ 0. × 0. × ㎡/㎡)	円	U

【事例　57】

イ地

土地及び土地の上に存する権利の評価明細書（第1表）

		局(所)	署	年分	ページ

(住居表示)	(	)	所有者	住　所 (所在地)		使用者	住　所 (所在地)	
所在地番				氏　名 (法人名)			氏　名 (法人名)	

地　　目			地　積		路　　　　　線　　　　　価				地形図及び参考事項	
(宅地)　山　林 田　　雑種地 畑　　( )			450 ㎡	正　面 2,000,000 円	側　方 1,500,000 円	側　方 円	裏　面 円	省　略	

間口距離	30 m	利用区分	(貸宅地)　貸家建付借地権 貸家建付地　転貸借地権 借地権　　( )　自用地　私道		地区区分	ビル街地区　普通住宅地区 高度商業地区　中小工場地区 繁華街地区　大工場地区 普通商業・併用住宅地区			
奥行距離	15 m								

自 用 地	1　一路線に面する宅地					(1㎡当たりの価額) 円	A
	(正面路線価) 2,000,000 円　×　(奥行価格補正率)　1.00					2,000,000	
	2　二路線に面する宅地					(1㎡当たりの価額) 円	B
	(A) 2,000,000 円　+　((側方・裏面 路線価) 1,500,000 円　×　(奥行価格補正率) 1.00　×　(側方 二方 路線影響加算率) 0.08)					2,120,000	
	3　三路線に面する宅地					(1㎡当たりの価額) 円	

自用地の評価額	自用地1平方メートル当たりの価額 （AからLまでのうちの該当記号）	地　積	総　　　　　額 （自用地1㎡当たりの価額）×（地積）	M
	(B)　2,120,000 円	450 ㎡	954,000,000 円	

土地及び土地の上に存する権利の評価明細書（第2表）

セットバックを必要とする宅地の評価額	(自用地の評価額) 円　−　((自用地の評価額) 円　×　(該当地積) ㎡ / (総地積) ㎡　×　0.7)	(自用地の評価額) 円	N
都市計画道路予定地の区域内にある宅地の評価額	(自用地の評価額) 円　×　0.　(補正率)	(自用地の評価額) 円	O

大規模工場用地等の評価額	○　大規模工場用地等 (正面路線価)　円　×　(地積) ㎡　×　(地積が20万㎡以上の場合は0.95)	円	P
	○　ゴルフ場用地等 (宅地とした場合の価額)　(地積) (　円　×　㎡×0.6) − ((1㎡当たりの造成費)　(地積) 円×　㎡)	円	Q

区分所有財産に係る敷地利用権の評価額	敷地利用権の評価額	(自用地の評価額) 円　×　(敷地利用権（敷地権）の割合)	(自用地の評価額) 円	R
	居分の住所用有場の区分	(自用地の評価額) 円　×　(区分所有補正率)　.	(自用地の評価額) 円	S

	利用区分	算　　　　　式	総　　　　　額	記号
総	貸宅地	(自用地の評価額) 954,000,000 円　×（1− 0.8　） (借地権割合)	190,800,000 円	T

-234-

■不動産の流通税

不動産の所有権移転に伴う税金として、流通税が発生します。流通税の代表的なものとして、消費税、不動産取得税、登録免許税、印紙税がありますが、取得の事由によって流通税の額は変わることがありますので要注意です。

① 消費税

土地取引には発生しませんが、建物の取引には発生する場合があります。

消費税において課税対象となるのは、「国内において事業者が事業として対価を得て行う資産の譲渡等」とされており、売主が不動産仲介会社等の事業者であれば購入時に消費税がかかりますが、個人であれば事業用建物以外は購入時の消費税は発生しません。

② 登録免許税・不動産取得税

【所有権移転にかかる登録免許税と不動産取得税】

いずれの税金も課税標準は固定資産税評価額（※）です。

種 類	不動産	移転事由	税率	摘要
登録免許税	土地	売買・贈与	2.0%	売買の場合は1.5%（令和8年3月31日まで）
		相続	0.4%	被相続人の死亡前の相続登記については免税（令和7年3月31日まで）。不動産価額100万円以下は免税（令和7年3月31日まで）。
	建物	売買・贈与	2.0%	売買の場合、一定の要件を満たす住宅用家屋には軽減税率（0.3%、0.2%又は0.1%）あり。
		相続	0.4%	（令和9年3月31日まで）
不動産取得税	土地	売買・贈与	4.0%	令和9年3月31日まで3%　住宅用土地については、一定の要件を満たせば軽減措置あり。
		相続	非課税	
	建物	売買・贈与	4.0%	住宅の場合は3.0%（令和9年3月31日まで）更に、一定の要件を満たす住宅を取得したときには軽減措置あり。
		相続	非課税	

※ 固定資産課税台帳に記載されていない場合は、登録免許税は登記官が、不動産取得税は都道府県が設定した金額となります。

また、土地のうち、宅地及び宅地比準土地の取得が令和9年3月31日までに行われた場合の不動産取得税の課税標準は、固定資産税評価額の $\frac{1}{2}$ とされます。

事例 58 同一の業者にサブリースをしている2棟のマンション敷地

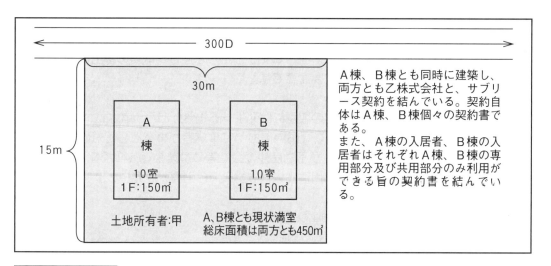

A棟、B棟とも同時に建築し、両方とも乙株式会社と、サブリース契約を結んでいる。契約自体はA棟、B棟個々の契約書である。
また、A棟の入居者、B棟の入居者はそれぞれA棟、B棟の専用部分及び共用部分のみ利用ができる旨の契約書を結んでいる。

(図中)
300D
30m
15m
A棟 10室 1F:150㎡
B棟 10室 1F:150㎡
土地所有者:甲
A、B棟とも現状満室
総床面積は両方とも450㎡

評価上の留意点

1　A棟、B棟とも賃貸用マンションであり、同一の業者である乙株式会社とサブリース契約をしていますが、契約はそれぞれの棟ごとに結んでおり、入居者と乙株式会社との契約も、それぞれの棟の専用部分、共用部分のみ利用可能な内容となっていることから、A棟部分とB棟部分は別々の画地として評価します。

2　A棟、B棟の1F部分の床面積は同じであるため、それぞれの建物に対応する敷地部分も同じと考えることが合理的であり、A棟敷地、B棟敷地とも間口15m、奥行15mの土地として評価します。

3　A棟、B棟とも一棟所有の賃貸マンションであり、区分所有の登記はされていないので、新しいマンション評価通達の適用はありません。

各補正率の適用は？

1　奥行価格補正率……奥行15mで普通住宅地区の場合1.00です。

2　間口狭小補正率……間口15mで普通住宅地区の場合1.00です。

3　奥行長大補正率……奥行距離÷間口距離が1.0で普通住宅地区の場合1.00です。

【事例　58】

A棟敷地をア地
B棟敷地をイ地　とします

土地及び土地の上に存する権利の評価明細書（第1表）

		局（所）	署	年分	ページ

（住居表示）	（ 　　　　　　　 ）	所有者	住　所（所在地）		使用者	住　所（所在地）	
所 在 地 番			氏　名（法人名）			氏　名（法人名）	

地　目	地　積			路　　　線　　　価				地形図及び参考事項
㋺地　山　林 田　　雑種地	ア地 225 ㎡ イ地 225	正　面 300,000円	側　方 円	側　方 円	裏　面 円			省略

間口距離	ア地 15m イ地 15	利用区分	自用地　私　道 貸宅地　貸家建付借地権 貸家建付地　転貸借地権 借地権　（ 　　 ）	地区区分	ビル街地区　普通住宅地区 高度商業地区　中小工場地区 繁華街地区　大工場地区 普通商業・併用住宅地区	（1㎡当たりの価額）円 ア地 300,000 イ地 300,000	A
奥行距離	ア地 15m イ地 15						

1　一路線に面する宅地
（正面路線価）　　　　　　（奥行価格補正率）
ア地　300,000　　　　　　　　　1.00
イ地　300,000 円　×　　　　　 1.00

自　2　二路線に面する宅地

自用地の評価額	評価額	自用地1平方メートル当たりの価額（AからLまでのうちの該当記号）	地　積	総　　　額（自用地1㎡当たりの価額）×（地積）	
		（ A ）　ア地　300,000 円 イ地　300,000	225 ㎡ 225	67,500,000 円 67,500,000	M

土地及び土地の上に存する権利の評価明細書（第2表）

セットバックを必要とする宅地の評価額	（自用地の評価額）円　－　(（自用地の評価額）円　×　㎡／（総地積）㎡　×　0.7)	（自用地の評価額）円	N
都市計画道路予定地の区域内にある宅地の評価額	（自用地の評価額）円　×　0. （補正率）	（自用地の評価額）円	O

大規模工場用地等の評価額	○　大規模工場用地等（正面路線価）円　×　（地積）㎡　×　（地積が20万㎡以上の場合は0.95）	円	P
	○　ゴルフ場用地等（宅地とした場合の価額）（地積）（1㎡当たりの造成費）（ 　　円　×　㎡×0.6 ）－（ 　　円×　㎡）	円	Q

区分所有財産に係る敷地利用権の評価額	敷地利用権の評価額	（自用地の評価額）円　×　（敷地利用権（敷地権）の割合）	（自用地の評価額）円	R
	居住用の区分所有財産の場合	（自用地の評価額）円　×　.（区分所有補正率）	（自用地の評価額）円	S

	利用区分	算　　　　　　　式	総　　　　額	記号
総額	貸宅地	（自用地の評価額）円　×　(1－　0.　)（借地権割合）	円	T
	貸家建付地	（自用地の評価額又はV） ア地　67,500,000 円 イ地　67,500,000 ×(1－ 0.6（借地権割合）× 0.3（借家権割合）× 450㎡／450㎡（賃貸割合）) 0.6　0.3	ア地　55,350,000 イ地　55,350,000 円	U

事例 59　数軒の貸家を建築して別々に賃貸している場合

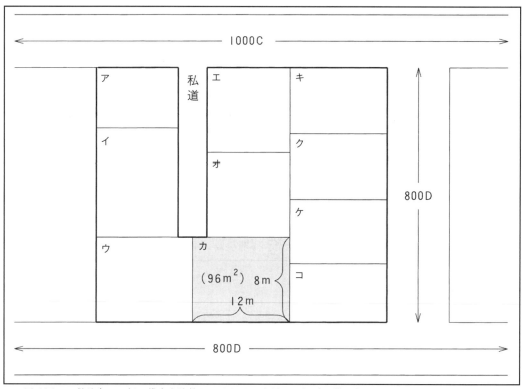

※　甲は同一の敷地内に10軒の貸家を建築し、それぞれを異なる相手に貸し付けている。
　　カ地上の建物は木造平屋建てで、床面積は60㎡である。
　　カ地の評価はどうなるか？
　　私道の特定路線価は600千円、借家権割合は30％である。

評価上の留意点

1　宅地は、利用状況の異なるごとに区分して、それぞれを１区画として評価します。
　　同一の敷地内に複数の貸家を建築し、これを異なる相手先に貸し付けている場合には、相手先の異なるごとに１区画として評価します。
　　したがって、本事例の場合は、ア〜コの10区画に分けて評価します。
2　カ地は、路線価800千円の道路と、特定路線価600千円の私道に接していますが、この場合は私道に接していることを評価には反映させません。
　　したがって、カ地は、路線価800千円の道路にのみ接する宅地となります。
3　カ地の正面路線に付されている記号がDですから、借地権割合は60％となります。

各補正率の適用は？

1　奥行価格補正率……普通住宅地区の場合、奥行８mに対する補正率は0.97です。
2　間口狭小補正率……普通住宅地区の場合、間口12mに対する補正率は1.00です。
3　奥行長大補正率……普通住宅地区の場合、奥行÷間口＝８m÷12m＝0.67に対する補正率は1.00です。

【事例　59】

土地及び土地の上に存する権利の評価明細書（第1表）

				局(所)	署	年分	ページ

（住居表示）	（　　　　）	所有者	住　所 （所在地）		使用者	住　所 （所在地）	
所在地番			氏　名 （法人名）			氏　名 （法人名）	

地　目	地　積		路　　線　　価				地形図及び参考事項
(宅地) 山林 田　雑種地 畑　（　　）	96 ㎡	正　面 800,000 円	側　方 円	側　方 円	裏　面 円		
間口距離 12 m	利用区分	自用地　私道 貸宅地　貸家建付借地権 (貸家建付地) 転貸借地権 借地権　（　　　）		地区区分	ビル街地区　(普通住宅地区) 高度商業地区　中小工場地区 繁華街地区　大工場地区 普通商業・併用住宅地区		省略
奥行距離 8 m							

1　一路線に面する宅地 　（正面路線価）　　　　　　　　　　（奥行価格補正率） 　800,000 円　×　　　　　　　0.97	（1㎡当たりの価額） 776,000 円	A

自用地の評価額	自用地1平方メートル当たりの価額 （AからLまでのうちの該当記号） （ A ）　776,000 円	地　積 96 ㎡	総　　額 （自用地1㎡当たりの価額）×（地積） 74,496,000 円	M

土地及び土地の上に存する権利の評価明細書（第2表）

セットバックを必要とする宅地の評価額	（自用地の評価額） 円 － （（自用地の評価額）円 × (該当地積)㎡/(総地積)㎡ × 0.7 ）	（自用地の評価額） 円	N
都市計画道路予定地の区域内にある宅地の評価額	（自用地の評価額）　（補正率） 円　×　0.	（自用地の評価額） 円	O

大規模工場用地等の評価額	○　大規模工場用地等 　（正面路線価）　　（地積）　　　（地積が20万㎡以上の場合は0.95） 　　円　×　　　　㎡　×	円	P
	○　ゴルフ場用地等 　（宅地とした場合の価額）（地積）　（1㎡当たりの造成費）　　　　（地積） 　（　　円　×　　㎡×0.6）－（　　円×　　㎡）	円	Q

区分所有財産に係る敷地利用権の評価額	（自用地の評価額）　　（敷地利用権（敷地権）の割合） 円　× ―――――――	（自用地の評価額） 円	R
	居住の用に供する専有部分の所有場合の区分所有財産	（自用地の評価額）　　　　（区分所有補正率） 円　×	（自用地の評価額） 円	S

	利用区分	算　　　　式	総　　額	記号
総　額	貸宅地	（自用地の評価額）　　（借地権割合） 円　×（1－ 0.　）	円	T
	貸家建付地	（自用地の評価額又はV）　（借地権割合）（借家権割合）（賃貸割合） 74,496,000 円 ×（1－ 0.6 ×0.3 × 60㎡/60㎡）	61,086,720 円	U

－239－

事例　60　土地の一部に借地権を設定させ一部を貸家の敷地に使用している場合—甲の評価

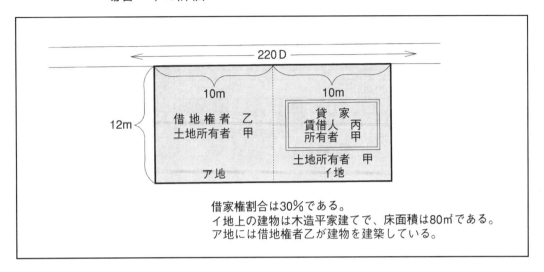

借家権割合は30%である。
イ地上の建物は木造平家建てで、床面積は80㎡である。
ア地には借地権者乙が建物を建築している。

評価上の留意点

1　宅地の評価は、1筆ごとではなく、利用単位ごとに行います。したがって、ア地は、乙が借地権を有しているため底地として評価し、イ地は丙が建物の借家権を有しているため貸家建付地として別々に評価します。

2　ア地は乙に賃貸し、借地権が設定されているので自用地価額から借地権価額を控除します。

3　イ地は貸家建付地ですから、自用地価額×（1−借地権割合×借家権割合×賃貸割合）で計算します。本事例の場合、借地権割合は60％、借家権割合は30％です。

各補正率の適用は？

1　奥行価格補正率……奥行12mで普通住宅地区の場合1.00です。

2　間口狭小補正率・奥行長大補正率……いずれも1.00です。

3　賃　貸　割　合……貸家は丙に貸し付けられていますので、賃貸割合は $\frac{80㎡}{80㎡}$（＝1.00）です。

【事例 60】

土地及び土地の上に存する権利の評価明細書（第1表）

			局(所)	署	年分	ページ

所在地番	(住居表示) (　　　　　　)	所有者	住所 (所在地)	使用者	住所 (所在地)
			氏名 (法人名)		氏名 (法人名)

地目	地積	路　　線　　価				地形図及び参考事項
(宅地) 山林 田 畑 雑種地 (　　)	240 ㎡	正面 220,000 円	側方 　円	側方 　円	裏面 　円	省略

間口距離	ア地 10m イ地 10m	利用区分	自用地 私道 (貸宅地) 貸家建付借地権 (貸家建付地) 転貸借地権 借地権 (　　)	地区区分	ビル街地区 普通住宅地区 高度商業地区 中小工場地区 繁華街地区 大工場地区 普通商業・併用住宅地区
奥行距離	12 m				

1　一路線に面する宅地		(1㎡当たりの価額) 円	A
(正面路線価) ア地 220,000 イ地 220,000 円 ×	(奥行価格補正率) 1.00 1.00	ア地 220,000 イ地 220,000	

自用地の評価額	自用地1平方メートル当たりの価額 (AからLまでのうちの該当記号)	地積	総　　　　額 (自用地1㎡当たりの価額) × (地積)	
	(A) 220,000 円	ア地 120 ㎡	26,400,000 円	M
		イ地 120 ㎡	26,400,000	

土地及び土地の上に存する権利の評価明細書（第2表）

セットバックを必要とする宅地の評価額	(自用地の評価額) 円 − (	(自用地の評価額) 円 × $\frac{㎡}{(総地積) ㎡}$ × 0.7	)	(自用地の評価額) 円	N

	利用区分	算　　　　式	総　　　額	記号
総	貸宅地	(自用地の評価額) 26,400,000 円 × (1− (借地権割合) 0.6)	10,560,000 円	T
	貸家建付地	(自用地の評価額又はV) 26,400,000 円 × (1− (借地権割合) 0.6 × (借家権割合) 0.3 × (賃貸割合) $\frac{80 ㎡}{80 ㎡}$)	21,648,000 円	U

備考	ア地　　　　イ地 10,560,000+21,648,000=32,208,000

-241-

事例 61 | 土地の一部を自己の居住用とし一部を貸家の敷地に使用している場合―甲の評価

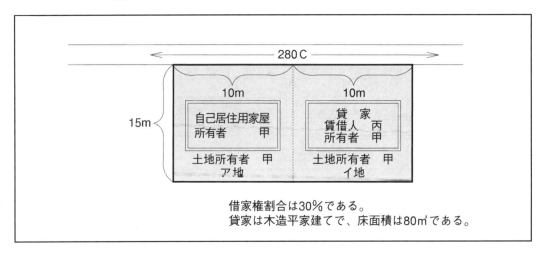

借家権割合は30％である。
貸家は木造平家建てで、床面積は80㎡である。

評価上の留意点

1 宅地の評価は、1筆ごとではなく、利用単位ごとに行います。したがって、ア地は、甲が自己の居住の用に使用しているため自用地として評価し、イ地は丙が建物の借家権を有しているため貸家建付地として別々に評価します。

2 イ地は貸家建付地ですから、自用地価額×（1－借地権割合×借家権割合×賃貸割合）で計算します。本事例の場合、借地権割合は70％、借家権割合は30％です。

各補正率の適用は？

1 奥行価格補正率……奥行15mで普通住宅地区の場合1.00です。

2 間口狭小補正率・奥行長大補正率……いずれも1.00です。

3 賃 貸 割 合……貸家は丙に貸し付けられていますので、賃貸割合は $\frac{80㎡}{80㎡}$ （＝1.00）です。

【事例　61】

土地及び土地の上に存する権利の評価明細書（第1表）

		局（所）　　署	年分	ページ

所在地番	（住居表示）（　　　　　　）	所有者	住所（所在地）		使用者	住所（所在地）	
			氏名（法人名）			氏名（法人名）	

地　目	地　積	路　　線　　価				地形図及び参考事項
⃝宅地　山林 田　　雑種地 畑　　（　　）	300 ㎡	正面 280,000 円	側方 円	側方 円	裏面 円	省　略

間口距離	ア地 10m イ地 10m	利用区分	⃝自用地　私　道 貸宅地　貸家建付借地権 ⃝貸家建付地　転貸借地権 借地権（　　　　　）	地区区分	ビル街地区　⃝普通住宅地区 高度商業地区　中小工場地区 繁華街地区　大工場地区 普通商業・併用住宅地区
奥行距離	15 m				

1　一路線に面する宅地		（1㎡当たりの価額）円	A
（正面路線価）　　　　　　　（奥行価格補正率） ア地　280,000 円　×　　　1.00 イ地　280,000 円　×　　　1.00		ア地 280,000 イ地 280,000	

自用地の評価額	評価額	自用地1平方メートル当たりの価額 （AからLまでのうちの該当記号） （A　）　　280,000 円	地　　積 ア地　150 ㎡ イ地　150 ㎡	総　　　　額 （自用地1㎡当たりの価額）×（地積） 42,000,000 円 42,000,000	M

土地及び土地の上に存する権利の評価明細書（第2表）

セットバックを必要とする宅地の評価額	（自用地の評価額） 円　−　（	（自用地の評価額）　　　　（該当地積） 円　×　㎡／（総地積）㎡　×　0.7 ）	（自用地の評価額） 円	N

総額	利用区分	算　　　　式	総　　額	記号
	貸宅地	（自用地の評価額）　　　　（借地権割合） 円　×　（1− 0.　　）	円	T
	貸家建付地	（自用地の評価額又はV）　（借地権割合）（借家権割合）（賃貸割合） 42,000,000 円　×　（1− 0.7　×0.3　×80㎡／80㎡）	33,180,000 円	U

備考	ア地　　　　イ地 42,000,000+33,180,000=75,180,000

-243-

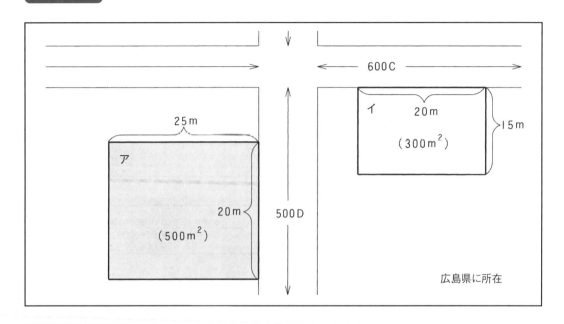

評価上の留意点

1 借地権割合を異にする地域が接続する地域にある貸宅地について、その貸宅地の正面路線価及び借地権割合を基として計算した1㎡当たりの貸宅地の価額（本事例ではア地で500千円×（1－0.6）＝200千円）が、その正面路線の接続する他の貸宅地の正面路線価及び借地権割合を基として計算した1㎡当たりの貸宅地の価額（本事例ではイ地で600千円×（1－0.7）＝180千円）を超えるという不自然な現象が生じる場合があります（正面路線価はイ地のほうが高いのに、貸宅地の1㎡当たりの価額はア地のほうが高くなる）。

2 1のような場合には、ア地の価額は、イ地の正面路線価及び借地権割合を基として計算します。したがって、ア地の正面路線価は600千円、借地権割合は70％となります。

3 ただし、この特例を適用するためには、次の条件が必要となります。
  ① ア地とイ地の正面路線の地区区分が同じであること
  ② ア地とイ地の正面路線の道路幅もほぼ同じであること
  ③ ア地とイ地の正面路線に付されている借地権割合の記号（A、B、Cなど）が連続（例えばCとD、AとBなど）していること

各補正率の適用は？

1 奥行価格補正率……普通住宅地区の場合、奥行25mに対する補正率は0.97です。
2 間口狭小補正率……普通住宅地区の場合、間口20mに対する補正率は1.00です。
3 奥行長大補正率……普通住宅地区の場合、奥行÷間口＝25m÷20m＝1.25に対する補正率は1.00です。

【事例　62】

土地及び土地の上に存する権利の評価明細書（第1表）

					局(所)　　署　　　年分　　ページ

<table>
<tr><td>所在地番</td><td>(住居表示)　(　　　　　)</td><td colspan="2">所有者　住所(所在地)
氏名(法人名)</td><td>使用者　住所(所在地)
氏名(法人名)</td></tr>
</table>

地　目	地　積	路　　　　線　　　　価	地形図及び参考事項
㊞地　山林 田　雑種地 畑　(　　)	500 ㎡	正面 600,000円　側方　円　側方　円　裏面　円	省略

間口距離	20 m	利用区分	自用地　私道 ㊞宅地　貸家建付借地権 貸家建付地　軽貸借地権 借地権　(　　)	地区区分	ビル街地区　　　　㊞普通住宅地区 高度商業地区　　　中小工場地区 繁華街地区　　　　大工場地区 普通商業・併用住宅地区
奥行距離	25 m				

	(1㎡当たりの価額) 円	
1　一路線に面する宅地 　　(正面路線価)　　　　　(奥行価格補正率) 　　600,000円　×　　0.97	582,000	A

〜〜

自用地の評価額	自用地1平方メートル当たりの価額 （AからLまでのうちの該当記号） （A）　582,000 円	地　積 500 ㎡	総　　　　　額 （自用地1㎡当たりの価額）×（地積） 291,000,000 円	M

土地及び土地の上に存する権利の評価明細書（第2表）

セットバックを必要とする宅地の評価額	(自用地の評価額) 円 －	((自用地の評価額) 円　×　(該当地積) ㎡ / (総地積) ㎡　× 0.7)	(自用地の評価額) 円	N
都市計画道路予定地の区域内にある宅地の評価額	(自用地の評価額)	(補正率) 円　×　0.	(自用地の評価額) 円	O

大規模工場用地等の評価額	○　大規模工場用地等 　(正面路線価)　　(地積)　　(地積が20万㎡以上の場合は0.95) 　　　円　×　　㎡　×		円	P
	○　ゴルフ場用地等 　(宅地とした場合の価額)(地積)　(1㎡当たりの造成費)　(地積) 　(　円　×　㎡×0.6) － (　円×　㎡)		円	Q

区分所有財産に係る敷地利用権の評価額	(自用地の評価額) 円　× ─────── (敷地利用権（敷地権）の割合)		(自用地の評価額) 円	R
	居住用の区分所有財産	(自用地の評価額)　　(区分所有補正率) 円　×　　.	(自用地の評価額) 円	S

	利用区分	算　　　　　式	総　　　額	記号
総	貸宅地	(自用地の評価額)　　　　(借地権割合) 291,000,000 円　×（1－　0.7　）	87,300,000 円	T

〜〜

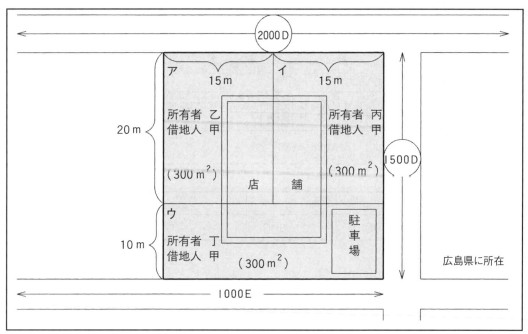

※　甲は乙、丙、丁より、それぞれの土地を借りて、店舗及びお客様用の駐車場として利用している。

評価上の留意点

1　借地権の評価は、借地権の利用単位ごとに評価します。貸主が誰であるかは考慮しません。したがって、本事例の場合、乙、丙、丁から借りている3つの宅地は、一体の土地として評価するため、この土地は三方が路線に接する宅地になります。

2　三方が路線に接している宅地の価額は、奥行価格補正率を加味した価格の最も高い路線を正面路線とし、正面路線に対し側方に位置する路線を側方路線、裏面に位置する路線を裏面路線として評価します。

3　側方路線影響加算率及び二方路線影響加算率は、正面路線の地区区分により判定します。本事例では、普通商業・併用住宅地区の角地ですから、側方路線影響加算率は0.08、二方路線影響加算率は0.05となります。

4　借地権割合も、正面路線に付されている割合を用います。本事例では、Dですから60％となります。

各補正率の適用は？

1　奥行価格補正率……普通商業・併用住宅地区で奥行30mの場合、補正率は1.00です。

2　間口狭小補正率……普通商業・併用住宅地区で間口30mの場合、補正率は1.00です。

3　奥行長大補正率……普通商業・併用住宅地区で奥行距離÷間口距離＝30m÷30m＝1の場合、補正率は1.00です。

【事例　63】

土地及び土地の上に存する権利の評価明細書（第1表）

			局(所)	署	年分	ページ

（住居表示）　（　　　　　）	所有者	住　所（所在地）		使用者	住　所（所在地）	
所在地番		氏　名（法人名）			氏　名（法人名）	

地　　　目	地　積		路　　　線　　　価				地形図及び参考事項	
(宅地) 山　林　田　畑　雑種地（　　）	900 ㎡	正　面	側　方	側　方	裏　面		**省略**	
		2,000,000 円	1,500,000 円	円	1,000,000 円			

間口距離	30 ｍ	利用区分	自用地　私道　貸宅地　貸家建付借地権　貸家建付地　転貸借地権（　　　）	地区区分	ビル街地区　普通住宅地区　高度商業地区　中小工場地区　繁華街地区　大工場地区　普通商業・併用住宅地区
奥行距離	30 ｍ		(借地権)		

自用地	1　一路線に面する宅地（正面路線価）　　　　　（奥行価格補正率） 　2,000,000 円 × 1.00	（1㎡当たりの価額）　円 2,000,000	A
	2　二路線に面する宅地（A）　　　［(側方)・裏面 路線価］　（奥行価格補正率）　［(側方) 二方 路線影響加算率］ 　2,000,000 円 ＋（1,500,000 円 × 1.00 × 0.08　）	（1㎡当たりの価額）　円 2,120,000	B
	3　三路線に面する宅地（B）　　　［側方 (裏面) 路線価］　（奥行価格補正率）　［側方 (二方) 路線影響加算率］ 　2,120,000 円 ＋（1,000,000 円 × 1.00 × 0.05　）	（1㎡当たりの価額）　円 2,170,000	C
	4　四路線に面する宅地	(1㎡当たりの価額)	

自用地の評価額	自用地1平方メートル当たりの価額（AからLまでのうちの該当記号）	地　積	総　　　　　　　　額（自用地1㎡当たりの価額）×（地　積）	
	（ C ）　2,170,000 円	900 ㎡	1,953,000,000 円	M

土地及び土地の上に存する権利の評価明細書（第2表）

セットバックを必要とする宅地の評価額	（自用地の評価額） 円 －	（自用地の評価額）　　　　（該当地積） （　　　円 × ㎡／(総地積)㎡ × 0.7　）	（自用地の評価額） 円	N

	利用区分	算　　　　　　　　式	総　　額	記号
総額	貸宅地	（自用地の評価額）　　　　　（借地権割合） 円 ×（1－ 0.　）	円	T
	貸家建付地	（自用地の評価額又はV）　（借地権割合）（借家権割合）（賃貸割合） 円 ×（1－ 0.　×0.　× ㎡／㎡　）	円	U
額	（　　）目的となっている土地の権利	（自用地の評価額）　　　　（　　割合） 円 ×（1－ 0.　）	円	V
計	借地権	（自用地の評価額）　　　　　（借地権割合） 1,953,000,000 円 × 0.6	1,171,800,000 円	W

－247－

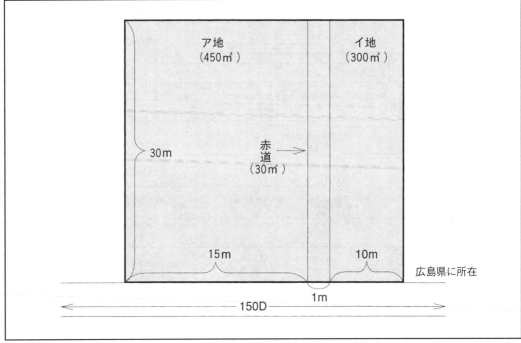

※　この土地は父親が経営する工場の敷地として戦前から利用していた。昨年父親が死亡したため、公図を確認すると、土地の一部に国有地（赤道）があることがわかった。理財局との話合いの結果、この部分を240万円で買い取ること及び過去の利用料として35万円を支払うこととなった。

評価上の留意点

1　古くから利用している土地の中には、「赤道（路）」といわれる昔の公道や、「青地」といわれる耕作不能な国有地などが含まれていることがあります。これらは、現況ではわからなくても、公図や登記簿には記載されています。

2　上図のように他の土地と一体で利用している場合には、たいてい本事例のように払下げを受けることができるようです。ア地とイ地が赤道によって物理的に分断されている場合は、ア地・イ地は別々の評価単位となりますが、本事例では、赤道は現況においては存在せず、ア地・イ地・赤道は一体で利用しているため、1つの画地として評価します。赤道部分については、一体として評価した価額から払下げ価格（240万円）を控除して評価することが合理的と考えられます。

各補正率の適用は？

1　奥行価格補正率……普通住宅地区の場合、奥行30mに対する補正率は0.95です。
2　間口狭小補正率……普通住宅地区の場合、間口26m（15m＋1m＋10m）に対する補正率は1.00です。
3　奥行長大補正率……普通住宅地区の場合、奥行÷間口＝30m÷26m＝1.15に対する補正率は1.00です。

【事例 64】

土地及び土地の上に存する権利の評価明細書（第1表）

							局(所)		署	年分	ページ

（住居表示）	（ ）	所有者	住 所（所在地）		使用者	住 所（所在地）	
所在地番			氏 名（法人名）			氏 名（法人名）	

地 目	地 積	路 線 価				地形図及び参考事項
⦅宅 地⦆ 山 林 田 畑 雑種地 （ ）	780 ㎡	正 面 150,000 円	側 方 円	側 方 円	裏 面 円	省 略

間口距離	26 m	利用区分	⦅自 用 地⦆ 私 道 貸 宅 地 貸家建付借地権 貸家建付地 転 貸 借 地 権 借 地 権 （ ）	地区区分	ビル街地区 高度商業地区 繁華街地区 普通商業・併用住宅地区	⦅普通住宅地区⦆ 中小工場地区 大工場地区
奥行距離	30 m					

1 一路線に面する宅地 （正面路線価） 150,000 円 ×	（奥行価格補正率） 0.95	（1㎡当たりの価額） 142,500 円	A

自用地の評価額	自用地1平方メートル当たりの価額 （AからLまでのうちの該当記号） （ A ） 142,500 円	地 積 780 ㎡	総 額 （自用地1㎡当たりの価額）×（地 積） 111,150,000 円	M

土地及び土地の上に存する権利の評価明細書（第2表）

セットバックを必要とする宅地の評価額	（自用地の評価額） 円 － (	（自用地の評価額） 円 × 　㎡（該当地積） ────── （総地積） 　㎡ × 0.7)	（自用地の評価額） 円	N
都市計画道路予定地の区域内にある宅地の評価額	（自用地の評価額） 円 × 0.	（補正率）	（自用地の評価額） 円	O

備考	111,150,000 － 2,400,000 ＝ 108,750,000 払下げ価格

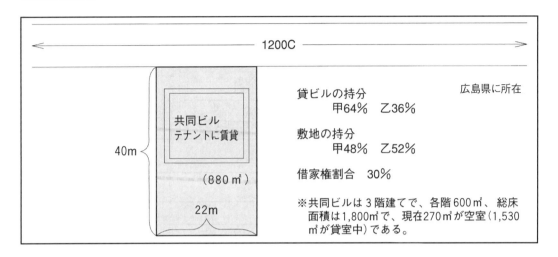

図中：
1200C

貸ビルの持分
　　甲64%　乙36%

敷地の持分
　　甲48%　乙52%

借家権割合　30%

広島県に所在

40m
共同ビル
テナントに賃貸
（880㎡）
22m

※共同ビルは3階建てで、各階600㎡、総床
　面積は1,800㎡で、現在270㎡が空室（1,530
　㎡が貸室中）である。

評価上の留意点

1　（考え方）甲の建物の持分が64％に対し、敷地は48％の持分しか所有していません。
したがって、次図のとおり48％の敷地所有部分については、建物も土地も所有している
ので、貸家建付地（A＋C）となります。これに対して土地を所有していない16％部分
については、貸家建付借地権（B）になります。

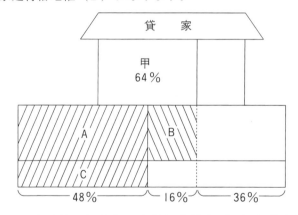

貸　家

甲
64％

A　　B

C
48%　　16%　　36%

2　（計算方法）上記1を計算の便宜上、底地相当部分（C）と貸家建付借地権相当部分
（A＋B）に横割りの形に分けて計算していきます。

①　底地相当部分は敷地の持分甲48％、乙52％の割合に応じて按分します。

②　貸家建付借地権相当部分は、貸ビルの持分甲64％、乙36％の割合に応じて按分しま
す。

各補正率の適用は？

1　奥行価格補正率……奥行40mで普通住宅地区の場合、0.91です。

2　間口狭小補正率……間口22mで普通住宅地区の場合、1.00です。

3　奥行長大補正率……奥行÷間口＝1.81で普通住宅の場合、1.00です。

4　賃　貸　割　合……$\dfrac{1,530㎡}{1,800㎡}$（＝0.85）です。

【事例　65】

土地及び土地の上に存する権利の評価明細書（第1表）

		局(所)　　署　　　年分　　ページ

（住居表示）　（　　　　　　　　）	所有者	住　所（所在地）		使用者	住　所（所在地）	
所在地番		氏　名（法人名）			氏　名（法人名）	

地　目	地　積	路　　　線　　　価				地形図及び参考事項
㋐宅地 山林 田 畑 雑種地（　）	880 ㎡	正　面 1,200,000 円	側　方 円	側　方 円	裏　面 円	省略

間口距離	22 m	利用区分	自用地 私　道 ㋑貸宅地 ⊗貸家建付借地権 ㋒貸家建付地 転 貸 借 地 権 借 地 権 （　　　　）	地区区分	ビル街地区　㋵普通住宅地区 高度商業地区　中小工場地区 繁華街地区　大工場地区 普通商業・併用住宅地区
奥行距離	40 m				

1　一路線に面する宅地					（1㎡当たりの価額）円	A
（正面路線価） 1,200,000 円　×		（奥行価格補正率） 0.91			1,092,000	

自用地の評価額	自用地1平方メートル当たりの価額（AからLまでのうちの該当記号）	地　積	総　　　　　額（自用地1㎡当たりの価額）×（地　積）	M
評価額	（ A ） 1,092,000 円	880 × 0.48 ㎡ 0.64	461,260,800 円 615,014,400	

土地及び土地の上に存する権利の評価明細書（第2表）

セットバックを必要とする宅地の評価額	（自用地の評価額） 円　－（	（自用地の評価額） 円　×	（該当地積） ㎡／（総地積）㎡　× 0.7 ）	（自用地の評価額） 円	N

	利用区分	算　　　　式	総　　　額	記号
総額計算	貸宅地	（自用地の評価額） 461,260,800 円　×（1－ 0.7 ）（借地権割合）	138,378,240 円	T
	貸家建付地	（自用地の評価額又はV） 円　×（1－ 0. ×0. ×㎡／㎡ ）（借地権割合）（借家権割合）（賃貸割合）	円	U
	㋠目的となっている権利	（自用地の評価額） 円　×（1－ 0. ）（　割合）	円	V
	借地権	（自用地の評価額） 615,014,400 円　× 0.7 （借地権割合）	430,510,080 円	W
	貸家建付借地権	（W、ADのうちの該当記号）（W） 430,510,080 円　×（1－ 0.3 × 1,530㎡／1,800㎡ ）（借家権割合）（賃貸割合）	320,730,009 円	X

備考	138,378,240　＋　320,730,009　＝　459,108,249 （底地相当部分）（貸家建付借地権相当部分）

事例 66　マンション用地の評価（令和5年12月に相続開始）

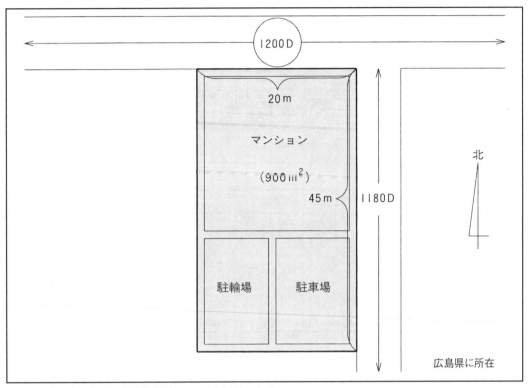

※　1戸当たりの敷地の共有持分割合は247／10,000である。

評価上の留意点

1　マンションの敷地の用に供されている宅地の価額は、その中にマンションの住民用の駐車場や駐輪場（雑種他）があっても、区分するのではなく、その敷地全体を評価し、その価額にその所有者の共有持分の割合を乗じた金額で評価します。

　　共有持分の割合は、登記簿に記載されています。

2　複数の路線に接している宅地の場合、それぞれの路線価に各路線の地区ごとに適用される奥行価格補正を行った後の金額が最も高い路線が正面路線となります。

　　本事例の場合、北側道路1,200千円×0.91＝1,092千円＜東側道路1,180千円×1.00＝1,180千円となりますので、東側道路が正面路線となります。

3　側方路線影響加算率は、正面路線の地区区分が普通住宅地区で、角地なので0.03となります。

4　令和5年12月8日に302号室の所有者が亡くなり、相続が開始しましたので、従来の評価方法を適用します。

各補正率の適用は？

1　奥行価格補正率……普通住宅地区の場合、奥行20m、45mに対する補正率は、それぞれ1.00、0.90となります。

2　間口狭小補正率……普通住宅地区の場合、間口45mに対する補正率は1.00です。

3　奥行長大補正率……普通住宅地区の場合、奥行÷間口＝20m÷45m＝0.44に対する補正率は1.00となります。

【事例　66】

土地及び土地の上に存する権利の評価明細書（第1表）

			局(所)	署	年分	ページ

（住居表示）	（　　　　　　　）	所有者	住　所（所在地）		使用者	住　　所（所在地）	
所 在 地 番			氏　名（法人名）			氏　名（法人名）	

地　　目	地　積	路　　　　線　　　　価				地形図及び参考事項
⑰ 地 山 林 田 畑 雑種地 （　　）	900 ㎡	正面 1,180,000円	側方 1,200,000円	側方 円	裏面 円	**省略**

間口距離	45 m	利用区分	（自用地） 私　道 貸宅地 貸家建付借地権 貸家建付地 転貸借地権 借地権 （　　　）	地区区分	ビル街地区　　（普通住宅地区） 高度商業地区　中小工場地区 繁華街地区　　大工場地区 普通商業・併用住宅地区
奥行距離	20 m				

				（1㎡当たりの価額）円	
自 用 地 1 平 方 メ ー ト ル 当 た り の 価 額	1　一路線に面する宅地 　　（正面路線価）　　　　　　　　　　　（奥行価格補正率） 　　**1,180,000円** × 　　　　　**1.00**			1,180,000	A
	2　二路線に面する宅地 　　　（A）　　　　　　（側方・裏面 路線価）（奥行価格補正率）　　（側方・二方 路線影響加算率） 　　**1,180,000円** + （**1,200,000円** × **0.90** × **0.03** 　）			1,212,400	B
	3　三路線に面する宅地 　　　（B）　　　　　　　［側方・裏面 路線価］（奥行価格補正率）　　［側方・二方 路線影響加算率］ 　　　　円 + （　　　　円 × ．　　 × 0. 　　）				C
	4　四路線に面する宅地 　　　（C）　　　　　　　［側方・裏面 路線価］（奥行価格補正率）　　［側方・二方 路線影響加算率］ 　　　　円 + （　　　　円 × ．　　 × 0. 　　）				D
	5-1　間口が狭小な宅地等 　　　（AからDまでのうち該当するもの）　（間口狭小補正率）（奥行長大補正率） 　　　　円 × （ ．　　 × ．　　 ）				E
	5-2　不 整 形 地 　　　（AからDまでのうち該当するもの）　　不整形地補正率※ 　　　　円 × 　　0. 　　※不整形地補正率の計算 　　（想定整形地の間口距離）（想定整形地の奥行距離）（想定整形地の地積） 　　　　　m × 　　　m = 　　　㎡ 　（想定整形地の地積）（不整形地の地積）（想定整形地の地積）（かげ地割合） 　　（　　㎡ － 　　㎡） ÷ 　　㎡ = 　　% 　（不整形地補正率表の補正率）（間口狭小補正率）（小数点以下2位未満切捨て） 　　0.　　 × 　　 = 0.　　①　〔不整形地補正率（①、②のいずれか低い率、0.6を下限とする。）〕 　（奥行長大補正率）（間口狭小補正率） 　　．　　 × 　　 = 0.　　②			0.	F
	6　地積規模の大きな宅地 　　　（AからFまでのうち該当するもの）　　規模格差補正率※ 　　　　円 × 　　0. 　　※規模格差補正率の計算 　　（地積（Ⓐ））　　（Ⓑ）　　（Ⓒ）　　（地積（Ⓐ））　　（小数点以下2位未満切捨て） 　　｛（　㎡× 　 + 　 ）÷ 　㎡ × 0.8 = 0.				G
	7　無　道　路　地 　　　（F又はGのうち該当するもの）　　　　　　（※） 　　　　円 × （ 1 － 0.　　 ） 　　※割合の計算（0.4を上限とする。） 　（正面路線価）　（通路部分の地積）（F又はGのうち該当するもの）（評価対象地の地積） 　（　　円 × 　　㎡） ÷ （　　円 × 　　㎡） = 0.				H
	8-1　がけ地等を有する宅地　〔 南 、 東 、 西 、 北 〕 　　　（AからHまでのうち該当するもの）　（がけ地補正率） 　　　　円 × 0.				I
	8-2　土砂災害特別警戒区域内にある宅地 　　　（AからHまでのうち該当するもの）　特別警戒区域補正率※ 　　　　円 × 　　0. 　　※がけ地補正率の適用がある場合の特別警戒区域補正率の計算（0.5を下限とする。） 　　〔 南 、 東 、 西 、 北 〕 　（特別警戒区域補正率表の補正率）（がけ地補正率）（小数点以下2位未満切捨て） 　　0.　　 × 0.　　 = 0.				J
	9　容積率の異なる2以上の地域にわたる宅地 　　　（AからJまでのうち該当するもの）　（控除割合（小数点以下3位未満四捨五入）） 　　　　円 × （ 1 － 0.　　 ）				K
	10　私　　　道 　　　（AからKまでのうち該当するもの） 　　　　円 × 0.3				L

自用地の評価額	自用地1平方メートル当たりの価額 （AからLまでのうちの該当記号）	地　積	総　　　　　　　額 （自用地1㎡当たりの価額）×（地積）	
	（ B ）　　1,212,400 円	900 × $\frac{247}{10,000}$ ㎡	26,951,652 円	M

－253－

　マンション用地の評価（令和6年に相続開始）

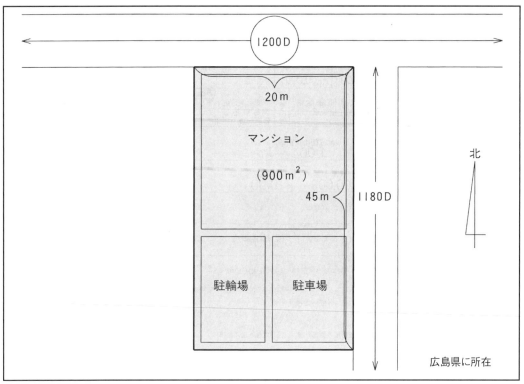

※　1戸当たりの敷地の共有持分割合は247／10,000である。

評価上の留意点

1、2、3は【事例66】と同じです。

4　このマンションは分譲マンションであり、区分建物の登記がされているため、新しい
　　マンション評価通達が適用されます。

　　　　このマンションの情報は以下のとおりです。

　　　建物年月日　　平成26年4月10日

　　　評価日（相続開始の日）　　令和6年6月2日（築年数は11年となります）

　　　総階数　　地上6階　地下1階

　　　所在階　　　3階（302号室）

　　　専有部分の面積　　82m²

　　　評価日時点で賃貸中です。

各補正率の適用は？

【事例66】と同じです。

【事例　67】

土地及び土地の上に存する権利の評価明細書（第1表）

		局(所)	署	年分	ページ

（住居表示）	（　　　）	所有者	住 所（所在地）		使用者	住 所（所在地）	
所在地番			氏 名（法人名）			氏 名（法人名）	

地　　目	地　積	路　　　線　　　価				地形図及び参考事項
⑩宅地　山林 田　　雑種地 畑　　（　　）	900 ㎡	正面 1,180,000円	側方 1,200,000円	側方 円	裏面 円	省略

間口距離	45 m	利用区分	⑩自用地　私 道 貸宅地　貸家建付借地権 貸家建付地　転貸借地権 借地権　（　　　　　）	地区区分	ビル街地区　⑩普通住宅地区 高度商業地区　中小工場地区 繁華街地区　大工場地区 普通商業・併用住宅地区
奥行距離	20 m				

							（1㎡当たりの価額）	
自	1 一路線に面する宅地 （正面路線価） 1,180,000円 ×		（奥行価格補正率） 1.00				1,180,000 円	A
	2 二路線に面する宅地 （A） 1,180,000円 ＋	（側方・裏面 路線価） （1,200,000円 ×	奥行価格補正率） 0.90	×	（側方・二方 路線影響加算率） 0.03		（1㎡当たりの価額） 1,212,400 円	B

円 × 0.3

自用地の評価額	自用地1平方メートル当たりの価額 （AからLまでのうちの該当記号） （ B ） 1,212,400 円	地 積 900 × 247/10,000 ㎡	総 　　　　　　　　額 （自用地1㎡当たりの価額）×（地 積） 26,951,652 円	M

土地及び土地の上に存する権利の評価明細書（第2表）

セットバックを必要とする宅地の評価額	（自用地の評価額） 円 －	(（自用地の評価額） 円 × （該当地積） ㎡ / （総地積） ㎡ × 0.7)	（自用地の評価額） 円	N

区分所有財産に係る敷地利用権の評価額	敷地利用権（敷地権）の評価額	（自用地の評価額） 円 ×	（敷地利用権（敷地権）の割合） ――――――――	（自用地の評価額） 円	R
	居住用の区分所有財産の場合	（自用地の評価額） 26,951,652 円 ×	（区分所有補正率） 1.5768＊	（自用地の評価額） 42,497,364 円	S

総 額	利用区分	算　　　　　　　式	総 　　　額	記号
	貸宅地	（自用地の評価額） 円 × (1－ 0.　　) （借地権割合）	円	T
	貸家建付地	（自用地の評価額又はV） 42,497,364 円 × (1－ 0.6 （借地権割合） ×0.3 （借家権割合） × ㎡/㎡ （賃貸割合）)	34,847,838 円	U

＊ 次ページの⑫の数値

居住用の区分所有財産の評価に係る区分所有補正率の計算明細書

（住居表示） 所 在 地 番	（ 広島市中区…	）
家 屋 番 号		

区分所有補正率の計算	A	① 築年数（注1） 11 年			①×△0.033 △ 0.363
	B	② 総階数（注2） 6 階	③ 総階数指数（②÷33） <small>小数点以下第4位切捨て、1を超える場合は1</small> 0.181		③×0.239 <small>（小数点以下第4位切捨て）</small> 0.043
	C	④ 所在階（注3） 3 階			④×0.018 0.054
	D	⑤ 専有部分の面積 82 ㎡	⑥ 敷地の面積 900 ㎡	⑦ 敷地権の割合（共有持分の割合） 247 10,000	
		⑧ 敷地利用権の面積（⑥×⑦） （小数点以下第3位切上げ） 22.23 ㎡	⑨ 敷地持分狭小度（⑧÷⑤） （小数点以下第4位切上げ） 0.272		⑨×△1.195 <small>（小数点以下第4位切上げ）</small> △ 0.326
	⑩ 評価乖離率（A＋B＋C＋D＋3.220）				2.628
	⑪ 評価水準（1÷⑩）				0.38
	⑫ 区分所有補正率（注4・5）				1.5768
備考					

(注1) 「① 築年数」は、建築の時から課税時期までの期間とし、1年未満の端数があるときは1年として計算します。

(注2) 「② 総階数」に、地階（地下階）は含みません。

(注3) 「④ 所在階」について、一室の区分所有権等に係る専有部分が複数階にまたがる場合は階数が低い方の階とし、一室の区分所有権等に係る専有部分が地階（地下階）である場合は0とします。

(注4) 「⑫ 区分所有補正率」は、次の区分に応じたものになります（補正なしの場合は、「⑫ 区分所有補正率」欄に「補正なし」と記載します。）。

区　　　　　　分	区 分 所 有 補 正 率※
評 価 水 準 ＜ 0.6	⑩ × 0.6
0.6 ≦ 評 価 水 準 ≦ 1	補正なし
1 ＜ 評 価 水 準	⑩

※ 区分所有者が一棟の区分所有建物に存する全ての専有部分及び一棟の区分所有建物の敷地のいずれも単独で所有（以下「全戸所有」といいます。）している場合には、敷地利用権に係る区分所有補正率は1を下限とします。この場合、「備考」欄に「敷地利用権に係る区分所有補正率は1」と記載します。
ただし、全戸所有している場合であっても、区分所有権に係る区分所有補正率には下限はありません。

(注5) 評価乖離率が0又は負数の場合は、区分所有権及び敷地利用権の価額を評価しないこととしていますので、「⑫ 区分所有補正率」欄に「評価しない」と記載します（全戸所有している場合には、評価乖離率が0又は負数の場合であっても、敷地利用権に係る区分所有補正率は1となります。）。

（資4−25−4−A4統一）

■タワマン訴訟

　令和4年4月19日に最高裁判所で、いわゆる「タワマン（タワーマンション）節税裁判」と呼ばれる訴訟において納税者側が敗訴しました。

　この判決では、相続財産の大原則であり、この本でも評価の際に則っている「財産評価基本通達」による評価が否定されました。

　その理由は、財産評価基本通達の第1章「総則」内、第6項に「この通達を定めによって評価することが著しく不適当と認められる財産の価額は、国税庁長官の指示を受けて評価する」という規定があり、今回の事案は下記の点により財産評価基本通達による評価を認めることで課税の公平が著しく害されるとして、この規定により否認されました。

　①　マンション購入時に資産を借り入れた銀行の稟議書に、貸付理由として相続対策と記載されていたこと
　②　マンション購入時に、購入者が90歳とかなり高齢であったこと
　③　タワマン購入、借入により、相続税が0になったこと（2億円以上の節税）
　④　相続人が相続開始後、わずか9か月ほどで売却していること

　この判決によって全てのタワマンの財産評価基本通達による評価が否認されたわけではありませんが、相続税の節税を目的とした銀行借入によって不動産（タワマンに限りません）を購入した場合等には、今回の最高裁判決と同じように判断されることも想定されます。

■マンション評価の見直し

　最近の地価の上昇に伴い、マンション（特に高層マンションの高層階）の相続税評価額と市場価格の乖離の割合が、一戸建ての場合と比べて著しく大きくなっていることや、上記のタワマン訴訟の結果を受けて、タワマンに限らず通常の分譲マンションについて、令和6年1月1日以後の相続、遺贈又は贈与の場合に適用される通達が発遣されました。

　区分所有補正率の計算明細書はひと言では説明できないくらい複雑な計算式となっていますが、今後数年に1度の改正が何度か行われることとなりそうです。

　新しいマンション評価通達によっても、売買時価よりは低い評価となりますので、いわゆるタワマン訴訟と同様の事案の場合、新しいマンション評価通達による評価も認められない可能性があります。

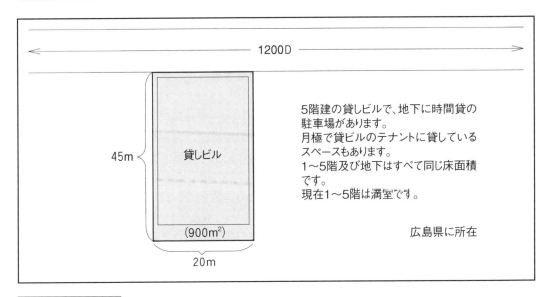

5階建の貸しビルで、地下に時間貸の駐車場があります。
月極で貸ビルのテナントに貸しているスペースもあります。
1～5階及び地下はすべて同じ床面積です。
現在1～5階は満室です。

広島県に所在

評価上の留意点

1　貸ビルの地下に駐車場があり、その一部は貸ビルのテナントに月極で貸しているとしても、駐車場は主に時間貸で、貸ビルのテナントと関係ない人も利用できるものである場合は、貸ビルのテナントが有する賃貸借の権利は、地下の駐車場には及びません。

2　本事例の場合、全体の敷地のうち、貸ビルのテナントに対応する部分（$900㎡ \times \dfrac{5\,F}{6\,F} = 750㎡$）と、駐車場に対応する部分（$900㎡ \times \dfrac{1\,F}{6\,F} = 150㎡$）に分けて評価します。貸ビルのテナントに対応する部分は貸家建付地として、駐車場に対応する部分は自用地として評価します。

各補正率の適用は？

1　奥行価格補正率……普通住宅地区の場合、奥行45mに対する補正率は0.90です。

2　間口狭小補正率……普通住宅地区の場合、間口20mに対する補正率は1.00です。

3　奥行長大補正率……普通住宅地区の場合、奥行÷間口＝45m÷20m＝2.25に対する補正率は0.98です。

【事例　68】

土地及び土地の上に存する権利の評価明細書（第1表）

局(所)	署	年分	ページ

（住居表示）	（　　　　　）	所有者	住　所（所在地）		使用者	住　所（所在地）	
所在地番			氏　名（法人名）			氏　名（法人名）	

地　目	地　積	路　　　線　　　価				地形図及び参考事項
(宅地) 山林 田　雑種地 畑（　　）	900 ㎡	正　面 1,200,000 円	側　方 円	側　方 円	裏　面 円	省　略

間口距離	20 m	利用区分	(自用地) 私　道		地区区分	ビル街地区　普通住宅地区
			(貸宅地) 貸家建付借地権			高度商業地区　中小工場地区
奥行距離	45 m		(貸家建付地) 転貸借地権			繁華街地区　大工場地区
			借地権（　　　　）			普通商業・併用住宅地区

			（1㎡当たりの価額）円	
自用地 1	1　一路線に面する宅地　（正面路線価） 1,200,000 円 × （奥行価格補正率） 0.90		1,080,000	A
	2　二路線に面する宅地　（A）円＋（ ［側方・裏面 路線価］ 円 × ［奥行価格補正率］ ． × ［側方・二方 路線影響加算率］ 0. ）		（1㎡当たりの価額）円	B
	3　三路線に面する宅地　（B）円＋（ ［側方・裏面 路線価］ 円 × ［奥行価格補正率］ ． × ［側方・二方 路線影響加算率］ 0. ）		（1㎡当たりの価額）円	C
	4　四路線に面する宅地　（C）円＋（ ［側方・裏面 路線価］ 円 × ［奥行価格補正率］ ． × ［側方・二方 路線影響加算率］ 0. ）		（1㎡当たりの価額）円	D
	5-1　間口が狭小な宅地等 （AからDまでのうち該当するもの） 1,080,000 円 × （間口狭小補正率） （1.00 × （奥行長大補正率） 0.98 ）		（1㎡当たりの価額）円 1,058,400	E
	円 × 0.3			

自用地の評価額	自用地1平方メートル当たりの価額 （AからLまでのうちの該当記号）	地　積	総　額 （自用地1㎡当たりの価額）×（地　積）	
	（ E ） 1,058,400 円	(駐車場) 150 ㎡ (貸ビル) 750	158,760,000 円 793,800,000	M

土地及び土地の上に存する権利の評価明細書（第2表）

セットバックを必要とする宅地の評価額	（自用地の評価額） 円 － （ （自用地の評価額） 円 × （該当地積） ㎡／（総地積） ㎡ × 0.7 ）	（自用地の評価額） 円	N

貸家建付地	（自用地の評価額又はV） 793,800,000 円 ×（1－ （借地権割合） 0.6 × （借家権割合） 0.3 ×（賃貸割合） 750㎡／750㎡ ）	(貸ビル) 円 650,916,000	U

（平成三十一年一月一日分以降用）
（令和六

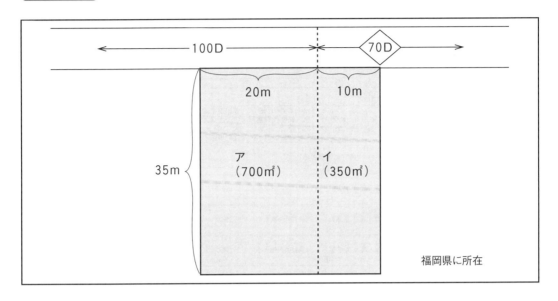

福岡県に所在

評価上の留意点

1　正面路線が2つの地区にわたる場合には、その宅地の過半の属する地区をもって、その宅地の全部が所在する地区とみなします。

　　本事例の場合、普通住宅地区に属する部分の地積（700㎡）が、中小工場地区に属する部分の地積（350㎡）を合わせた地積（1,050㎡）の過半を占めているため、全部を普通住宅地区に属する宅地とみなします。

2　評価地は福岡県（三大都市圏以外）の普通住宅地区にあり、地積が1,050㎡と、1,000㎡を超えるため地積規模の大きな宅地として評価します。

3　正面路線価は$\dfrac{100千円 \times 20m + 70千円 \times 10m}{30m}$＝90千円となります。

各補正率の適用は？

1　奥行価格補正率……普通住宅地区の場合、奥行35mに対する補正率は0.93となります。

2　間口狭小補正率……普通住宅地区の場合、間口30mに対する補正率は1.00です。

3　奥行長大補正率……奥行距離÷間口距離＝35m÷30m＝1.17で、普通住宅地区の場合1.00です。

4　規模格差補正率……福岡県にあり、地積が1,050㎡ですから、Ⓑは0.90、Ⓒは100となります。

【事例　69】

土地及び土地の上に存する権利の評価明細書（第1表）

			局(所)　　署	年分	ページ

(住居表示)	( )	所有者	住　所 (所在地)		使用者	住　所 (所在地)	
所在地番			氏　名 (法人名)			氏　名 (法人名)	

地　目	地　積	路　　　線　　　価				地形図及び参考事項
(宅地)　山林 田　畑 雑種地 ( )	1,050 ㎡	正面 90,000 円	側方 円	側方 円	裏面 円	省略

間口距離	30 m	利用区分	(自用地)　私　道 貸宅地　貸家建付借地権 貸家建付地　転貸借地権 借地権　( )	地区区分	ビル街地区　(普通住宅地区) 高度商業地区　中小工場地区 繁華街地区　大工場地区 普通商業・併用住宅地区	
奥行距離	35 m					

			(1㎡当たりの価額) 円	
自用地1平方メートル当たりの価額	1　一路線に面する宅地 　(正面路線価)　　　　　　　　(奥行価格補正率) 　　90,000 円 × 　　　　0.93		83,700	A
	2　二路線に面する宅地 　(A)　　　　　[側方・裏面 路線価]　(奥行価格補正率)　[側方・二方 路線影響加算率] 　　　円 ＋ (　　円 × 　. 　　　× 0. 　)		(1㎡当たりの価額) 円	B
	3　三路線に面する宅地 　(B)　　　　　[側方・裏面 路線価]　(奥行価格補正率)　[側方・二方 路線影響加算率] 　　　円 ＋ (　　円 × 　. 　　　× 0. 　)		(1㎡当たりの価額) 円	C
	4　四路線に面する宅地 　(C)　　　　　[側方・裏面 路線価]　(奥行価格補正率)　[側方・二方 路線影響加算率] 　　　円 ＋ (　　円 × 　. 　　　× 0. 　)		(1㎡当たりの価額) 円	D
	5-1　間口が狭小な宅地等 　(AからDまでのうち該当するもの)　(間口狭小補正率)　(奥行長大補正率) 　　　円 × (　. 　　× 　. 　)		(1㎡当たりの価額) 円	E
	5-2　不　整　形　地 　(AからDまでのうち該当するもの)　　不整形地補正率※ 　　　円 × 　　　0. ※不整形地補正率の計算 　(想定整形地の間口距離)　(想定整形地の奥行距離)　(想定整形地の地積) 　　　m × 　　m = 　　㎡ 　(想定整形地の地積)　(不整形地の地積)　(想定整形地の地積)　　　(かげ地割合) 　(　㎡ － 　㎡) ÷ 　㎡ = 　　% 　(不整形地補正率表の補正率)(間口狭小補正率)　(小数点以下2位未満切捨て) 　　0. 　　× 　. 　　= 0. 　① 　(奥行長大補正率)　(間口狭小補正率) 　　. 　　× 　. 　　= 0. 　② 　[不整形地補正率（①、②のいずれか低い率、0.6を下限とする。）] 0.		(1㎡当たりの価額) 円	F
	6　地積規模の大きな宅地 　(AからFまでのうち該当するもの)　規模格差補正率※ 　　83,700 円 × 　　0.79 ※規模格差補正率の計算 　(地積 (A))　(B)　(C)　(地積 (A))　(小数点以下2位未満切捨て) 　{(1,050㎡ × 0.90 ＋ 100) ÷ 1,050㎡} × 0.8 ＝ 0.79		66,123	G
	7　無　道　路　地 　(F又はGのうち該当するもの)　　　　　(※) 　　　円 × (1 － 0. 　) ※割合の計算（0.4を上限とする。） 　(正面路線価)　(通路部分の地積)　(F又はGのうち該当するもの)　(評価対象地の地積) 　(　円 × 　㎡) ÷ (　円 × 　㎡) = 0.		(1㎡当たりの価額) 円	H
	8-1　がけ地等を有する宅地　〔 南 、 東 、 西 、 北 〕 　(AからHまでのうち該当するもの)　(がけ地補正率) 　　　円 × 　0.		(1㎡当たりの価額) 円	I
	8-2　土砂災害特別警戒区域内にある宅地 　(AからHまでのうち該当するもの)　特別警戒区域補正率※ 　　　円 × 　0. ※がけ地補正率の適用がある場合の特別警戒区域補正率の計算（0.5を下限とする。） 　(特別警戒区域補正率表の補正率)(がけ地補正率)　(小数点以下2位未満切捨て)　〔 南 、 東 、 西 、 北 〕 　　0. 　　× 0. 　　= 0.		(1㎡当たりの価額) 円	J
	9　容積率の異なる2以上の地域にわたる宅地 　(AからJまでのうち該当するもの)　(控除割合（小数点以下3位未満四捨五入)) 　　　円 × (1 － 0. 　)		(1㎡当たりの価額) 円	K
	10　私　　　　道 　(AからKまでのうち該当するもの) 　　　円 × 0.3		(1㎡当たりの価額) 円	L

自用地の評価額	自用地1平方メートル当たりの価額 (AからLまでのうちの該当記号) (G)　　66,123 円	地　積 1,050 ㎡	総　　　　　　　額 (自用地1㎡当たりの価額) × (地　積) 69,429,150 円	M

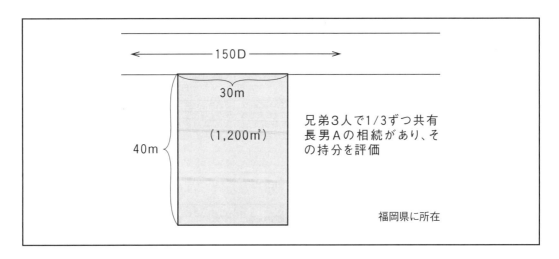

評価上の留意点

　複数の者に共有されている宅地が、地積規模の大きな宅地に該当するかどうかは、共有者の持分に按分する前の全体の地積により判定します。

　評価地は全体で1,200㎡と、1,000㎡以上ですから、地積規模の大きな宅地として評価します。

各補正率の適用は？

1　奥行価格補正率……普通住宅地区の場合、奥行40㎡に対する補正率は0.91となります。

2　間口狭小補正率……普通住宅地区の場合、間口30mに対する補正率は1.00です。

3　奥行長大補正率……奥行距離÷間口距離＝40m÷30m＝1.33で、普通住宅地区の場合1.00です。

4　規模格差補正率……福岡県（三大都市圏以外）にあり、地積が1,200㎡ですから、Ⓑは0.90、Ⓒは100となります。

【事例　70】

土地及び土地の上に存する権利の評価明細書（第1表）

	局(所)	署	年分	ページ

（住居表示）（　　　　　）	所有者	住 所 (所在地)		使用者	住 所 (所在地)	
所在地番		氏 名 (法人名)			氏 名 (法人名)	

地　目	地　積	路　　　線　　　価				地形図及び参考事項
⑲宅地　山林 田　雑種地 畑　（　　）	(1,200)㎡ 400	正　面　150,000 円	側　方　円	側　方　円	裏　面　円	省略

間口距離 30 m	利用区分	⑲自用地　私　道 貸宅地　貸家建付借地権 貸家建付地　転貸借地権 借地権　（　　　）	地区区分	ビル街地区　⑲普通住宅地区 高度商業地区　中小工場地区 繁華街地区　大工場地区 普通商業・併用住宅地区	
奥行距離 40 m					

			（1㎡当たりの価額）円	
自用地1平方メートル当たりの価額	**1** 一路線に面する宅地　（正面路線価）　（奥行価格補正率） 150,000 円 × 0.91		136,500	A
	2 二路線に面する宅地（A）　[側方・裏面 路線価]（奥行価格補正率）[側方・二方 路線影響加算率] 円 ＋ （　　円 × 0.　× 0.　）			B
	3 三路線に面する宅地（B）　[側方・裏面 路線価]（奥行価格補正率）[側方・二方 路線影響加算率] 円 ＋ （　　円 × 0.　× 0.　）			C
	4 四路線に面する宅地（C）　[側方・裏面 路線価]（奥行価格補正率）[側方・二方 路線影響加算率] 円 ＋ （　　円 × 0.　× 0.　）			D
	5-1 間口が狭小な宅地等（AからDまでのうち該当するもの）（間口狭小補正率）（奥行長大補正率） 円 × （　.　× 　.　）			E
	5-2 不整形地（AからDまでのうち該当するもの）　不整形地補正率※ 円 × 0. ※不整形地補正率の計算 （想定整形地の間口距離）（想定整形地の奥行距離）（想定整形地の地積） 　m × 　m = 　㎡ （想定整形地の地積）（不整形地の地積）（想定整形地の地積）（かげ地割合） （　㎡ － 　㎡）÷ 　㎡ = 　％ （不整形地補正率表の補正率）（間口狭小補正率）（小数点以下2位未満切捨て） 0. × 　 = 0. ①［不整形地補正率 ①、②のいずれか低い 率、0.6を下限とする。］ （奥行長大補正率）（間口狭小補正率） 　× 　 = 0. ②			F
	6 地積規模の大きな宅地（AからFまでのうち該当するもの）　規模格差補正率※ 136,500 円 × 0.78 ※規模格差補正率の計算 （地積Ⓐ）（Ⓑ）（Ⓒ）（地積Ⓐ）（小数点以下2位未満切捨て） {（1,200㎡× 0.90＋ 100）÷ 1,200㎡}× 0.8 ＝ 0.78		106,470	G
	7 無　道　路　地（F又はGのうち該当するもの）（※） 円 × （ 1 － 0.　） ※割合の計算（0.4を上限とする。）（F又はGのうち該当するもの） （正面路線価）（通路部分の地積）（評価対象地の地積） （　円 × 　㎡）÷（　円 × 　㎡）= 0.			H
	8-1 がけ地等を有する宅地　［ 南 、 東 、 西 、 北 ］（AからHまでのうち該当するもの）（がけ地補正率） 円 × 0.			I
	8-2 土砂災害特別警戒区域内にある宅地（AからHまでのうち該当するもの）　特別警戒区域補正率※ 円 × 0. ※がけ地補正率の適用がある場合の特別警戒区域補正率の計算（0.5を下限とする。） ［ 南 、 東 、 西 、 北 ］ （特別警戒区域補正率表の補正率）（がけ地補正率）（小数点以下2位未満切捨て） 0. × 0. = 0.			J
	9 容積率の異なる2以上の地域にわたる宅地（AからJまでのうち該当するもの）（控除割合（小数点以下3位未満四捨五入）） 円 × （ 1 － 0.　）			K
	10 私　道（AからKまでのうち該当するもの） 円 × 0.3			L

自用地の評価額	自用地1平方メートル当たりの価額（AからLまでのうちの該当記号） （ G ）　106,470 円	地　積 400 ㎡	総　　　額 （自用地1㎡当たりの価額）×（地積） 42,588,000 円	M

事例　71　　使用貸借により貸し付けた宅地に貸ビルが建築されている場合

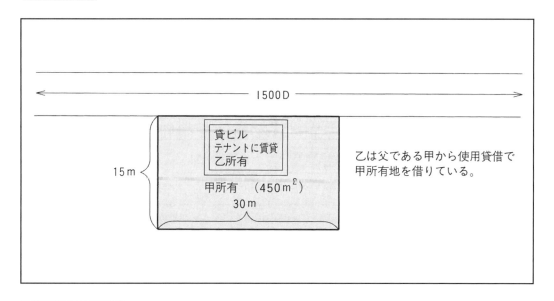

1500D

15m

貸ビル
テナントに賃貸
乙所有

甲所有　　（450m²）
30m

乙は父である甲から使用貸借で
甲所有地を借りている。

評価上の留意点

　乙は甲から使用貸借により敷地を借り、その上に貸ビルを建築し、第三者に貸付けを行っていますが、甲乙間の貸借は、使用貸借であるため、たとえ乙が甲所有地を貸家用地として利用していてもその使用権の価額は零となり、自用地として100％評価します。

各補正率の適用は？

1　奥行価格補正率……奥行15mで普通住宅地区の場合、1.00です。
2　間口狭小補正率……間口30mで普通住宅地区の場合、1.00です。
3　奥行長大補正率……奥行÷間口＝0.5で普通住宅地区の場合、1.00です。

【事例 71】

土地及び土地の上に存する権利の評価明細書（第1表）

			局(所)	署	年分	ページ

（住居表示）	（ ）	所有者	住　所（所在地）		使用者	住　所（所在地）	
所在地番			氏　名（法人名）			氏　名（法人名）	

地　目	地　積	路　　線　　価				地形図及び参考事項	
(宅地) 山　林 田畑 雑種地 ( )	450 ㎡	正　面 1,500,000 円	側　方 円	側　方 円	裏　面 円	省　略	

間口距離	30 m	利用区分	(自用地) 私　道 / 貸　宅　地 貸家建付借地権 / 貸家建付地 転貸借地権 / 借　地　権 ( )	地区区分	ビル街地区 高度商業地区 繁華街地区 普通商業・併用住宅地区 (普通住宅地区) 中小工場地区 大工場地区
奥行距離	15 m				

自用地1平方メートル当たりの価額			(1㎡当たりの価額)	
1 一路線に面する宅地 （正面路線価）（奥行価格補正率） 1,500,000円 × 1.00			1,500,000 円	A
2 二路線に面する宅地 （A） ［側方・裏面 路線価］（奥行価格補正率） ［側方・二方 路線影響加算率］ 円 ＋ （ 円 × . × 0. ）			円	B
3 三路線に面する宅地 （B） ［側方・裏面 路線価］（奥行価格補正率） ［側方・二方 路線影響加算率］ 円 ＋ （ 円 × . × 0. ）			円	C
4 四路線に面する宅地 （C） ［側方・裏面 路線価］（奥行価格補正率） ［側方・二方 路線影響加算率］ 円 ＋ （ 円 × . × 0. ）			円	D
5-1 間口が狭小な宅地等 （AからDまでのうち該当するもの）（間口狭小補正率）（奥行長大補正率） 円 × （ . × . ）			円	E
5-2 不整形地 （AからDまでのうち該当するもの）　不整形地補正率※ 円 × 0. ※不整形地補正率の計算 （想定整形地の間口距離）（想定整形地の奥行距離）（想定整形地の地積） m × m ＝ ㎡ （想定整形地の地積）（不整形地の地積）（想定整形地の地積）（かげ地割合） （ ㎡ － ㎡）÷ ㎡ ＝ ％ （不整形地補正率表の補正率）（間口狭小補正率）（小数点以下2位未満切捨て） 0. × . ＝ 0. ① ［不整形地補正率 （①、②のいずれか低い率、0.6を下限とする。）］ （奥行長大補正率）（間口狭小補正率） . × . ＝ 0. ②				F
6 地積規模の大きな宅地 （AからFまでのうち該当するもの）　規模格差補正率※ 円 × 0. ※規模格差補正率の計算 （地積(Ⓐ)）（Ⓑ）（Ⓒ）（地積(Ⓐ)）（小数点以下2位未満切捨て） ｛（ ㎡× ＋ ）÷ ㎡｝× 0.8 ＝ 0.			円	G
7 無道路地 （F又はGのうち該当するもの）（※） 円 × （ 1 － 0. ） ※割合の計算（0.4を上限とする。） （正面路線価）（通路部分の地積）（F又はGのうち該当するもの）（評価対象地の地積） （ 円 × ㎡）÷（ 円 × ㎡）＝ 0.			円	H
8-1 がけ地等を有する宅地 〔 南 、 東 、 西 、 北 〕 （AからHまでのうち該当するもの）（がけ地補正率） 円 × 0.			円	I
8-2 土砂災害特別警戒区域内にある宅地 （AからHまでのうち該当するもの）　特別警戒区域補正率※ 円 × 0. ※がけ地補正率の適用がある場合の特別警戒区域補正率の計算（0.5を下限とする。） 〔 南 、 東 、 西 、 北 〕 （特別警戒区域補正率表の補正率）（がけ地補正率）（小数点以下2位未満切捨て） 0. × 0. ＝ 0.			円	J
9 容積率の異なる2以上の地域にわたる宅地 （AからJまでのうち該当するもの）（控除割合（小数点以下3位未満四捨五入）） 円 × （ 1 － 0. ）			円	K
10 私　　道 （AからKまでのうち該当するもの） 円 × 0.3			円	L

自用地の評価額	自用地1平方メートル当たりの価額 （AからLまでのうちの該当記号） （ A ） 1,500,000 円	地　積 450 ㎡	総　　額 （自用地1㎡当たりの価額）×（地　積） 675,000,000 円	M

事例　72　借地権の目的となっている土地の底地部分を借地権者以外の者が買い取った場合─贈与税が課税される場合（借地権の評価）

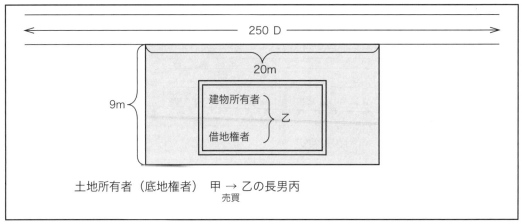

※　建物所有者乙は、15年前から土地所有者甲から個人事業用店舗の敷地として土地を賃借している。

　　借地権者である乙の長男丙は、土地所有者である甲から借地権の目的となっている土地（底地部分）の買い取りを行った。

　　乙と丙の間では地代の授受は、行っていない。

　　底地買い取り後、所轄税務署には、届出書等は何も提出していない。

評価上の留意点

1　借地権の目的となっている土地（底地）をその土地の借地権者以外の者が取得した場合において、借地権者と底地の取得者との間で地代の授受を行わない場合には、従来の甲と乙との間の賃貸借契約が、丙との間では使用貸借に変更されたものとして取り扱われます。その結果、乙が従来有していた借地権は消滅（経済効果としては、乙から丙に移転）することとなり、底地を取得した丙は、借地権者乙から借地権の贈与を受けたものとして取り扱われます。

2　丙が底地買い取り後も乙の借地権者としての地位に変更はなく、地代の授受が行われていないのは、使用貸借契約に変更したためではなく、地代を免除しているためであるとして「借地権の地位に変更がない旨の申出書」を乙及び丙が納税地の所轄税務署長に提出した場合には、土地の取得者である丙に贈与税は課税されません。

　　しかし本事例では、届出書は何も提出されていませんので、底地買い取り時に丙に借地権の贈与があったものとして贈与税が課税され、乙の相続においては、家屋のみを相続財産として評価することになります。

3　正面路線に付されている記号がDであるため、借地権割合は60％となります。

各補正率の適用は？

1　奥行価格補正率……奥行9mで普通住宅地区の場合、0.97です。

2　間口狭小補正率……間口20mで普通住宅地区の場合、1.00です。

【事例　72】

土地及び土地の上に存する権利の評価明細書（第1表）

（住居表示）	（　　　　　）	所有者	住　所（所在地）			使用者	住　所（所在地）	
所在地番			氏　名（法人名）				氏　名（法人名）	局(所)　署　年分　ページ

地　目		地　積		路　　　線　　　価				地形図及び参考事項
⑳宅地　山林　田　畑　雑種地　（　　）		180 ㎡	正　面　250,000 円	側　方　円	側　方　円	裏　面　円		省　略

間口距離	20 m	利用区分	自用地　私　道　貸宅地　貸家建付借地権　貸家建付地　転貸借地権（　　　）　⑳借地権	地区区分	ビル街地区　⑳普通住宅地区　高度商業地区　中小工場地区　繁華街地区　大工場地区　普通商業・併用住宅地区
奥行距離	9 m				

自用地	1　一路線に面する宅地				（1㎡当たりの価額）円	A
	（正面路線価）250,000 円 ×	（奥行価格補正率）0.97			242,500	
	2　二路線に面する宅地（A）		「側方・裏面 路線価」	（奥行価格補正率）	（1㎡当たりの価額）円	B
	円 ＋ （		円 × ．	× 0.　　路線影響加算率）		
用	3　三路線に面する宅地				（1㎡当たりの価額）円	

自用地の評価額	自用地1平方メートル当たりの価額（AからLまでのうちの該当記号）	地　積	総　　額（自用地1㎡当たりの価額）×（地　積）	M
	（A）　242,500 円	180 ㎡	43,650,000 円	

土地及び土地の上に存する権利の評価明細書（第2表）

セットバックを必要とする宅地の評価額	（自用地の評価額）円 － （	（自用地の評価額）円 ×	（該当地積）㎡ / （総地積）㎡ × 0.7 ）	（自用地の評価額）円	N

	利用区分	算　　　　式	総　　額	記号
総　額　計	貸宅地	（自用地の評価額）　（借地権割合）円 × （1－ 0.　）	円	T
	貸家建付地	（自用地の評価額又はV）（借地権割合）（借家権割合）（賃貸割合）円 × （1－ 0.　×0.　×㎡/㎡ ）	円	U
	（　）目的となっている土地の権利	（自用地の評価額）　（　割合）円 × （1－ 0.　）	円	V
	借地権	（自用地の評価額）　（借地権割合）43,650,000 円 × 0.6	26,190,000 円	W

-267-

事例 73　使用貸借に係る土地を相続又は贈与により取得した場合 —貸家建付地として評価するケース

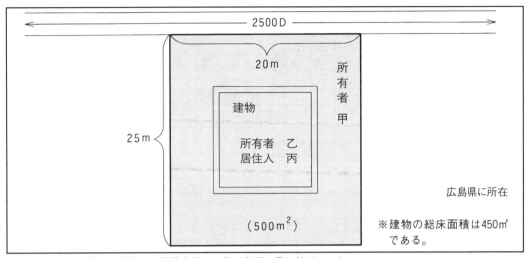

※　甲は古くから自己の所有地に建物を建てて第三者丙に貸し付けていた。

　　甲は、平成15年にその建物を息子乙に贈与し、敷地は無償で貸し付けている。

　　令和6年7月に相続又は贈与により、敷地を息子乙が取得する際の評価額を求める。

評価上の留意点

1　平成15年に建物の贈与を行う以前は、土地・建物とも甲の所有であり、その建物を第三者に賃貸していたため、土地は貸家建付地となり、「自用地価額×借地権割合×借家権割合×賃貸割合」が自用地価額から控除されました。

2　建物が贈与された後も、居住人丙の立場（建物の賃借を通して土地に対して持っている権利）は変わりません（建物賃貸借の相手方が変わったにすぎない）。また、今回、敷地が甲から乙に移転した後も、居住人丙の立場は変わりません。

3　現在、敷地は甲から乙に使用貸借により貸し付けられていますので、通常は使用貸借により貸し付けている宅地として自用地評価しますが、この場合はそれ以前から居住していた借家人の土地に対する権利を考慮する意味で貸家建付地として評価します。

4　正面路線に付されている記号がDであるため、借地権割合は60％となります。また、借家権割合は30％です。

各補正率の適用は？

1　奥行価格補正率……奥行25mで普通住宅地区の場合、0.97です。

2　間口狭小補正率……間口20mで普通住宅地区の場合、1.00です。

3　奥行長大補正率……奥行÷間口＝25m÷20m＝1.25で普通住宅地区の場合、1.00です。

4　建物は丙に貸し付けられていますので、賃貸割合は$\frac{450㎡}{450㎡}$（＝1.00）です。

【事例 73】

土地及び土地の上に存する権利の評価明細書（第1表）

				局(所)	署	年分	ページ

所在地番	(住居表示) (　　　　　)	所有者	住所 (所在地) 氏名 (法人名)		使用者	住所 (所在地) 氏名 (法人名)	

地目	地積	路　　線　　価				地形図及び参考事項	
⑳宅地 山林 田 畑 雑種地 (　　)	500 m²	正面 2,500,000円	側方 円	側方 円	裏面 円	省略	

間口距離 20 m	利用区分	自用地 私道 貸宅地 貸家建付借地権 ⑳貸家建付地 転貸借地権 (　　) 借地権	地区区分	ビル街地区 高度商業地区 繁華街地区 普通商業・併用住宅地区	⑳普通住宅地区 中小工場地区 大工場地区		
奥行距離 25 m							

自	1 一路線に面する宅地 (正面路線価) 2,500,000円 × (奥行価格補正率) 0.97	(1m²当たりの価額) 2,425,000 円	A

自用地の評価額	自用地1平方メートル当たりの価額 (AからLまでのうちの該当記号) (A) 2,425,000 円	地積 500 m²	総額 (自用地1m²当たりの価額)×(地積) 1,212,500,000 円	M

土地及び土地の上に存する権利の評価明細書（第2表）

セットバックを必要とする宅地の評価額	(自用地の評価額) 円 − ((自用地の評価額) 円 × (該当地積) ㎡ ／ (総地積) ㎡ × 0.7)	(自用地の評価額) 円	N
都市計画道路予定地の区域内にある宅地の評価額	(自用地の評価額) 円 × 0. (補正率)	(自用地の評価額) 円	O

大規模工場用地等の評価額	○ 大規模工場用地等 (正面路線価) 円 × (地積) ㎡ × (地積が20万㎡以上の場合は0.95)	円	P
	○ ゴルフ場用地等 (宅地とした場合の価額) (地積) (1㎡当たりの造成費) (地積) (　円 × ㎡×0.6) − (　円× ㎡)	円	Q

区分所有財産に係る敷地利用権の評価額	(自用地の評価額) 円 × (敷地利用権(敷地権)の割合) ───	(自用地の評価額) 円	R
	居住用の区分所有財産の場合 (自用地の評価額) 円 × (区分所有補正率) .	(自用地の評価額) 円	S

総額	利用区分	算式	総額	記号
	貸宅地	(自用地の評価額) 円 × (1− 0.　) (借地権割合)	円	T
	貸家建付地	(自用地の評価額又はV) 1,212,500,000円 × (1− (借地権割合)0.6 × (借家権割合)0.3 × (賃貸割合)450㎡／450㎡)	994,250,000 円	U

−269−

事例 74　使用貸借に係る土地を相続又は贈与により取得した場合 —自用地として評価するケース

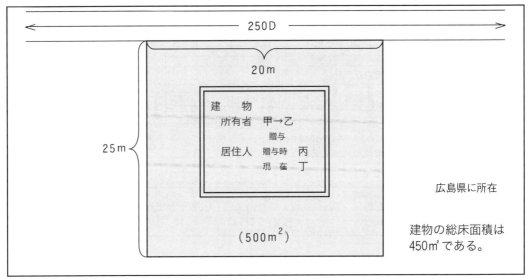

※　甲は古くから自己の所有地に建物を建てて第三者丙に貸し付けていた。

甲は、平成15年にその建物を息子乙に贈与し、敷地は無償で貸し付けている。

その後平成18年3月に居住人丙が退去し、平成18年7月以降は第三者丁が建物を借りて居住している。

令和6年7月に相続又は贈与により、敷地を息子乙が取得する際の評価額を求める。

評価上の留意点

　平成15年に建物の贈与を行う以前は、土地・建物とも甲の所有であり、その建物を第三者に賃貸していたため、土地は貸家建付地として評価されることになり、居住人丙の立場は建物が贈与された後も変わらないことから、借家人丙の土地に対する権利を考慮して建物の贈与後も貸家建付地として評価することとされています（【事例73】参照）。

　しかし、このような評価を行うのは、建物等の贈与時における建物等の賃貸借契約が評価時において継続して締結されている場合に限ります。

　本事例では、贈与時点において、居住していた丙は退去し、別の第三者である丁が居住しており、土地の使用貸借契約のほうが建物の賃貸借契約よりも先順位であることから、借家人丁の土地に対する権利は考慮する必要はなく、甲の所有地を乙が貸家用地として利用していても、使用権の価額は零となり、自用地として100%評価します。

各補正率の適用は？

1　奥行価格補正率……奥行25mで普通住宅地区の場合、0.97です。

2　間口狭小補正率……間口20mで普通住宅地区の場合、1.00です。

3　奥行長大補正率……奥行÷間口=25m÷20m=1.25で普通住宅地区の場合、1.00です。

【事例 74】

土地及び土地の上に存する権利の評価明細書（第1表）

	局（所）	署	年分	ページ

<table>
<tr><td rowspan="2">（住居表示）</td><td>（　　　　　　　　　　）</td><td rowspan="2">所有者</td><td>住　所
（所在地）</td><td></td><td rowspan="2">使用者</td><td>住　　所
（所在地）</td><td></td></tr>
<tr><td>所 在 地 番</td><td>氏　名
（法人名）</td><td></td><td>氏　名
（法人名）</td><td></td></tr>
</table>

地　目	地　積	路　　　線　　　価	地形図及び参考事項
㋒地 山 林 田 雑種地 畑 （　　）	500 ㎡	正　面 250,000円　側　方 円　側　方 円　裏　面 円	省略

間口距離 20 m	利 用 区 分	㋒用地 私　道　貸家建付借地権 貸 宅 地 転貸借地権 貸家建付地 借 地 権（　　　）	地 区 区 分	ビル街地区 ㋒通住宅地区 高度商業地区 中小工場地区 繁華街地区 大 工 場 地 区 普通商業・併用住宅地区
奥行距離 25 m				

<table>
<tr><td rowspan="19">自
用
地
1
平
方
メ
ー
ト
ル
当
た
り
の
価
額</td><td colspan="2">1 一路線に面する宅地
　（正面路線価）　　　　　　　（奥行価格補正率）
　250,000 円 ×　　　　　0.97</td><td>（1㎡当たりの価額）　円
242,500</td><td>A</td></tr>
<tr><td colspan="2">2 二路線に面する宅地
　　（A）　　［側方・裏面 路線価］（奥行価格補正率）［側方・二方 路線影響加算率］
　　　　円 ＋ （　　　円 ×　．　×　0.　）</td><td>（1㎡当たりの価額）　円</td><td>B</td></tr>
<tr><td colspan="2">3 三路線に面する宅地
　　（B）　　［側方・裏面 路線価］（奥行価格補正率）［側方・二方 路線影響加算率］
　　　　円 ＋ （　　　円 ×　．　×　0.　）</td><td>（1㎡当たりの価額）　円</td><td>C</td></tr>
<tr><td colspan="2">4 四路線に面する宅地
　　（C）　　［側方・裏面 路線価］（奥行価格補正率）［側方・二方 路線影響加算率］
　　　　円 ＋ （　　　円 ×　．　×　0.　）</td><td>（1㎡当たりの価額）　円</td><td>D</td></tr>
<tr><td colspan="2">5-1 間口が狭小な宅地等
　（AからDまでのうち該当するもの）（間口狭小補正率）（奥行長大補正率）
　　　　円 ×（　．　×　．　）</td><td>（1㎡当たりの価額）　円</td><td>E</td></tr>
<tr><td colspan="2">5-2 不 整 形 地
　（AからDまでのうち該当するもの）　　不整形地補正率※
　　　　円 ×　0.
　※不整形地補正率の計算
　（想定整形地の間口距離）（想定整形地の奥行距離）（想定整形地の地積）
　　　　m ×　　　m ＝　　　㎡
　（想定整形地の地積）（不整形地の地積）（想定整形地の地積）（かげ地割合）
　（　　㎡ －　　㎡）÷　　㎡ ＝　　％
　（不整形地補正率表の補正率）（間口狭小補正率）（小数点以下2位未満切捨て）
　　0.　×　　＝ 0.　①
　（奥行長大補正率）（間口狭小補正率）
　　0.　×　　＝ 0.　②</td><td>（1㎡当たりの価額）　円

不整形地補正率
（①、②のいずれか低い率、0.6を下限とする。）</td><td>F</td></tr>
<tr><td colspan="2">6 地積規模の大きな宅地
　（AからFまでのうち該当するもの）　　規模格差補正率※
　　　　円 ×　0.
　※規模格差補正率の計算
　（地積（Ⓐ））　　（Ⓑ）　　（Ⓒ）　（地積（Ⓐ））（小数点以下2位未満切捨て）
　｛（　　㎡× ＋ ）÷　　㎡｝× 0.8 ＝ 0.</td><td>（1㎡当たりの価額）　円</td><td>G</td></tr>
<tr><td colspan="2">7 無 道 路 地
　（F又はGのうち該当するもの）　　　　（※）
　　　　円 ×（ 1 － 0.　）
　※割合の計算（0.4を上限とする。）
　（正面路線価）（通路部分の地積）（F又はGのうち該当するもの）（評価対象地の地積）
　（　　円 ×　　㎡）÷（　　円 ×　　㎡）＝ 0.</td><td>（1㎡当たりの価額）　円</td><td>H</td></tr>
<tr><td colspan="2">8-1 がけ地等を有する宅地 ［ 南 、 東 、 西 、 北 ］
　（AからHまでのうち該当するもの）（がけ地補正率）
　　　　円 ×　0.</td><td>（1㎡当たりの価額）　円</td><td>I</td></tr>
<tr><td colspan="2">8-2 土砂災害特別警戒区域内にある宅地
　（AからHまでのうち該当するもの）　　特別警戒区域補正率※
　　　　円 ×　0.
　※がけ地補正率の適用がある場合の特別警戒区域補正率の計算（0.5を下限とする。）
　　　　　　　　　　　　　　　［ 南 、 東 、 西 、 北 ］
　（特別警戒区域補正率表の補正率）（がけ地補正率）（小数点以下2位未満切捨て）
　　0.　×　0.　＝ 0.</td><td>（1㎡当たりの価額）　円</td><td>J</td></tr>
<tr><td colspan="2">9 容積率の異なる2以上の地域にわたる宅地
　（AからJまでのうち該当するもの）（控除割合（小数点以下3位未満四捨五入））
　　　　円 ×（ 1 － 0.　）</td><td>（1㎡当たりの価額）　円</td><td>K</td></tr>
<tr><td colspan="2">10 私　　道
　（AからKまでのうち該当するもの）
　　　　円 ×　0.3</td><td>（1㎡当たりの価額）　円</td><td>L</td></tr>
</table>

自用地の評価額	自用地1平方メートル当たりの価額 （AからLまでのうちの該当記号）	地　　積	総　　　　　　額 （自用地1㎡当たりの価額）×（地　積）	
	（ A ） 242,500 円	500 ㎡	121,250,000 円	M

事例 75　昭和48年11月1日より前から使用貸借が開始された土地 ―甲の土地の評価

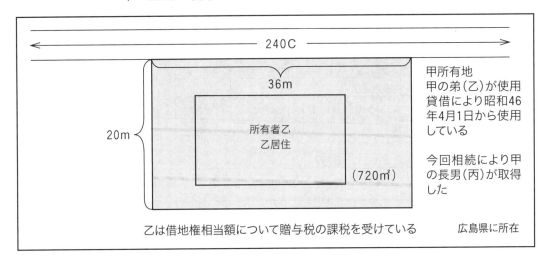

評価上の留意点

1　この使用貸借を開始したのは、昭和46年4月1日で、使用貸借通達が発遣された昭和48年11月1日より前から使用貸借が行われています。
2　この使用貸借の開始時に乙は借地権相当額について贈与税が課税されています。
3　上記1、2により甲の土地の評価は、底地部分の価額になります。

各補正率の適用は？

1　奥行価格補正率……奥行20mで普通住宅地区の場合、1.00です。
2　間口狭小補正率……間口36mで普通住宅地区の場合、1.00です。
3　奥行長大補正率……1.00です。

参考　使用貸借に係る土地についての相続税及び贈与税の取扱い
　　　（使用貸借通達：昭和48年11月1日発遣）のポイント

　昭和48年11月1日より前には、土地の使用貸借を開始した時点で借地権相当額の課税が行われていたケースがあります。
　その後に建物所有者、土地所有者に相続等があった場合には次のように取り扱われます。

	昭和48年11月1日以降の相続等の取扱い	
	建物所有者	土地所有者
①　昭和48年11月1日より前に建物所有者に相続等が発生していた場合	借地権あり	貸宅地（底地）
②　建物所有者が先に死亡した場合	権利なし（評価しない）	自用地
③　土地所有者が先に死亡した場合	借地権あり	貸宅地（底地）
④　③の後で建物所有者が死亡し、その後③により土地を取得した者が死亡した場合	借地権なし	自用地

【事例　75】

土地及び土地の上に存する権利の評価明細書（第１表）

			局(所)	署	年分	ページ

所在地番	(住居表示)　(　　　　　)		所有者	住所(所在地)		使用者	住所(所在地)	
				氏名(法人名)			氏名(法人名)	

地目		地積	路　　　線　　　価				地形図及び参考事項
⊙宅地　山林		m²	正面	側方	側方	裏面	
田　畑							
雑種地		720	240,000 円	円	円	円	**省略**
(　　　)							

間口距離	36 m	利用区分	自用地　私道	地区区分	ビル街地区　　⊙普通住宅地区	
			⊙貸宅地　貸家付借地権		高度商業地区　中小工場地区	
奥行距離	20 m		貸家建付地　転貸借地権		繁華街地区　　大工場地区	
			借地権　(　　　　　)		普通商業・併用住宅地区	

1　一路線に面する宅地		(1 m²当たりの価額) 円	A
(正面路線価)　　　　　　　　　　(奥行価格補正率)			
240,000 円　×　　　　　1.00		240,000	

自用地の評価額	自用地１平方メートル当たりの価額(AからLまでのうちの該当記号)	地積	総額(自用地１m²当たりの価額)×(地積)	M
	(A)　240,000 円	720 m²	172,800,000 円	

土地及び土地の上に存する権利の評価明細書（第２表）

セットバックを必要とする宅地の評価額	(自用地の評価額) 円 －(　(自用地の評価額) 円 × (該当地積) m²/(総地積) m² × 0.7　)	(自用地の評価額) 円	N
都市計画道路予定地の区域内にある宅地の評価額	(自用地の評価額) 円 × 0. (補正率)	(自用地の評価額) 円	O

大規模工場用地等の評価額	○ 大規模工場用地等	(自用地の評価額) 円	P
	(正面路線価) 円 × (地積) m² × (地積が20万m²以上の場合は0.95)		
	○ ゴルフ場用地等	円	Q
	(宅地とした場合の価額)(地積) (　1 m²当たりの造成費) (地積)		
	(　円 × m²×0.6) －(　円× m²)		

区分所有財産に係る敷地利用権の評価額	(自用地の評価額) 円 × (敷地利用権(敷地権)の割合) ───	(自用地の評価額) 円	R
	居住用の区分所有財産	(自用地の評価額) 円 × . (区分所有補正率)	(自用地の評価額) 円	S

総額	利用区分	算　式	総額	記号
	貸宅地	(自用地の評価額)　　　(借地権割合) 172,800,000 円 × (1－ 0.7)	51,840,000 円	T
	貸家建付地	(自用地の評価額又はV)　(借地権割合)(借家権割合)(賃貸割合) 円 ×(1－0. ×0. × m²/m²)	円	U

事例　76

昭和48年11月１日より前から使用貸借が開始された土地 —【事例75】の後に乙が死亡し、その後、丙が死亡した場合

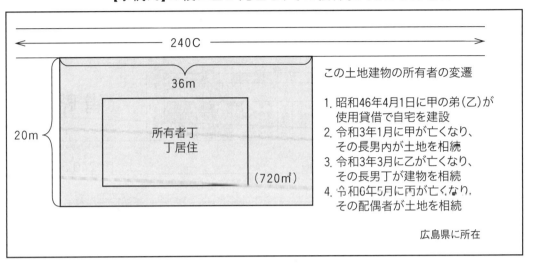

この土地建物の所有者の変遷

1. 昭和46年４月１日に甲の弟(乙)が 使用貸借で自宅を建設
2. 令和3年1月に甲が亡くなり、 その長男内が土地を相続
3. 令和3年3月に乙が亡くなり、 その長男丁が建物を相続
4. 令和6年5月に丙が亡くなり、 その配偶者が土地を相続

広島県に所在

評価上の留意点

1　昭和46年４月１日の使用貸借の開始時に、乙は借地権相当額について贈与税が課税されています。

2　【事例75】の 参考 の表の④により、今回の丙から配偶者への相続に際しての土地の評価は、自用地となります。

各補正率の適用は？

1　奥行価格補正率……奥行20mで普通住宅地区の場合、1.00です。

2　間口狭小補正率……間口36mで普通住宅地区の場合、1.00です。

3　奥行長大補正率……1.00です。

参考

土地・建物の所有者移動の時系列

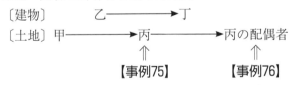

〔建物〕　　　　乙―――――→丁
〔土地〕甲―――――→丙―――――→丙の配偶者
　　　　　　　　　　　⇑　　　　　　　⇑
　　　　　　　　　【事例75】　　　【事例76】

【事例　76】

土地及び土地の上に存する権利の評価明細書（第1表）

	（住居表示）	（　　　　　　　　）	住　所 （所在地）		使用者	住　所 （所在地）		
所在地番			所有者 氏　名 （法人名）			氏　名 （法人名）		

地目	㋳地 山林 田 畑 雑種地（　）	地積	路　　　線　　　価				地形図及び参考事項	
		㎡ 720	正面 240,000円	側方 円	側方 円	裏面 円		省略

間口距離	36 m	利用区分	㋳用地 私　道 ㋸宅地 貸家建付借地権 貸家建付地 転貸借地権 借地権（　　　　）	地区区分	ビル街地区　㋛通住宅地区 高度商業地区　中小工場地区 繁華街地区　大工場地区 普通商業・併用住宅地区		
奥行距離	20 m						

				（1㎡当たりの価額）		
自用地1平方メートル当たりの価額	1　一路線に面する宅地 　　（正面路線価）　　　　　　　　　（奥行価格補正率） 　　240,000 円 ×　　　　　1.00			240,000	円	A
	2　二路線に面する宅地 　　（A）　　　　［側方・裏面 路線価］（奥行価格補正率）［側方・二方 路線影響加算率］ 　　　　　円 ＋（　　　　円 ×　　.　　×　0.　　）				円	B
	3　三路線に面する宅地 　　（B）　　　　［側方・裏面 路線価］（奥行価格補正率）［側方・二方 路線影響加算率］ 　　　　　円 ＋（　　　　円 ×　　.　　×　0.　　）				円	C
	4　四路線に面する宅地 　　（C）　　　　［側方・裏面 路線価］（奥行価格補正率）［側方・二方 路線影響加算率］ 　　　　　円 ＋（　　　　円 ×　　.　　×　0.　　）				円	D
	5-1　間口が狭小な宅地等 　　（AからDまでのうち該当するもの）（間口狭小補正率）（奥行長大補正率） 　　　　　円 ×（　　　.　　×　　　.　　）				円	E
	5-2　不整形地 　　（AからDまでのうち該当するもの）　　不整形地補正率※ 　　　　　円 ×　　　　0. ※不整形地補正率の計算 　（想定整形地の間口距離）（想定整形地の奥行距離）（想定整形地の地積） 　　　　　m ×　　　　m ＝　　　　㎡ 　（想定整形地の地積）（不整形地の地積）（想定整形地の地積）　（かげ地割合） 　（　　　㎡ －　　　㎡）÷　　　㎡ ＝　　　　％ 　（不整形地補正率表の補正率）（間口狭小補正率）（小数点以下2位未満切捨て） 　　0.　　　×　　　　.　　＝　0.　　① 　（奥行長大補正率）（間口狭小補正率） 　　　　.　　　×　　　　.　　＝　0.　　②　　　［不整形地補正率 　　　　　　　　　　　　　　　　　　　　　　　　①、②のいずれか低い 　　　　　　　　　　　　　　　　　　　　　　　率、0.6を下限とする。］ 　　　　　　　　　　　　　　　　　　　　　　0.				円	F
	6　地積規模の大きな宅地 　　（AからFまでのうち該当するもの）　規模格差補正率※ 　　　　　円 ×　　　　0. ※規模格差補正率の計算 　（地積（Ⓐ））　（Ⓑ）　（Ⓒ）　（地積（Ⓐ））　（小数点以下2位未満切捨て） 　｛（　　　㎡×　　＋　　　）÷　　　㎡｝× 0.8 ＝　0.				円	G
	7　無道路地 　　（F又はGのうち該当するもの）　　　　　　（※） 　　　　　円 ×（　1　－　0.　　　　） ※割合の計算（0.4を上限とする。）　（F又はGのうち） 　（正面路線価）　（通路部分の地積）（該当するもの）（評価対象地の地積） 　（　　　円 ×　　　㎡）÷（　　　円 ×　　　㎡）＝0.				円	H
	8-1　がけ地等を有する宅地　〔 南 、 東 、 西 、 北 〕 　　（AからHまでのうち該当するもの）　（がけ地補正率） 　　　　　円 ×　　　　0.				円	I
	8-2　土砂災害特別警戒区域内にある宅地 　　（AからHまでのうち該当するもの）　　特別警戒区域補正率※ 　　　　　円 ×　　　　0. ※がけ地補正率の適用がある場合の特別警戒区域補正率の計算（0.5を下限とする。） 　　　　　　　　　　　　　　　　　　　〔 南 、 東 、 西 、 北 〕 　（特別警戒区域補正率表の補正率）（がけ地補正率）（小数点以下2位未満切捨て） 　　0.　　　×　0.　　　＝　0.				円	J
	9　容積率の異なる2以上の地域にわたる宅地 　　（AからJまでのうち該当するもの）　（控除割合（小数点以下3位未満四捨五入）） 　　　　　円 ×（　1　－　0.　　　）				円	K
	10　私　　道 　　（AからKまでのうち該当するもの） 　　　　　円 ×　　0.3				円	L

	自用地1平方メートル当たりの価額 （AからLまでのうちの該当記号）	地　積	総　　　　　　　額 （自用地1㎡当たりの価額）×（地　積）	
自用地の評価額	（ A ） 240,000 円	720 ㎡	172,800,000 円	M

-275-

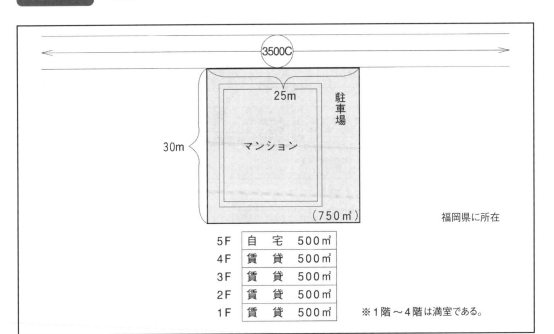

1　自用地に賃貸マンションを建築した場合には、その自用地は貸家建付地として評価することになります。マンションの住人のための駐車場がある場合にも、マンションと一体のものとして、貸家建付地として評価します。

2　ただし、マンションの一部を自宅として使用している場合には、次の算式で計算した部分の面積が貸家建付地となり、他は自用地として評価することになります。

$$全体の地積 × \frac{マンションの全体の床面積 - 自宅の床面積}{マンションの全体の床面積} × 賃貸割合$$

したがって、本事例の場合、宅地750㎡の内、$750㎡ × \frac{2,500㎡ - 500㎡}{2,500㎡} = 600㎡$を貸家建付地として評価し、残りの150㎡（750㎡ - 600㎡）は自用地として評価することになります。

3　正面路線に付されている記号がCのため、借地権割合は70％になります。また、借家権割合は30％です。

4　このマンションは所有者が一棟を所有しており、区分建物の登記はされてないため、新しいマンション評価通達の適用はありません。

各補正率の適用は？

1　奥行価格補正率……普通商業・併用住宅地区の奥行30mに対する補正率は1.00です。

2　間口狭小補正率……普通商業・併用住宅地区の間口30mに対する補正率は1.00です。

3　奥行長大補正率……普通商業・併用住宅地区の場合、奥行÷間口＝30m÷25m＝1.2に対する補正率は1.00です。

4　賃　貸　割　合……満室ですから、$\frac{2,000㎡}{2,000㎡}$（＝1.00）です。

【事例　77】

土地及び土地の上に存する権利の評価明細書（第1表）

			局(所)	署	年分	ページ

(住居表示)	(	)	所有者	住　所 (所在地)		使用者	住　所 (所在地)	
所在地番				氏　名 (法人名)			氏　名 (法人名)	

地　　目	地　積	路　　　　　　線　　　　　　価				地形図及び参考事項

		㎡	正　面	側　方	側　方	裏　面	
(宅地) 山林 田　畑 (　　) 雑種地	750		3,500,000 円	円	円	円	省略

間口距離	25 m	利用区分	(自用地) 私　道 貸宅地　貸家建付借地権 (貸家建付地) 転貸借地権 借地権 (　　　　　)	地区区分	ビル街地区　普通住宅地区 高度商業地区　中小工場地区 繁華街地区　大工場地区 (普通商業・併用住宅地区)
奥行距離	30 m				

1　一路線に面する宅地				(1㎡当たりの価額)	円	A
(正面路線価) 3,500,000 円	×	(奥行価格補正率) 1.00		3,500,000		

自用地の評価額	目用地1平方メートル当たりの価額 (AからLまでのうちの該当記号)	地　　積	総　　　　　額 (自用地1㎡当たりの価額) × (地積)		M
	(A)　3,500,000 円	600 ㎡ 150	2,100,000,000 円 525,000,000		

土地及び土地の上に存する権利の評価明細書（第2表）

セットバックを必要とする宅地の評価額	(自用地の評価額) 円	(自用地の評価額)　　　　(該当地積) ー (円 × (総地積) ㎡／㎡ × 0.7)	(自用地の評価額) 円	N

	利用区分	算　　　　式	総　　　額	記号
総 額	貸宅地	(自用地の評価額)　　　(借地権割合) 円 × (1ー 0.　　)	円	T
	貸家建付地	(自用地の評価額又はV)　(借地権割合)(借家権割合)(賃貸割合) 2,100,000,000 円 × (1ー 0.7 ×0.3 ×2,000㎡／2,000㎡)	1,659,000,000 円	U

備考	(M)　　　　　　　(U) 評価額　525,000,000円+1,659,000,000円=2,184,000,000円

事例　78 自己所有地とそれに隣接する土地を使用貸借により借り受けて、一体利用している場合

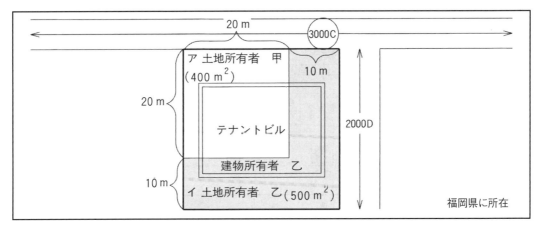

※　乙は自己の土地イに隣接する土地アを甲から使用貸借により借り受けて、ア・イを一体として利用（テナントビルの敷地）している。テナントは３階建てで各階600㎡、総床面積は1,800㎡で、現在満室である。

評価上の留意点

1　土地の評価は、通常は利用の状況が同一のものは１つの宅地として評価しますが、使用貸借によって借り受けている宅地については、その借地権価額を評価しないため、隣接する自用地と一体として利用していても１つの宅地とはしないで、その自用地だけを１つの宅地として評価することになります。

　　したがって、イ地は、▁▁という形の不整形地となります。

2　1のような形の不整形地については、①不整形地補正率と間口狭小補正率を適用して評価する方法と、②間口狭小補正率と奥行長大補正率を適用して評価する方法の２つの方法のうち、評価額の低いほうで評価します。

　　①の場合の想定整形地は、ア地を合せた形であり、この想定整形地の面積は900㎡、かげ地割合は$\frac{900㎡-500㎡}{900㎡}≒44.44\%$となり、不整形地補正率は0.90となります。

　　また、間口狭小補正率は1.00、奥行長大補正率は0.99となります。

　　したがって①の場合の補正率は0.90×1.00＝0.90、②の場合の補正率は1.00×0.99＝0.99となり、①のほうが有利となります。

　（注）　1のような形状の不整形地の場合、【事例37】のような計算をすることもできます。

3　イ地は乙所有のテナントビルが建っていますから、貸家建付地となります。

4　正面と側方が路線に接している場合の地区区分は、正面路線の地区区分（普通商業・併用住宅地区）となります。

　　したがって、側方路線影響加算率は0.08、借地権割合は70％となります。

　　また、借家権割合は30％です。

各補正率の適用は？

　【事例53】（224ページ）の１、２、３と同じ。

4　賃貸割合……満室ですから、$\frac{1,800㎡}{1,800㎡}$（＝1.00）です。

【事例　78】

土地及び土地の上に存する権利の評価明細書（第1表）

				局(所)　署	年分	ページ

（住居表示）	（　　　　　）	所有者	住　所（所在地）		使用者	住　所（所在地）	
所 在 地 番			氏　名（法人名）			氏　名（法人名）	

地　　目	地　積	路　　　線　　　価				地形図及び参考事項

地目：(宅地) 山林 田 畑 雑種地 ( )

地積：500 ㎡

路線価：正面 3,000,000円　側方 2,000,000円　側方 円　裏面 円

地形図及び参考事項：省略

間口距離	10 m	利用区分	自 用 地　　私 道

貸 宅 地　　貸家建付借地権
(貸家建付地)　転 貸 借 地 権
借 地 権　　( )

奥行距離 30 m

地区区分：ビル街地区　普通住宅地区　高度商業地区　中小工場地区　繁華街地区　大工場地区　(普通商業・併用住宅地区)

自用地1平方メートル

1　一路線に面する宅地
（正面路線価）　　　（奥行価格補正率）
3,000,000円 × 1.00
(1㎡当たりの価額) 3,000,000 円　A

2　二路線に面する宅地
（A）　(側方・裏面)路線価　（奥行価格補正率）　(側方)・二方 路線影響加算率
3,000,000円 ＋ (2,000,000円 × 1.00 × 0.08)
(1㎡当たりの価額) 3,160,000 円　B

3　三路線に面する宅地
（B）　［側方・裏面 路線価］　（奥行価格補正率）　［側方・二方 路線影響加算率］
円 ＋ (円 × . × 0.)
(1㎡当たりの価額) 円　C

4　四路線に面する宅地
（C）　［側方・裏面 路線価］　（奥行価格補正率）　［側方・二方 路線影響加算率］
円 ＋ (円 × . × 0.)
(1㎡当たりの価額) 円　D

5-1　間口が狭小な宅地等
（AからDまでのうち該当するもの）　（間口狭小補正率）　（奥行長大補正率）
円 × (. × .)
(1㎡当たりの価額) 円　E

5-2　不整形地
（AからDまでのうち該当するもの）　不整形地補正率※
3,160,000円 × 0.90

※不整形地補正率の計算
（想定整形地の間口距離）　（想定整形地の奥行距離）　（想定整形地の地積）
30 m × 30 m ＝ 900 ㎡
（想定整形地の地積）　（不整形地の地積）　（想定整形地の地積）　（かげ地割合）
(900 ㎡ － 500 ㎡) ÷ 900 ㎡ ＝ 44.44 %
（不整形地補正率表の補正率）（間口狭小補正率）　（小数点以下2位未満切捨て）
0.90 × 1.00 ＝ 0.90 ①
（奥行長大補正率）　（間口狭小補正率）
0.99 × 1.00 ＝ 0.99 ②
［不整形地補正率 ①、②のいずれか低い率、0.6を下限とする。］ 0.90
(1㎡当たりの価額) 2,844,000 円　F

6　地積規模の大きな宅地

自用地の評価額	自用地1平方メートル当たりの価額（AからLまでのうちの該当記号）	地　積	総　　額（自用地1㎡当たりの価額）×（地積）	
	(F)　2,844,000 円	500 ㎡	1,422,000,000 円	M

土地及び土地の上に存する権利の評価明細書（第2表）

セットバックを必要とする宅地の評価額	（自用地の評価額）円 － (（自用地の評価額）円 × （該当地積）㎡／（総地積）㎡ × 0.7)	（自用地の評価額）円	N

総額	貸家建付地	（自用地の評価額又はV）1,422,000,000円 ×(1－ 0.7 ×0.3 × 1,800㎡／1,800㎡)	1,123,380,000 円	U

事例 79　区分地上権の設定されている宅地の評価

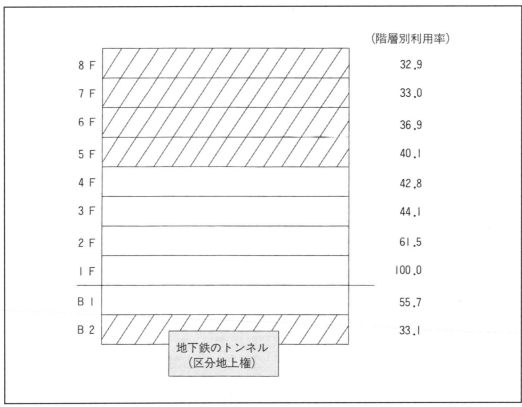

（階層別利用率）

8 F	32.9
7 F	33.0
6 F	36.9
5 F	40.1
4 F	42.8
3 F	44.1
2 F	61.5
1 F	100.0
B 1	55.7
B 2	33.1

地下鉄のトンネル
（区分地上権）

※　①　土地の自用地としての評価額は10億円とする。
　　②　地下鉄のトンネルがあるため、それがない時には地上8階、地下2階のビルが建築可能であるが、現状では荷重制限のため4階建てしか建てられず、地下2階も利用できない。
　　③　ビルは、土地所有者が自社ビルとして利用している。

評価上の留意点

1　区分地上権の設定されている宅地は、自用地としての評価額から、区分地上権の価額を控除して計算します。

　　区分地上権の価額は次のように計算します。なお、30％の形式基準を適用できるのは、地下鉄等のトンネルの所有を目的とする区分地上権に限ります。

自用地としての価額 × $\dfrac{区分地上権の目的となっている部分の面積}{その土地全体の面積}$ × 土地利用制限率（又は30％）

$$土地利用制限率 = \frac{32.9 + 33.0 + 36.9 + 40.1 + 33.1}{32.9 + 33.0 + 36.9 + 40.1 + 42.8 + 44.1 + 61.5 + 100.0 + 55.7 + 33.1}$$

$$= \frac{176}{480.1} ≒ 36.6$$

2　区分地上権の計算上は形式基準の30％を用い、宅地の評価上は土地利用制限率を用いるほうが有利です。

【事例　79】

土地及び土地の上に存する権利の評価明細書（第1表）

| | | 局（所） | 署 | 年分 | ページ |

（住居表示）	（　　　　　　　　）	所有者	住　所（所在地）		使用者	住　所（所在地）	
所在地番			氏　名（法人名）			氏　名（法人名）	

地　　目		地　積	路　　　　　線　　　　　価				地形図及び参考事項	
宅地　山林田　　雑種地畑（　　　）		㎡	正　面 円	側　方 円	側　方 円	裏　面 円		
間口距離	m	利用区分	自　用　地　　私　　道貸　宅　地　　貸家建付借地権貸家建付地　　転　貸　借　地　権借　地　権　（　　　　　　　）	地区区分	ビル街地区　　普通住宅地区高度商業地区　中小工場地区繁華街地区　　大工場地区普通商業・併用住宅地区		**省　略**	
奥行距離	m							

~~~

自用地の評価額	自用地1平方メートル当たりの価額（AからLまでのうちの該当記号）		地　積	総　　　　　額（自用地1㎡当たりの価額）×（地積）		M
	（　　　） 円		㎡	**1,000,000,000** 円		

土地及び土地の上に存する権利の評価明細書（第2表）

セットバックを必要とする宅地の評価額	（自用地の評価額）円 － （ （自用地の評価額）円 × $\frac{㎡}{㎡（総地積）}$（該当地積） × 0.7 ）					（自用地の評価額）円	N
都市計画道路予定地の区域内にある宅地の評価額	（自用地の評価額）円 × 0.（補正率）					（自用地の評価額）円	O

大規模工場用地等の評価額	○　大規模工場用地等（正面路線価）円 × （地積）㎡ × （地積が20万㎡以上の場合は0.95）		円	P
	○　ゴルフ場用地等（宅地とした場合の価額）（地積）円 × ㎡×0.6 － （ $\binom{1㎡当たりの造成費}{}$円× （地積）㎡ ）		円	Q

区分所有財産に係る敷地利用権の評価額	（自用地の評価額）円 × （敷地利用権（敷地権）の割合）―――――――		（自用地の評価額）円	R
	居住用の区分所有財産の場合	（自用地の評価額）円 × 0.（区分所有補正率）	（自用地の評価額）円	S

総　　額	利用区分		算　　　　　　　　式	総　　　額	記号
	貸宅地	（自用地の評価額）円 × （1－ 0.）（借地権割合）		円	T
	貸家建付地	（自用地の評価額又はV）円 × （1－ 0.）（借地権割合）×0.（借家権割合）×$\frac{㎡}{㎡}$（賃貸割合）		円	U
	区分地上権の目的となっている土地	（自用地の評価額）**1,000,000,000**円 × （1－ 0.$\frac{176}{480.1}$）（区分地上権割合）	**633,409,707**	円	V

~~~

事例 80　宅地の一部に区分地上権が設定されている場合

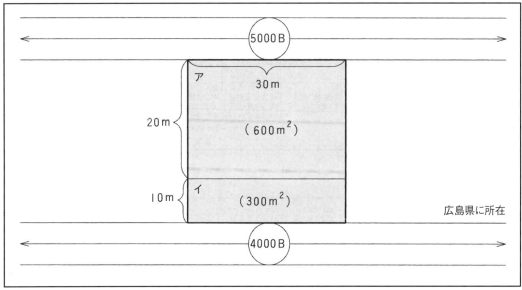

※　ア、イは甲の所有地であり、甲はその全体を一体として利用（店舗用地）している。この内、イの部分に地下鉄のトンネルの所有を目的とする区分地上権が設定されている。区分地上権の割合は30％である。

評価上の留意点

1　区分地上権が宅地の一部に設定されている場合の宅地の評価は、次の算式によって行います。

〔ア、イ全体を1区画とした場合の宅地の価額－区分地上権の価額〕

本事例では、区分地上権を計算する際に、ア、イ全体を1区画とした場合の宅地の価額を面積按分していますが、区分地上権の設定されているイ地を独立した土地として評価した価額を用いる場合もあります。

これは、区分地上権を設定した際の補償金の計算根拠等によりますので、所轄の税務署で相談して判断してください。

2　ア、イ全体を1区画とすると、2つの路線に接する宅地ですから、普通商業・併用住宅地区の場合の二方路線影響加算率0.05が適用されます。

各補正率の適用は？

【ア地＋イ地】

1　奥行価格補正率……奥行30mで普通商業・併用住宅地区の場合、1.00です。
2　間口狭小補正率……間口30mで普通商業・併用住宅地区の場合、1.00です。
3　奥行長大補正率……奥行÷間口＝30m÷30m＝1.00で普通商業・併用住宅地区の場合、1.00です。

【事例　80】

土地及び土地の上に存する権利の評価明細書（第1表）

		局（所）	署	年分	ページ

（住居表示）	（ 　　　　　　 ）		所有者	住　所（所在地）		使用者	住　所（所在地）	
所在地番				氏　名（法人名）			氏　名（法人名）	

地　目	地　積		路　　線　　価				地形図及び参考事項	
㋐宅地　山　林 田　畑　雑種地 （　　　）	900	㎡	正面 5,000,000 円	側方 円	側方	裏面 4,000,000 円		省略

間口距離	30 ｍ	利用区分	㋐自用地　私　道 貸宅地　貸家建付借地権 貸家建付地　転貸借地権 借地権（　　　　　　　）	地区区分	ビル街地区　普通住宅地区 高度商業地区　中小工場地区 繁華街地区　大工場地区 ㋐普通商業・併用住宅地区
奥行距離	30 ｍ				

自 用 地	1	一路線に面する宅地 （正面路線価） 5,000,000円 × （奥行価格補正率） 1.00			（1㎡当たりの価額） 5,000,000 円	A
	2	二路線に面する宅地 （A） 5,000,000円 ＋ ［側方・㋐裏面 路線価］ （4,000,000円 × （奥行価格補正率） 1.00 × ［側方・㋐二方 路線影響加算率］ 0.05 ）			（1㎡当たりの価額） 5,200,000 円	B
	3	三路線に面する宅地 （B） ［側方・裏面 路線価］ （奥行価格補正率） ［側方・二方 路線影響加算率］			（1㎡当たりの価額） 円	

自用地の評価額	自用地1平方メートル当たりの価額 （AからLまでのうちの該当記号）	地　積	総　　額 （自用地1㎡当たりの価額）×（地積）	
	（ B ） 5,200,000 円	900 ㎡	4,680,000,000 円	M

土地及び土地の上に存する権利の評価明細書（第2表）

セットバックを必要とする宅地の評価額	（自用地の評価額） 円 － （ （自用地の評価額） 円 × （該当地積） ㎡ / （総地積） ㎡ × 0.7 ）	（自用地の評価額） 円	N

	借家人の有する権利	（W, Z, AD のうちの該当記号） （　　） 円 × 0. × （借家権割合） （賃借割合） ㎡ / ㎡		円	AA
権利が競合する場合の他の権利と競合する場合 価額額	㋐区分地上権	（自用地の評価額） 4,680,000,000円 × 300/900 × （区分地上権割合） 0.3	468,000,000	円	AB
	土地権利が競合する場合の	（T, V のうちの該当記号） （　　） 円 × （1－ 0. （割合） ）		円	AC
	他の権利と競合する場合	（W, AB のうちの該当記号） （　　） 円 × （1－ 0. （割合） ）		円	AD

備考	区分地上権の価額を控除した価額 （M）　　　（AB） 4,680,000,000－468,000,000＝4,212,000,000円

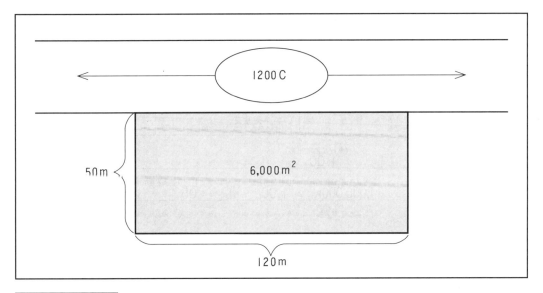

| 事例 | 81 | ビルの区分所有に係る占用権の目的となっている宅地（取引事例なし） |

評価上の留意点

1　区分所有に係る占用部分が、地下２階地上５階建てのビルの地下１階の一部で、契約書では土地全体に占める権利割合は10,000分の14とされています。

2　この占用権には、売買事例がありません。

各補正率の適用は？

1　奥行価格補正率……奥行50mで高度商業地区の場合は、0.99です。

2　間口狭小、奥行長大補正率……1.00です。

3　売買事例がない占用権で、地下街又は家屋の所有を目的とするものについては、占用権の目的となっている土地の価額に借地権割合を乗じたものの３分の１の価額で評価します。

【事例　81】

土地及び土地の上に存する権利の評価明細書（第1表）

			局(所)	署	年分	ページ

(住居表示)	(	)	所有者	住所 (所在地)		使用者	住所 (所在地)	
所在地番				氏名 (法人名)			氏名 (法人名)	

地　目	地　積	路　　線　　価				地形図及び参考事項
⃝宅地　山林 田　畑 雑種地 （　）	6,000 ㎡	正面 1,200,000 円	側方 円	側方 円	裏面 円	省略

間口距離	m	利用区分	自 用 地　　私 道 貸 宅 地　　貸家建付借地権 貸家建付地　　転 貸 借 地 権 借 地 権　（　　　　）	地区区分	ビル街地区　　普通住宅地区 ⃝高度商業地区　中小工場地区 繁華街地区　　大工場地区 普通商業・併用住宅地区
奥行距離	m				

自	1　一路線に面する宅地 （正面路線価） 1,200,000 円 × （奥行価格補正率） 0.99	（1 ㎡当たりの価額） 円 1,188,000	A

自用地の評価額	自用地1平方メートル当たりの価額 （AからLまでのうちの該当記号） （ A ）　1,188,000 円	地　積 6,000 × $\frac{14}{10,000}$ ㎡	総　　額 （自用地1㎡当たりの価額）×（地積） 9,979,200 円	M

土地及び土地の上に存する権利の評価明細書（第2表）

セットバックを必要とする宅地の評価額	(自用地の評価額) 円 － ((自用地の評価額) 円 × $\frac{該当地積 ㎡}{総地積 ㎡}$ × 0.7)	(自用地の評価額) 円	N
都市計画道路予定地の区域内にある宅地の評価額	(自用地の評価額) 円 × 0. (補正率)	(自用地の評価額) 円	O

	占用権	(自用地の評価額) 9,979,200 円 × (借地権割合) 0.7 × $\frac{1}{3}$	2,328,480 円	AB
価額	権利が競合する場合の権利	(T,Vのうちの該当記号)　（　　割合） 円 × (1－ 0.　　)	円	AC
	他の権利と競合する場	(W,ABのうちの該当記号)　（　　割合） 円 × (1－ 0.　　)	円	AD
備考				

高圧線下で利用制限のある宅地
―区分地上権に準ずる地役権の目的となっている宅地

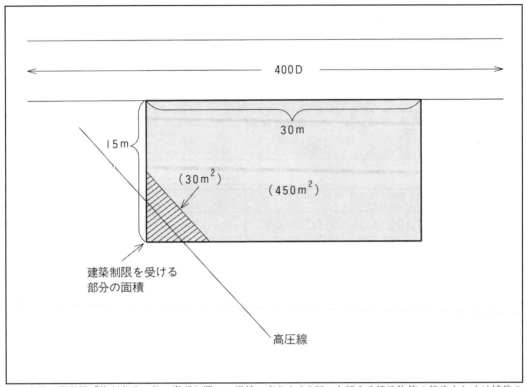

※ 土地の登記簿「権利者その他の事項」欄に、電線の高さから3.75mを超える建造物等の築造もしくは植栽の禁止される面積が、30㎡と記載されている。

評価上の留意点

1 宅地の一部に高圧線の架設がなされている場合等には、区分地上権に準ずる地役権が設定されているものとして、その宅地の自用地価額から、承役地の自用地価額に次の割合を乗じて計算した区分地上権に準ずる地役権の価額を控除します。

① 家屋の建築がまったくできない場合……50％又はその宅地に適用される借地権割合のいずれか高いほう

② 家屋の構造、用途等に制限を受ける場合……30％

本事例の場合、②に該当し、30％で評価します。

2 1の評価減が受けられるのは、建築制限を受ける部分だけですから、30㎡だけになります。

各補正率の適用は？

1 奥行価格補正率……普通住宅地区の場合、奥行15mに対する補正率は1.00となります。

2 間口狭小補正率……普通住宅地区の場合、間口30mに対する補正率は1.00となります。

3 奥行長大補正率……普通住宅地区の場合、奥行÷間口＝15m÷30m＝0.5に対する補正率は1.00となります。

土地及び土地の上に存する権利の評価明細書（第1表）

			局(所)	署	年分	ページ

所在地番	(住居表示)　(　　　　　　　)	所有者	住　所 (所在地)		使用者	住　　所 (所在地)
			氏　　名 (法人名)			氏　名 (法人名)

地　　目	地　積		路　　　　線　　　　価				地形図及び参考事項
(宅地) 山林 田畑 雑種地 (　　)	450	㎡	正　面 400,000 円	側　方 円	側　方 円	裏　面 円	省　略

間口距離	30 m	利用区分	(自用地) 私　　道 貸　宅　地　貸家建付借地権 貸家建付地　転　貸　借　地　権 借　地　権　(　　　　　　　)	地区区分	ビル街地区　(普通住宅地区) 高度商業地区　中小工場地区 繁華街地区　大工場地区 普通商業・併用住宅地区	
奥行距離	15 m					

自	1　一路線に面する宅地 　　(正面路線価)　　　　(奥行価格補正率) 　　400,000 円　×　　　1.00	(1㎡当たりの価額)　円 400,000	A
	2　二路線に面する宅地	(1㎡当たりの価額) 円	

自用地の評価額	自用地1平方メートル当たりの価額 (AからLまでのうちの該当記号) (A)　400,000 円	地　積 450 ㎡	総　　　　額 (自用地1㎡当たりの価額)×(地積) 180,000,000 円	M

土地及び土地の上に存する権利の評価明細書（第2表）

セットバックを必要とする宅地の評価額	(自用地の評価額) 円 － (	(自用地の評価額) 円 ×	(該当地積) ㎡ ―――― (総地積) ㎡ × 0.7)	(自用地の評価額) 円	N

価　　額	(区分)地上権に準ずる地役権	(自用地の評価額) 400,000×30 (㎡) 円 ×	(区分地上権に準ずる地役権の)割合 0.3		3,600,000 円	AB
	する土地が競合の権利する場合の	(T,Vのうちの該当記号)　(　　) (割合) 円 × (1－ 0.　　)			円	AC
	他の権利と競合する場合の	(W,ABのうちの該当記号)　(　　) (割合) 円 × (1－ 0.　　)			円	AD

備考	区分地上権に準ずる地役権を控除した価額 　　　　(M)　　　　　(AB) 　180,000,000円－3,600,000＝176,400,000円

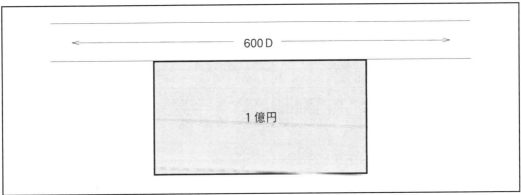

※　①　土地の自用地としての評価額は1億円で、一般定期借地権の設定の時から1年を経過している。

　　②　一般定期借地権の契約内容及び契約時の時価は、次のとおりである。

　　　　○契約時の時価　　　　　　　　　1億円

　　　　○契約時の相続税評価額　　　　　8,000万円

　　　　○一般定期借地権の設定期間　　　50年

　　　　○一時金等：権利金　　　　　　　1,600万円（返還不要）

　　　　○定期借地権者と土地所有者は、第三者で親族や特殊関係者ではない。

　　③　評価時期　　　令和6年3月

評価上の留意点

　定期借地権者と土地所有者は、親族や特殊関係者ではなく、借地権割合が60％ですから、個別通達による方法によって底地を評価します。

　一般定期借地権の目的となっている宅地の評価は、課税時期における自用地としての価額から課税時期における一般定期借地権の価額に相当する金額を控除した金額によって次のように評価します。

$$\begin{matrix}\text{課税時期の}\\\text{自用地とし}\\\text{ての価額}_{(A)}\end{matrix}-\left(A\times(1-\text{底地割合})\times\dfrac{\begin{matrix}\text{課税時期における一般定期借地権の残存}\\\text{期間年数に応ずる基準年利率}(※)\text{による}\\\text{複利年金現価率}\end{matrix}}{\begin{matrix}\text{一般定期借地権の設定期間年数に応ずる}\\\text{基準年利率}(※)\text{による複利年金現価率}\end{matrix}}\right)$$

　本事例の場合は、

　借地権割合がD（60％）であり、底地割合は67ページの表のとおり60％です。

　したがって、底地の評価額は、

$$1億円-\underbrace{1億円\times(1-0.6)\times\dfrac{38.588}{39.196}}_{\text{39,379,528円}}=60,620,472円$$になります。

※　評価時点の設定期間50年に対する基準年利率は1.00％ですので、66ページの表により、年1.00％の複利年金現価率は、49年で38.588、50年で39.196になります。

　なお、一般定期借地権の価額は、上記の方法による一般定期借地権の価額に相当する金額ではなく、【事例84】と同様の方法により算定し、次のようになります。

$$1億円\times\dfrac{1,600万円}{1億円}\times\dfrac{38.588}{39.196}=15,751,811円$$

【事例　83】　定期借地権等の評価

定 期 借 地 権 等 の 評 価 明 細 書

(住居表示) 所 在 地 番			(地　積) ㎡		設定年月日	平成 令和 5年3月　日	設定期間年数	⑦	50 年
					課税時期	令和6年3月　日	残存期間年数	⑧	49 年
定期借地権 等 の 種 類	一 般 定 期 借 地 権 ・　建物譲渡特約付借地権　・ 事業用定期借地権等				設定期間年数に応ずる基準年利率による	複利現価率	④		0.608
定期借地権等の設定時	自用地としての価額	①	(1㎡当たりの価額　　　　　円) 80,000,000　円			複利年金現価率	⑤		39.196
	通 常 取 引 価 額	②	(通常の取引価額又は①／0.8) 100,000,000　円						
課税時期	自用地としての価額	③	(1㎡当たりの価額　　　　　円) 100,000,000　円		残存期間年数に応ずる基準年利率による複利年金現価率		⑥		38.588

（注1）居住用の区分所有財産における定期借地権等を評価する場合の③の自用地としての価額は、令和5年9月28日付課評2－74ほか1課共同「居住用の区分所有財産の評価について」（法令解釈通達）の適用後の価額を記載します。

（注2）④及び⑤に係る設定期間年数又は⑥に係る残存期間年数について、その年数に1年未満の端数があるときは6か月以上を切り上げ、6か月未満を切り捨てます。

○定期借地権等の評価

経済的利益の額の計算	権利金等の授受がある場合	(権利金等の金額) (A) 16,000,000　円	＝⑨	権利金・協力金・礼金等の名称のいかんを問わず、借地契約の終了のときに返還を要しないとされる金銭等の額の合計を記載します。	(権利金等の授受による経済的利益の金額) ⑨ 16,000,000円
	保証金等の授受がある場合	(保証金等の額に相当する金額) (B)　　　　　円		保証金・敷金等の名称のいかんを問わず、借地契約の終了のときに返還を要するものとされる金銭等(保証金等)の預託があった場合において、その保証金等につき基準年利率未満の約定利率の支払いがあるとき又は無利息のときに、その保証金等の金額を記載します。	(保証金等の授受による経済的利益の金額) ⑩　　　　　円
		(保証金等の授受による経済的利益の金額の計算) 　　　(④の複利現価率)　　　　　　　　(基準年利率未満の約定利率)　　(⑤の複利年金現価率) (B) － ［ (B) × ＿＿＿＿＿ ］ － ［ (B) × ＿＿＿＿＿ × ＿＿＿＿＿ ］ ＝⑩			
		(権利金等の授受による経済的利益の金額)　　(保証金等の授受による経済的利益の金額)　　(贈与を受けたと認められる差額地代の額がある場合の経済的利益の金額) ⑨16,000,000円 ＋ ⑩ 0 円 ＋ ⑪ 0 円 ＝		(経済的利益の総額) ⑫ 16,000,000　円	

（注）⑪欄は、個々の取引の事情・当事者間の関係等を総合勘案し、実質的に贈与を受けたと認められる差額地代の額がある場合に記載します(計算方法は、裏面2参照。)。

評価額の計算	(課税時期における自用地としての価額) 100,000,000円 ×	(経済的利益の総額) ⑫16,000,000円 ＿＿＿＿＿＿＿＿＿ (設定時の通常取引価額) ②100,000,000円 ×	(⑥の複利年金現価率) 38.588 ＿＿＿＿＿＿ (⑤の複利年金現価率) 39.196 ＝	(定期借地権等の評価額) ⑬ 15,751,811　円

（注）保証金等の返還の時期が、借地契約の終了のとき以外の場合の⑩欄の計算方法は、税務署にお尋ねください。

○定期借地権等の目的となっている宅地の評価

一般定期借地権の目的となっている宅地 裏面1の㋐に該当するもの	(課税時期における自用地としての価額) ③ ＿＿＿＿＿円 －	(課税時期における自用地としての価額) ③ ＿＿＿＿＿円×	［1 －	底地割合 (裏面3参照) 　　］ ×	(⑥の複利年金現価率) ＿＿＿＿＿＿ (⑤の複利年金現価率) ＝	⑭	(一般定期借地権の目的となっている宅地の評価額) ＿＿＿＿＿円
上記以外の定期借地権等の目的となっている宅地 裏面1の㋑に該当するもの	(課税時期における自用地としての価額) ③ ＿＿＿＿＿円 －	(定期借地権等の評価額) ⑬ ＿＿＿＿＿円 ＝	⑮	＿＿＿＿＿円		⑰	(上記以外の定期借地権等の目的となっている宅地の評価額) (⑮と⑯のいずれか低い金額) ＿＿＿＿＿円
	(課税時期における自用地としての価額) ③ ＿＿＿＿＿円 ×	［1 －	(残存期間年数に応じた割合(裏面4参照)) ＿＿＿＿＿ ］ ＝	⑯	＿＿＿＿＿円		

【事例　83】　定期借地権の目的となっている宅地の評価

定 期 借 地 権 等 の 評 価 明 細 書

（令和六年分以降用）

（住居表示） 所 在 地 番					（地　積） ㎡	設定年月日	平成 令和　5年3月　日	設定期間年数	⑦	50 年
						課 税 時 期	令和6年3月　日	残存期間年数	⑧	49 年
定期借地権 等 の 種 類	一般定期借地権 ・　建物譲渡特約付借地権 ・ 事業用定期借地権等						設定期 間年数 に応ず る基準 年利率 による	複利現価率	④	0.608
定期 借地 権等 の設 定時	自用地としての価額	①	（1㎡当たりの価額　　　　　円） 80,000,000 円					複利年金現価率	⑤	39.196
	通 常 取 引 価 額	②	（通常の取引価額又は①／0.8） 100,000,000 円							
課税 時期	自用地としての価額	③	（1㎡当たりの価額　　　　　円） 100,000,000 円				残存期間年数に応ずる 基準年利率による 複利年金現価		⑥	38.588

（注1）居住用の区分所有財産における定期借地権等を評価する場合の③の自用地としての価額は、令和5年9月28日付課評2－
　　　74ほか1課共同「居住用の区分所有財産の評価について」（法令解釈通達）の適用後の価額を記載します。

（注2）④及び⑤に係る設定期間年数又は⑥に係る残存期間年数について、その年数に1年未満の端数があるときは6か月以上を
　　　切り上げ、6か月未満を切り捨てます。

○定期借地権等の評価

経済的利益の額の計算	権利金 等の授 受があ る場合	（権利金等の金額） （A） ＿＿＿＿＿＿＿　円 ＝ ⑨	権利金・協力金・礼金等の名称のいかんを問わず、借 地契約の終了のときに返還を要しないとされる金銭等 の額の合計を記載します。	⑨	権利金等の授受によ る経済的利益の金額 　　　　　円
	保証金 等の授 受があ る場合	（保証金等の額に相当する金額） （B） ＿＿＿＿＿＿＿　円	保証金・敷金等の名称のいかんを問わず、借地契約の 終了のときに返還を要するものとされる金銭等（保証金 等）の預託があった場合において、その保証金等につき 基準年利率未満の約定利率の支払いがあるとき又は 無利息のときに、その保証金等の金額を記載します。	⑩	保証金等の授受によ る経済的利益の金額 　　　　　円
		（保証金等の授受による経済的利益の金額の計算） 　　　　　　　（④の複利現価率）　　　　　　　（基準年利率未満 　　　　　　　　　　　　　　　　　　　　　　の約定利率）　（⑤の複利年金現価率） （B）－〔（B）×　　　　　　　　　〕－〔（B）×　　　　　　×　　　　　　〕＝ ⑩			
	（権利金等の授受によ る経済的利益の金額） ⑨　　　　　円 ＋	（保証金等の授受によ る経済的利益の金額） ⑩　　　　　円 ＋	（贈与を受けたと認められ る差額地代の額がある場 合の経済的利益の金額） ⑪　　　　　円 ＝	⑫	（経済的利益の総額） 　　　　　円
	（注）⑪欄は、個々の取引の事情・当事者間の関係等を総合勘案し、実質的に贈与を受けたと認め 　　　られる差額地代の額がある場合に記載します（計算方法は、裏面2参照。）。			
評価額の計算	（課税時期における自 用地としての価額） ③　　　　　円 × 　　　　　　　　　（設定時の通常取引価額） 　　　　　　　　　②　　　　　円	（経済的利益の総額） ⑫　　　　　円 	（⑥の複利年金現価率） 　　　　　　　× （⑤の複利年金現価率）	⑬	（定期借地権等の評価額） 　　　　　円

（注）保証金等の返還の時期が、借地契約の終了のとき以外の場合の⑩欄の計算方法は、税務署にお尋ねください。

○定期借地権等の目的となっている宅地の評価

一般定期借地 権の目的とな っている宅地 〔裏面1の ⑧に該当 するもの〕	（課税時期における自 用地としての価額） ③ 100,000,000 円 －	（課税時期における自 用地としての価額） ③ 100,000,000 円×	底地割合 （裏面3参照） 〔1－ 0.6 〕	（⑥の複利年 金現価率） 38.588 ×（⑤の複利年 金現価率） 39.196 ＝	⑭	一般定期借地権の目的と なっている宅地の評価額 　　　　　円 60,620,472
上記以外の定 期借地権等の 目的となって いる宅地 〔裏面1の ⑧に該当 するもの〕	（課税時期における自 用地としての価額） ③　　　　　円 －	（定期借地権等の評価額） ⑬　　　　　円 ＝ ⑮		円	⑰	上記以外の定期借地権 等の目的となっている 宅地の評価額 （⑮と⑯のいずれ か低い金額） 　　　　　円
	（課税時期における自 用地としての価額） ③　　　　　円 ×	〔1－ 残存期間年数に応じた 割合（裏面4参照）〕＝ ⑯		円		

■相続税のかかる人の割合と基礎控除額の関係

	相続税の申告数(A)	死亡者数(B)	(A)／(B)	基礎控除額
昭和60	48,111	752,283	6.4%	2,000万+400万×法定相続人数
昭和61	51,847	750,620	6.9%	
昭和62	59,008	751,172	7.9%	
昭和63	36,468	793,014	4.6%	4,000万+800万×法定相続人数
平成元	41,655	788,594	5.3%	
平成2	48,287	820,305	5.9%	
平成3	56,554	829,797	6.8%	
平成4	54,449	850,043	6.4%	4,800万+950万×法定相続人数
平成5	52,877	878,532	6.0%	
平成6	45,335	875,933	5.2%	
平成7	50,729	922,139	5.5%	
平成8	48,476	896,211	5.4%	
平成9	48,605	913,402	5.3%	
平成20	48,016	1,142,407	4.2%	5,000万+1,000万×法定相続人数
平成21	46,439	1,141,865	4.1%	
平成22	49,891	1,197,014	4.2%	
平成23	51,559	1,253,068	4.1%	
平成24	52,572	1,256,359	4.2%	
平成25	54,421	1,268,438	4.3%	
平成26	56,239	1,273,025	4.4%	
平成27	103,043	1,290,510	8.0%	3,000万+600万×法定相続人数
平成28	105,880	1,308,158	8.1%	
平成29	111,728	1,340,567	8.3%	
平成30	116,341	1,362,470	8.5%	
令和元	115,267	1,381,093	8.3%	
令和2	120,372	1,372,755	8.8%	
令和3	134,275	1,439,856	9.3%	
令和4	150,858	1,569,050	9.6%	

（国税庁等公表資料により作成）

　平成27年1月より、基礎控除額は「3,000万円+600万円×法定相続人数」に引き下げられて、相続税のかかる人の割合は6％台になるとされていましたが、実際には8.0％と、昭和62年の7.9％を上回って過去最高となり、令和4年は9.6％と更に上昇し、平成27年以降も毎年昭和62年の割合を上回っています。この状況が数年続くと、今度は基礎控除額の引上げがあるかもしれません。

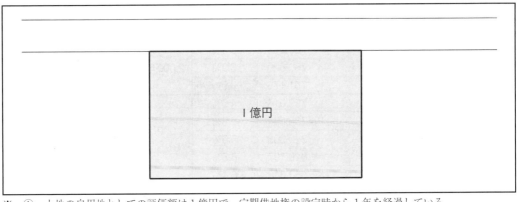

※　①　土地の自用地としての評価額は１億円で、定期借地権の設定時から１年を経過している。
　　②　定期借地権の契約内容及び契約時の時価は、次のとおりである。
　　　　○契約時の時価　　　　　　　　　　１億円
　　　　○契約時の相続税評価額　　　　　　8,000万円
　　　　○定期借地権の設定期間　　　　　　50年
　　　　○一時金等：権利金　　　　　　　　1,600万円（返還不要）
　　　　○差額地代はない。
　　③　評価時期　　令和６年３月

評価上の留意点

1　定期借地権の設定された宅地の価額は、原則として次の算式によって計算した金額（自用地価額から定期借地権の価額を控除した金額）により評価します。

$$課税時期の\atop 自用地とし{-}ての価額Ⓐ = Ⓐ \times \frac{定期借地権設定時における借地権者に帰属する経済的利益の総額}{定期借地権設定時におけるその宅地の通常の取引価額} \times \frac{課税時期における定期借地権の残存期間年数に応ずる基準年利率（※）による複利年金現価率}{定期借地権の設定期間年数に応ずる基準年利率（※）による複利年金現価率}$$
（定期借地権の価額Ⓑ）

※　評価時点の設定期間50年に対する基準年利率は1.00％ですので、66ページの表により、年1.00％の複利年金現価率は、49年で38.588、50年で39.196になります。

ただし、Ⓑの金額が、その宅地の自用地としての価額に定期借地権の残存期間に応ずる一定の割合を乗じた金額Ⓒより低い場合には、Ⓒの金額を自用地としての価額から控除した金額により評価します。

　　本事例の場合は、
①　$1億円 - 1億円 \times \dfrac{1,600万円}{1億円} \times \dfrac{38.588}{39.196} = 84,248,189円$
　　　　15,751,811円Ⓑ

②　定期借地権の残存期間49年に応ずる一定割合は、20％
　　　　$1億円 \times 20\% = 2,000万円Ⓒ$

　　15,735,168円＜20,000,000円⇨20,000,000円

したがって、この宅地の価額は、8,000万円（１億円－2,000万円）となります。

2　定期借地権の価額は、通常は１の①のⒷの金額15,751,811円となります。
　（注）　本文中の計算の詳細については、64ページから67ページまでを参照してください。

【事例　84】

土地及び土地の上に存する権利の評価明細書（第1表）

		局（所）	署	年分	ページ

（住居表示）	（　　　　　　）		所有者	住　所 （所在地）		使用者	住　所 （所在地）	
所在地番				氏　名 （法人名）			氏　名 （法人名）	

地　　目	地　積		路　　　　線　　　　価				地形図及び
（宅地）山林 田　雑種地 畑　（　）	㎡	正　面 円	側　方 円	側　方 円	裏　面 円	

自用地の評価額	評価額	自用地1平方メートル当たりの価額 （AからLまでのうちの該当記号） （　　　） 円	地　積 ㎡	総　　　額 （自用地1㎡当たりの価額）×（地　積） 100,000,000 円	M

底地権者

土地及び土地の上に存する権利の評価明細書（第2表）

セットバックを 必要とする 宅地の評価額	（自用地の評価額） 円 － （	（自用地の評価額） 円 × ㎡／㎡（総地積） × 0.7	）	（自用地の評価額） 円	N

総額計	貸家建付地	（自用地の評価額又はV） 円 × （1－ 0.　　　×0.　　　×㎡／㎡） （借地権割合）（借家権割合）（賃貸割合）	円	U
	定期借地権の目的となっている土地	（自用地の評価額） 100,000,000 円 × （1－ 0.2 ） （定期借地権割合）	80,000,000 円	V
	借地権	（自用地の評価額） 円 × 0.　　（借地権割合）	円	W

定期借地権者

土地及び土地の上に存する権利の評価明細書（第2表）

セットバックを 必要とする 宅地の評価額	（自用地の評価額） 円 － （	（自用地の評価額） 円 × ㎡／㎡（総地積） × 0.7	）	（自用地の評価額） 円	N

額	他の権利と競合する場合の権利	（W，ABのうちの該当記号） （　　　） 円 × （1－ 0.　　　）（割合）	円	AD
備考	定期借地権	$100{,}000{,}000円 \times \dfrac{16{,}000{,}000円}{100{,}000{,}000円} \times \dfrac{38.588}{39.196} = 15{,}751{,}811円$		

【事例 84】 定期借地権等の評価

(表)

定 期 借 地 権 等 の 評 価 明 細 書

(住居表示) 所 在 地 番		(地 積) ㎡	設定年月日	平成 （令和）5年3月　日	設定期間年数	⑦	50 年
			課 税 時 期	（令和）6年3月　日	残存期間年数	⑧	49 年

定期借地権 等 の 種 類	一 般 定 期 借 地 権　・　（建物譲渡特約付借地権）・ 事業用定期借地権等		設定期間年数 に応ずる基準 年利率による	複利現価率	④	0.608
定 期 借地権 等 の 設 定 時	自用地としての価額	①	(1㎡当たりの価額　　　　　　円) 80,000,000 円		複利年金現価率	⑤	39.196
	通 常 取 引 価 額	②	(通常の取引価額又は①／0.8) 100,000,000 円				
課 税 時 期	自用地としての価額	③	(1㎡当たりの価額　　　　円) 100,000,000 円	残存期間年数に応ずる 基準年利率による 複利年金現価率	⑥	38.588

(注1) 居住用の区分所有財産における定期借地権等を評価する場合の③の自用地としての価額は、令和5年9月28日付課評2－74ほか1課共同「居住用の区分所有財産の評価について」（法令解釈通達）の適用後の価額を記載します。

(注2) ④及び⑤に係る設定期間年数又は⑥に係る残存期間年数について、その年数に1年未満の端数があるときは6か月以上を切り上げ、6か月未満を切り捨てます。

○定期借地権等の評価

経済的利益の額の計算	権利金 等の授 受があ る場合	(権利金等の金額) (A) 16,000,000 円 ＝ ⑨	権利金・協力金・礼金等の名称のいかんを問わず、借地契約の終了のときに返還を要しないとされる金銭等の額の合計を記載します。		(権利金等の授受による経済的利益の金額) ⑨ 16,000,000 円
	保証金 等の授 受があ る場合	(保証金等の額に相当する金額) (B)　　　　　円	保証金・敷金等の名称のいかんを問わず、借地契約の終了のときに返還を要するものとされる金銭等（保証金等）の預託があった場合において、その保証金等につき基準年利率未満の約定利率の支払いがあるとき又は無利息のときに、その保証金等の金額を記載します。		(保証金等の授受による経済的利益の金額) ⑩ 円
		(保証金等の授受による経済的利益の金額の計算) 　　　　　　　　　(④の複利現価率)　　　　(基準年利率未満の約定利率)　(⑤の複利年金現価率) (B) － [(B) × 　　　　　　] － [(B) × 　　　　　　 × 　　　　　] ＝ ⑩			
	(権利金等の授受による経済的利益の金額) ⑨ 16,000,000 円	＋ (保証金等の授受による経済的利益の金額) ⑩ 0 円	＋ (贈与を受けたと認められる差額地代の額がある場合の経済的利益の金額) ⑪ 0 円 ＝		(経済的利益の総額) ⑫ 16,000,000 円
	(注)⑪欄は、個々の取引の事情・当事者間の関係等を総合勘案し、実質的に贈与を受けたと認められる差額地代の額がある場合に記載します（計算方法は、裏面2参照。）。				
評価 額の 計算	(課税時期における自用地としての価額) ③ 100,000,000 円 ×	(経済的利益の総額) ⑫ 16,000,000 (設定時の通常取引価額) ② 100,000,000 円 ×	(⑥の複利年金現価率) 38.588 (⑤の複利年金現価率) 39.196 ＝		(定期借地権等の評価額) ⑬ 15,751,811 円

(注) 保証金等の返還の時期が、借地契約の終了のとき以外の場合の⑩欄の計算方法は、税務署にお尋ねください。

○定期借地権等の目的となっている宅地の評価

一般定期借地 権の目的となっている宅地 [裏面1の Ⓐに該当 するもの]	(課税時期における自用地としての価額) ③ 円	－	(課税時期における自用地としての価額) ③ 円 × [1 －	(底地割合 (裏面3参照) 　　　] ×	(⑥の複利年金現価率) (⑤の複利年金現価率) ＝	⑭	(一般定期借地権の目的となっている宅地の評価額) 円
上記以外の定 期借地権等の 目的となって いる宅地 [裏面1の Ⓑに該当 するもの]	(課税時期における自用地としての価額) ③ 円	－	(定期借地権等の評価額) ⑬ 円 ＝ ⑮	円		⑰	(上記以外の定期借地権等の目的となっている宅地の評価額 (⑮と⑯のいずれか低い金額) 円
	(課税時期における自用地としての価額) ③ 円	×	[1 －	(残存期間年数に応じた割合(裏面4参照) 　　　] ＝ ⑯ 円			

-294-

【事例　84】　定期借地権の目的となっている宅地の評価

定 期 借 地 権 等 の 評 価 明 細 書

（住居表示）所在地番			（地積）㎡	設定年月日	平成・令和 5年3月 日	設定期間年数	⑦ 50 年
				課税時期	令和 6年3月 日	残存期間年数	⑧ 49 年

定期借地権等の種類	一般定期借地権　・　建物譲渡特約付借地権　・　事業用定期借地権等		設定期間年数に応ずる基準年利率による	複利現価率	④ 0.608
定期借地権等の設定時	自用地としての価額 ①	（1㎡当たりの価額　　　　　円） 80,000,000 円		複利年金現価率	⑤ 39.196
	通常取引価額 ②	（通常の取引価額又は①／0.8） 100,000,000 円			
課税時期	目用地としての価額 ③	（1㎡当たりの価額　　　　円） 100,000,000 円	残存期間年数に応ずる基準年利率による複利年金現価率		⑥ 38.588

（注1）居住用の区分所有財産における定期借地権等を評価する場合の③の自用地としての価額は、令和5年9月28日付課評2－74ほか1課共同「居住用の区分所有財産の評価について」（法令解釈通達）の適用後の価額を記載します。

（注2）④及び⑤に係る設定期間年数又は⑥に係る残存期間年数について、その年数に1年未満の端数があるときは6か月以上を切り上げ、6か月未満を切り捨てます。

○定期借地権等の評価

経済的利益の額の計算	権利金等の授受がある場合	（権利金等の金額）（A） 16,000,000 円 ＝ ⑨	［権利金・協力金・礼金等の名称のいかんを問わず、借地契約の終了のときに返還を要しないとされる金銭等の額の合計を記載します。］	権利金等の授受による経済的利益の金額 ⑨ 16,000,000 円
	保証金等の授受がある場合	（保証金等の額に相当する金額）（B）　　　　円	［保証金・敷金等の名称のいかんを問わず、借地契約の終了のときに返還を要するものとされる金銭等（保証金等）の預託があった場合において、その保証金等につき基準年利率未満の約定利率の支払があるとき又は無利息のときに、その保証金等の金額を記載します。］	保証金等の授受による経済的利益の金額 ⑩ 円
		（保証金等の授受による経済的利益の金額の計算） （B）－ ［（B）× （④の複利現価率） ］ － ［（B）× （基準年利率未満の約定利率） × （⑤の複利年金現価率） ］ ＝ ⑩		

	（権利金等の授受による経済的利益の金額） ⑨ 16,000,000 円	＋	（保証金等の授受による経済的利益の金額） 0 円	＋	（贈与を受けたと認められる差額地代の額がある場合の経済的利益の金額） ⑪ 0 円	＝	（経済的利益の総額） ⑫ 16,000,000 円

（注）⑪欄は、個々の取引の事情・当事者間の関係等を総合勘案し、実質的に贈与を受けたと認められる差額地代の額がある場合に記載します（計算方法は、裏面2参照）。

評価額の計算	（課税時期における自用地としての価額） ③ 100,000,000 円	×	（経済的利益の総額） ⑫ 16,000,000 円 ――――――――― （設定時の通常取引価額） ② 100,000,000 円	×	（⑥の複利年金現価率） 38.588 ――――――― （⑤の複利年金現価率） 39.196	＝	（定期借地権等の評価額） ⑬ 15,751,811 円

（注）保証金等の返還の時期が、借地契約の終了のとき以外の場合の⑩欄の計算方法は、税務署にお尋ねください。

○定期借地権等の目的となっている宅地の評価

一般定期借地権の目的となっている宅地 ［裏面1の⒜に該当するもの］	（課税時期における自用地としての価額） ③ 　　　　円	－	（課税時期における自用地としての価額） ③ 　　　　円	× ［1 － （底地割合（裏面3参照）） × （⑥の複利年金現価率） ――――――― （⑤の複利年金現価率）］	＝	⑭	一般定期借地権の目的となっている宅地の評価額 円
上記以外の定期借地権等の目的となっている宅地 ［裏面1の⒝に該当するもの］	（課税時期における自用地としての価額） ③ 100,000,000 円	－	（定期借地権等の評価額） ⑬ 15,751,811 円	＝ ⑮ 84,248,189 円		⑰	上記以外の定期借地権等の目的となっている宅地の評価額（⑮と⑯のいずれか低い金額） 80,000,000 円
	（課税時期における自用地としての価額） ③ 100,000,000 円	×	［1 － 0.2 （残存期間年数に応じた割合（裏面4参照））］	＝ ⑯ 80,000,000 円			

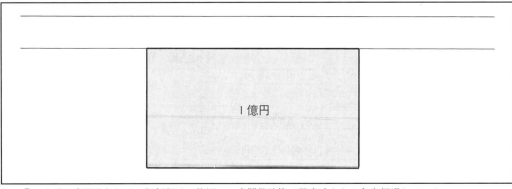

I億円

※　①　土地の自用地としての評価額は１億円で、定期借地権の設定時から１年を経過している。
　　②　定期借地権の契約内容及び契約時の時価は、次のとおりである。
　　　　○契約時の時価　　　　　　　　　　　１億円
　　　　○契約時の相続税評価額　　　　　　　8,000万円
　　　　○定期借地権の設定期間　　　　　　　50年
　　　　○一時金等：保証金　　　　　　　　　4,500万円（無利息、期間満了時に返還）
　　　　○差額地代はない。
　　③　評価時点　　令和６年３月

評価上の留意点

1　定期借地権の設定された宅地の価額は、原則として次の算式によって計算した金額（自用地価額から定期借地権の価額を控除した金額）により評価します。

$$\substack{\text{課税時期の}\\\text{自用地とし}\\\text{ての価額Ⓐ}} - Ⓐ \times \frac{\substack{\text{定期借地権設定時におけ}\\\text{る借地権者に帰属する経}\\\text{済的利益の総額（※1）}}}{\substack{\text{定期借地権設定時における}\\\text{その宅地の通常の取引価額}}} \times \frac{\substack{\text{課税時期における定期借地権の残存}\\\text{期間年数に応ずる基準年利率（※2）}\\\text{による複利年金現価率}}}{\substack{\text{定期借地権の設定期間年数に応ずる基}\\\text{準年利率（※2）による複利年金現価率}}}$$

（定期借地権の価額Ⓑ）

　※１　期間満了時に無利息で返還する4,500万円保証金の借地権者に帰属する経済的利益は、4,500万円×（1－0.608）（0.608は年1.00％の設定期間50年に応ずる複利現価率）＝17,640,000円となります。
　※２　評価時点の設定期間50年に対する基準年利率は1.00％ですので、66ページの表により、年1.00％の複利年金現価率は、49年で38.588、50年で39.196になります。

　ただし、Ⓑの金額が、その宅地の自用地としての価額に定期借地権の残存期間に応ずる一定の割合を乗じた金額Ⓒより低い場合には、Ⓒの金額を自用地としての価額から控除した金額により評価します。

　本事例の場合は、

①　$1億円 - 1億円 \times \dfrac{1,764万円}{1億円} \times \dfrac{38.588}{39.196} = 82,633,628円$

　　　　　　　　　17,366,372円Ⓑ

②　定期借地権の残存期間49年に応ずる一定割合は、20％

　　　　　$1億円 \times 20％ = 2,000万円Ⓒ$

　　17,366,372円＜20,000,000円⇨20,000,000円

　したがって、この宅地の価額は、80,000,000円となります。

2　定期借地権の価額は、通常は１の①のⒷの金額17,366,372円となります。
　（注）　本文中の計算の詳細については、64ページから67ページまでを参照してください。

【事例　85】

土地及び土地の上に存する権利の評価明細書（第1表）

			局(所)	署	年分	ページ

（住居表示）	（　　　　　　　）		住　所 （所在地）		使用者	住　　　所 （所在地）	
所 在 地 番		所有者	氏　　名 （法人名）			氏　　　名 （法人名）	

地　　目		地　積	路　　　　線　　　　価				地
(宅 地) 山 林 田　雑種地 畑 （　　　）		㎡	正　面	側　　方	側　　方	裏　面	形 図 及 び 参 考 事 項
			円	円	円	円	

間口距離	m	利 用 区 分	自 用 地　私　　道 貸 宅 地　貸家建付借地権 貸家建付地　転 貸 借 地 権 借 地 権　（　　　　　　）	地 区 区 分	ビ ル 街 地 区　普 通 住 宅 地 区 高度商業地区　中 小 工 場 地 区 繁 華 街 地 区　大 工 場 地 区 普通商業・併用住宅地区
奥行距離	m				

（地形図省略：省 略）

自 用 地 の 評 価 額	自用地1平方メートル当たりの価額 （AからしまでのうちのA該当記号）	地　　　積	総　　　　　額 （自用地1㎡当たりの価額）×（地　積）	
評 価 額	（　　） 円	㎡	100,000,000 円	M

底地権者

土地及び土地の上に存する権利の評価明細書（第2表）

セットバックを 必 要 と す る 宅 地 の 評 価 額	（自用地の評価額） 円 － （ （自用地の評価額） 円 × (該当地積) ㎡ / (総地積) ㎡ × 0.7 ）	（ 自用地の評価額 ） 円	N

額	合の 他競合の の合する権 権利 利と場	（W, ABのうちの該当記号）　（　　割合） （　　） 円 × (1－ 0.　　)	円	AD

備 考	定期借地権の目的となっている宅地 　　　　100,000,000円－20,000,000円＝80,000,000円

定期借地権者

土地及び土地の上に存する権利の評価明細書（第2表）

セットバックを 必 要 と す る 宅 地 の 評 価 額	（自用地の評価額） 円 － （ （自用地の評価額） 円 × (該当地積) ㎡ / (総地積) ㎡ × 0.7 ）	（ 自用地の評価額 ） 円	N

額	合の 他競合の の合する権 権利 利と場	（W, ABのうちの該当記号）　（　　割合） （　　） 円 × (1－ 0.　　)	円	AD

備 考	定期借地権 　100,000,000円× $\dfrac{17,640,000円}{100,000,000円}$ × $\dfrac{38.588}{39.196}$ ＝17,366,372円

【事例 85】 宅地（底地）

定 期 借 地 権 等 の 評 価 明 細 書

（令和六年分以降用）

（住居表示）所在地番	（地 積） ㎡	設定年月日	平成 <u>令和</u> 5年3月 日	設定期間年数	⑦	50 年
		課税時期	<u>令和</u>6年3月	残存期間年数	⑧	49 年

定期借地権等の種類	一般定期借地権 ・ <u>建物譲渡特約付借地権</u> ・ 事業用定期借地権等	設定期間年数に応ずる基準年利率による	複利現価率	④	0.608

定期借地権等の設定時	自用地としての価額	①	（1㎡当たりの価額 円） **80,000,000** 円		複利年金現価率	⑤	**39.196**
	通 常 取 引 価 額	②	（通常の取引価額又は①／0.8） **100,000,000** 円				
課税時期	自用地としての価額	③	（1㎡当たりの価額 円） **100,000,000** 円	残存期間年数に応ずる基準年利率による複利年金現価率	⑥	**38.588**	

（注1）居住用の区分所有財産における定期借地権等を評価する場合の③の自用地としての価額は、令和5年9月28日付課評2－74ほか1課共同「居住用の区分所有財産の評価について」（法令解釈通達）の適用後の価額を記載します。

（注2）④及び⑤に係る設定期間年数又は⑥に係る残存期間年数について、その年数に1年未満の端数があるときは6か月以上を切り上げ、6か月未満を切り捨てます。

○定期借地権等の評価

経済的利益の額の計算	権利金等の授受がある場合	（権利金等の金額）（A） 0 円 ＝ ⑨	権利金・協力金・礼金等の名称のいかんを問わず、借地契約の終了のときに返還を要しないとされる金銭等の額の合計を記載します。	⑨ （権利金等の授受による経済的利益の金額） 0 円
	保証金等の授受がある場合	（保証金等の額に相当する金額）（B） **45,000,000** 円	保証金・敷金等の名称のいかんを問わず、借地契約の終了のときに返還を要するものとされる金銭等（保証金等）の預入があった場合において、その保証金等につき基準年利率未満の約定利率の支払いがあるとき又は無利息のときに、その保証金等の金額を記載します。	⑩ （保証金等の授受による経済的利益の金額） **17,640,000** 円
		（保証金等の授受による経済的利益の金額の計算） （④の複利現価率） （基準年利率未満の約定利率） （⑤の複利年金現価率） (B) － [(B) × 0.608] － [(B) × 0 × 39.196] ＝ ⑩		
	（権利金等の授受による経済的利益の金額） ⑨ 0 円 ＋ （保証金等の授受による経済的利益の金額） ⑩ 17,640,000 円 ＋ （贈与を受けたと認められる差額地代の額がある場合の経済的利益の金額） ⑪ 0 円 ＝			⑫ （経済的利益の総額） 円 **17,640,000**
	（注）⑪欄は、個々の取引の事情・当事者間の関係等を総合勘案し、実質的に贈与を受けたと認められる差額地代の額がある場合に記載します（計算方法は、裏面2参照。）。			
評価額の計算	（課税時期における自用地としての価額）③ **100,000,000** 円 × （経済的利益の総額）⑫ 17,640,000 （設定時の通常取引価額）② 100,000,000 × （⑥の複利年金現価率）38.588 （⑤の複利年金現価率）39.196 ＝			⑬ （定期借地権等の評価額） 円 **17,366,372**

（注）保証金等の返還の時期が、借地契約の終了のとき以外の場合の⑩欄の計算方法は、税務署にお尋ねください。

○定期借地権等の目的となっている宅地の評価

一般定期借地権の目的となっている宅地 [裏面1の Ⓐに該当するもの]	（課税時期における自用地としての価額）③ 円 － （課税時期における自用地としての価額）③ 円 × [1 － 底地割合（裏面3参照） × （⑥の複利年金現価率）/（⑤の複利年金現価率）] ＝	⑭ 一般定期借地権の目的となっている宅地の評価額 円
上記以外の定期借地権等の目的となっている宅地 [裏面1の Ⓑに該当するもの]	（課税時期における自用地としての価額）③ **100,000,000** 円 － （定期借地権等の評価額）⑬ **17,640,000** 円 ＝ ⑮ **82,360,000** 円	⑰ 上記以外の定期借地権等の目的となっている宅地の評価額 （⑮と⑯のいずれか低い金額） 円 **80,000,000**
	（課税時期における自用地としての価額）③ **100,000,000** 円 × （残存期間年数に応じた割合（裏面4参照）） 1 － 0.2 ＝ ⑯ **80,000,000** 円	

－298－

【事例　85】　定期借地権

（表）

定 期 借 地 権 等 の 評 価 明 細 書

（住居表示）所在地番		（地　積）㎡	設定年月日	平成 ~~令和~~ 5年3月　日	設定期間年数	⑦	50 年
			課税時期	~~令和~~ 6年3月　日	残存期間年数	⑧	49 年

定期借地権等の種類	一般定期借地権　・　（建物譲渡特約付借地権）　・　事業用定期借地権等		設定期間年数に応ずる基準年利率による	複利現価率	④	0.608
定期借地権等の設定時	自用地としての価額	① （1㎡当たりの価額　　　　　　　円） **80,000,000** 円		複利年金現価率	⑤	39.196
	通常取引価額	② （通常の取引価額又は①／0.8） **100,000,000** 円				
課税時期	自用地としての価額	③ （1㎡当たりの価額　　　　　　　円） **100,000,000** 円	残存期間年数に応ずる基準年利率による複利年金現価率		⑥	38.588

（注1）居住用の区分所有財産における定期借地権等を評価する場合の③の自用地としての価額は、令和5年9月28日付課評2－74ほか1課共同「居住用の区分所有財産の評価について」（法令解釈通達）の適用後の価額を記載します。

（注2）④及び⑤に係る設定期間年数又は⑥に係る残存期間年数について、その年数に1年未満の端数があるときは6か月以上を切り上げ、6か月未満を切り捨てます。

○定期借地権等の評価

経済的利益の額の計算	権利金等の授受がある場合	（権利金等の金額）（A） 　　　　　0 円 ＝ ⑨	権利金・協力金・礼金等の名称のいかんを問わず、借地契約の終了のときに返還を要しないとされる金銭等の額の合計を記載します。	（権利金等の授受による経済的利益の金額）⑨ 0 円
	保証金等の授受がある場合	（保証金等の額に相当する金額）（B） **45,000,000** 円	保証金・敷金等の名称のいかんを問わず、借地契約の終了のときに返還を要するものとされる金銭等（保証金等）の預託があった場合において、その保証金等につき基準年利率未満の約定利率の支払いがあるとき又は無利息のときに、その保証金等の金額を記載します。	（保証金等の授受による経済的利益の金額）⑩ **17,640,000** 円
		（保証金等の授受による経済的利益の金額の計算） 　　　　　　　（④の複利現価率）　　　　　　　（基準年利率未満の約定利率）　（⑤の複利年金現価率） （B）－〔（B）× 0.608 〕－〔（B）× 0 × 39.196 〕＝ ⑩		
		（権利金等の授受による経済的利益の金額）⑨ 0 円 ＋ （保証金等の授受による経済的利益の金額）⑩ **17,640,000** 円 ＋ （贈与を受けたと認められる差額地代の額がある場合の経済的利益の金額）⑪ 0 円 ＝		（経済的利益の総額）⑫ **17,640,000** 円
		（注）⑪欄は、個々の取引の事情・当事者間の関係等を総合勘案し、実質的に贈与を受けたと認められる差額地代の額がある場合に記載します（計算方法は、裏面2参照。）。		
評価額の計算	（課税時期における自用地としての価額）③ **100,000,000** 円 × （経済的利益の総額）⑫ **17,640,000** 円／（設定時の通常取引価額）② **100,000,000** 円 × （⑥の複利年金現価率）**38.588**／（⑤の複利年金現価率）**39.196** ＝			（定期借地権等の評価額）⑬ **17,366,372** 円

（注）保証金等の返還の時期が、借地契約の終了のとき以外の場合の⑩欄の計算方法は、税務署にお尋ねください。

○定期借地権等の目的となっている宅地の評価

一般定期借地権の目的となっている宅地〔裏面1の④に該当するもの〕	（課税時期における自用地としての価額）③ 　　　円 －	（課税時期における自用地としての価額）③ 　　　円×〔1 －	底地割合（裏面3参照）	×（⑥の複利年金現価率）／（⑤の複利年金現価率）〕 ＝	一般定期借地権の目的となっている宅地の評価額⑭ 円
上記以外の定期借地権等の目的となっている宅地〔裏面1の⑧に該当するもの〕	（課税時期における自用地としての価額）③ 　　　円 －	（定期借地権等の評価額）⑬ 　　　円 ＝ ⑮ 円			上記以外の定期借地権等の目的となっている宅地の評価額（⑮と⑯のいずれか低い金額）⑰ 円
	（課税時期における自用地としての価額）③ 　　　円 ×	〔1 － 残存期間年数に応じた割合（裏面4参照）〕 ＝ ⑯ 円			

事例　86　自宅兼工場の敷地の一部に庭内神しがある場合

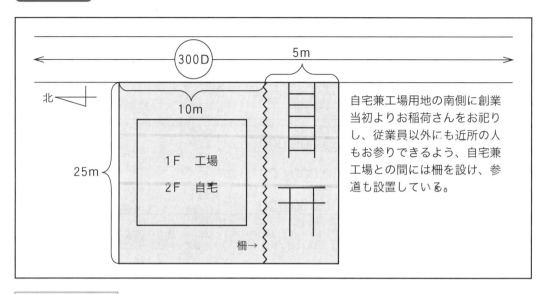

評価上の留意点

1　敷地内の神の社等を「庭内神し」といい、「庭内神し」の敷地等については非課税とされます（63ページの **(29)** 参照）。

　　したがって、本敷地内の南側の「お稲荷さん」の部分及びその参道部分は非課税となります。

2　南側の部分が非課税ですから、北側の部分のみを、間口10m、奥行25mの土地として評価することとなります。

各補正率の適用は？

1　奥行価格補正率……奥行25mで普通商業・併用住宅地区の場合、1.00です。
2　間口狭小補正率……間口10mで普通商業・併用住宅地区の場合、1.00です。
3　奥行長大補正率……奥行距離÷間口距離が1.5で普通商業・併用住宅地区の場合、1.00です。

【事例　86】

土地及び土地の上に存する権利の評価明細書（第1表）

			局(所)	署	年分	ページ

（住居表示）	（	）	所有者	住　所 (所在地)		使用者	住　所 (所在地)	
所在地番				氏　名 (法人名)			氏　名 (法人名)	

地　目	地　積	路　　線　　価				地形図及び参考事項
(宅地) 山林 田　畑 (　) 雑種地	250 m²	正　面 300,000円	側　方 円	側　方 円	裏　面 円	省略

間口距離	10 m	利用区分	(自用地) 私　道 貸宅地　貸家建付借地権 貸家建付地　転貸借地権 借地権 (　)	地区区分	ビル街地区　普通住宅地区 高度商業地区　中小工場地区 繁華街地区　大工場地区 (普通商業・併用住宅地区)
奥行距離	25 m				

				(1 m²当たりの価額) 円	
自 用 地 1 平 方 メ ー ト ル 当 た り の 価 額	1　一路線に面する宅地 　　（正面路線価）　　　　　　　　（奥行価格補正率） 　　300,000 円 ×　　　　1.00			300,000	A
	2　二路線に面する宅地 　　　　　（A）　　　　　［側方・裏面 路線価］（奥行価格補正率）　　　　　［側方・二方 路線影響加算率］ 　　　　　円 ＋ (　　　　　円 ×　　．　　　　×　　0.　　)			(1 m²当たりの価額) 円	B
	3　三路線に面する宅地 　　　　　（B）　　　　　［側方・裏面 路線価］（奥行価格補正率）　　　　　［側方・二方 路線影響加算率］ 　　　　　円 ＋ (　　　　　円 ×　　．　　　　×　　0.　　)			(1 m²当たりの価額) 円	C
	4　四路線に面する宅地 　　　　　（C）　　　　　［側方・裏面 路線価］（奥行価格補正率）　　　　　［側方・二方 路線影響加算率］ 　　　　　円 ＋ (　　　　　円 ×　　．　　　　×　　0.　　)			(1 m²当たりの価額) 円	D
	5-1　間口が狭小な宅地等 　　　（AからDまでのうち該当するもの）（間口狭小補正率）（奥行長大補正率） 　　　　　円 × (　　．　　　　　　．　　)			(1 m²当たりの価額) 円	E
	5-2　不　整　形　地 　　　（AからDまでのうち該当するもの）　　　　不整形地補正率※ 　　　　　円 ×　　　　　　0. 　　※不整形地補正率の計算 　　　（想定整形地の間口距離）（想定整形地の奥行距離）（想定整形地の地積） 　　　　　　　m ×　　　　　　　m ＝　　　　　　　m² 　　　（想定整形地の地積）（不整形地の地積）（想定整形地の地積）（かげ地割合） 　　　(　　　　m² － 　　　　m²) ÷ 　　　　m² ＝ 　　　　% 　　（不整形地補正率表の補正率）（間口狭小補正率）（小数点以下2位未満切捨て）　［不整形地補正率 　　　0.　　×　　　．　　＝ ①　　　　　　　　①、②のいずれか低い 　　　（奥行長大補正率）（間口狭小補正率）　　　　　　　　　　　率、0.6を下限とする。］ 　　　　．　　×　　．　　＝ ②			(1 m²当たりの価額) 円	F
	6　地積規模の大きな宅地 　　　（AからFまでのうち該当するもの）　　規模格差補正率※ 　　　　　円 ×　　　　0. 　　※規模格差補正率の計算 　　　（地積 (Ⓐ)）　　（Ⓑ）　　　　（Ⓒ）　　（地積 (Ⓐ)）　　（小数点以下2位未満切捨て） 　　　{ (　　　　m²×　　　　　＋　　　　) ÷　　　　m²} × 0.8 ＝　0.			(1 m²当たりの価額) 円	G
	7　無　道　路　地 　　　（F又はGのうち該当するもの）　　　　　　　　（※） 　　　　　円 × (1 － 0.　　　　) 　　※割合の計算（0.4を上限とする。）　　　(F又はGのうち) 　　（正面路線価）　　（通路部分の地積）　(該当するもの)　（評価対象地の地積） 　　(　　円 ×　　　　m²) ÷ (　　円 ×　　　　m²) ＝ 0.			(1 m²当たりの価額) 円	H
	8-1　がけ地等を有する宅地　［南 、東 、西 、北 ］ 　　　（AからHまでのうち該当するもの）　（がけ地補正率） 　　　　　円 ×　　　　0.			(1 m²当たりの価額) 円	I
	8-2　土砂災害特別警戒区域内にある宅地 　　　（AからHまでのうち該当するもの）　　特別警戒区域補正率※ 　　　　　円 ×　　　　0. 　　※がけ地補正率の適用がある場合の特別警戒区域補正率の計算（0.5を下限とする。） 　　　　　　　　　　　　［南 、東 、西 、北 ］ 　　（特別警戒区域補正率表の補正率）（がけ地補正率）（小数点以下2位未満切捨て） 　　　　0.　　× 0.　　＝ 0.			(1 m²当たりの価額) 円	J
	9　容積率の異なる2以上の地域にわたる宅地 　　　（AからJまでのうち該当するもの）　（控除割合（小数点以下3位未満四捨五入）） 　　　　　円 × (1 － 0.　　　)			(1 m²当たりの価額) 円	K
	10　私　　道 　　　（AからKまでのうち該当するもの） 　　　　　円 ×　　　0.3			(1 m²当たりの価額) 円	L

自用地の評価額	自用地1平方メートル当たりの価額 （AからLまでのうちの該当記号）	地　積	総　　額 （自用地1 m²当たりの価額）×（地　積）	
	(A)　300,000 円	250 m²	75,000,000 円	M

-301-

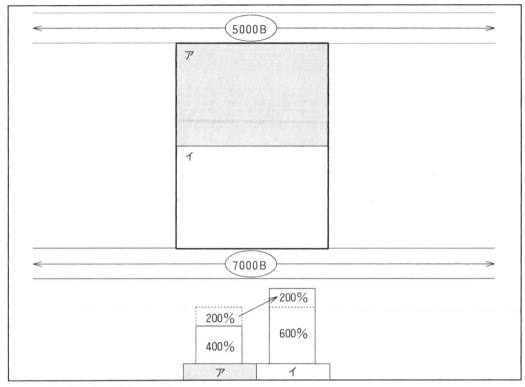

※　。ア地の相続税評価額　10億円
　　。イ地の相続税評価額　8億円
　　。余剰容積率の移転時のア地の時価　15億円
　　。余剰容積率の移転時のイ地の時価　10億円
　　。余剰容積率の移転の対価　6億円

評価上の留意点

1　余剰容積率の移転が行われている場合の宅地の評価は、次のように行います。

　　　余剰容積率の移転に際し授受された対価の額……A
　　　余剰容積率の移転を受けた宅地の相続税評価額……B
　　　余剰容積率の移転をした宅地の相続税評価額……C
　　　余剰容積率の移転を受けた宅地の通常の取引価額……D
　　　余剰容積率の移転をした宅地の通常の取引価額……E

　　余剰容積率の移転を受けた宅地の評価額……$B \times \left(1 + \dfrac{A}{D}\right)$

　　余剰容積率の移転をした宅地の評価額……　$C \times \left(1 - \dfrac{A}{E}\right)$

2　したがって、本事例の場合のア地、イ地の評価額は次のようになります。

　　ア地……10億円 $\times \left(1 - \dfrac{6\text{億円}}{15\text{億円}}\right) = 6$ 億円

　　イ地……8億円 $\times \left(1 + \dfrac{6\text{億円}}{10\text{億円}}\right) = 12.8$ 億円

【事例　87】

土地及び土地の上に存する権利の評価明細書（第1表）

			局(所)	署	年分	ページ

（住居表示）	（　　　　　）	所有者	住　所 (所在地)		使用者	住　　所 (所在地)	
所在地番			氏　名 (法人名)			氏　　名 (法人名)	

地　目	地　積	路　　線　　価				地形図及び参考事項
宅地　山林 田　　畑 （　　）	㎡	正　面 円	側　方 円	側　方 円	裏　面 円	

間口距離	m	利用区分	自用地　　私道 貸宅地　貸家建付借地権 貸家建付地　転貸借地権 借地権　（　　　）	地区区分	ビル街地区　普通住宅地区 高度商業地区　中小工場地区 繁華街地区　大工場地区 普通商業・併用住宅地区	省　略
奥行距離	m					

自用地の評価額	自用地1平方メートル当たりの価額 （AからLまでのうちの該当記号） （　　）　　　　　円	地　　積 ㎡	総　　　　　額 (自用地1㎡当たりの価額)×(地　積) **1,000,000,000**　　円	M

土地及び土地の上に存する権利の評価明細書（第2表）

セットバックを必要とする宅地の評価額	(自用地の評価額) 　円 －	(自用地の評価額) 円 × (地積 ㎡/総地積 ㎡) × 0.7	(自用地の評価額) 円	N
都市計画道路予定地の区域内にある宅地の評価額	(自用地の評価額) 円 × 0.	(補正率)	(自用地の評価額) 円	O

価額	権利が競合する場合の評価額	する土地	(T,Vのうちの該当記号)　（　割合） （　） 円 × (1－ 0.　)		円	AC
	他の権利と競合する場合の権利の		(W,ABのうちの該当記号)　（　割合） （　） 円 × (1－ 0.　)		円	AD

備考	余剰容積率の移転をした宅地（ア地） $1,000,000,000円 × \left(1 - \dfrac{600,000,000円}{1,500,000,000円}\right) = 600,000,000円$

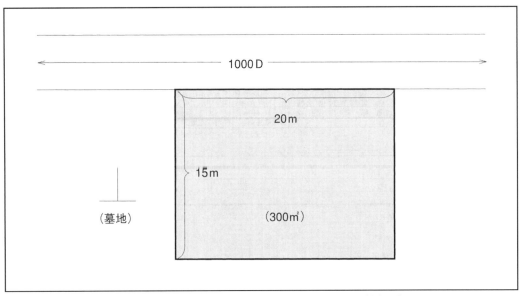

※　墓地に隣接しているため、数年前に購入した際も、近辺の価格よりかなり割安であった。

評価上の留意点

1　その宅地の利用価値が、付近にある他の宅地の利用状況からみて著しく低下していると認められる場合には、その宅地の評価額から10%を減額します。

　　ただし、路線価が利用価値の低下を考慮して付されている場合には、10%の減額は行いません。

2　本事例の評価地は、墓地に隣接しており、近辺の同じ面積の宅地と比べて、利用価値は低下しており、実際に周辺相場より割安で購入されています。しかし、路線価については、近辺の路線価と比較して、特に考慮はされていません。

　　したがって、10%の減額を行います。

各補正率の適用は？

1　奥行価格補正率……普通住宅地区の場合、奥行15mに対する補正率は1.00です。
2　間口狭小補正率……普通住宅地区の場合、間口20mに対する補正率は1.00です。
3　奥行長大補正率……普通住宅地区の場合、奥行÷間口＝15m÷20m＝0.75に対する補正率は1.00です。

【事例　88】

土地及び土地の上に存する権利の評価明細書（第1表）

			局(所)	署	年分	ページ

（住居表示）	（ 　　　　　　）	所有者	住　所 (所在地)		使用者	住　所 (所在地)	
所 在 地 番			氏　名 (法人名)			氏　名 (法人名)	

地　　目	地　積	路　　　　線　　　　価				地形図及び参考事項

(宅地) 山　林 田　畑 雑種地 （　　　　）	300 ㎡	正　面 1,000,000 円	側　方 円	側　方 円	裏　面 円	省　略

間口距離 20 m	利用区分	(自 用 地) 私　　道 貸 宅 地　貸家建付借地権 貸家建付地　転 貸 借 地 権 借 地 権（　　　　　）	地区区分	ビ ル 街 地 区　　(普通住宅地区) 高度商業地区　　中小工場地区 繁華街地区　　　大工場地区 普通商業・併用住宅地区
奥行距離 15 m				

自用地の評価額	10 私　　　　　道 （AからKまでのうち該当するもの） 　　　　　　　円　×　0.3		（1㎡当たりの価額）　　円	L
	自用地1平方メートル当たりの価額 （AからLまでのうちの該当記号） （ A ）　1,000,000 円	地　　積 300 ㎡	総　　　　額 （自用地1㎡当たりの価額）×（地積） 300,000,000 円	M

土地及び土地の上に存する権利の評価明細書（第2表）

セットバックを必要とする宅地の評価額	（自用地の評価額） 　　円 － （ （自用地の評価額） 円 × $\frac{㎡（該当地積）}{㎡（総地積）}$ × 0.7 ）	（ 自 用 地 の 評 価 額 ） 円	N
都市計画道路予定地の区域内にある宅地の評価額	（自用地の評価額）　　　　　（補正率） 　　円　×　0.	（ 自 用 地 の 評 価 額 ） 円	O

額	他の権利と競合する場合の権利の価額	（W,ABのうちの該当記号）　　（　　割合） （　　） 　　　　　　　円　×（1－ 0.　　）		円	AD

備 考	利用価値が著しく低下している宅地 　　　　300,000,000円×（1－0.1）＝270,000,000円

著しく騒音と震動の激しい宅地―路線価のしんしゃくがない場合

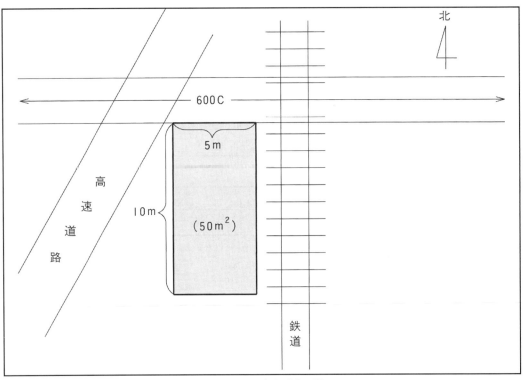

※ 高速道路と鉄道にはさまれた地域にあり、1日中騒音と震動が激しい。

評価上の留意点

1 その宅地の利用価値が、付近にある他の宅地の利用状況からみて著しく低下していると認められる場合には、その宅地の評価額から10%を減額します。

   また、利用価値の低下の要因が複数ある場合には、それぞれの要因ごとに10%の減額が認められる可能性があります。

2 本事例の評価地は、高速道路と鉄道にはさまれており、騒音と震動のため、近辺の同じ面積の宅地と比べて利用価値は低下しています。税務署に照会した結果、騒音と震動のそれぞれに対し10%、合わせて20%の評価減が認められました。

各補正率の適用は？

1 奥行価格補正率……普通住宅地区の場合、奥行10mに対する補正率は1.00です。
2 間口狭小補正率……普通住宅地区の場合、間口5mに対する補正率は0.94です。
3 奥行長大補正率……普通住宅地区の場合、奥行÷間口＝10m÷5m＝2.0に対する補正率は0.98です。

【事例　89】

土地及び土地の上に存する権利の評価明細書（第1表）

			局(所)	署	年分	ページ

所在地番	(住居表示) (　　　)	所有者	住　所 (所在地)		使用者	住　所 (所在地)	
			氏　名 (法人名)			氏　名 (法人名)	

地　目	地　積	路　　線　　価				地形図及び参考事項
(宅地) 山林 田　雑種地 畑　(　　)	50 ㎡	正　面 500,000 円	側　方 円	側　方 円	裏　面 円	

間口距離	5 m	利用区分	(自用地) 私　道 貸宅地　貸家建付借地権 貸家建付地　転貸借地権 借地権　(　　　)	地区区分	ビル街地区　(普通住宅地区) 高度商業地区　中小工場地区 繁華街地区　大工場地区 普通商業・併用住宅地区	
奥行距離	10 m					

				(1㎡当たりの価額) 円	
自用地1平方メートル当たりの価額	1　一路線に面する宅地 (正面路線価)　　　　(奥行価格補正率) 500,000 円 × 1.00			500,000	A
	2　二路線に面する宅地 (A)　　　『側方・裏面 路線価』　(奥行価格補正率)　［側方・二方 路線影響加算率］ 　　円 ＋ (　　　円 × ．　　× 0.　　)			(1㎡当たりの価額) 円	B
	3　三路線に面する宅地 (B)　　　『側方・裏面 路線価』　(奥行価格補正率)　［側方・二方 路線影響加算率］ 　　円 ＋ (　　　円 × ．　　× 0.　　)			(1㎡当たりの価額) 円	C
	4　四路線に面する宅地 (C)　　　『側方・裏面 路線価』　(奥行価格補正率)　［側方・二方 路線影響加算率］ 　　円 ＋ (　　　円 × ．　　× 0.　　)			(1㎡当たりの価額) 円	D
	5-1　間口が狭小な宅地等 (AからDまでのうち該当するもの)　(間口狭小補正率)　(奥行長大補正率) 500,000 円 × (0.94 × 0.98)			(1㎡当たりの価額) 円 460,600	E
	5-2　不整形地 (AからDまでのうち該当するもの)　　不整形地補正率※ 　　円 × 0. ※不整形地補正率の計算 (想定整形地の間口距離)　(想定整形地の奥行距離)　(想定整形地の地積)			(1㎡当たりの価額) 円	

	10　私　　　　道 (AからKまでのうち該当するもの) 　　円 × 0.3			(1㎡当たりの価額) 円	L
自用地の評価額	自用地1平方メートル当たりの価額 (AからLまでのうちの該当記号)	地　積	総　　額 (自用地1㎡当たりの価額) × (地　積)		M
	(E) 460,600 円	50 ㎡	23,030,000 円		

土地及び土地の上に存する権利の評価明細書（第2表）

セットバックを必要とする宅地の評価額	(自用地の評価額) 円 − ((自用地の評価額) 円 × (該当地積)㎡／(総地積)㎡ × 0.7)		(自用地の評価額) 円	N
都市計画道路予定地の区域内にある宅地の評価額	(自用地の評価額)　　　(補正率) 円 × 0.		(自用地の評価額) 円	O

額	他の競合する権利と場合	(W,ABのうちの該当記号)　(　　)　(割合) 円 × (1− 0.　　)		円	AD
備考	利用価値が著しく低下している宅地 　　23,030,000 円 ×（1−0.2）＝18,424,000 円				

-307-

事例　90　著しく騒音の激しい宅地—路線価のしんしゃくがある場合

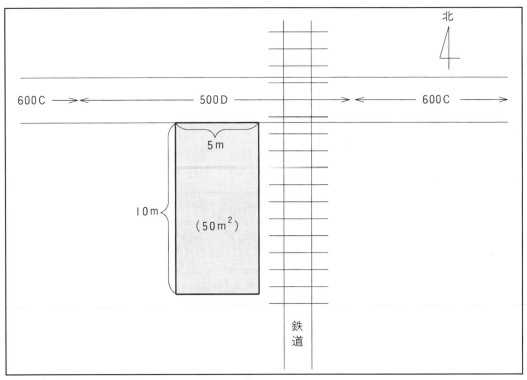

※　鉄道の線路に沿った地域にあり、1日中騒音が激しい。

評価上の留意点

1　その宅地の利用価値が、付近にある他の宅地の利用状況からみて著しく低下していると認められる場合には、その宅地の評価額から10%を減額します。

　　ただし、路線価が利用価値の低下を考慮して付されている場合には、10%の減額は行いません。

2　本事例の評価地は、鉄道に沿ったところにあり、激しい騒音のため、近辺の同じ面積の宅地と比べて利用価値は低下しています。しかし、正面路線を見ると、鉄道に沿ったところ以外は、路線価が600千円なのに対し、鉄道沿いの評価地は500千円となっており、利用価値の低下が路線価に反映されています。

　　したがって、10%の減額は行いません。

各補正率の適用は？

1　奥行価格補正率……普通住宅地区の場合、奥行10mに対する補正率は1.00です。

2　間口狭小補正率……普通住宅地区の場合、間口5mに対する補正率は0.94です。

3　奥行長大補正率……普通住宅地区の場合、奥行÷間口＝10m÷5m＝2.0に対する補正率は0.98です。

【事例　90】

土地及び土地の上に存する権利の評価明細書（第1表）

（住居表示）	（　　　　　　　　　）	所有者	住　所 （所在地）		使用者	住　所 （所在地）			局（所）	署	年分	ページ
所 在 地 番			氏　名 （法人名）			氏　名 （法人名）						

地　目		地　積	路　　　線　　　価				地		
㉒地 山 林 田 雑種地 畑 （　　）		㎡ 50	正　面	側　方	側　方	裏　面	形 図 及 び 参 考 事 項	省　略	
			500,000円	円	円	円			

間口距離	5 m	利 用 区 分	㉒自用地 私　　道 貸 宅 地 貸家建付借地権 貸家建付地 転　貸　借　地　権 借　地　権　（　　　　　）	地 区 区 分	ビル街地区 ㉒普通住宅地区 高度商業地区 中小工場地区 繁華街地区 大工場地区 普通商業・併用住宅地区
奥行距離	10 m				

	項目		（1㎡当たりの価額）円	
自 用 地 1 平 方 メ ー ト ル 当 た り の 価 額	1　一路線に面する宅地 　　（正面路線価）　　　　　　　　　（奥行価格補正率） 　　500,000 円 × 　　　　1.00		（1㎡当たりの価額）　　円 500,000	A
	2　二路線に面する宅地 　　　　（A）　　　　　［側方・裏面 路線価］（奥行価格補正率）［側方・二方 路線影響加算率］ 　　　　　　　円 + （　　　　円 ×　　.　　　× 0.　　　）		（1㎡当たりの価額）　　円	B
	3　三路線に面する宅地 　　　　（B）　　　　　［側方・裏面 路線価］（奥行価格補正率）［側方・二方 路線影響加算率］ 　　　　　　　円 + （　　　　円 ×　　.　　　× 0.　　　）		（1㎡当たりの価額）　　円	C
	4　四路線に面する宅地 　　　　（C）　　　　　［側方・裏面 路線価］（奥行価格補正率）［側方・二方 路線影響加算率］ 　　　　　　　円 + （　　　　円 ×　　.　　　× 0.　　　）		（1㎡当たりの価額）　　円	D
	5-1　間口が狭小な宅地等 　　（AからDまでのうち該当するもの）（間口狭小補正率）（奥行長大補正率） 　　500,000 円 × （ 0.94 × 0.98 ）		（1㎡当たりの価額）　　円 460,600	E
	5-2　不　整　形　地 　（AからDまでのうち該当するもの）　不整形地補正率※ 　　　　　円 ×　　0. ※不整形地補正率の計算 　（想定整形地の間口距離）（想定整形地の奥行距離）（想定整形地の地積） 　　　　　m ×　　　　　m =　　　　　㎡ 　（想定整形地の地積）（不整形地の地積）（想定整形地の地積）（かげ地割合） 　（　　　㎡ −　　　㎡）÷　　　㎡ =　　　％ 　（不整形地補正率表の補正率）（間口狭小補正率）（小数点以下2位未満切捨て） 　　0.　　×　　　　　=　　0.　　　① 　（奥行長大補正率）（間口狭小補正率） 　　　　×　　　　　=　　0.　　　②		（1㎡当たりの価額）　　円	F
	6　地積規模の大きな宅地 　（AからFまでのうち該当するもの）　規模格差補正率※ 　　　　　円 ×　　0. ※規模格差補正率の計算 　（地積（Ⓐ））（Ⓑ）（Ⓒ）（地積（Ⓐ））（小数点以下2位未満切捨て） 　{（　　㎡×　　+　　）÷　　㎡}× 0.8 =　0.		（1㎡当たりの価額）　　円	G
	7　無　道　路　地 　（F 又はGのうち該当するもの）　　　　　　　　（※） 　　　　　円 × （ 1 − 0.　　） ※割合の計算（0.4を上限とする。） 　（正面路線価）　（通路部分の地積）（該当するもの）（評価対象地の地積） 　（　　円 ×　　㎡）÷（　　円 ×　　㎡）= 0.		（1㎡当たりの価額）　　円	H
	8-1　がけ地等を有する宅地　［ 南 、 東 、 西 、 北 ］ 　（AからHまでのうち該当するもの）（がけ地補正率） 　　　　　円 ×　　0.		（1㎡当たりの価額）　　円	I
	8-2　土砂災害特別警戒区域内にある宅地 　（AからHまでのうち該当するもの）　特別警戒区域補正率※ 　　　　　円 ×　　0. ※がけ地補正率の適用がある場合の特別警戒区域補正率の計算（0.5を下限とする。） 　　　　　　　［ 南 、 東 、 西 、 北 ］ 　（特別警戒区域補正率表の補正率）（がけ地補正率）（小数点以下2位未満切捨て） 　　0.　　×　0.　　=　0.		（1㎡当たりの価額）　　円	J
	9　容積率の異なる2以上の地域にわたる宅地 　（AからJまでのうち該当するもの）（控除割合（小数点以下3位未満四捨五入）） 　　　　　円 × （ 1 − 0.　　）		（1㎡当たりの価額）　　円	K
	10　私　　　　道 　（AからKまでのうち該当するもの） 　　　　　円 ×　　0.3		（1㎡当たりの価額）　　円	L

自用地の 評価額	自用地1平方メートル当たりの価額 （AからLまでのうちの該当記号）	地　　積	総　　額 （自用地1㎡当たりの価額）×（地　積）	
	（ E ）　　460,600 円	50 ㎡	23,030,000 円	M

-309-

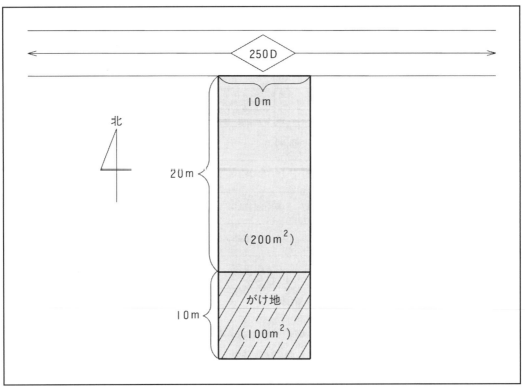

※　斜線部分は、南下がりの斜面（傾斜度35°）となっている。

評価上の留意点

　宅地のうちに、傾斜度が30°以上の急斜面＝がけ地がある場合には、そのがけ地の方位と、宅地の総面積に対するがけ地部分の面積割合によって、がけ地補正率を用いて、減額を行います。

　この例の場合、がけ地の方位は南側です。

　総面積は200㎡＋100㎡＝300㎡、がけ地部分の面積は100㎡ですから、がけ地部分の占める面積割合は100㎡÷300㎡＝0.33となります。

各補正率の適用は？

1　奥行価格補正率……中小工場地区で奥行が30mの場合、補正率は1.00です。

2　間口狭小補正率……中小工場地区で間口が10mの場合、補正率は1.00です。

3　奥行長大補正率……中小工場地区で奥行距離÷間口距離＝30m÷10m＝３の場合、補正率は0.99です。

4　がけ地補正率……がけ地の方位は南側で、がけ地の面積割合が0.33の場合、補正率は0.88です。

【事例　91】

土地及び土地の上に存する権利の評価明細書（第1表）

			局(所)	署	年分	ページ

(住居表示)	( )	所有者	住　所 (所在地)		使用者	住　所 (所在地)	
所在地番			氏　名 (法人名)			氏　名 (法人名)	

地　目	地　積	路　　線　　価				地形図及び参考事項

地　目	地　積	正　面	側　方	側　方	裏　面	地形図及び参考事項
(宅地) 山林 田　畑 雑種地 ( )	300 ㎡	250,000 円	円	円	円	**省　略**

間口距離	10 m	利用区分	(自用地) 私　道 貸 宅 地　貸家建付借地権 貸家建付地　転 貸 借 地 権 借 地 権　( )	地区区分	ビル街地区　普通住宅地区 高度商業地区　(中小工場地区) 繁華街地区　大 工 場 地 区 普通商業・併用住宅地区	
奥行距離	30 m					

区分	項目	計算	1㎡当たりの価額	記号
自用地1平方メートル当たりの価額	1　一路線に面する宅地 　　(正面路線価)　　　　(奥行価格補正率) 　　250,000 円 × 1.00		250,000 円	A
	2　二路線に面する宅地 　(A)　　[側方・裏面 路線価]　(奥行価格補正率)　[側方・二方 路線影響加算率] 　　円 ＋ (　円 × . × 0.)		円	B
	3　三路線に面する宅地 　(B)　　[側方・裏面 路線価]　(奥行価格補正率)　[側方・二方 路線影響加算率] 　　円 ＋ (　円 × . × 0.)		円	C
	4　四路線に面する宅地 　(C)　　[側方・裏面 路線価]　(奥行価格補正率)　[側方・二方 路線影響加算率] 　　円 ＋ (　円 × . × 0.)		円	D
	5-1　間口が狭小な宅地等 　(AからDまでのうち該当するもの)　(間口狭小補正率)　(奥行長大補正率) 　　250,000 円 × (1.00 × 0.99)		247,500 円	E
	5-2　不　整　形　地 　(AからDまでのうち該当するもの)　　不整形地補正率※ 　　円 × 0. ※不整形地補正率の計算 　(想定整形地の間口距離)　(想定整形地の奥行距離)　(想定整形地の地積) 　　m × 　m = 　㎡ 　(想定整形地の地積)　(不整形地の地積)　(想定整形地の地積)　(かげ地割合) 　(　㎡ － 　㎡) ÷ 　㎡ = 　% 　(不整形地補正率表の補正率)(間口狭小補正率)　(小数点以下2位未満切捨て) 　0. × 　= 0. ①　　[不整形地補正率 (①、②のいずれか低い率、0.6を下限とする。)] 　(奥行長大補正率)　(間口狭小補正率) 　. × 　= 0. ②　　0.		円	F
	6　地積規模の大きな宅地 　(AからFまでのうち該当するもの)　　規模格差補正率※ 　　円 × 0. ※規模格差補正率の計算 　(地積(Ⓐ))　(Ⓑ)　(Ⓒ)　(地積(Ⓐ))　(小数点以下2位未満切捨て) 　{(　㎡× 　＋ 　) ÷ 　㎡} × 0.8 = 0.		円	G
	7　無　　道　　路　　地 　(F又はGのうち該当するもの)　　　　　(※) 　　円 × (1 － 0.) ※割合の計算 (0.4を上限とする。) 　(正面路線価)　(通路部分の地積)　(F又はGのうち該当するもの)　(評価対象地の地積) 　(　円 × 　㎡) ÷ (　円 × 　㎡) = 0.		円	H
	8-1　がけ地等を有する宅地　〔(南)、東、西、北 〕 　(AからHまでのうち該当するもの)　(がけ地補正率) 　　247,500 円 × 0.88		217,800 円	I
	8-2　土砂災害特別警戒区域内にある宅地 　(AからHまでのうち該当するもの)　　特別警戒区域補正率※ 　　円 × 0. ※がけ地補正率の適用がある場合の特別警戒区域補正率の計算 (0.5を下限とする。) 　〔 南 、東 、西 、北 〕 　(特別警戒区域補正率表の補正率)　(がけ地補正率)　(小数点以下2位未満切捨て) 　0. × 0. = 0.		円	J
	9　容積率の異なる2以上の地域にわたる宅地 　(AからJまでのうち該当するもの)　(控除割合(小数点以下3位未満四捨五入)) 　　円 × (1 － 0.)		円	K
	10　私　　　道 　(AからKまでのうち該当するもの) 　　円 × 0.3		円	L

自用地の評価額	自用地1平方メートル当たりの価額 (AからLまでのうちの該当記号)	地　積	総　　　　額 (自用地1㎡当たりの価額) × (地　積)	
	(I)　217,800 円	300 ㎡	65,340,000 円	M

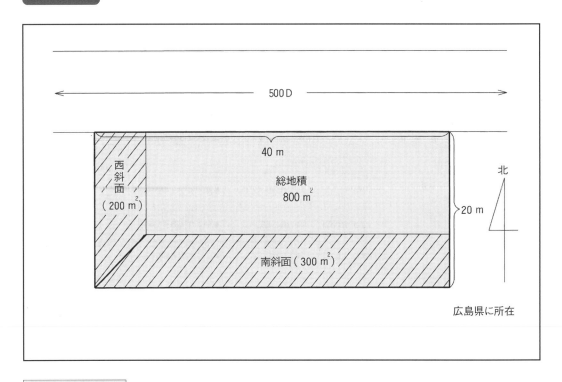

評価上の留意点

　2方向にがけ地がある場合のがけ地補正は、

①　まず、総地積に対するがけ地面積の割合を算出します。

$$（200㎡＋300㎡）÷800㎡＝0.625$$

②　①の割合に対応するそれぞれのがけ地補正率を求めます。

がけ地割合0.625の場合　　西斜面0.74　南斜面0.79

③　②の補正率を傾斜方位別のがけ地の面積で加重平均し、評価対象地のがけ地補正率とします。

$$（0.74×200㎡＋0.79×300㎡）÷（200㎡＋300㎡）＝0.77$$

各補正率の適用は？

1　奥行価格補正率……奥行20mで普通住宅地区の場合、1.00です。

2　間口狭小補正率……普通住宅地区で間口が40mの場合、補正率は1.00です。

3　奥行長大補正率……普通住宅地区で奥行距離÷間口距離＝20m÷40m＝0.5の場合、補正率は1.00です。

4　がけ地補正率……上記のとおり補正率は0.77です。

【事例　92】

土地及び土地の上に存する権利の評価明細書（第1表）

			局(所)	署	年分	ページ

（住居表示）（　　　　　）	所有者	住　所（所在地）		使用者	住　所（所在地）	
所在地番		氏　名（法人名）			氏　名（法人名）	

地　目	地　積		路　　　線　　　価				地形図及び参考事項
(宅地)　山林　田　畑　雑種地　(　　)	800 ㎡	正面 500,000円	側方　円	側方　円	裏面　円		省略
間口距離 40 m	利用区分	(自用地)　私道 貸宅地　貸家建付借地権 貸家建付地　転貸借地権 借地権　(　　)		地区区分	ビル街地区　(普通住宅地区) 高度商業地区　中小工場地区 繁華街地区　大工場地区 普通商業・併用住宅地区	
奥行距離 20 m						

							(1㎡当たりの価額)	
自用地1平方メートル当たりの価額	1 一路線に面する宅地 （正面路線価）　　　　　　　（奥行価格補正率） 500,000円　×　　1.00						500,000 円	A
	2 二路線に面する宅地 　（A）　　　　[側方・裏面 路線価]　（奥行価格補正率）　[側方・二方 路線影響加算率] 　　　　円 ＋ （　　　　円 ×　.　　×　　0.　　）						(1㎡当たりの価額) 円	B
	3 三路線に面する宅地 　（B）　　　　[側方・裏面 路線価]　（奥行価格補正率）　[側方・二方 路線影響加算率] 　　　　円 ＋ （　　　　円 ×　.　　×　　0.　　）						(1㎡当たりの価額) 円	C
	4 四路線に面する宅地 　（C）　　　　[側方・裏面 路線価]　（奥行価格補正率）　[側方・二方 路線影響加算率] 　　　　円 ＋ （　　　　円 ×　.　　×　　0.　　）						(1㎡当たりの価額) 円	D
	5-1 間口が狭小な宅地等 　（AからDまでのうち該当するもの）　（間口狭小補正率）　（奥行長大補正率） 　　　　円 ×　（　.　　×　　.　　）						(1㎡当たりの価額) 円	E
	5-2 不　整　形　地 　（AからDまでのうち該当するもの）　　不整形地補正率※ 　　　　円 ×　　0. 　※不整形地補正率の計算 　（想定整形地の間口距離）（想定整形地の奥行距離）（想定整形地の地積） 　　　　　m ×　　　　　m ＝　　　　　㎡ 　（想定整形地の地積）　（不整形地の地積）　（想定整形地の地積）　　（かげ地割合） 　（　　　㎡ －　　　㎡） ÷　　　　㎡ ＝　　　％ 　（不整形地補正率表の補正率）（間口狭小補正率）　（小数点以下2位未満切捨て） 　　0.　　×　　　.　　＝　0.　　①　　　[不整形地補正率 　（奥行長大補正率）　　（間口狭小補正率）　　　　　　　　　（①、②のいずれか低い 　　　.　　×　　　.　　＝　0.　　②　　　率、0.6を下限とする。）] 　　　　　　　　　　　　　　　　　　　　　0.						(1㎡当たりの価額) 円	F
	6 地積規模の大きな宅地 　（AからFまでのうち該当するもの）　規模格差補正率※ 　　　　円 ×　　0. 　※規模格差補正率の計算 　（地積（Ⓐ））（Ⓑ）　　（Ⓒ）　　（地積（Ⓐ））　（小数点以下2位未満切捨て） 　{（　㎡×　　＋　　）÷　　㎡}× 0.8　＝ 0.						(1㎡当たりの価額) 円	G
	7 無　道　路　地 　（F又はGのうち該当するもの）　　　　　（※） 　　　　円 ×　（　1　－　0.　　　） 　※割合の計算（0.4を上限とする。） 　（正面路線価）　　（通路部分の地積）　[F又はGのうち該当するもの]　（評価対象地の地積） 　　円 ×　　㎡） ÷ （　　円 ×　　㎡）＝ 0.						(1㎡当たりの価額) 円	H
	8-1 がけ地等を有する宅地　　[(南)、東、(西)、北] 　（AからHまでのうち該当するもの）　（がけ地補正率） 　500,000円 ×　　0.77						(1㎡当たりの価額) 385,000 円	I
	8-2 土砂災害特別警戒区域内にある宅地 　（AからHまでのうち該当するもの）　特別警戒区域補正率※ 　　　　円 ×　　0. 　※がけ地補正率の適用がある場合の特別警戒区域補正率の計算（0.5を下限とする。） 　　　　　　　　　　　[南、東、西、北] 　（特別警戒区域補正率表の補正率）（がけ地補正率）　（小数点以下2位未満切捨て） 　　0.　　×　0.　　＝ 0.						(1㎡当たりの価額) 円	J
	9 容積率の異なる2以上の地域にわたる宅地 　（AからJまでのうち該当するもの）　　（控除割合（小数点以下3位未満四捨五入）） 　　　　円 ×　（　1　－　0.　　　）						(1㎡当たりの価額) 円	K
	10 私　　　　道 　（AからKまでのうち該当するもの） 　　　　円 ×　0.3						(1㎡当たりの価額) 円	L

自用地の評価額	自用地1平方メートル当たりの価額 （AからLまでのうちの該当記号） （　I　）　　385,000 円	地　積 800 ㎡	総　　　額 （自用地1㎡当たりの価額）×（地　積） 308,000,000 円	M

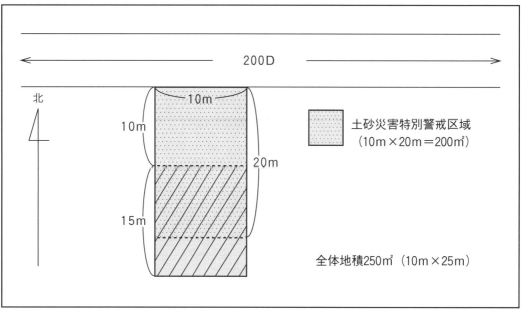

事例 93 土砂災害特別警戒区域内にある宅地のうちに、がけ地がある場合

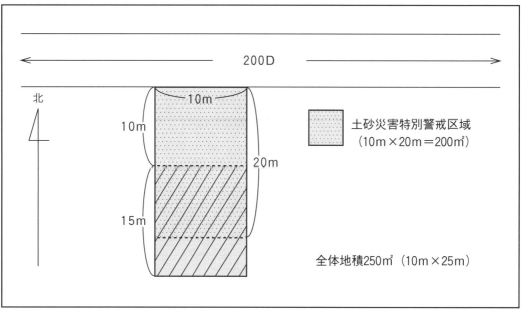

※ 斜線部分（10m×15m＝150㎡）は、南下がりの急斜面（傾斜度35°）となっている。

評価上の留意点

1 土砂災害特別警戒区域となる部分を有する宅地については、宅地全体に占める土砂災害特別警戒区域となる部分の割合によって、特別警戒区域補正率を用いて評価します。
2 土砂災害特別警戒区域となる部分を有する宅地のうちに、傾斜度が30°以上の急斜面（＝がけ地補正の対象となるがけ地）がある場合には、「特別警戒区域補正率」に「がけ地補正率」を乗じて得た数値（ただし、0.50を下限とします。小数点以下2位未満切捨て）を、特別警戒区域補正率とします。

各補正率の適用は？

1 奥行価格補正率……普通住宅地区で奥行25mの場合、補正率は0.97です。
2 間口狭小補正率……普通住宅地区で間口10mの場合、補正率は1.00です。
3 奥行長大補正率……普通住宅地区で奥行距離÷間口距離＝25m÷10m＝2.5の場合、補正率は0.98です。
4 特別警戒区域補正率……特別警戒区域である部分の地積／全体の地積＝200㎡／250㎡＝0.80の場合、補正率は0.70。
　　また、がけ地の方位が南側で、がけ地の面積割合が0.60（150㎡／250㎡）の場合、がけ地補正率は0.79となり、特別警戒区域補正率は0.55（0.70×0.79、小数点以下2位未満切捨て）となります。

【事例　93】

土地及び土地の上に存する権利の評価明細書（第1表）

	局(所)	署	年分	ページ

（住居表示）	（　　　　　　　　）	所有者	住　所（所在地）		使用者	住　所（所在地）	
所在地番			氏　名（法人名）			氏　名（法人名）	

地　目		地　積	路　　線　　価				地形図及び参考事項
⑳宅地　山林		㎡	正面	側方	側方	裏面	
田　畑 雑種地 （　　）		250	200,000円	円	円	円	省略

間口距離	10 m	利用区分	⑳自用地　私　道 貸宅地　貸家建付借地権 貸家建付地　転貸借地権 借地権　（　　　　　）	地区区分	ビル街地区　⑳普通住宅地区 高度商業地区　中小工場地区 繁華街地区　大工場地区 普通商業・併用住宅地区		
奥行距離	25 m						

自用地1平方メートル当たりの価額				
1 一路線に面する宅地 （正面路線価）　　（奥行価格補正率） 200,000円 × 0.97			(1㎡当たりの価額) 194,000 円	A
2 二路線に面する宅地 （A） 　　　　　円 ＋ [側方・裏面 路線価] （奥行価格補正率） [側方・二方 路線影響加算率] 円 × . × 0.			(1㎡当たりの価額) 円	B
3 三路線に面する宅地 （B） 　　　　　円 ＋ [側方・裏面 路線価] （奥行価格補正率） [側方・二方 路線影響加算率] 円 × . × 0.			(1㎡当たりの価額) 円	C
4 四路線に面する宅地 （C） 　　　　　円 ＋ [側方・裏面 路線価] （奥行価格補正率） [側方・二方 路線影響加算率] 円 × . × 0.			(1㎡当たりの価額) 円	D
5-1 間口が狭小な宅地等 （AからDまでのうち該当するもの）（間口狭小補正率）（奥行長大補正率） 194,000円 × （ 1.00 × 0.98 ）			(1㎡当たりの価額) 190,120 円	E
5-2 不整形地 （AからDまでのうち該当するもの）　不整形地補正率※ 円 × 0. ※不整形地補正率の計算 （想定整形地の間口距離）（想定整形地の奥行距離）（想定整形地の地積） m × m = ㎡ （想定整形地の地積）（不整形地の地積）（想定整形地の地積）（かげ地割合） （ ㎡ － ㎡）÷ ㎡ ＝ ％ （不整形地補正率表の補正率）（間口狭小補正率）（小数点以下2位未満切捨て） 0. × ＝ 0. ① （奥行長大補正率）（間口狭小補正率） 0. × ＝ 0. ② 不整形地補正率 ①、②のいずれか低い 率、0.6を下限とする。			(1㎡当たりの価額) 円	F
6 地積規模の大きな宅地 （AからFまでのうち該当するもの）　規模格差補正率※ 円 × 0. ※規模格差補正率の計算 （地積（Ⓐ））　（Ⓑ）　（Ⓒ）　（地積（Ⓐ）） （小数点以下2位未満切捨て） { （ ㎡× ＋ ）÷ ㎡} × 0.8 ＝ 0.			(1㎡当たりの価額) 円	G
7 無　道　路　地 （F又はGのうち該当するもの）　　　　　（※） 円 × （ 1 － 0. ） ※割合の計算（0.4を上限とする。）　（F又はGのうち 該当するもの）　（評価対象地の地積） （正面路線価）（通路部分の地積） （ 円 × ㎡）÷（ 円 × ㎡）＝ 0.			(1㎡当たりの価額) 円	H
8-1 がけ地等を有する宅地 〔南、東、西、北〕 （AからHまでのうち該当するもの）（がけ地補正率） 円 × 0.			(1㎡当たりの価額) 円	I
8-2 土砂災害特別警戒区域内にある宅地 （AからHまでのうち該当するもの）　特別警戒区域補正率※ 190,120円 × 0.55 ※がけ地補正率の適用がある場合の特別警戒区域補正率の計算（0.5を下限とする。） 〔⑳、東、西、北〕 （特別警戒区域補正率表の補正率）（がけ地補正率）（小数点以下2位未満切捨て） 0.70 × 0.79 ＝ 0.55			(1㎡当たりの価額) 104,566 円	J
9 容積率の異なる2以上の地域にわたる宅地 （AからJまでのうち該当するもの）（控除割合（小数点以下3位未満四捨五入）） 円 × （ 1 － 0. ）			(1㎡当たりの価額) 円	K
10 私　　道 （AからKまでのうち該当するもの） 円 × 0.3			(1㎡当たりの価額) 円	L

自用地の評価額	自用地1平方メートル当たりの価額 （AからLまでのうちの該当記号）	地　積	総　　額 （自用地1㎡当たりの価額）×（地　積）
	（ J ） 104,566 円	250 ㎡	26,141,500 円

事例 94 特定土地等

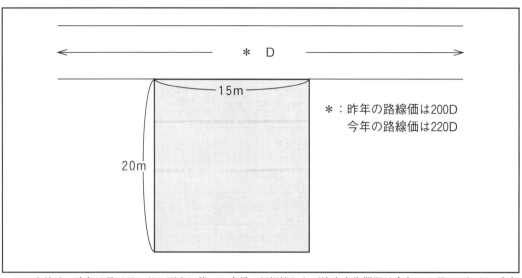

・この土地は、昨年10月10日に父の死去に伴い、息子Aが相続した（法定申告期限は今年の8月10日）が、今年の3月に起こった大規模地震（特定非常災害に指定）に伴いその指定区域に指定された。
・Aは特定非常災害の発生日時点で、この土地を所有している。
・この土地がある住所地について発表された宅地についての調整率は0.80であった。

評価上の留意点

1　特定非常災害発生日以後に相続税の申告期限の到来する者が、当該特定非常災害発生日前に相続等により取得した特定土地等で、当該特定非常災害発生日において所有しているものについては、相続により取得した日の時価ではなく、特定非常災害発生直後の価額により評価することができます。

2　1による場合で、本事例のように調整率が定められている時には、相続により取得した日の属する年分の路線価（200千円）ではなく、特定非常災害発生日の属する年分の路線価（220千円）を用いて、これに調整率を乗じて計算した金額（220千円×0.80＝176千円）を基に評価します。

各補正率の適用は？

1　奥行価格補正率……普通住宅地区で奥行20mの場合、補正率は1.00です。
2　間口狭小補正率……普通住宅地区で間口15mの場合、補正率は1.00です。
3　奥行長大補正率……普通住宅地区で奥行距離÷間口距離＝20m÷15m＝1.3の場合、補正率は1.00です。

【事例 94】

土地及び土地の上に存する権利の評価明細書（第1表）

			局(所)	署	年分	ページ

（住居表示）（　　　　　　　　　）	住　所 (所在地)		使用者	住　所 (所在地)	
所在地番	所有者	氏　名 (法人名)		氏　名 (法人名)	

地　　目		地　積	路　　　　　線　　　　　価					地形図及び参考事項
宅地 山林 田 雑種地 畑 （　　　）		㎡	正　面	側　方	側　方	裏　面		省 略
			220,000 円 ×0.80=176,000	円	円	円		

間口距離	15 m	利用区分	自用地 貸宅地 貸家建地	私道 貸家建付借地権 転 貸 借 地 権	地区区分	ビル街地区 高度商業地区 繁華街地区 普通商業・併用住宅地区	普通住宅地区 中小工場地区 大工場地区	
奥行距離	20 m		借地権 （　　　　　　　　）					

自用地1平方メートル当たりの価額					
1 一路線に面する宅地 　（正面路線価）　　　　　　（奥行価格補正率） 　　176,000 円 ×　　　　1.00				(1㎡当たりの価額) 円 176,000	A
2 二路線に面する宅地 　　　　（A）　　　　　　　[側方・裏面 路線価]　（奥行価格補正率）　[側方・二方 路線影響加算率] 　　　　　円 ＋ （　　　　　円 × 　.　　× 0.　　　）				(1㎡当たりの価額) 円	B
3 三路線に面する宅地 　　　　（B）　　　　　　　[側方・裏面 路線価]　（奥行価格補正率）　[側方・二方 路線影響加算率] 　　　　　円 ＋ （　　　　　円 × 　.　　× 0.　　　）				(1㎡当たりの価額) 円	C
4 四路線に面する宅地 　　　　（C）　　　　　　　[側方・裏面 路線価]　（奥行価格補正率）　[側方・二方 路線影響加算率] 　　　　　円 ＋ （　　　　　円 × 　.　　× 0.　　　）				(1㎡当たりの価額) 円	D
5-1 間口が狭小な宅地等 　（AからDまでのうち該当するもの）　（間口狭小補正率）　（奥行長大補正率） 　　　　　円 × （　　.　　× 　.　　）				(1㎡当たりの価額) 円	E
5-2 不整形地 　（AからDまでのうち該当するもの）　　　不整形地補正率※ 　　　　　円 × 　　　.　　 ※不整形地補正率の計算 　（想定整形地の間口距離）　（想定整形地の奥行距離）　（想定整形地の地積） 　　　　　m × 　　　　　m = 　　　　　㎡ 　（想定整形地の地積）（不整形地の地積）（想定整形地の地積）（かげ地割合） 　（　　　　㎡ － 　　　　㎡）÷ 　　　　㎡ = 　　　　% 　（不整形地補正率表の補正率）（間口狭小補正率）（小数点以下2位未満切捨て） 　　0.　　　× 　　.　　 = 0.　　 ① 　（奥行長大補正率）（間口狭小補正率） 　　　.　　× 　　.　　 = 0.　　 ② 　[不整形地補正率 ①、②のいずれか低い率、0.6を下限とする。] 　0.				(1㎡当たりの価額) 円	F
6 地積規模の大きな宅地 　（AからFまでのうち該当するもの）　　規模格差補正率※ 　　　　　円 × 　　　0.　　 ※規模格差補正率の計算 　（地積（Ⓐ））　（Ⓑ）　（Ⓒ）　（地積（Ⓐ））　（小数点以下2位未満切捨て） 　{（　　㎡ × 　　　＋ 　　　）÷ 　　㎡}× 0.8 = 0.				(1㎡当たりの価額) 円	G
7 無 道 路 地 　（F又はGのうち該当するもの）　　　　　　　　（※） 　　　　　円 × （ 1 － 0.　　 ） ※割合の計算（0.4を上限とする。） 　（正面路線価）　（通路部分の地積）　（F又はGのうち該当するもの）（評価対象地の地積） 　（　　円 × 　　㎡）÷ （　　円 × 　　㎡）= 0.				(1㎡当たりの価額) 円	H
8-1 がけ地等を有する宅地 〔 南 、 東 、 西 、 北 〕 　（AからHまでのうち該当するもの）　　（がけ地補正率） 　　　　　円 × 　　　0.				(1㎡当たりの価額) 円	I
8-2 土砂災害特別警戒区域内にある宅地 　（AからHまでのうち該当するもの）　　特別警戒区域補正率※ 　　　　　円 × 　　　0.　　 ※がけ地補正率の適用がある場合の特別警戒区域補正率の計算（0.5を下限とする。） 　　　　〔 南 、 東 、 西 、 北 〕 　（特別警戒区域補正率表の補正率）（がけ地補正率）（小数点以下2位未満切捨て） 　　0.　　　× 0.　　 = 0.				(1㎡当たりの価額) 円	J
9 容積率の異なる2以上の地域にわたる宅地 　（AからJまでのうち該当するもの）　　　　（控除割合（小数点以下3位未満四捨五入）） 　　　　　円 × （ 1 － 0.　　 ）				(1㎡当たりの価額) 円	K
10 私 道 　（AからKまでのうち該当するもの） 　　　　　円 × 　　0.3				(1㎡当たりの価額) 円	L

自用地の評価額	自用地1平方メートル当たりの価額 （AからLまでのうちの該当記号）	地　積	総　　額 （自用地1㎡当たりの価額）×（地積）	
	（ A ） 176,000 円	300 ㎡	52,800,000 円	M

-317-

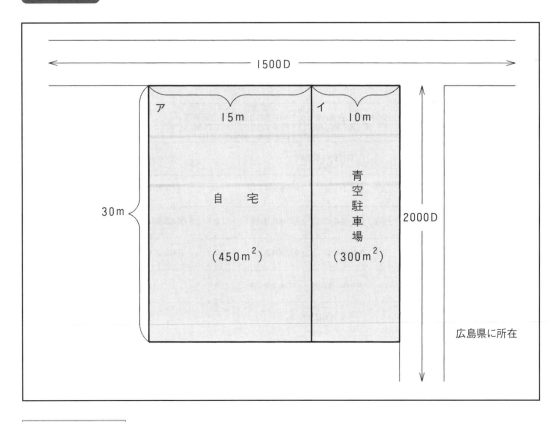

評価上の留意点

1　土地を評価する場合は、その土地を地目の別に、それぞれについて評価します。
　　したがって、本事例の場合、宅地であるア地と、雑種地であるイ地は地目が異なるため、別々に評価することになります。
2　イ地は青空駐車場ですから、自用地として評価します。
3　普通住宅地区で角地の場合、側方路線影響加算率は0.03です。
4　ア地は、正面路線1,500千円、イ地は正面路線2,000千円、側方路線1,500千円となります。
5　評価の時点のみ土地の一部を青空駐車場にしているにすぎないと認められる場合には、自宅と一体のものとして評価することになります。

各補正率の適用は？

1　奥行価格補正率……普通住宅地区の場合、奥行30m、10mに対する補正率は、それぞれ0.95、1.00です。
2　間口狭小補正率……普通住宅地区の場合、間口15m、30mに対する補正率は1.00です。
3　奥行長大補正率……普通住宅地区の場合、奥行÷間口＝30m÷15m＝2、10m÷30m＝0.33に対する補正率はそれぞれ0.98、1.00です。

【事例　95】

土地及び土地の上に存する権利の評価明細書（第1表）

	局(所)	署	年分	ページ

（住居表示）	（　　　　　　　）	所有者	住　所 （所在地）		使用者	住　所 （所在地）	
所在地番			氏　名 （法人名）			氏　名 （法人名）	

地　目	地　積	路　　　線　　　価				地形図及び参考事項
(宅地) 山林 田　(雑種地) 畑	ア 450 ㎡ イ 300	正面 A1,500,000円 B2,000,000	側方 円	側方 B1,500,000 円	裏面 円	省略

間口距離	ア 15 m イ 30	利用区分	(自用地) 私　道 貸宅地 (貸家建付借地権) 貸家建付地 転貸借地権 借地権 （　　　）	地区区分	ビル街地区　(普通住宅地区) 高度商業地区　中小工場地区 繁華街地区　大工場地区 普通商業・併用住宅地区	
奥行距離	ア 30 m イ 10					

			(1㎡当たりの価額) 円	
自用地1平方メートル当たりの価額	1 一路線に面する宅地 （正面路線価）　　　　　　　（奥行価格補正率） ア 1,500,000 円 × ア 0.95 イ 2,000,000　　　　　　 イ 1.00		1,425,000 2,000,000	A
	2 二路線に面する宅地 （A）　　　　　　　[側方・裏面 路線価]　（奥行価格補正率）　[側方・二方 路線影響加算率] イ 2,000,000 円 ＋ （ 1,500,000 円 × 0.98 × 0.03 ）		(1㎡当たりの価額) 円 2,044,100	B
	3 三路線に面する宅地 （B）　　　　　　　[側方・裏面 路線価]　（奥行価格補正率）　[側方・二方 路線影響加算率] 　　　円 ＋ （ 　　円 × 　. × 0. ）		(1㎡当たりの価額) 円	C
	4 四路線に面する宅地 （C）　　　　　　　[側方・裏面 路線価]　（奥行価格補正率）　[側方・二方 路線影響加算率] 　　　円 ＋ （ 　　円 × 　. × 0. ）		(1㎡当たりの価額) 円	D
	5-1 間口が狭小な宅地等 （AからDまでのうち該当するもの）　（間口狭小補正率）　（奥行長大補正率） ア 1,425,000 円 × （ 1.00 × 0.98 ）		(1㎡当たりの価額) 円 1,396,500	E
	5-2 不整形地 （AからDまでのうち該当するもの）　　　不整形地補正率※ 　　　円 × 0. ※不整形地補正率の計算 （想定整形地の間口距離）（想定整形地の奥行距離）（想定整形地の地積） 　　m × 　　m ＝ 　　㎡ （想定整形地の地積）　（不整形地の地積）　（想定整形地の地積）　　（かげ地割合） （ 　　㎡ － 　　㎡）÷ 　　㎡ ＝ 　　% （不整形地補正率表の補正率）（間口狭小補正率）　（小数点以下2位未満切捨て） 0. × 　. ＝ 0. ①　　不整形地補正率 （奥行長大補正率）　（間口狭小補正率）　　　　　　　　　　（①、②のいずれか低い率、0.6を下限とする。） 　. × 　. ＝ 0. ②　　0.		(1㎡当たりの価額) 円	F
	6 地積規模の大きな宅地 （AからFまでのうち該当するもの）　規模格差補正率※ 　　　円 × 0. ※規模格差補正率の計算 （地積（Ⓐ））　　（Ⓑ）　　（Ⓒ）　　（地積（Ⓐ））　　（小数点以下2位未満切捨て） ｛（ 　　㎡× 　＋ 　）÷ 　　㎡｝× 0.8 ＝ 0.		(1㎡当たりの価額) 円	G
	7 無道路地 （F又はGのうち該当するもの）　　　　　　　　（※） 　　　円 × （ 1 － 0. ） ※割合の計算（0.4を上限とする。）　　（F又はGのうち該当するもの） （正面路線価）　（通路部分の地積）　（評価対象地の地積） 　　　円 × 　　㎡）÷（ 　　円 × 　　㎡）＝ 0.		(1㎡当たりの価額) 円	H
	8-1 がけ地等を有する宅地　〔 南 、 東 、 西 、 北 〕 （AからHまでのうち該当するもの）　（がけ地補正率） 　　　円 × 0.		(1㎡当たりの価額) 円	I
	8-2 土砂災害特別警戒区域内にある宅地 （AからHまでのうち該当するもの）　特別警戒区域補正率※ 　　　円 × 0. ※がけ地補正率の適用がある場合の特別警戒区域補正率の計算（0.5を下限とする。） 〔 南 、 東 、 西 、 北 〕 （特別警戒区域補正率表の補正率）　（がけ地補正率）　（小数点以下2位未満切捨て） 0. × 0. ＝ 0.		(1㎡当たりの価額) 円	J
	9 容積率の異なる2以上の地域にわたる宅地 （AからJまでのうち該当するもの）　　　（控除割合（小数点以下3位未満四捨五入）） 　　　円 × （ 1 － 0. ）		(1㎡当たりの価額) 円	K
	10 私　道 （AからKまでのうち該当するもの） 　　　円 × 0.3		(1㎡当たりの価額) 円	L

自用地の評価額	自用地1平方メートル当たりの価額 （AからLまでのうちの該当記号）	地　積	総　　　　　額 （自用地1㎡当たりの価額）×（地積）	
	（ E ）ア 1,396,500 円 （ B ）イ 2,044,100	450 ㎡ 300	628,425,000 円 613,230,000	M

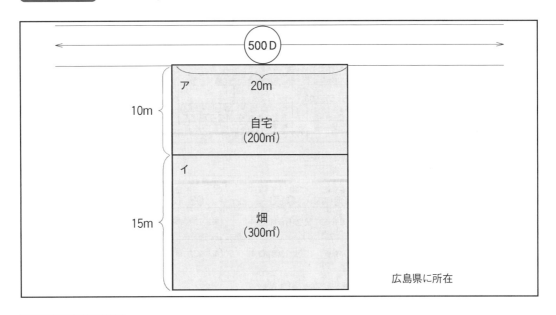

評価上の留意点

1　土地を評価する場合は、その土地を地目の別に、それぞれについて評価します。

　　したがって、本事例の場合、宅地であるア地と、畑であるイ地は地目が異なるため、別々に評価することになります。

2　イ地は畑地（市街地農地）ですから、自用地（宅地比準方式）として評価します。

　　また、この畑を宅地に転用するための造成費は1㎡当たり2,700円（整地費700円、地盤改良費2,000円）とします。

3　ア地、イ地とも自用地ですから、イ地について無道路地の斟酌は行いません。

4　イ地は、⌐┘という形の不整形地となりますから、①不整形地補正率に間口狭小補正率を適用して評価する方法（0.90×0.90＝0.81）と、②間口狭小補正率と奥行長大補正率を適用して評価する方法（0.90×0.90＝0.81）の低いほうをとります（①、②同じなので0.81）。

　　また、このような形の不整形地は【事例37】のような計算をすることもできます。

各補正率の適用は？

1　奥行価格補正率……奥行10m、25mで普通商業・併用住宅地区の場合、0.99、1.00です。

2　間口狭小補正率……間口20m、2mで普通商業・併用住宅地区の場合、1.00、0.90です。

3　奥行長大補正率……奥行距離÷間口距離＝10m÷20m＝0.50、25m÷2m＝12.5で普通商業・併用住宅地区の場合、1.00、0.90です。

4　不整形地補正率

　　かげ地割合……（500㎡－300㎡）÷500㎡＝40％です。

　　地積区分……面積が300㎡で普通商業・併用住宅地区の場合Aになります。

　　補正率……普通商業・併用住宅地区でかげ地割合が40％、地積区分がAですから0.90になります。

【事例 96】

土地及び土地の上に存する権利の評価明細書（第1表）

	局（所）	署	年分	ページ

所在地番	（住居表示）　（　　　　　　　）	所有者	住　所（所在地）		使用者	住　所（所在地）	
			氏　名（法人名）			氏　名（法人名）	

地　目	地　積	路　　　　線　　　　価				地形図及び参考事項

（宅　地）　山　林　田　畑（　　）雑種地	ア 200 ㎡　イ 300	正面 500,000 円	側方 円	側方 円	裏面 円	省　略

間口距離	ア 20 m　イ	利用区分	（自用地）私　道　貸宅地　貸家建付借地権　貸家建付地　転貸借地権　借地権　（　　　　）	地区区分	ビル街地区　普通住宅地区　高度商業地区　中小工場地区　繁華街地区　大工場地区　（普通商業・併用住宅地区）
奥行距離	ア 10 m　イ 25				

自用地1平方メートル当たりの価額					

	1　一路線に面する宅地 （正面路線価）　　　（奥行価格補正率） ア 500,000 円 ×　　0.99 イ 500,000 円 ×　　1.00	（1㎡当たりの価額） 495,000 円 500,000	A
	2　二路線に面する宅地 （A）　　　［側方・裏面 路線価］　（奥行価格補正率）　［側方・二方 路線影響加算率］ 円 + （　　　円 ×　　　× 0.　　）	（1㎡当たりの価額） 円	B
	3　三路線に面する宅地 （B）　　　［側方・裏面 路線価］　（奥行価格補正率）　［側方・二方 路線影響加算率］ 円 + （　　　円 ×　　　× 0.　　）	（1㎡当たりの価額） 円	C
	4　四路線に面する宅地 （C）　　　［側方・裏面 路線価］　（奥行価格補正率）　［側方・二方 路線影響加算率］ 円 + （　　　円 ×　　　× 0.　　）	（1㎡当たりの価額） 円	D
	5-1　間口が狭小な宅地等 （AからDまでのうち該当するもの）　（間口狭小補正率）　（奥行長大補正率） 円 ×　（　.　　 ×　.　　）	（1㎡当たりの価額） 円	E
	5-2　不整形地 （AからDまでのうち該当するもの）　　不整形地補正率※ 500,000 円 ×　　　0.81 ※不整形地補正率の計算 （想定整形地の間口距離）　（想定整形地の奥行距離）　（想定整形地の地積） 20 m ×　25 m ＝ 500 ㎡ （想定整形地の地積）　（不整形地の地積）　（想定整形地の地積）　（かげ地割合） （ 500 ㎡ － 300 ㎡）÷ 500 ㎡ ＝ 40 % （不整形地補正率表の補正率）（間口狭小補正率）　（小数点以下2位未満切捨て） 0.90 ×　0.90 ＝ 0.81 ① （奥行長大補正率）　　（間口狭小補正率） 0.90 ×　0.90 ＝ 0.81 ② ［不整形地補正率（①、②のいずれか低い率、0.6を下限とする。）］ 0.81	（1㎡当たりの価額） 円 405,000	F
	6　地積規模の大きな宅地 （AからFまでのうち該当するもの）　　規模格差補正率※ 円 ×　　0.　 ※規模格差補正率の計算 （地積（Ⓐ））　（Ⓑ）　（Ⓒ）　（地積（Ⓐ））　（小数点以下2位未満切捨て） ｛（　㎡× 　＋ 　）÷ 　㎡｝× 0.8 ＝ 0.	（1㎡当たりの価額） 円	G
	7　無道路地 （F又はGのうち該当するもの）　　　　　（※） 円 ×　（ 1 － 0.　　） ※割合の計算（0.4を上限とする。） （正面路線価）　（通路部分の地積）　（F又はGのうち該当するもの）　（評価対象地の地積） 円 ×　㎡）÷ （　円 ×　㎡）＝ 0.	（1㎡当たりの価額） 円	H
	8-1　がけ地等を有する宅地　〔 南 、 東 、 西 、 北 〕 （AからHまでのうち該当するもの）　（がけ地補正率） 円 ×　　0.	（1㎡当たりの価額） 円	I
	8-2　土砂災害特別警戒区域内にある宅地 （AからHまでのうち該当するもの）　特別警戒区域補正率※ 円 ×　　0. ※がけ地補正率の適用がある場合の特別警戒区域補正率の計算（0.5を下限とする。） 〔 南、東、西、北 〕 （特別警戒区域補正率表の補正率）（がけ地補正率）　（小数点以下2位未満切捨て） 0. ×　0. ＝ 0.	（1㎡当たりの価額） 円	J
	9　容積率の異なる2以上の地域にわたる宅地 （AからJまでのうち該当するもの）　　（控除割合（小数点以下3位未満四捨五入）） 円 ×　（ 1 － 0.　　）	（1㎡当たりの価額） 円	K
	10　私　道 （AからKまでのうち該当するもの） 円 ×　0.3	（1㎡当たりの価額） 円	L

自用地の評価額	自用地1平方メートル当たりの価額 （AからLまでのうちの該当記号）	地　積	総　　額 （自用地1㎡当たりの価額）×（地積）	
	（ A ）ア 495,000 円	200 ㎡	99,000,000 円	M

【事例 96】

市 街 地 農 地 等 の 評 価 明 細 書

(市 街 地 農 地)　　市 街 地 山 林
市 街 地 周 辺 農 地　　市 街 地 原 野

（平成十八年分以降用）

所　在　地　番					
現　況　地　目		畑	① 地　積		300 ㎡
評価の基とした宅地の1平方メートル当たりの評価額	所　在　地　番				
	② 評価額の計算内容	評価明細書（第1表）に記載のとおり		③（評価額） 405,000	円
評価する農地等が宅地であるとした場合の1平方メートル当たりの評価額	④ 評価上考慮したその農地等の道路からの距離、形状等の条件に基づく評価額の計算内容			⑤（評価額） 405,000	円

宅地造成費の計算	平坦地	整地費	整地費	（整地を要する面積）300 ㎡ ×（1㎡当たりの整地費）700 円	⑥ 210,000	円
			伐採・抜根費	（伐採・抜根を要する面積）㎡ ×（1㎡当たりの伐採・抜根費）円	⑦	円
			地盤改良費	（地盤改良を要する面積）300 ㎡ ×（1㎡当たりの地盤改良費）2,000 円	⑧ 600,000	円
		土盛費		（土盛りを要する面積）㎡ ×（平均の高さ）m ×（1㎡当たりの土盛費）円	⑨	円
		土止費		（擁壁面の長さ）m ×（平均の高さ）m ×（1㎡当たりの土止費）円	⑩	円
		合計額の計算		⑥ ＋ ⑦ ＋ ⑧ ＋ ⑨ ＋ ⑩	⑪ 810,000	円
		1㎡当たりの計算		⑪ ÷ ①	⑫ 2,700	円
	傾斜地	傾斜度に係る造成費		（傾斜度）度	⑬	円
		伐採・抜根費		（伐採・抜根を要する面積）㎡ ×（1㎡当たりの伐採・抜根費）円	⑭	円
		1㎡当たりの計算		⑬ ＋ （ ⑭ ÷ ① ）	⑮	円
市街地農地等の評価額				（⑤ － ⑫（又は⑮））× ① （注）市街地周辺農地については、さらに0.8を乗ずる。	イ地 120,690,000	円

(注) 1　「②評価額の計算内容」欄には、倍率地域内の市街地農地等については、評価の基とした宅地の固定資産税評価額及び倍率を記載し、路線価地域内の市街地農地等については、その市街地農地等が宅地である場合の画地計算の内容を記載してください。なお、画地計算が複雑な場合には、「土地及び土地の上に存する権利の評価明細書」を使用してください。

2　「④評価上考慮したその農地等の道路からの距離、形状等の条件に基づく評価額の計算内容」欄には、倍率地域内の市街地農地等について、「③評価額」欄の金額と「⑤評価額」欄の金額とが異なる場合に記載し、路線価地域内の市街地農地等については記載の必要はありません。

3　「傾斜地の宅地造成費」に加算する伐採・抜根費は、「平坦地の宅地造成費」の「伐採・抜根費」の金額を基に算出してください。

■路線価の推移

大阪の代表的な住宅地である帝塚山と、代表的な商業地である梅田の路線価の推移です。

単位:千円/㎡

	路線価				路線価	
	帝塚山1丁目 (帝塚山病院西側)	梅田 (阪急百貨店と JR大阪駅の間)			帝塚山1丁目 (帝塚山病院西側)	梅田 (阪急百貨店と JR大阪駅の間)
昭和61	262	3,840		平成18	160	4,410
昭和62	320	6,410		平成19	190	6,190
昭和63	435	9,940		平成20	300	8,220
平成元	635	15,000		平成21	280	7,740
平成2	1,050	20,100		平成22	260	6,170
平成3	1,570	25,500		平成23	255	5,600
平成4	1,400	24,900		平成24	255	5,670
平成5	1,040	16,200		平成25	260	5,940
平成6	790	12,500		平成26	270	6,330
平成7	660	8,550		平成27	275	6,970
平成8	545	6,650		平成28	280	8,510
平成9	465	5,700		平成29	280	9,850
平成10	430	5,150		平成30	290	10,520
平成11	395	4,710		令和元(平成31)	300	13,400
平成12	370	4,060		令和2	300	18,090
平成13	340	3,670		令和3	300	16,550
平成14	320	3,630		令和4	300	15,890
平成15	280	3,630		令和5	300	16,100
平成16	260	3,630		令和6	310	16,970
平成17	150	3,700				

今の路線価は住宅地（帝塚山1丁目）で昭和61年と昭和62年の間、商業地（梅田）で平成元年と平成2年の間です。この当時の相続税の基礎控除は、昭和61年〜62年で「2,000万＋400万×法定相続人数」、平成元〜平成2年では「4,000万＋800万×法定相続人数」（291ページ参照）でしたから、現行の基礎控除「3,000万＋600万×法定相続人数」はその中間です。

新型コロナウイルスによる影響で商業地の路線価の上昇は一服しましたが、令和5年からは再び上昇し、日本一の地価である東京銀座の鳩居堂前の路線価は、バブル期を超えていますし、大阪の商業地の路線価も、この10年で2倍以上に上昇しています。相続税がかかる人の割合も毎年のように上昇（291ページ参照）している中、基礎控除の引上げはあるのでしょうか？

事例　97　　青空駐車場と空き地

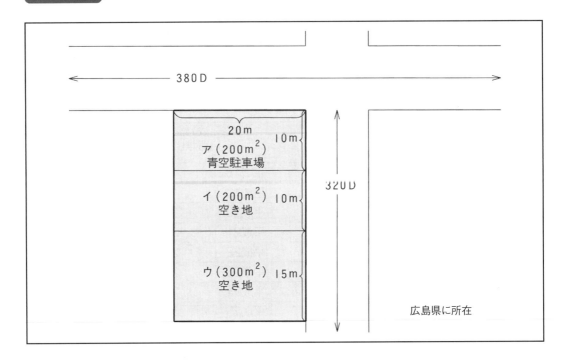

評価上の留意点

1　従前より、ア地部分は、月極の青空駐車場として、イ地及びウ地部分は、居住用の貸家を建てて他人に貸し付け、毎年不動産所得の申告をしていました。

　昨年地震によりイ地及びウ地の貸家が滅失しましたので、賃借人との話合いの末、立ち退いてもらいました。現在イ地及びウ地は新たに貸家を建てるための資金計画が立たないため、空き地になっています。

2　雑種地であるア地と宅地であるイ地及びウ地とは、地目が異なるため、別々に評価します。イ地及びウ地は、一体で評価します。

3　ア地は青空駐車場ですから、自用地として評価します。

4　普通住宅地区で角地の場合、側方路線影響加算率は0.03です。

5　ア地は、正面路線価380千円、側方路線価320千円、イ地及びウ地は正面路線価320千円となります。

各補正率の適用は？

1　奥行価格補正率……普通住宅地区の場合、奥行20m、10mに対する補正率はいずれも1.00です。

2　間口狭小補正率……普通住宅地区の場合、間口20m、25mに対する補正率はいずれも1.00です。

3　奥行長大補正率……普通住宅地区の場合、奥行÷間口＝10m÷20m＝0.5、20m÷25m＝0.8に対する補正率は、いずれも1.00です。

【事例　97】

土地及び土地の上に存する権利の評価明細書（第1表）

			局(所)	署	年分	ページ

（住居表示）	（　　　　　　　　）	所有者	住　所（所在地）		使用者	住　　所（所在地）
所在地番			氏　名（法人名）			氏　名（法人名）

地　目	地　積	路　　線　　価				地形図及び参考事項
（宅地）山林 田 畑 （雑種地）	ア 200㎡ イ+ウ 500	正面 ア 380,000円 イ+ウ 320,000	側　方 ア 320,000 円	側　方 円	裏　面 円	

間口距離	ア 20m イ+ウ 25	利用区分	自用地 私　道 貸家建付地 転貸借地権 借地権	貸宅地 貸家建付借地権 （　　　　　　）	地区区分	ビル街地区　（普通住宅地区） 高度商業地区　中小工場地区 繁華街地区　大工場地区 普通商業・併用住宅地区	

奥行距離	ア 10m イ+ウ 20					

自 用 地 1 平 方 メ ー ト ル 当 た り の 価 額	1　一路線に面する宅地　　　　（正面路線価）　　　　　　　　　　（奥行価格補正率） ア 380,000円 ×　1.00 イ+ウ 320,000円 ×　1.00				（1㎡当たりの価額）　円 380,000 320,000	A
	2　二路線に面する宅地 （A）　　　　　　[側方・裏面 路線価]　（奥行価格補正率）　[側方・二方 路線影響加算率] ア 380,000円 ＋ （ 320,000 円 × 1.00 × 0.03 ）				（1㎡当たりの価額）　円 389,600	B
	3　三路線に面する宅地 （B）　　　　　　[側方・裏面 路線価]　（奥行価格補正率）　[側方・二方 路線影響加算率] 円 ＋ （ 円 × . × 0. ）				（1㎡当たりの価額）　円	C
	4　四路線に面する宅地 （C）　　　　　　[側方・裏面 路線価]　（奥行価格補正率）　[側方・二方 路線影響加算率] 円 ＋ （ 円 × . × 0. ）				（1㎡当たりの価額）　円	D
	5-1　間口が狭小な宅地等 （AからDまでのうち該当するもの）　　（間口狭小補正率）　（奥行長大補正率） 円 × （ . × . ）				（1㎡当たりの価額）　円	E
	5-2　不　整　形　地 （AからDまでのうち該当するもの）　　不整形地補正率※ 円 × 0. ※不整形地補正率の計算 （想定整形地の間口距離）（想定整形地の奥行距離）（想定整形地の地積） m × 　m = ㎡ （想定整形地の地積）（不整形地の地積）（想定整形地の地積）　（かげ地割合） （ ㎡ － ㎡） ÷ 　㎡ = ％ （不整形地補正率表の補正率）（間口狭小補正率）　（小数点以下2位未満切捨て）　［不整形地補正率 0. × . = 0. 　①　①、②のいずれか低い （奥行長大補正率）　（間口狭小補正率）　　　　　　　　　率、0.6を下限とする。] . × . = 0. 　② 0.				（1㎡当たりの価額）　円	F
	6　地積規模の大きな宅地 （AからFまでのうち該当するもの）　　規模格差補正率※ 円 × 0. ※規模格差補正率の計算 （地積（Ⓐ））　（Ⓑ）　（Ⓒ）　（地積（Ⓐ））　（小数点以下2位未満切捨て） {（ ㎡× ＋ ） ÷ 　㎡} × 0.8 = 0.				（1㎡当たりの価額）　円	G
	7　無　道　路　地 （F又はGのうち該当するもの）　　　　　　　　（※） 円 × （ 1 － 0. ） ※割合の計算（0.4を上限とする。） （正面路線価）　（通路部分の地積）（F又はGのうち該当するもの）（評価対象地の地積） 円 × ㎡） ÷ （ 円 × ㎡） = 0.				（1㎡当たりの価額）　円	H
	8-1　がけ地等を有する宅地　　〔南 、 東 、 西 、 北 〕 （AからHまでのうち該当するもの）　（がけ地補正率） 円 × 0.				（1㎡当たりの価額）　円	I
	8-2　土砂災害特別警戒区域内にある宅地 （AからHまでのうち該当するもの）　特別警戒区域補正率※ 円 × 0. ※がけ地補正率の適用がある場合の特別警戒区域補正率の計算（0.5を下限とする。） 〔 南 、 東 、 西 、 北 〕 （特別警戒区域補正率表の補正率）（がけ地補正率）　（小数点以下2位未満切捨て） 0. × 0. = 0.				（1㎡当たりの価額）　円	J
	9　容積率の異なる2以上の地域にわたる宅地 （AからJまでのうち該当するもの）　　（控除割合（小数点以下3位未満四捨五入）） 円 × （ 1 － 0. ）				（1㎡当たりの価額）　円	K
	10　私　　道 （AからKまでのうち該当するもの） 円 × 0.3				（1㎡当たりの価額）　円	L

	自用地1平方メートル当たりの価額（AからLまでのうちの該当記号）	地　積	総　　　　額（自用地1㎡当たりの価額）×（地　積）	額	M
自 用 地 の 評 価 額	（B）ア 389,600 円 （A）イ+ウ 320,000	200 ㎡ 500	77,920,000 160,000,000	237,920,000 円	

-325-

事例 98　自宅と空き地

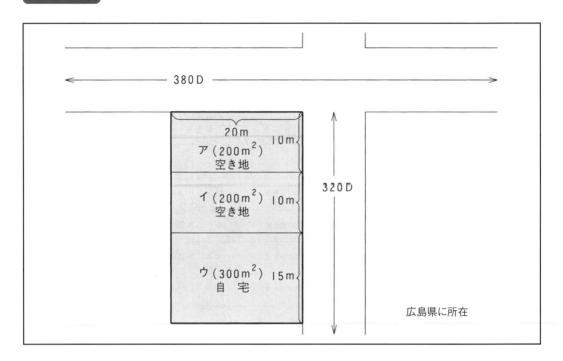

評価上の留意点

1　従前、ア地及びイ地部分に、貸家を建てて他人に貸し付け、毎年不動産所得の申告を していました。

　　しかし、火災によりア地及びイ地の貸家が滅失しましたので、賃借人との話合いの末、 立ち退いてもらいました。現在、ア地及びイ地は新たに貸家を建てるための資金計画が 立たないため、空き地になっています。

2　ア地・イ地・ウ地は、すべて自用の宅地ですから、一体で評価します。

3　普通住宅地区で角地の場合、側方路線影響加算率は0.03です。

各補正率の適用は？

1　奥行価格補正率……普通住宅地区の場合、奥行35m、20mに対する補正率はそれぞれ 0.93、1.00になります。

2　間口狭小補正率……普通住宅地区の場合、間口20mに対する補正率は1.00です。

3　奥行長大補正率……普通住宅地区の場合、奥行÷間口＝35m÷20m＝1.75に対する補 正率は、1.00です。

【事例　98】

土地及び土地の上に存する権利の評価明細書（第1表）

		局(所)	署	年分	ページ

（住居表示）	（　　　　　）	所有者	住　所 （所在地）		使用者	住　　所 （所在地）	
所在地番			氏　　名 （法人名）			氏　　名 （法人名）	

地　目	地　積	路　　　線　　　価	地形図及び参考事項
(宅地) 山林 田　畑 雑種地 （　　　）	700 ㎡	正面 380,000円　側方 320,000円　側方 円　裏面 円	省略

間口距離	20 m	利用区分	(自用地) 私　道　 貸家建付借地権 貸宅地　貸家建付地権 貸家建付地　転貸借地権 借地権（　　　　　）	地区区分	ビル街地区　(普通住宅地区) 高度商業地区　中小工場地区 繁華街地区　大工場地区 普通商業・併用住宅地区
奥行距離	35 m				

自用地1平方メートル当たりの価額

			(1㎡当たりの価額)	
1 一路線に面する宅地 （正面路線価）　　　　　　　　（奥行価格補正率） 380,000 円　×　0.93			353,400 円	A
2 二路線に面する宅地 （A）　　　[(側方)・裏面 路線価]（奥行価格補正率）[(側方)・二方 路線影響加算率] 353,400 円　＋　（ 320,000円　×　1.00　×　0.03　）			363,000 円	B
3 三路線に面する宅地 （B）　　　[側方・裏面 路線価]（奥行価格補正率）[側方・二方 路線影響加算率] 円　＋　（　　　円　×　.　　×　0.　　）			円	C
4 四路線に面する宅地 （C）　　　[側方・裏面 路線価]（奥行価格補正率）[側方・二方 路線影響加算率] 円　＋　（　　　円　×　.　　×　0.　　）			円	D
5-1 間口が狭小な宅地等 （AからDまでのうち該当するもの）（間口狭小補正率）（奥行長大補正率） 円　×　（　.　　×　.　　）			円	E
5-2 不整形地 （AからDまでのうち該当するもの）　不整形地補正率※ 円　×　0. ※不整形地補正率の計算 （想定整形地の間口距離）（想定整形地の奥行距離）（想定整形地の地積） m　×　m　=　㎡ （想定整形地の地積）（不整形地の地積）（想定整形地の地積）（かげ地割合） （　㎡　－　㎡）÷　㎡　=　% （不整形地補正率表の補正率）（間口狭小補正率）（小数点以下2位未満切捨て） 0.　　×　　　=　0.　①　　　　　　[不整形地補正率 （奥行長大補正率）（間口狭小補正率）　　　　　　　①、②のいずれか低い .　　×　　　=　0.　②　　　　　　率、0.6を下限とする。] 0.			円	F
6 地積規模の大きな宅地 （AからFまでのうち該当するもの）　規模格差補正率※ 円　×　0. ※規模格差補正率の計算 （地積（Ⓐ））（Ⓑ）（Ⓒ）（地積（Ⓐ））（小数点以下2位未満切捨て） {（　㎡×　＋　）÷　㎡}×0.8　=　0.			円	G
7 無道路地 （F又はGのうち該当するもの）（※） 円　×　（　1　－　0.　） ※割合の計算（0.4を上限とする。） （正面路線価）（通路部分の地積）（F又はGのうち該当するもの）（評価対象地の地積） （　円　×　㎡）÷（　円　×　㎡）=0.			円	H
8-1 がけ地等を有する宅地〔南、東、西、北〕 （AからHまでのうち該当するもの）（がけ地補正率） 円　×　0.			円	I
8-2 土砂災害特別警戒区域内にある宅地 （AからHまでのうち該当するもの）　特別警戒区域補正率※ 円　×　0. ※がけ地補正率の適用がある場合の特別警戒区域補正率の計算（0.5を下限とする。） 〔南、東、西、北〕 （特別警戒区域補正率表の補正率）（がけ地補正率）（小数点以下2位未満切捨て） 0.　　×　0.　　=　0.			円	J
9 容積率の異なる2以上の地域にわたる宅地 （AからJまでのうち該当するもの）（控除割合（小数点以下3位未満四捨五入）） 円　×　（　1　－　0.　　）			円	K
10 私道 （AからKまでのうち該当するもの） 円　×　0.3			円	L

自用地の評価額	自用地1平方メートル当たりの価額 （AからLまでのうちの該当記号）	地　積	総　額 （自用地1㎡当たりの価額）×（地積）	
	（ B ）　363,000 円	700 ㎡	254,100,000 円	M

-327-

380D

20m

15m　青空駐車場

宅地

ア（300㎡）

宅地

15m　原　野

イ（300㎡）

広島県に所在

※　財産評価基本通達７のなお書きの規定により一体評価すべきものとする。

評価上の留意点

1　駐車場（雑種地）と原野は、地目が異なるので、原則は別々の土地として評価します。しかし、本事例のように市街地原野と、宅地と状況が類似する雑種地が隣接しており、その形状、地積の大小、位置等からみて、これらを一団として評価することが合理的と認められる場合（別々に評価するとイ地は無道路地となるが、イ地への出入りはア地を通じて自由にできるため、別々に評価するのは合理的でない）には、その一団の土地ごとに評価することになります。

2　ア地は青空駐車場であり、ア地、イ地全体を自用地として評価します。

各補正率の適用は？

1　奥行価格補正率……普通住宅地区の場合、奥行30mに対する補正率は0.95です。

2　間口狭小補正率……普通住宅地区の場合、間口20mに対する補正率は1.00です。

3　奥行長大補正率……普通住宅地区の場合、奥行÷間口＝30m÷20m＝1.5に対する補正率は1.00です。

【事例　99】

土地及び土地の上に存する権利の評価明細書（第1表）

				局(所)	署	年分	ページ

所在地番	(住居表示)（　　　　　　　）	所有者	住　所 (所在地)		使用者	住　　所 (所在地)	
			氏　名 (法人名)			氏　　名 (法人名)	

地　目		地　積	路　　　　　線　　　　　価				地形図及び参考事項
宅地　山林 田 畑	雑種地 (原野)	㎡ 600	正　面 380,000 円	側　方 円	側　方 円	裏　面 円	**省　略**

間口距離	20 m	利用区分	自用地　私　道 貸　宅　地　貸家建付借地権 貸家建付地　転貸借地権 借　地　権　（　　　　）	地区区分	ビル街地区　普通住宅地区 高度商業地区　中小工場地区 繁華街地区　大工場地区 普通商業・併用住宅地区	
奥行距離	30 m					

		計算内容	(1㎡当たりの価額) 円	記号
自 用 地 1 平 方 メ ー ト ル 当 た り の 価 額	1　一路線に面する宅地	(正面路線価)　　　　　　　(奥行価格補正率) 　380,000 円　×　　　　0.95	361,000	A
	2　二路線に面する宅地 　　　　(A)	[側方・裏面 路線価]　(奥行価格補正率)　[側方・二方 路線影響加算率] 円　+　(　　　　円　×　.　　×　0.　)		B
	3　三路線に面する宅地 　　　　(B)	[側方・裏面 路線価]　(奥行価格補正率)　[側方・二方 路線影響加算率] 円　+　(　　　　円　×　.　　×　0.　)		C
	4　四路線に面する宅地 　　　　(C)	[側方・裏面 路線価]　(奥行価格補正率)　[側方・二方 路線影響加算率] 円　+　(　　　　円　×　.　　×　0.　)		D
	5-1　間口が狭小な宅地等 　(AからDまでのうち該当するもの)	(間口狭小補正率)　(奥行長大補正率) 円　×　(　.　　×　　)		E
	5-2　不整形地 　(AからDまでのうち該当するもの)　　不整形地補正率※ ※不整形地補正率の計算 　(想定整形地の間口距離)　(想定整形地の奥行距離)　(想定整形地の地積) 　　　　m　×　　　　m　=　　　　㎡ 　(想定整形地の地積)　(不整形地の地積)　(想定整形地の地積)　　(かげ地割合) 　(　　㎡　-　　㎡)　÷　　㎡　=　　% 　(不整形地補正率表の補正率)(間口狭小補正率)　(小数点以下2位未満切捨て) 　　0.　　×　　.　　=　0.　　　① 　(奥行長大補正率)　　(間口狭小補正率) 　　.　　×　　.　　=　0.　　　②	円　×　0. [不整形地補正率 ①、②のいずれか低い 率、0.6を下限とする。] 0.	F
	6　地積規模の大きな宅地 　(AからFまでのうち該当するもの)　　規模格差補正率※ ※規模格差補正率の計算 　(地積(Ⓐ))　(Ⓑ)　(Ⓒ)　(地積(Ⓐ))　(小数点以下2位未満切捨て) 　{(　㎡×　　+　　)÷　　㎡}×0.8　=　0.	円　×　0.	G
	7　無　道　路　地 　(F又はGのうち該当するもの)　　　　(※) 　円　×　(　1　-　0.　) ※割合の計算（0.4を上限とする。） 　(正面路線価)　(通路部分の地積)　(F又はGのうち該当するもの)　(評価対象地の地積) 　円　×　㎡　÷　(円　×　㎡)　=　0.	円　×　(　1　-　0.　)	H
	8-1　がけ地等を有する宅地　〔 南 、 東 、 西 、 北 〕 　(AからHまでのうち該当するもの)　(がけ地補正率) 　円　×　0.		I
	8-2　土砂災害特別警戒区域内にある宅地 　(AからHまでのうち該当するもの)　　特別警戒区域補正率※ 　円　×　0. ※がけ地補正率の適用がある場合の特別警戒区域補正率の計算（0.5を下限とする。） 　〔 南 、 東 、 西 、 北 〕 　(特別警戒区域補正率表の補正率)　(がけ地補正率)　(小数点以下2位未満切捨て) 　　0.　　×　0.　　=　0.		J
	9　容積率の異なる2以上の地域にわたる宅地 　(AからJまでのうち該当するもの)　　　(控除割合 (小数点以下3位未満四捨五入)) 　円　×　(　1　-　0.　)		K
	10　私　　　　道 　(AからKまでのうち該当するもの) 　円　×　0.3		L

自用地の評価額	自用地1平方メートル当たりの価額 （AからLまでのうちの該当記号）	地　積	総　　　　　　　　　　額 （自用地1㎡当たりの価額）×（地　積）	
	（ A ） 361,000 円	600 ㎡	216,600,000 円	M

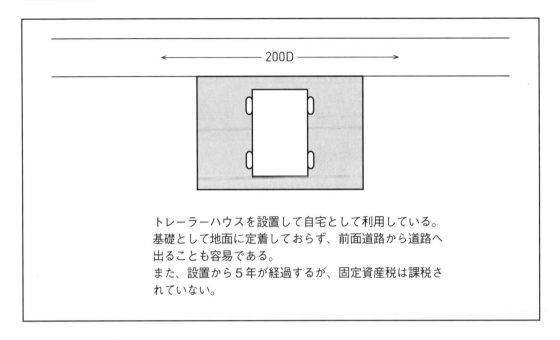

トレーラーハウスを設置して自宅として利用している。
基礎として地面に定着しておらず、前面道路から道路へ
出ることも容易である。
また、設置から5年が経過するが、固定資産税は課税さ
れていない。

評価上の留意点

1　トレーラーハウスを自宅として利用する人が増えているようですが、これが建物とし
て認められるかどうかは以下の点を総合的に勘案して判断します。
① 随時かつ容易に移動することに支障があるか
② 給排水・ガス・電気等の配線配管が接続されており、その接続方法が簡易な着脱式
であるかどうか
③ 固定資産税が課されているかどうか

2　このトレーラーハウスは地面に定着しておらず、前面道路から道路に出ることも容易
であり、固定資産税も課されていないことから、建物には当たらず、この土地は宅地で
はなく雑種地として評価します。

■公開空地のある宅地の評価

　高層ビルやタワーマンションのすぐ近くに、公園やオープンスペースが設けられることがあり、このようなもののうち、誰でも自由に通行したり利用したりできるよう、一般に開放された場所を「公開空地」といいます。

　建築基準法第59条の2のいわゆる総合設計制度では、建物の敷地内に日常一般に公開する一定の空地を有するなどの基準に適合して許可を受けることにより、容積率や建物の高さに係る規制の緩和を受けることができ、この制度によって設けられたものが「公開空地」であり、建物を建てるために必要な敷地を構成するものです。

　「歩道状空地」は、私道にあたるということで、不特定多数の者が通行できる場合には零として評価（38ページの**（1）**参照）することとなりましたが、同じように考えるべきとも思える「公開空地」については、国税庁の質疑応答事例では、建物の敷地として評価することとされています。

■相続財産の内訳の推移

項目 年分	土地	家屋	有価証券	現金・ 預貯金等	その他	合計	相続財産のうち 土地の占める割合
	億円	億円	億円	億円	億円	億円	
平成6年	112,547	8,159	13,199	15,002	9,937	158,845	70.8
7	117,303	9,009	13,799	17,718	11,108	168,937	69.4
8	105,768	6,411	13,696	18,053	10,977	154,906	68.2
9	101,778	6,068	14,310	18,949	11,351	152,457	66.7
20	58,497	6,385	15,681	25,363	12,091	118,017	49.5
21	54,938	6,059	13,307	24,682	11,606	110,593	49.6
22	55,332	6,591	13,889	26,670	12,071	114,555	48.3
23	53,781	6,716	15,209	28,531	12,806	117,043	45.9
24	53,699	6,232	14,351	29,988	12,978	117,248	45.7
25	52,073	6,494	20,676	32,548	13,536	125,326	41.5
26	51,469	6,732	18,966	33,054	13,865	124,086	41.4
27	59,400	8,343	23,368	47,996	17,256	156,362	37.9
28	60,359	8,716	22,817	49,426	17,345	158,663	38.0
29	60,960	9,040	25,404	52,836	18,688	166,928	36.5
30	60,818	9,147	27,733	55,890	19,591	173,179	35.1
令和元年	57,610	8,793	25,460	56,434	19,228	167,524	34.4
2	60,389	9,302	25,811	58,989	19,678	174,168	34.7
3	65,428	10,133	32,204	66,846	22,182	196,794	33.2
4	70,688	11,092	35,702	76,304	24,877	218,663	32.3

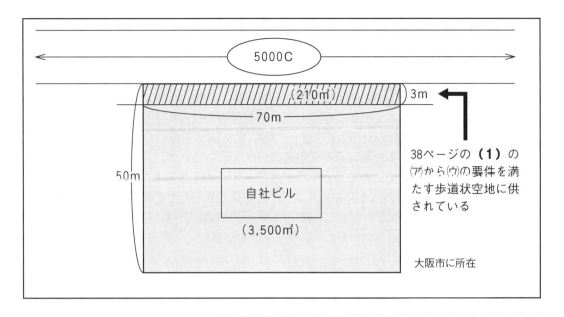

評価上の留意点

　自社ビルの敷地の一部を38ページの**（1）**の㋐から㋒の要件を満たす歩道状空地に供している場合には、その部分は不特定多数の者の通行の用に供される私道として零として評価します。

各補正率の適用は？

1　奥行価格補正率……高度商業地区の場合、奥行50mに対する補正率は0.99です。
2　間口狭小補正率……高度商業地区の場合、間口70mに対する補正率は1.00です。
3　奥行長大補正率……奥行距離÷間口距離=50m÷70m≒0.714で高度商業地区の場合、
　　　　　　　　　　　1.00です。

【事例　101】

土地及び土地の上に存する権利の評価明細書（第1表）

						局(所)	署	年分	ページ

（住居表示）	（　　　　　　）	所有者	住　所（所在地）		使用者	住　所（所在地）	
所在地番			氏　名（法人名）			氏　名（法人名）	

地　目		地　積	路　　　　線　　　　価				地形図及び参考事項	
(宅地) 山林 田 畑	雑種地 (　　　)	3,290 ㎡	正　面 5,000,000 円	側　方 円	側　方 円	裏　面 円	省　略	

間口距離	70 m	利用区分	(自用地) 私　道 貸家建付地 借地権	貸宅地 貸家建付借地権 転貸借地権 ( )	永小作権	地区区分	ビル街地区 高度商業地区 繁華街地区 普通商業・併用住宅地区	普通住宅地区 中小工場地区 大工場地区
奥行距離	50 m							

					(1㎡当たりの価額)	円	
自用地1平方メートル当たりの価額	**1** 一路線に面する宅地 （正面路線価） （奥行価格補正率） 5,000,000 円 × 0.99				4,950,000		A
	2 二路線に面する宅地 （A） 円 ＋ （ [側方・裏面 路線価] 円 × [奥行価格補正率] ． × [側方・二方 路線影響加算率] 0. ）				(1㎡当たりの価額) 円		B
	3 三路線に面する宅地 （B） 円 ＋ （ [側方・裏面 路線価] 円 × [奥行価格補正率] ． × [側方・二方 路線影響加算率] 0. ）				(1㎡当たりの価額) 円		C
	4 四路線に面する宅地 （C） 円 ＋ （ [側方・裏面 路線価] 円 × [奥行価格補正率] ． × [側方・二方 路線影響加算率] 0. ）				(1㎡当たりの価額) 円		D
	5-1 間口が狭小な宅地等 （AからDまでのうち該当するもの） （間口狭小補正率） （奥行長大補正率） 円 × （ ． × ． ）				(1㎡当たりの価額) 円		E
	5-2 不整形地 （AからDまでのうち該当するもの） 不整形地補正率※ 円 × 0. ※不整形地補正率の計算 （想定整形地の間口距離） （想定整形地の奥行距離） （想定整形地の地積） m × m ＝ ㎡ （想定整形地の地積） （不整形地の地積） （想定整形地の地積） （かげ地割合） （ ㎡ － ㎡） ÷ ㎡ ＝ ％ （不整形地補正率表の補正率）（間口狭小補正率） （小数点以下2位未満切捨て） 0. × ． ＝ 0. ① （奥行長大補正率） （間口狭小補正率） ． × ． ＝ 0. ② [不整形地補正率 （①、②のいずれか低い 率、0.6を下限とする。） 0.]				(1㎡当たりの価額) 円		F
	6 地積規模の大きな宅地 （AからFまでのうち該当するもの） 規模格差補正率※ 円 × 0. ※規模格差補正率の計算 （地積（Ⓐ）） （Ⓑ） （©） （地積（Ⓐ）） （小数点以下2位未満切捨て） { （ ㎡× ＋ ） ÷ ㎡ × 0.8 ＝ 0.				(1㎡当たりの価額) 円		G
	7 無道路地 （F又はGのうち該当するもの） （※） 円 × （ 1 － 0. ） ※割合の計算（0.4を上限とする。） （正面路線価） （通路部分の地積） （F又はGのうち 該当するもの） （評価対象地の地積） （ 円 × ㎡） ÷ （ 円 × ㎡） ＝ 0.				(1㎡当たりの価額) 円		H
	8-1 がけ地等を有する宅地 〔 南 、 東 、 西 、 北 〕 （AからHまでのうち該当するもの） （がけ地補正率） 円 × 0.				(1㎡当たりの価額) 円		I
	8-2 土砂災害特別警戒区域内にある宅地 （AからHまでのうち該当するもの） 特別警戒区域補正率※ 円 × 0. ※がけ地補正率の適用がある場合の特別警戒区域補正率の計算（0.5を下限とする。） 〔 南 、 東 、 西 、 北 〕 （特別警戒区域補正率表の補正率） （がけ地補正率） （小数点以下2位未満切捨て） 0. × 0. ＝ 0.				(1㎡当たりの価額) 円		J
	9 容積率の異なる2以上の地域にわたる宅地 （AからJまでのうち該当するもの） （控除割合（小数点以下3位未満四捨五入）） 円 × （ 1 － 0. ）				(1㎡当たりの価額) 円		K
	10 私　道 （AからKまでのうち該当するもの） 円 × 0.3				(1㎡当たりの価額) 円		L
自用地の評価額	自用地1平方メートル当たりの価額 （AからLまでのうちの該当記号） （ A ） 4,950,000 円	地　積 3,290 ㎡	総　　　　額 （自用地1㎡当たりの価額）×（地積） 16,285,500,000 円				M

事例 102　都市計画道路予定地になっている宅地（前面道路幅により建築基準法の影響を受ける場合）

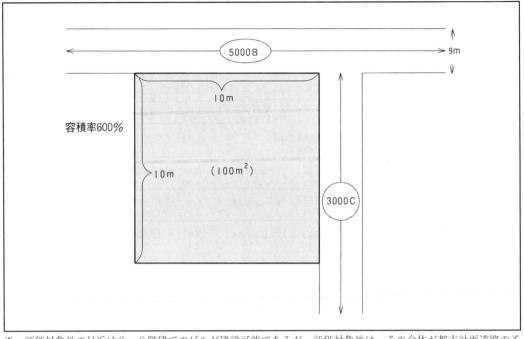

容積率600%

5000B ← 9m
10m
10m　（100m²）
3000C

※　評価対象地の付近は6～8階建てのビルが建設可能であるが、評価対象地は、その全体が都市計画道路の予定地となっているため、2階建てより高い建物は建てられない。また、特定行政庁が指定する区域内ではない。

評価上の留意点

1　都市計画道路予定地にあるため、建物の建築に際し、その構造や階数に制限を受けるなど、その宅地を通常どおり使用できない場合には、路線価がそのことを考慮して付されている場合を除き、利用制限がないものとして評価した価額に「補正率表」に定めた補正率を乗じて評価することになります。

　　この土地の用途地域は高度商業地区であり、指定容積率は600%と定められていますが、前面道路の幅員が9mですので、建築基準法によれば、前面道路の幅員のメートル数値に0.6を乗じた540%以下の容積率としなければなりません。600%より540%の方が厳しいため、この土地の容積率は540%となります。

2　正面路線の地区が高度商業地区で角地のため、側方路線影響加算率は0.10になります。

各補正率の適用は？

1　奥行価格補正率……高度商業地区の場合、奥行10mに対する補正率は0.98です。

2　間口狭小補正率……高度商業地区の場合、間口10mに対する補正率は1.00です。

3　奥行長大補正率……高度商業地区の場合、奥行÷間口＝10m÷10m＝1.0に対する補正率は1.00です。

4　「都市計画道路に関する」補正率……宅地全体が都市計画道路予定地ですから、地積割合は100%です。容積率が540%、地積割合が100%で高度商業地区ですから、補正率は0.60になります。

【事例 102】

土地及び土地の上に存する権利の評価明細書（第1表）

	局(所)	署	年分	ページ

（住居表示）	（ ）	所有者	住 所 (所在地)		使用者	住 所 (所在地)	
所 在 地 番			氏 名 (法人名)			氏 名 (法人名)	

地 目	地 積	路 線 価				地形図及び参考事項
(宅 地) 山 林 田 畑 雑種地 ( )	100 ㎡	正面 5,000,000 円	側 方 3,000,000 円	側 方 円	裏 面 円	省 略

間口距離	10 m	利用区分	(自 用 地) 私 道 貸 宅 地 貸家建付借地権 貸家建付地 転 貸 借 地 権 借 地 権 ( )	地区区分	ビル街地区 普通住宅地区 (高度商業地区) 中小工場地区 繁華街地区 大工場地区 普通商業・併用住宅地区		
奥行距離	10 m						

自 用 地	1 一路線に面する宅地 （正面路線価） 5,000,000 円 × （奥行価格補正率） 0.98	（1㎡当たりの価額） 円 4,900,000	A
	2 二路線に面する宅地 (A) 4,900,000 円 + （側方・裏面 路線価） (3,000,000 円 × （奥行価格補正率） 0.98 × 側方 二方 路線影響加算率 0.10)	（1㎡当たりの価額） 円 5,194,000	B
	3 三路線に面する宅地 (B) 円 + （側方・裏面 路線価） (円 × （奥行価格補正率） . × 側方・二方 路線影響加算率 0.)	（1㎡当たりの価額） 円	C
	4 四路線に面する宅地	（1㎡当たりの価額） 円	

自用地の評価額	自用地1平方メートル当たりの価額 （AからLまでのうちの該当記号） (B) 5,194,000 円	地 積 100 ㎡	総 額 （自用地1㎡当たりの価額）×（地 積） 519,400,000 円	M

土地及び土地の上に存する権利の評価明細書（第2表）

セットバックを 必 要 と す る 宅 地 の 評 価 額	（自用地の評価額） 円 － (（自用地の評価額） 円 × 該当地積 ㎡ ──────────── × 0.7 総地積 ㎡)	（自用地の評価額） 円	N
都 市 計 画 道 路 予 定 地 の 区 域 内 に あ る 宅 地 の 評 価 額	（自用地の評価額） 519,400,000 円 × （補正率） 0.6	（自用地の評価額） 311,640,000 円	O

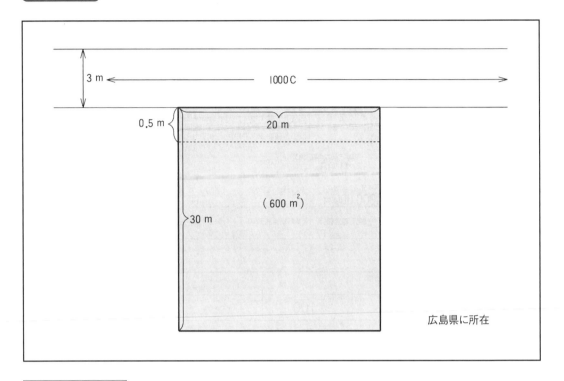

評価上の留意点

　建築基準法第42条第2項の道路に面する宅地は、その道路の中心線から左右に原則として2mずつ後退した線が道路の境界線とみなされ、将来、建築物の建替えを行う場合は、その境界線まで後退（セットバック）して道路敷として提供しなければならないことになっています。

　したがって、セットバックすべき部分の価額は、通常どおりに評価した価額からその価額の70％相当額を控除して評価します。

　本事例の場合、道路の中心線から、評価地までは1.5mしかありませんから、今後建て替える場合には、0.5mセットバックしなければなりません（減額対象面積は0.5m×20m＝10㎡となる）。

各補正率の適用は？

1　奥行価格補正率……奥行30mで普通住宅地区の場合、0.95です。
2　間口狭小補正率……間口20mで普通住宅地区の場合、1.00です。
3　奥行長大補正率……奥行距離÷間口距離＝30m÷20m＝1.5で、普通住宅地区の場合 1.00です。

【事例 103】

土地及び土地の上に存する権利の評価明細書（第1表）

		局(所)	署	年分	ページ

所在地番	(住居表示) ( )	所有者	住所(所在地) 氏名(法人名)	使用者	住所(所在地) 氏名(法人名)		

地 目	地 積	路 線 価				地形図及び参考事項
(宅地) 山林 田 畑 雑種地 ( )	m² 600	正 面 1,000,000 円	側 方 円	側 方 円	裏 面 円	省略

間口距離	20 m	利用区分	(自用地) 私道 貸宅地 貸家建付借地権 貸家建付地 転貸借地権 借地権 ( )	地区区分	ビル街地区 高度商業地区 繁華街地区 普通商業・併用住宅地区	(普通住宅地区) 中小工場地区 大工場地区	
奥行距離	30 m						

自 用	1 一路線に面する宅地 (正面路線価) 1,000,000 円 × (奥行価格補正率) 0.95	(1 m²当たりの価額) 950,000 円	A
	2 二路線に面する宅地 (A) 円 ＋ （ [側方・裏面 路線価] 円 × (奥行価格補正率) . × [側方・二方 路線影響加算率] 0. ）	(1 m²当たりの価額) 円	B
	3 三路線に面する宅地	(1 m²当たりの価額) 円	

自用地の評価額	自用地1平方メートル当たりの価額 (AからLまでのうちの該当記号) (A) 950,000 円	地 積 600 m²	総 額 (自用地1m²当たりの価額) × (地 積) 570,000,000 円	M

土地及び土地の上に存する権利の評価明細書（第2表）

セットバックを必要とする宅地の評価額	(自用地の評価額) 570,000,000円 － （ (自用地の評価額) 570,000,000 円 × (該当地積) 10 m² ÷ (総地積) 600 m² × 0.7 ）	(自用地の評価額) 563,350,000 円	N
都市計画道路予定地の区域内にある宅地の評価額	(自用地の評価額) 円 × (補正率) 0.	(自用地の評価額) 円	O

大規模工場用地等の評価額	○ 大規模工場用地等 (正面路線価) 円 × (地積) m² × (地積が20万m²以上の場合は0.95)	円	P
	○ ゴルフ場用地等 (宅地とした場合の価額) (地積) (円 × m²×0.6) － (1 m²当たりの造成費) (地積) (円× m²)	円	Q

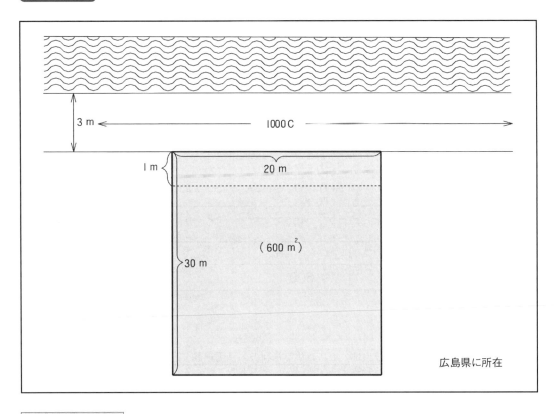

広島県に所在

評価上の留意点

　建築基準法第42条第2項の道路に面する宅地は、その道路の中心線から左右に原則として2mずつ後退した線が道路の境界線とみなされ、将来、建築物の建替えを行う場合は、その境界線まで後退（セットバック）して道路敷として提供しなければならないことになっています。

　ただし、この土地は道路の片側が川ですから、川側の境界線から4mの線が道路の境界線とみなされます。

　セットバックすべき部分の価額は、通常どおりに評価した価額からその価額の70％相当額を控除して評価します。

　本事例の場合、道路幅は3mで、道路の向こう側は川ですから、今後建て替える場合は1mセットバックしなければなりません（減額対象面積は1m×20m＝20㎡となる）。

各補正率の適用は？

1　奥行価格補正率……奥行30mで普通住宅地区の場合、0.95です。
2　間口狭小補正率……間口20mで普通住宅地区の場合、1.00です。
3　奥行長大補正率……奥行距離÷間口距離＝30m÷20m＝1.5で、普通住宅地区の場合
　　　　　　　　　　　1.00です。

【事例　104】

土地及び土地の上に存する権利の評価明細書（第1表）

		局（所）	署	年分	ページ

（住居表示）	（　　　　　　　）	所有者	住　所 （所在地）		使用者	住　　所 （所在地）	
所 在 地 番			氏　　名 （法人名）			氏　　名 （法人名）	

地　　目	地　積	路　　　線　　　価				地形図及び参考事項
⑲地 山 林 田　　雑種地 畑　（　　）	600 ㎡	正　面 1,000,000 円	側　方 円	側　方 円	裏　面 円	**省　略**

間口距離	20 m	利用区分	⑲用地　私　道 貸 宅 地　貸家建付借地権 貸家建付地　転 貸 借 地 権 借 地 権　（　　　　　）	地区区分	ビル街地区　⑲通住宅地区 高度商業地区　⑲小工場地区 繁華街地区　大工場地区 普通商業・併用住宅地区
奥行距離	30 m				

自 用 地	1　一路線に面する宅地 　　（正面路線価）　　　（奥行価格補正率） 　　1,000,000 円　×　0.95	（1㎡当たりの価額） 950,000 円	A
	2　二路線に面する宅地 　　（A）　　　［側方・裏面 路線価］　（奥行価格補正率）　［側方・二方 路線影響加算率］ 　　　　　円　＋　（　　　　　円　×　．　　×　0.　）	（1㎡当たりの価額） 円	B
	3　三路線に面する宅地	（1㎡当たりの価額） 円	

〜〜〜〜〜〜〜〜〜〜〜〜〜〜〜〜〜〜〜〜〜〜〜〜〜〜〜〜〜〜〜〜〜〜〜〜

	円　×　（　1　－　0.　　）		
	10　私　　　　　道 　　（AからKまでのうち該当するもの） 　　　　　円　×　0.3	（1㎡当たりの価額） 円	L
自用地の評価額	自用地1平方メートル当たりの価額 （AからLまでのうちの該当記号） （ A ）　950,000 円	地　積 600 ㎡	総　　　　　額 （自用地1㎡当たりの価額）×（地積） 570,000,000 円	M

土地及び土地の上に存する権利の評価明細書（第2表）

セットバックを必要とする宅地の評価額	（自用地の評価額） 570,000,000円	－	（ （自用地の評価額） 570,000,000 円 × $\frac{（該当地積）20 ㎡}{（総地積）600 ㎡}$ × 0.7 ）	（ 自用地の評価額 ） 556,700,000 円	N
都市計画道路予定地の区域内にある宅地の評価額	（自用地の評価額） 円 × 0.		（補正率）	（ 自用地の評価額 ） 円	O

大規模工場用地等の評価額	○ 大規模工場用地等 　　（正面路線価）　　（ 地　積 ）　　（地積が20万㎡以上の場合は0.95） 　　　　円　×　　　㎡　×	円	P
	○ ゴルフ場用地等 　　（宅地とした場合の価額）（地積）　$\binom{1㎡当たり}{の造成費}$　　（地積） 　　（　　　円　×　　㎡×0.6）－（　　　円×　　㎡）	円	Q

〜〜〜〜〜〜〜〜〜〜〜〜〜〜〜〜〜〜〜〜〜〜〜〜〜〜〜〜〜〜〜〜〜〜〜〜

事例 105　セットバックを完了した宅地

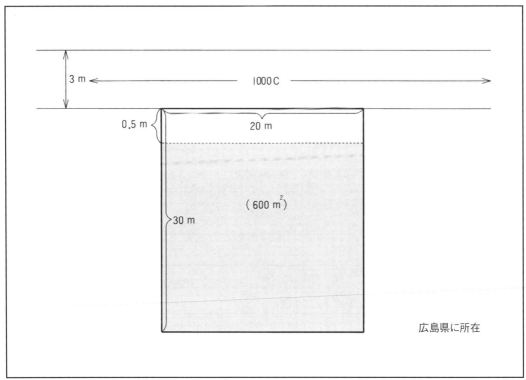

※　【事例103】と同じ土地で、すでにセットバックを完了し、0.5m×20m部分を道路用地として供している。

評価上の留意点

1　建築基準法第42条第2項の道路に面する宅地は、その道路の中心線から左右に原則として2mずつ後退した線が道路の境界線とみなされ、将来建築物の建替えを行う場合は、その境界線まで後退（セットバック）して道路敷として提供しなければならないことになっています。

　本事例の土地は、1年前に建替えをする際に、すでにセットバックして建替えしています。

　登記上は600㎡のままとなっていますが、1年前の建築確認の申請書類には、セットバック距離も記載されています。

2　本事例の場合、すでにセットバックが完了し、道路敷として提供していることが明らかですから、セットバック部分（0.5m×20m＝10㎡）は評価せず、残りの590㎡（間口20m×奥行29.5m）の土地として評価します。

各補正率の適用は？

1　奥行価格補正率……奥行29.5mで普通住宅地区の場合0.95です。
2　間口狭小補正率……間口20mで普通住宅地区の場合1.00です。
3　奥行長大補正率……奥行距離÷間口距離＝29.5m÷20m＝1.475で、普通住宅地区の場合1.00です。

【事例　105】

土地及び土地の上に存する権利の評価明細書（第1表）

	局(所)	署	年分	ページ

(住居表示)	(　　　　　　　　)	所有者	住　所 (所在地)		使用者	住　所 (所在地)	
所在地番			氏　名 (法人名)			氏　名 (法人名)	

地　目	地　積	路　　線　　価				地形図及び参考事項
(宅地) 山林 田　雑種地 畑　(　　)	590 ㎡	正面 1,000,000 円	側方 円	側方 円	裏面 円	**省略**
間口距離 20 m 奥行距離 29.5 m	利用区分	(自用地) 私　道 貸宅地　貸家建付借地権 貸家建付地　転貸借地権 借地権　(　　　　)	地区区分	ビル街地区　(普通住宅地区) 高度商業地区　中小工場地区 繁華街地区　大工場地区 普通商業・併用住宅地区		

			(1㎡当たりの価額)	
自 用 地 1 平 方 メ ー ト ル 当 た り の 価 額	1　一路線に面する宅地 　(正面路線価)　　　　　　　　(奥行価格補正率) 　1,000,000円　×　　　0.95		950,000	円　A
	2　二路線に面する宅地 　　(A)　　　　[側方・裏面 路線価]　(奥行価格補正率)　[側方・二方 路線影響加算率] 　　　　　　円　+　(　　　　　円　×　.　　×　0.　　)			円　B
	3　三路線に面する宅地 　　(B)　　　　[側方・裏面 路線価]　(奥行価格補正率)　[側方・二方 路線影響加算率] 　　　　　　円　+　(　　　　　円　×　.　　×　0.　　)			円　C
	4　四路線に面する宅地 　　(C)　　　　[側方・裏面 路線価]　(奥行価格補正率)　[側方・二方 路線影響加算率] 　　　　　　円　+　(　　　　　円　×　.　　×　0.　　)			円　D
	5-1　間口が狭小な宅地等 　(AからDまでのうち該当するもの)　(間口狭小補正率)　(奥行長大補正率) 　　　　円　×　(　.　　×　　.　　)			円　E
	5-2　不　整　形　地 　(AからDまでのうち該当するもの)　　不整形地補正率※ 　　　　円　×　0. 　※不整形地補正率の計算 　(想定整形地の間口距離)　(想定整形地の奥行距離)　(想定整形地の地積) 　　　　m　×　　　m　=　　　㎡ 　(想定整形地の地積)　(不整形地の地積)　(想定整形地の地積)　(かげ地割合) 　(　　㎡　－　　㎡)　÷　　㎡　=　　％ 　(不整形地補正率表の補正率)　(間口狭小補正率)　(小数点以下2位未満切捨て)　[不整形地補正率] 　0.　　×　　.　　=　0.　　①　[①、②のいずれか低い 　(奥行長大補正率)　(間口狭小補正率)　0.　　②　率、0.6を下限とする。] 　　　.　　×　　.　　=　0.			F
	6　地積規模の大きな宅地 　(AからFまでのうち該当するもの)　規模格差補正率※ 　　　　円　×　0. 　※規模格差補正率の計算 　(地積(Ⓐ))　(Ⓑ)　(Ⓒ)　(地積(Ⓐ))　(小数点以下2位未満切捨て) 　{(　　㎡×　　+　　)÷　　㎡}×　0.8　=　0.			G
	7　無　道　路　地 　(F又はGのうち該当するもの)　　　　　　　(※) 　　　　円　×　(　1　－　0.　　) 　※割合の計算(0.4を上限とする。)　(F又はGのうち 　(正面路線価)　(通路部分の地積)　該当するもの)　(評価対象地の地積) 　(　　円　×　　㎡)÷　(　　円　×　　㎡)　=　0.			H
	8-1　がけ地等を有する宅地　　〔南　、東　、西　、北〕 　(AからHまでのうち該当するもの)　(がけ地補正率) 　　　　円　×　0.			円　I
	8-2　土砂災害特別警戒区域内にある宅地 　(AからHまでのうち該当するもの)　特別警戒区域補正率※ 　　　　円　×　0. 　※がけ地補正率の適用がある場合の特別警戒区域補正率の計算(0.5を下限とする。) 　〔南　、東　、西　、北〕 　(特別警戒区域補正率表の補正率)　(がけ地補正率)　(小数点以下2位未満切捨て) 　0.　　×　0.　　=　0.			J
	9　容積率の異なる2以上の地域にわたる宅地 　(AからJまでのうち該当するもの)　(控除割合(小数点以下3位未満四捨五入)) 　　　　円　×　(　1　－　0.　　)			円　K
	10　私　　　道 　(AからKまでのうち該当するもの) 　　　　円　×　0.3			円　L

自用地の評価額	自用地1平方メートル当たりの価額 (AからLまでのうちの該当記号)	地　積	総　　　　額 (自用地1㎡当たりの価額)×(地積)	
	(A)　　950,000 円	590 ㎡	560,500,000	円　M

-341-

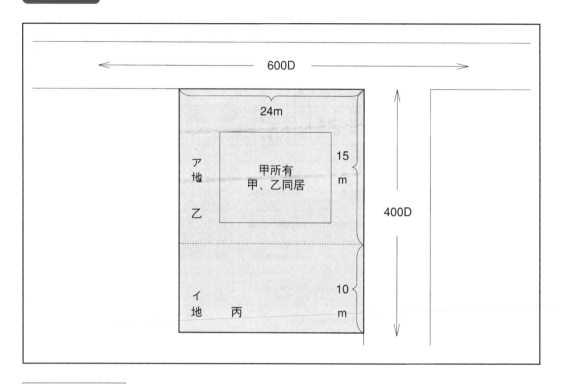

評価上の留意点

　被相続人甲は、長男乙と同居していました。分割協議により、上記土地のうち建物が建っていた部分ア地と建物については乙が相続し、従来庭として使用していた部分には、将来次男丙が家を建てるため、丙が相続することに確定しました。

　こういった場合における相続税の申告に際しての土地の評価は、相続後の状況を基として評価します（ただし、12ページで述べた不合理分割に該当する場合は一体で評価するが、イ地は240㎡あり不合理分割にあたらない）。

　したがって、ア地、イ地は別々に評価することになります。

各補正率の適用は？

〈ア地について〉

1　正面路線の奥行価格補正率……奥行15mで普通住宅地区の場合、1.00です。

2　側方路線の奥行価格補正率……奥行24mで普通住宅地区の場合、0.97です。

3　側方路線影響加算率……角地で普通住宅地区の場合、0.03です。

〈イ地について〉

　正面路線の奥行価格補正率……奥行24mで普通住宅地区の場合、0.97です。

【事例　106】

ア地

土地及び土地の上に存する権利の評価明細書（第1表）

			局（所）	署	年分	ページ

（住居表示）	（　　　　　　　　　）	所有者	住　所（所在地）		使用者	住　所（所在地）	
所 在 地 番			氏　　名（法人名）			氏　　名（法人名）	

地　　　目	地　　積	路　　　　　線　　　　　価				地形図及び参考事項	
⑳地 山 林田 畑 雑種地（　）	360 ㎡	正 面 600,000 円	側 方 400,000 円	側 方 円	裏 面 円	**省 略**	
間口距離 24 m	利用区分	⑳用地 私　　道 貸 宅 地 貸家建付借地権 貸家建付地 転 貸 借 地 権 借 地 権 （　　　　　）		地区区分	ビル街地区　⑳通住宅地区 高度商業地区　中小工場地区 繁華街地区　大工場地区 普通商業・併用住宅地区		
奥行距離 15 m							

自用	1 一路線に面する宅地 （正面路線価） 600,000 円 × （奥行価格補正率） 1.00	（1㎡当たりの価額）円 600,000	A
	2 二路線に面する宅地 （A） 600,000 円 ＋ （側方・裏面 路線価） 400,000 円 × 0.97 （奥行価格補正率） × 0.03 （側方二方 路線影響加算率）	（1㎡当たりの価額）円 611,640	B
	3 三路線に面する宅地	（1㎡当たりの価額）円	

自用地の評価額	自用地1平方メートル当たりの価額 （AからLまでのうちの該当記号） （ B ）　611,640 円	地　積 360 ㎡	総　　　　　額 （自用地1㎡当たりの価額）×（地積） 220,190,400 円	M

イ地

土地及び土地の上に存する権利の評価明細書（第1表）

			局（所）	署	年分	ページ

（住居表示）	（　　　　　　　　　）	所有者	住　所（所在地）		使用者	住　所（所在地）	
所 在 地 番			氏　　名（法人名）			氏　　名（法人名）	

地　　　目	地　　積	路　　　　　線　　　　　価				地形図及び参考事項	
⑳地 山 林田 畑 雑種地（　）	240 ㎡	正 面 400,000 円	側 方 円	側 方 円	裏 面 円	**省 略**	
間口距離 10 m	利用区分	⑳用地 私　　道 貸 宅 地 貸家建付借地権 貸家建付地 転 貸 借 地 権 借 地 権 （　　　　　）		地区区分	ビル街地区　⑳通住宅地区 高度商業地区　中小工場地区 繁華街地区　大工場地区 普通商業・併用住宅地区		
奥行距離 24 m							

	1 一路線に面する宅地 （正面路線価） 400,000 円 × （奥行価格補正率） 0.97	（1㎡当たりの価額） 388,000 円	A

自用地の評価額	自用地1平方メートル当たりの価額 （AからLまでのうちの該当記号） （ A ）　388,000 円	地　積 240 ㎡	総　　　　　額 （自用地1㎡当たりの価額）×（地積） 93,120,000 円	M

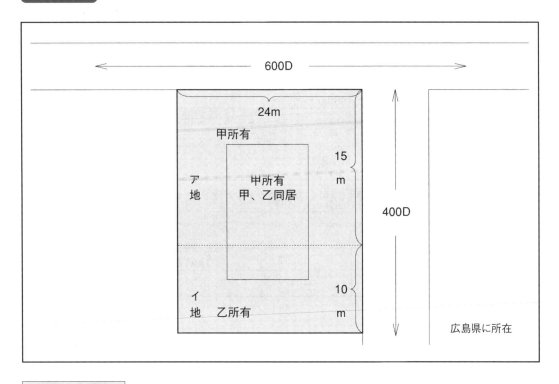

評価上の留意点

　被相続人甲は、長男乙と甲所有の建物に同居していました。土地については、ア地部分は被相続人甲が、イ地部分は乙が購入したものです。相続により乙はその建物とア地を相続することになりました。

　こういった場合における相続税申告に際しての土地の評価は、長男乙はア地及びイ地を一体として利用していますので、ア地（24m×15m＝360㎡）及びイ地（24m×10m＝240㎡）を一体（24m×25m＝600㎡）として評価し、面積按分により、ア地の評価額を計算します。

各補正率の適用は？

1　正面路線の奥行価格補正率……奥行25mで普通住宅地区の場合、0.97です。
2　側方路線の奥行価格補正率……奥行24mで普通住宅地区の場合、0.97です。
3　側方路線影響加算率……角地で普通住宅地区の場合、0.03です。

【事例　107】

土地及び土地の上に存する権利の評価明細書（第1表）

		局(所)	署	年分	ページ

（住居表示）	（　　　）	住　所 （所在地）		使用者	住　所 （所在地）	
所在地番		所有者 氏　名 （法人名）			氏　名 （法人名）	

地　目	地　積	路　　線　　価				地形図及び参考事項	
(宅地) 山林 田　雑種地 畑　（　　）	㎡ 600	正面 600,000円	側方 400,000円	側方 円	裏面 円	省略	

間口距離	24 m	利用区分	(自用地) 私　道 貸宅地　貸家建付借地権 貸家建付地　転貸借地権 借地権　（　　　　）	地区区分	ビル街地区　(普通住宅地区) 高度商業地区　中小工場地区 繁華街地区　大工場地区 普通商業・併用住宅地区		
奥行距離	25 m						

自 用 地 1 平 方 メ ー ト ル 当 た り の 価 額					(1 ㎡当たりの価額)	
	1　一路線に面する宅地 （正面路線価）　　　　　　　　（奥行価格補正率） 600,000円　×　　　0.97				582,000円	A
	2　二路線に面する宅地 （A）　　　　　[側方・裏面 路線価]　（奥行価格補正率）　[側方・二方 路線影響加算率] 582,000円　＋（400,000円　×　0.97　×　0.03 ）				593,640円	B
	3　三路線に面する宅地 （B）　　　　　[側方・裏面 路線価]　（奥行価格補正率）　[側方・二方 路線影響加算率] 円　＋（　　　　円　×　．　　　×　　0. ）				円	C
	4　四路線に面する宅地 （C）　　　　　[側方・裏面 路線価]　（奥行価格補正率）　[側方・二方 路線影響加算率] 円　＋（　　　　円　×　．　　　×　　0. ）				円	D
	5-1　間口が狭小な宅地等 （AからDまでのうち該当するもの）　（間口狭小補正率）　（奥行長大補正率） 円　×（　　．　　　×　　．　　）				円	E
	5-2　不 整 形 地 （AからDまでのうち該当するもの）　　不整形地補正率※ 円　×　　　0. ※不整形地補正率の計算 （想定整形地の間口距離）（想定整形地の奥行距離）（想定整形地の地積） m　×　　　　　　m　＝　　　　㎡ （想定整形地の地積）（不整形地の地積）（想定整形地の地積）　（かげ地割合） （　　㎡　－　　　㎡）÷　　　㎡　＝　　　％ （不整形地補正率表の補正率）（間口狭小補正率）　（小数点以下2位未満切捨て） 0.　　×　　．　　　＝　　　0.　①　　　[不整形地補正率 （奥行長大補正率）（間口狭小補正率）　　　　　　　　　　①、②のいずれか低い ．　　×　　．　　　＝　　　0.　②　　　率、0.6を下限とする。] 0.				円	F
	6　地積規模の大きな宅地 （AからFまでのうち該当するもの）　　規模格差補正率※ 円　×　　　0. ※規模格差補正率の計算 （地積（Ⓐ））　（Ⓑ）　（Ⓒ）　（地積（Ⓐ））　（小数点以下2位未満切捨て） {（　　㎡×　　　＋　　　）÷　　　㎡}　×　0.8　＝　0.				円	G
	7　無 道 路 地 （F又はGのうち該当するもの）　　　　　　　（※） 円　×（　1　－　0.　　　） ※割合の計算（0.4を上限とする。）　　（F又はGのうち） （正面路線価）　（通路部分の地積）　該当するもの　（評価対象地の地積） 円　×　　㎡）÷（　　円　×　　㎡）＝0.				円	H
	8-1　がけ地等を有する宅地　〔南　、東　、西　、北 〕 （AからHまでのうち該当するもの）　（がけ地補正率） 円　×　　　0.				円	I
	8-2　土砂災害特別警戒区域内にある宅地 （AからHまでのうち該当するもの）　　特別警戒区域補正率※ 円　×　　　0. ※がけ地補正率の適用がある場合の特別警戒区域補正率の計算（0.5を下限とする。） 〔南　、東、西、北 〕 （特別警戒区域補正率表の補正率）　（がけ地補正率）（小数点以下2位未満切捨て） 0.　　　×　0.　　＝　　0.				円	J
	9　容積率の異なる2以上の地域にわたる宅地 （AからJまでのうち該当するもの）　　　　（控除割合（小数点以下3位未満四捨五入）） 円　×（　1　－　0.　　　）				円	K
	10　私　　道 （AからKまでのうち該当するもの） 円　×　0.3				円	L

自用地の評価額	自用地1平方メートル当たりの価額 （AからLまでのうちの該当記号）	地　積	総　　　　　額 （自用地1㎡当たりの価額）×（地　積）	
	（ B ） 593,640円	600㎡	＊　213,710,400円	M

$$＊　593,640 \times 600 \times \frac{360㎡}{600㎡} = 213,710,400$$

今回土地を相続又は贈与により取得した者が、すでにその隣接地を所有している場合

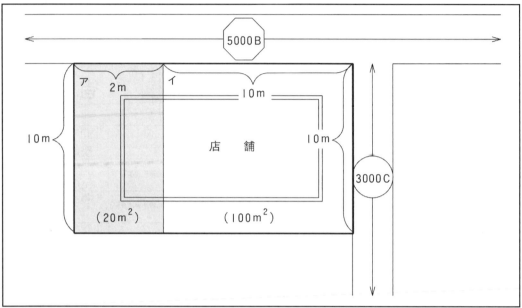

※　10年前に甲がイ地を、甲の父がア地を購入し、ア地、イ地を合わせて、甲が自動車修理業のための店舗を建設し、営業している。ア地は使用貸借により借りている。

　　このほど、甲の父が死亡し、ア地を相続により取得した。

評価上の留意点

1　相続又は贈与により取得した土地等（ア地）を、以前からその土地等に隣接する自己の所有地（イ地）と併せて、一体として利用していた場合については、次の①から②を差し引いた金額をア地の評価額とします。

　　①　ア地とイ地を１つの宅地として計算した評価額

　　②　イ地を１つの宅地として計算した評価額

2　ア地は使用貸借により貸し付けられていたものであり、相続又は贈与時には自用地として評価します。

3　繁華街地区で角地の場合、側方路線影響加算率は0.10です。

各補正率の適用は？

1　奥行価格補正率……繁華街地区の場合、奥行10m、12mに対する補正率はそれぞれ0.99、1.00となります。

2　間口狭小補正率……繁華街地区の場合、間口10m、12mに対する補正率はいずれも1.00です。

3　奥行長大補正率……繁華街地区の場合、奥行距離÷間口距離＝10m÷10m＝1.0、10m÷12m＝0.83に対する補正率はいずれも1.00です。

【事例　108】

土地及び土地の上に存する権利の評価明細書（第1表）

		局（所）	署	年分	ページ

（住居表示）	（　　　　　　）	所有者	住　所（所在地）		使用者	住　所（所在地）	
所 在 地 番			氏　名（法人名）			氏　名（法人名）	

地　目	地　積	路　　　線　　　価				地形図及び参考事項
⊙宅地 山林 田 畑 雑種地（　）	㎡ 20	正面 5,000,000 円	側方 3,000,000 円	側方 円	裏面 円	省略

間口距離	2 m	利用区分	⊙自用地 私 道 貸宅地 貸家建付借地権 貸家建付地 転貸借地権 借地権（　　　　）	地区区分	ビル街地区 高度商業地区 ⦅繁華街地区⦆ 普通商業・併用住宅地区	普通住宅地区 中小工場地区 大工場地区
奥行距離	10 m					

			（1㎡当たりの価額）円	
自用地1平方メートル当たりの価額	**1 一路線に面する宅地** （正面路線価）　　　　　　　　　　（奥行価格補正率） ア＋イ 5,000,000 円 × 0.99 イ 5,000,000 × 0.99		4,950,000 4,950,000	A
	2 二路線に面する宅地 　　　　　　（A）　　　　　［側方・裏面 路線価］（奥行価格補正率）［側方・二方 路線影響加算率］ ア＋イ 4,950,000 ＋ (3,000,000 円 × 1.00 × 0.10) イ 4,950,000 ＋ (3,000,000 円 × 0.99 × 0.10)		5,250,000 5,247,000	B
	3 三路線に面する宅地 　　　　　　（B）　　　　　［側方・裏面 路線価］（奥行価格補正率）［側方・二方 路線影響加算率］ 円 ＋ (円 × . × 0.)		円	C
	4 四路線に面する宅地 　　　　　　（C）　　　　　［側方・裏面 路線価］（奥行価格補正率）［側方・二方 路線影響加算率］ 円 ＋ (円 × . × 0.)		円	D
	5-1 間口が狭小な宅地等 （AからDまでのうち該当するもの）（間口狭小補正率）（奥行長大補正率） 円 × (. × .)		円	E
	5-2 不 整 形 地 （AからDまでのうち該当するもの）　　不整形地補正率※ 円 × 0. ※不整形地補正率の計算 （想定整形地の間口距離）（想定整形地の奥行距離）（想定整形地の地積） m × m ＝ ㎡ （想定整形地の地積）（不整形地の地積）（想定整形地の地積）（かげ地割合） (㎡ － ㎡) ÷ ㎡ ＝ ％ （不整形地補正率表の補正率）（間口狭小補正率）（小数点以下2位未満切捨て） 0. × . ＝ 0. ①　　[不整形地補正率（①、②のいずれか低い率、0.6を下限とする。）] （奥行長大補正率）（間口狭小補正率） . × . ＝ 0. ②　　　0.		円	F
	6 地積規模の大きな宅地 （AからFまでのうち該当するもの）　規模格差補正率※ 円 × 0. ※規模格差補正率の計算 （地積（Ⓐ））（Ⓑ）　　（Ⓒ）（地積（Ⓐ））（小数点以下2位未満切捨て） { (㎡× ＋) ÷ ㎡ } × 0.8 ＝ 0.		円	G
	7 無 道 路 地 （F又はGのうち該当するもの）　　　　　　　（※） 円 × (1 － 0.) ※割合の計算（0.4を上限とする。）　　　　（F又はGのうち該当するもの） （正面路線価）（通路部分の地積）（　　　　）（評価対象地の地積） 円 × ㎡ ÷ (円 × ㎡) ＝ 0.		円	H
	8-1 がけ地等を有する宅地 〔 南 、 東 、 西 、 北 〕 （AからHまでのうち該当するもの）（がけ地補正率） 円 × 0.		円	I
	8-2 土砂災害特別警戒区域内にある宅地 （AからHまでのうち該当するもの）　特別警戒区域補正率※ 円 × 0. ※がけ地補正率の適用がある場合の特別警戒区域補正率の計算（0.5を下限とする。） 〔 南 、 東 、 西 、 北 〕 （特別警戒区域補正率表の補正率）（がけ地補正率）（小数点以下2位未満切捨て） 0. × 0. ＝ 0.		円	J
	9 容積率の異なる2以上の地域にわたる宅地 （AからJまでのうち該当するもの）（控除割合（小数点以下3位未満四捨五入）） 円 × (1 － 0.)		円	K
	10 私 道 （AからKまでのうち該当するもの） 円 × 0.3		円	L

自用地の評価額	自用地1平方メートル当たりの価額（AからLまでのうちの該当記号）	地　積	総（自用地1㎡当たりの価額）×（地　積）	額	
	（ B ）ア＋イ 5,250,000 円 イ 5,247,000	120 ㎡ 100	630,000,000 524,700,000	（ア＋イ）－イ 円 105,300,000	M

事例 109　相続により取得した宅地―不合理分割の場合

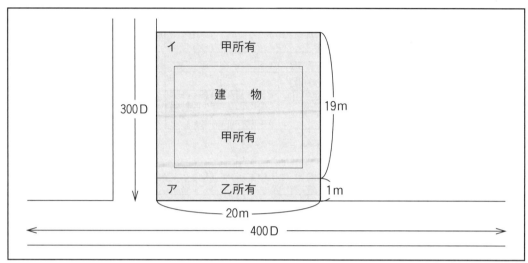

※　乙は先頃亡くなった父甲から、生前にア地を贈与されていた。この土地は元々、ア・イを一体で自宅として
利用しており、ア地は単独では建物の建築等は困難であり、又、贈与後現在に至るまで、ア地は何等利用され
ていない。今回、甲の相続に伴って、イ地及びイ地上の建物を全て乙が相続することになる。

評価上の留意点

1　ア地は単独では利用困難であり、生前贈与はその後の相続時の相続税額を引き下げる
ために行われたとして、不合理分割と認められます。
　　したがって、贈与前の画地（ア＋イ）を「一画地の宅地」として評価した上で、個々
の宅地を評価することになります。
　　（注）　ア地が単独で利用可能な地積、間口、奥行等を有していれば、このような一体評価の必要はありま
せん。

2　具体的には次のように計算します。

$$（ア＋イ）を一体で評価した価額 \times \frac{イを単独で評価した価額}{アを単独で評価した価額 + イを単独で評価した価額} = \text{イ地の評価額}$$

3　ア・イ単独土地の評価
　（ア地）　400,000×0.90＋300,000×1.00×0.03＝369,000
　　　　　　369,000×20㎡＝7,380,000
　（イ地）　300,000×1.00×380㎡＝114,000,000

各補正率の適用は？

1　正面路線の奥行価格補正率……奥行20m、1mで普通住宅地区の場合、1.00、0.90です。
2　側方路線の奥行価格補正率……奥行20mで普通住宅地区の場合、1.00です。
3　側方路線影響加算率……角地で普通住宅地区の場合0.03です。

【事例　109】

土地及び土地の上に存する権利の評価明細書（第1表）

	局(所)	署	年分	ページ

（住居表示）（　　　　　　　　）	所有者	住　所（所在地）		使用者	住　　　所（所在地）	地形図及び参考事項	
所 在 地 番		氏　名（法人名）			氏　　　名（法人名）		

地　　目	地　　積	路　　　　線　　　　価				地形図及び参考事項	
㊤地 山　林　田　畑雑種地（　　　）	全体400 ㎡（380）	正　面400,000円	側　方300,000円	側　方　　　円	裏　面　　　円	**省　略**	

間口距離 20 m	利用区分	㊤用地 私　道貸　宅　地 貸家建付借地権貸家建付地 転貸借地権借　地　権（　　　　　）	地区区分	ビル街地区 ㊤普通住宅地区高度商業地区 中小工場地区繁華街地区 大工場地区普通商業・併用住宅地区			
奥行距離 20 m							

							（1㎡当たりの価額）円	
自用地	1 一路線に面する宅地（正面路線価）400,000 円 × （奥行価格補正率）1.00						（1㎡当たりの価額）400,000	A
	2 二路線に面する宅地（A）400,000 円 ＋ （側方・裏面 路線価）（300,000 円 × 奥行価格補正率 1.00 × 側方・二方 路線影響加算率 0.03 ）						（1㎡当たりの価額）409,000	B
	3 三路線に面する宅地						（1㎡当たりの価額）円	

自用地の評価額	自用地1平方メートル当たりの価額（AからLまでのうちの該当記号）（ B ）　409,000 円	地　　積400 ㎡	総　　　　額（自用地1㎡当たりの価額）×（地　積）163,600,000 円	M

土地及び土地の上に存する権利の評価明細書（第2表）

セットバックを必要とする宅地の評価額	（自用地の評価額）　　　円 － （ （自用地の評価額）　　　円 × （該当地積）㎡ / （総地積）㎡ × 0.7 ）	（自用地の評価額）　　　円	N
都市計画道路予定地の区域内にある宅地の評価額	（自用地の評価額）　　　円 × 0. （補正率）	（自用地の評価額）　　　円	O

額	他の権利と競合する場合	合の場合	（W,ABのうちの該当記号）（　　　）円 × (1－ 0.　　　　) （割合）		円	AD

備考	$163{,}600{,}000 \times \dfrac{114{,}000{,}000}{7{,}380{,}000 + 114{,}000{,}000} = 153{,}652{,}990$

-349-

事例 110　１画地の宅地が容積率の異なる２つの地域にわたる場合（その１）

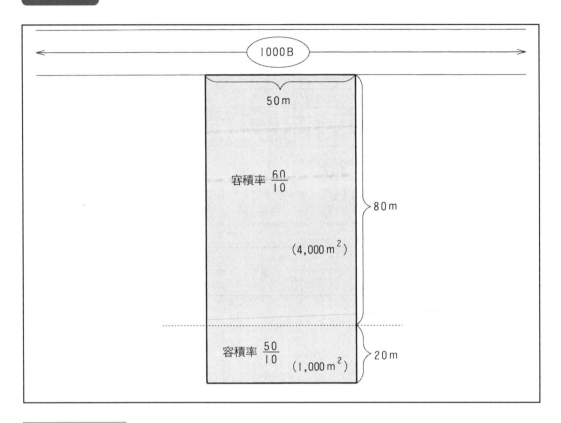

評価上の留意点

　評価の対象となる１画地の宅地が容積率の異なる２以上の地域にわたる場合のその宅地の価額は、路線価を基にして各画地調整を行って計算した価額から、その価額に次の算式により計算した割合を乗じて計算した金額を控除した金額によって評価します。

（算　式）

$$\left[1-\frac{\text{容積率の異なる部分の各部分に適用される容積率に}\atop\text{その各部分の面積を乗じて計算した数値の合計額}}{\text{正面路線に接する部分の容積率}\times\text{宅地の総地積}}\right]\times\begin{array}{c}\text{容積率が価額に}\\\text{及ぼす影響度}\end{array}$$

　本事例の宅地は高度商業地区にあるため、影響度は0.8となります（54ページ参照）。

　したがって、本事例の場合、控除割合は、

$$\left[1-\frac{60/10\times4,000㎡+50/10\times1,000㎡}{60/10\times5,000㎡}\right]\times0.8=0.0266\cdots\rightarrow0.027$$

（小数点第３位未満四捨五入となる）

各補正率の適用は？

1　奥行価格補正率……奥行100mで、高度商業地区の場合、補正率は0.80です。

2　間口狭小補正率……間口50mで、高度商業地区の場合、補正率は1.00です。

3　奥行長大補正率……奥行距離÷間口距離＝100m÷50m＝２で高度商業地区の場合、
　　　　　　　　　　　補正率は1.00です。

【事例 110】

土地及び土地の上に存する権利の評価明細書（第1表）

	局(所)	署	年分	ページ

（住居表示）（　　　　　　　）	所有者	住　所（所在地）		使用者	住　所（所在地）
所在地番		氏　名（法人名）			氏　名（法人名）

地　　目	地　積	路　　　　線　　　　価				地形図及び参考事項
⑲宅地 山林田 畑 雑種地（　　　）	5,000 ㎡	正　面 1,000,000 円	側　方 円	側　方 円	裏　面 円	省　略

間口距離	50 m	利用区分	⑲自用地 私　　道 貸　宅　地 貸家建付借地権 貸家建付地 転　貸　借　地　権 借　地　権（　　　　　）	地区区分	ビル街地区 普通住宅地区 ⑲高度商業地区 中小工場地区 繁華街地区 大工場地区 普通商業・併用住宅地区
奥行距離	100 m				

1　一路線に面する宅地				（1㎡当たりの価額） 円	A
（正面路線価） 1,000,000 円 ×		（奥行価格補正率） 0.80		800,000	

9　容積率の異なる2以上の地域にわたる宅地 （AからJまでのうち該当するもの）		（控除割合（小数点以下3位未満四捨五入））		（1㎡当たりの価額） 円	K
800,000 円 × （　1　－　0.027　）				778,400	
10　私　　　道 （AからKまでのうち該当するもの）				（1㎡当たりの価額） 円	L
円 × 0.3					

自用地の評価額	自用地1平方メートル当たりの価額 （AからLまでのうちの該当記号）	地　積	総　　　額 （自用地1㎡当たりの価額）×（地積）		M
	（K） 778,400 円	5,000 ㎡	3,892,000,000 円		

土地及び土地の上に存する権利の評価明細書（第2表）

セットバックを必要とする宅地の評価額	（自用地の評価額） 円 －	（自用地の評価額） 円 × (該当地積) $\frac{㎡}{（総地積）㎡}$ × 0.7	（自用地の評価額） 円	N
都市計画道路予定地の区域内にある宅地の評価額	（自用地の評価額） 円 × 0.	（補正率）	（自用地の評価額） 円	O

額	他の権利と競合する場合	（W,ABのうちの該当記号） （　　） 円 × (1－ 0.　　)	（割合）	円	AD

備考	$\left\{1-\dfrac{\frac{60}{10}\times 4,000㎡ + \frac{50}{10}\times 1,000㎡}{\frac{60}{10}\times 5,000㎡}\right\}\times 0.8 = 0.0266 \rightarrow 0.027$

事例 111	１画地の宅地が容積率の異なる２つの地域にわたる場合（その２） ―裏面路線を正面路線とみなして評価するケース

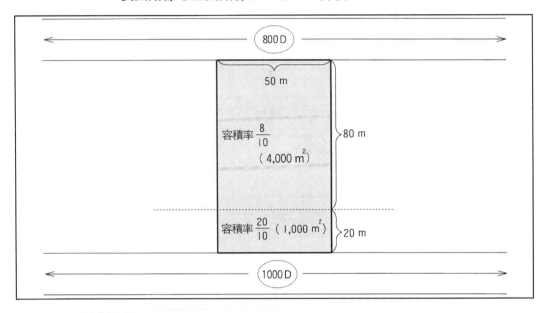

評価上の留意点

　評価の対象となる１画地の宅地が容積率の異なる２以上の地域にわたる場合には、通常の評価を行った価額から、所定の計算式によって求めた減額割合を控除して計算します（【事例110】の算式参照）。

　しかし、このような場合に、正面路線の路線価に奥行価格補正率を乗じて求めた価額について容積率の格差による減額調整を行った価額が、正面路線以外（本事例では裏面路線）の路線価に奥行価格補正率を乗じて求めた価額を下回る場合には、容積率の格差による減額補正を適用せず、正面路線以外の路線の路線価について、それぞれの奥行価格補正率を乗じて計算した価額のうち最も高い価額となる路線を当該画地の正面路線とみなして計算します。

① 減額割合 $\left[1-\dfrac{20/10\times1,000㎡+8/10\times4,000㎡}{20/10\times5000㎡}\right]\times0.8\left(\begin{array}{c}\text{高度商業地区の}\\\text{場合の影響度}\end{array}\right)=0.384$

② 正面路線の路線価×奥行価格補正率×（１－減額割合）＝
　1,000千円×0.80×（１－0.384）＝492.8千円

③ 裏面路線の路線価×奥行価格補正率＝800千円×0.8＝640千円

②＜③のため、③を用いて計算します。

各補正率の適用は？

1　奥行価格補正率……奥行100mで高度商業地区の場合0.80です。

2　間口狭小補正率……間口50mで高度商業地区の場合1.00です。

3　奥行長大補正率……奥行÷間口＝100m÷50m＝2.0で高度商業地区の場合、1.00です。

4　二方路線影響加算率……高度商業地区の場合0.07です。

【事例　111】

土地及び土地の上に存する権利の評価明細書（第1表）

局(所)	署	年分	ページ

所在地番	(住居表示) ( )	所有者	住所(所在地) 氏名(法人名)	使用者 住所(所在地) 氏名(法人名)

地　目	地　積	路　　　線　　　価	地形図及び参考事項
(宅地) 山林 田 雑種地 畑 ( )	5,000 ㎡	正面 800,000円　側方 円　側方 円　裏面 1,000,000円	省略

| 間口距離 | 50 m | 利用区分 | (自用地) 私道　貸家建付借地権 貸宅地 転貸借地権 貸家建付地 借地権 ( ) | 地区区分 | ビル街地区　普通住宅地区 (高度商業地区) 中小工場地区 繁華街地区　大工場地区 普通商業・併用住宅地区 | |
| 奥行距離 | 100 m | | | | | |

				(1㎡当たりの価額)	
自用地1平方メートル当たりの価額	1　一路線に面する宅地 (正面路線価) 800,000円 × (奥行価格補正率) 0.80			640,000 円	A
	2　二路線に面する宅地 (A) 640,000円 + [側方・(裏面)路線価] (1,000,000円 × (奥行価格補正率) 0.80 × [側方・(二方)路線影響加算率] 0.07)			696,000 円	B
	3　三路線に面する宅地 (B) 円 + [側方・裏面 路線価] (円 × (奥行価格補正率) . × [側方・二方 路線影響加算率] 0.)			円	C
	4　四路線に面する宅地 (C) 円 + [側方・裏面 路線価] (円 × (奥行価格補正率) . × [側方・二方 路線影響加算率] 0.)			円	D
	5-1　間口が狭小な宅地等 (AからDまでのうち該当するもの) 円 × (間口狭小補正率) (. × (奥行長大補正率) .)			円	E
	5-2　不整形地 (AからDまでのうち該当するもの) 円 × (不整形地補正率※) 0.			円	F
	6　地積規模の大きな宅地 (AからFまでのうち該当するもの) 円 × (規模格差補正率※) 0.			円	G
	7　無道路地 (F又はGのうち該当するもの) 円 × (1 - 0. (※))			円	H
	8-1　がけ地等を有する宅地 〔 南 、 東 、 西 、 北 〕 (AからHまでのうち該当するもの) 円 × (がけ地補正率) 0.			円	I
	8-2　土砂災害特別警戒区域内にある宅地 (AからHまでのうち該当するもの) 円 × (特別警戒区域補正率※)			円	J
	9　容積率の異なる2以上の地域にわたる宅地 (AからJまでのうち該当するもの) 円 × (1 - (控除割合(小数点以下3位未満四捨五入)) 0.)			円	K
	10　私　道 (AからKまでのうち該当するもの) 円 × 0.3			円	L

5-2不整形地の計算欄：
※不整形地補正率の計算
(想定整形地の間口距離) m × (想定整形地の奥行距離) m = (想定整形地の地積) ㎡
(想定整形地の地積) (㎡ - (不整形地の地積) ㎡) ÷ (想定整形地の地積) ㎡ = (かげ地割合) %
(不整形地補正率表の補正率) 0. × (間口狭小補正率) = 0. ①
(奥行長大補正率) × (間口狭小補正率) = 0. ②
(小数点以下2位未満切捨て) [不整形地補正率 ①、②のいずれか低い率、0.6を下限とする。] 0.

6の計算欄：
※規模格差補正率の計算
{ ((地積(Ⓐ)) ㎡ × Ⓑ + Ⓒ) ÷ (地積(Ⓐ)) ㎡ } × 0.8 = 0. (小数点以下2位未満切捨て)

7の計算欄：
※割合の計算(0.4を上限とする。)
(正面路線価) 円 × (通路部分の地積) ㎡) ÷ ((F又はGのうち該当するもの) 円 × (評価対象地の地積) ㎡) = 0.

8-2の計算欄：
※がけ地補正率の適用がある場合の特別警戒区域補正率の計算(0.5を下限とする。)
〔 南、東、西、北 〕
(特別警戒区域補正率表の補正率) 0. × (がけ地補正率) 0. = 0. (小数点以下2位未満切捨て)

自用地の評価額	自用地1平方メートル当たりの価額 (AからLまでのうちの該当記号)	地　積	総　　　額 (自用地1㎡当たりの価額) × (地積)	
	(B) 696,000 円	5,000 ㎡	3,480,000,000 円	M

-353-

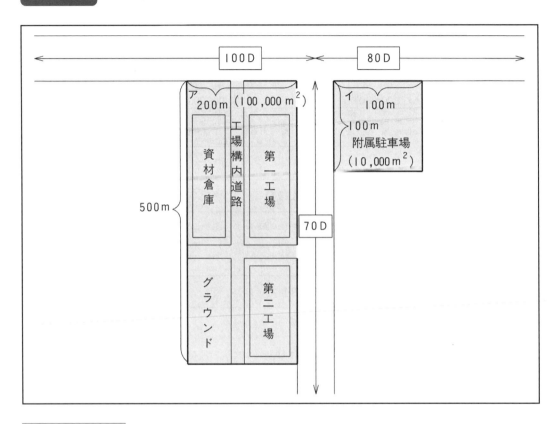

評価上の留意点

1　大規模工場用地を評価する際には、側方路線影響加算や二方路線影響加算は行わず、正面路線の路線価に地積を乗じて評価します。

2　大規模工場用地の評価単位は、「一団の工場用地」となります。

　　工場構内道路により分離されている、第一工場、第二工場、資材倉庫及びグラウンドは一団の工場用地となりますが、不特定多数の者の通行の用に供されている道路により分離されている附属駐車場は、別の評価単位となります。

3　附属駐車場は「一団の工場用地」とはなりませんので、側方路線影響加算の適用があり、その加算率は0.02です。また、当該駐車場は従業員のための青空駐車場ですから、自用地として評価します。

各補正率の適用は？

　ア地は、一団の工場用地として大規模工場用地としての評価を行いますので、各補正率の適用はありません。以下、イ地についての補正率を検討します。

1　奥行価格補正率……大工場地区の場合、奥行100mに対する補正率は1.00です。

2　間口狭小補正率……大工場地区の場合、間口100mに対する補正率は1.00です。

3　奥行長大補正率……大工場地区の場合、奥行÷間口＝100m÷100m＝1.0に対する補正率は1.00です。

【事例 112】

土地及び土地の上に存する権利の評価明細書（第1表）

			局(所)	署	年分	ページ

(住居表示) ( )	所有者	住 所 (所在地)		使用者	住 所 (所在地)	
所 在 地 番		氏 名 (法人名)			氏 名 (法人名)	

地 目	地 積	路 線 価	地形図及び参考事項

地 目	地 積	正面	側 方	側 方	裏 面	
(宅地) 山 林 田 雑種地 畑 ( )	ア 100,000 ㎡ イ 10,000	ア 100,000 円 イ 80,000	ア 70,000 円 イ 70,000	円	円	省 略

間口距離	ア 200 m イ 100	利用区分	(自 用 地) 私 道 貸 宅 地 貸家建付借地権 貸家建付地 転 貸 借 地 権 借 地 権 ( )	地区区分	ビ ル 街 地 区 普通住宅地区 高度商業地区 中小工場地区 繁華街地区 (大工場地区) 普通商業・併用住宅地区	
奥行距離	ア 500 m イ 100					

					(1㎡当たりの価額) 円	
自 用 地	1 一路線に面する宅地 (正面路線価) (奥行価格補正率) イ 80,000 円 × 1.00				80,000	A
	2 二路線に面する宅地 (A) (側方・裏面 路線価) (奥行価格補正率) (側方 二方 路線影響加算率) イ 80,000 円 + (70,000 円 × 1.00 × 0.02)				(1㎡当たりの価額) 円 81,400	B
	3 三路線に面する宅地 (B) [側方・裏面 路線価] (奥行価格補正率) [側方・二方 路線影響加算率] 円 + (円 × . × 0.)				(1㎡当たりの価額) 円	C

10 私 道 (AからKまでのうち該当するもの) 円 × 0.3			(1㎡当たりの価額) 円	L

自用地の評価額	自用地1平方メートル当たりの価額 (AからLまでのうちの該当記号) (B)イ 81,400 円	地 積 10,000 ㎡	総 額 (自用地1㎡当たりの価額) × (地 積) 814,000,000 円	M

土地及び土地の上に存する権利の評価明細書（第2表）

セットバックを 必 要 と す る 宅 地 の 評 価 額	(自用地の評価額) 円 − (	(自用地の評価額) 円 × (該当地積) ㎡ / 総地積 ㎡ × 0.7)	(自用地の評価額) 円	N
都 市 計 画 道 路 予 定 地 の 区 域 内 に あ る 宅 地 の 評 価 額	(自用地の評価額) 円 × 0.	(補正率)	(自用地の評価額) 円	O

大規模工場用地等の評価額	○ 大規模工場用地等 (正面路線価) (地 積) (地積が20万㎡以上の場合は0.95) ア 100,000 円 × 100,000 ㎡ ×	円 10,000,000,000	P
	○ ゴルフ場用地等 (宅地とした場合の価額)(地積) (1㎡当たり の造成費) (地積) (円 × ㎡×0.6) − (円× ㎡)	円	Q

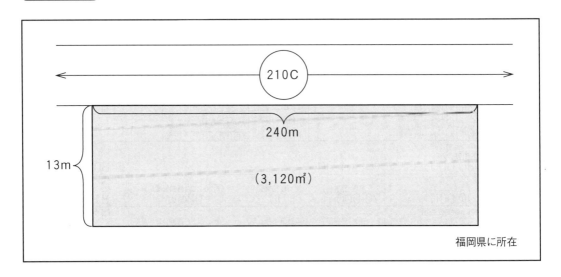

福岡県に所在

評価上の留意点

1　市街地周辺農地は、当該農地を市街地農地として評価した金額の80％をもってその評価額とします。

2　市街地農地は、その農地が宅地であるとして評価した1㎡当たりの価格から1㎡当たりの造成費の金額を差し引いて、それに地積を乗じて評価します。

　（本事例では、1㎡当たり造成費を3,700円（整地費700円、伐採・抜根費1,000円、地盤改良費2,000円）とする）

3　評価地は、福岡県内の普通商業・併用住宅地区にあり、地積が3,120㎡と1,000㎡を超えるため、「地積規模の大きな宅地」の適用要件を満たします。

各補正率の適用は？

1　奥行価格補正率……奥行13mで普通商業・併用住宅地区の場合、1.00です。

2　間口狭小、奥行長大補正率は、1.00です。

3　規模格差補正率……福岡県（三大都市圏以外の地域）にあり地積が3,120㎡ですから
　　　　　　　　　　　Ⓑは0.85、Ⓒは250となります。

【事例　113】

土地及び土地の上に存する権利の評価明細書（第1表）

			局(所)		署		年分		ページ

（住居表示）	（　　　　　　　）		所有者	住　所（所在地）		使用者	住　所（所在地）	
所在地番				氏　名（法人名）			氏　名（法人名）	

地　　目		地　積	路　　　　線　　　　価				地形図及び参考事項	
宅地　山林田（畑）雑種地		3,120 ㎡	正　面 210,000 円	側　方 円	側　方 円	裏　面 円	省　略	

間口距離 240 m	利用区分	（自用地）私　道　　貸宅地　貸家建付借地権　貸家建付地　転貸借地権　借地権（　　　　　）	地区区分	ビル街地区　普通住宅地区　高度商業地区　中小工場地区　繁華街地区　大工場地区　（普通商業・併用住宅地区）
奥行距離 13 m				

				（1㎡当たりの価額）円	
自用地1平方メートル当たりの価額	1　一路線に面する宅地（正面路線価）　　　　　　（奥行価格補正率）　　210,000 円 × 1.00			210,000	A
	2　二路線に面する宅地（A）　　　　　[側方・裏面 路線価]　（奥行価格補正率）　[側方・二方 路線影響加算率]　　　円 ＋ （　　　　円 × ． × 0.　　　　）			円	B
	3　三路線に面する宅地（B）　　　　　[側方・裏面 路線価]　（奥行価格補正率）　[側方・二方 路線影響加算率]　　　円 ＋ （　　　　円 × ． × 0.　　　　）			円	C
	4　四路線に面する宅地（C）　　　　　[側方・裏面 路線価]　（奥行価格補正率）　[側方・二方 路線影響加算率]　　　円 ＋ （　　　　円 × ． × 0.　　　　）			円	D
	5-1　間口が狭小な宅地等（AからDまでのうち該当するもの）　（間口狭小補正率）　（奥行長大補正率）　　　円 × （　．　× ．　　）			円	E
	5-2　不整形地（AからDまでのうち該当するもの）　　不整形地補正率※　　　円 × 0.　　※不整形地補正率の計算（想定整形地の間口距離）　（想定整形地の奥行距離）　（想定整形地の地積）　　m × 　　　m = 　　　㎡（想定整形地の地積）　（不整形地の地積）　　（想定整形地の地積）　　（かげ地割合）（　　㎡ － 　　㎡）÷ 　　㎡ = 　　％（不整形地補正率表の補正率）（間口狭小補正率）　（小数点以下2位未満切捨て）　0. × ． = 0. ①（奥行長大補正率）　　（間口狭小補正率）　　. × ． = 0. ②　［不整形地補正率①、②のいずれか低い率、0.6を下限とする。］　0.			円	F
	6　地積規模の大きな宅地（AからFまでのうち該当するもの）　規模格差補正率※　　210,000 円 × 0.74　※規模格差補正率の計算（地積(Ⓐ)）　　（Ⓑ）　（Ⓒ）　（地積(Ⓐ)）　（小数点以下2位未満切捨て）｛（3,120 ㎡× 0.85 ＋ 250 ）÷ 3,120 ㎡｝× 0.8 ＝ 0.74			155,400	G
	7　無　道　路　地（F又はGのうち該当するもの）　　　（※）　　円 × （ 1 － 0. ）※割合の計算（0.4を上限とする。）（正面路線価）　（通路部分の地積）　（F又はGのうち該当するもの）　（評価対象地の地積）　　円 × 　㎡ ÷（　円 × 　㎡）= 0.			円	H
	8-1　がけ地等を有する宅地〔 南 、 東 、 西 、 北 〕（AからHまでのうち該当するもの）　　（がけ地補正率）　　円 × 0.			円	I
	8-2　土砂災害特別警戒区域内にある宅地（AからHまでのうち該当するもの）　特別警戒区域補正率※　　円 × 0.　※がけ地補正率の適用がある場合の特別警戒区域補正率の計算（0.5を下限とする。）（特別警戒区域補正率表の補正率）〔 南、東、西、北 〕（がけ地補正率）（小数点以下2位未満切捨て）　0. × 0. = 0.			円	J
	9　容積率の異なる2以上の地域にわたる宅地（AからJまでのうち該当するもの）　（控除割合（小数点以下3位未満四捨五入））　　円 × （ 1 － 0. ）			円	K
	10　私　　道（AからKまでのうち該当するもの）　　円 × 0.3			円	L

自用地の評価額	自用地1平方メートル当たりの価額（AからLまでのうちの該当記号）（　　　）　　円	地　積　　　　㎡	総　　　　額（自用地1㎡当たりの価額）×（地　積）　　円	M

－ 357 －

【事例　113】

市 街 地 農 地 等 の 評 価 明 細 書

市 街 地 農 地　　市 街 地 山 林
(市街地周辺農地)　市 街 地 原 野

（平成十八年分以降用）

所 在 地 番				
現 況 地 目		畑	① 地 積	3,120 ㎡
評価の基とした宅地の1平方メートル当たりの評価額	所 在 地 番			
	② 評価額の計算内容	評価明細書（第1表）のとおり	③ （ 評 価 額 ）	155,400 円
評価する農地等が宅地であるとした場合の1平方メートル当たりの評価額	④ 評価上考慮したその農地等の道路からの距離、形状等の条件に基づく評価額の計算内容		⑤ （ 評 価 額 ）	155,400 円

宅地造成費の計算	平坦地費	整地費	整 地 費	（整地を要する面積）3,120 ㎡ ×（1㎡当たりの整地費）700 円	⑥ 2,184,000 円
			伐採・抜根費	（伐採・抜根を要する面積）3,120 ㎡ ×（1㎡当たりの伐採・抜根費）1,000 円	⑦ 3,120,000 円
			地盤改良費	（地盤改良を要する面積）3,120 ㎡ ×（1㎡当たりの地盤改良費）2,000 円	⑧ 6,240,000 円
		土 盛 費		（土盛りを要する面積）㎡ ×（平均の高さ）m ×（1㎡当たりの土盛費）円	⑨ 円
		土 止 費		（擁壁面の長さ）m ×（平均の高さ）m ×（1㎡当たりの土止費）円	⑩ 円
		合計額の計算		⑥ ＋ ⑦ ＋ ⑧ ＋ ⑨ ＋ ⑩	⑪ 11,544,000 円
		1㎡当たりの計算		⑪ ÷ ①	⑫ 3,700 円
	傾斜地	傾斜度に係る造成費		（ 傾 斜 度 ） 度	⑬ 円
		伐採・抜根費		（伐採・抜根を要する面積）㎡ ×（1㎡当たりの伐採・抜根費）円	⑭ 円
		1㎡当たりの計算		⑬ ＋ （ ⑭ ÷ ① ）	⑮ 円

市街地農地等の評価額	（⑤ － ⑫ （又は⑮ ））× ①（注）市街地周辺農地については、さらに0.8を乗ずる。	378,643,200 円

(注) 1　「②評価額の計算内容」欄には、倍率地域内の市街地農地等については、評価の基とした宅地の固定資産税評価額及び倍率を記載し、路線価地域内の市街地農地等については、その市街地農地等が宅地である場合の画地計算の内容を記載してください。なお、画地計算が複雑な場合には、「土地及び土地の上に存する権利の評価明細書」を使用してください。
　　　2　「④評価上考慮したその農地等の道路からの距離、形状等の条件に基づく評価額の計算内容」欄には、倍率地域内の市街地農地等について、「③評価額」欄の金額と「⑤評価額」欄の金額とが異なる場合に記載し、路線価地域内の市街地農地等については記載の必要はありません。
　　　3　「傾斜地の宅地造成費」に加算する伐採・抜根費は、「平坦地の宅地造成費」の「伐採・抜根費」の金額を基に算出してください。

事例 114　市街地農地

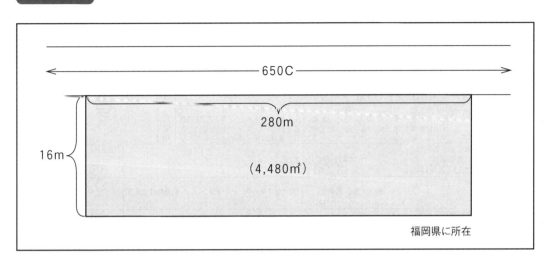

650C

280m

(4,480㎡)

16m

福岡県に所在

評価上の留意点

1　市街地農地は、その農地が宅地であるとして評価した1㎡当たりの価格から1㎡当たりの造成費の金額を差し引いて、それに地積を乗じて評価します。

　（本事例では、1㎡当たり造成費を3,700円（整地費700円、伐採・抜根費1,000円、地盤改良費2,000円）とする）

2　評価地は、福岡県内の普通住宅地区にあり、地積が4,480㎡と1,000㎡を超えるため、「地積規模の大きな宅地」の適用要件を満たします。

各補正率の適用は？

1　奥行価格補正率……奥行16mで普通住宅地区の場合、1.00です。

2　間口狭小、奥行長大補正率は、1.00です。

3　規模格差補正率……福岡県（三大都市圏以外の地域）にあり地積が4,480㎡ですから
　　　　　　　　　　　Ⓑは0.85、Ⓒは250となります。

【事例　114】

土地及び土地の上に存する権利の評価明細書（第1表）

				局（所）	署	年分	ページ

（住居表示）	（　　　　　　　　）	所有者	住　所 （所在地）		使用者	住　所 （所在地）	
所 在 地 番			氏　名 （法人名）			氏　名 （法人名）	

地　　目		地　積		路　　　線　　　価				地

宅 地　山 林 田　　　（畑） 雑種地（　）	㎡ 4,480	正　面 650,000円	側　方 円	側　方 円	裏　面 円	形図及び参考事項	省　略

間口距離 280 m	利用区分	（自 用 地） 私　道 貸 宅 地　貸家建付借地権 貸家建付地　転 貸 借 地 権 借 地 権　（　　　　　　　）	地区区分	ビル街地区　（普通住宅地区） 高度商業地区　中小工場地区 繁華街地区　大工場地区 普通商業・併用住宅地区	
奥行距離 16 m					

	1 一路線に面する宅地	（1㎡当たりの価額）円	A
自 用 地 1 平 方 メ ー ト ル 当 た り の 価 額	（正面路線価）　　　　　　　　　（奥行価格補正率） 650,000円 × 1.00	650,000	
	2 二路線に面する宅地 （A）　　　　　　［側方・裏面 路線価］　（奥行価格補正率）　　［側方・二方 路線影響加算率］ 円 ＋ （　　　円 × . × 0.　　）	（1㎡当たりの価額）円	B
	3 三路線に面する宅地 （B）　　　　　　［側方・裏面 路線価］　（奥行価格補正率）　　［側方・二方 路線影響加算率］ 円 ＋ （　　　円 × . × 0.　　）	（1㎡当たりの価額）円	C
	4 四路線に面する宅地 （C）　　　　　　［側方・裏面 路線価］　（奥行価格補正率）　　［側方・二方 路線影響加算率］ 円 ＋ （　　　円 × . × 0.　　）	（1㎡当たりの価額）円	D
	5-1 間口が狭小な宅地等 （AからDまでのうち該当するもの）　（間口狭小補正率）（奥行長大補正率） 円 × （ . × . ）	（1㎡当たりの価額）円	E
	5-2 不 整 形 地 （AからDまでのうち該当するもの）　　　不整形地補正率※ 円 × 0. ※不整形地補正率の計算 （想定整形地の間口距離）　（想定整形地の奥行距離）　（想定整形地の地積） m × m = ㎡ （想定整形地の地積）　（不整形地の地積）　（想定整形地の地積）　（かげ地割合） （ ㎡ － ㎡ ） ÷ ㎡ = ％ （不整形地補正率表の補正率）（間口狭小補正率）（小数点以下2位未満切捨て）　［ 不 整 形 地 補 正 率 0. × . = 0. ①　　①、②のいずれか低い （奥行長大補正率）　（間口狭小補正率）　　　　　　　　率、0.6を下限とする。） 0. × . = 0. ② 0.		F
	6 地積規模の大きな宅地 （AからFまでのうち該当するもの）　　規模格差補正率※ 650,000円 × 0.72 ※規模格差補正率の計算 （地積（Ⓐ））　　（Ⓑ）　　（Ⓒ）　（地積（Ⓐ））　　（小数点以下2位未満切捨て） ｛（ 4,480㎡× 0.85＋ 250 ） ÷ 4,480㎡ ｝× 0.8 ＝ 0.72	（1㎡当たりの価額）円 468,000	G
	7 無 道 路 地 （F又はGのうち該当するもの）　　　　　　　（※） 円 × （ 1 － 0. ） ※割合の計算（0.4を上限とする。）　　　（F又はGのうち （正面路線価）　（通路部分の地積）　該当するもの）　（評価対象地の地積） （ 円 × ㎡） ÷ （ 円 × ㎡） = 0.	（1㎡当たりの価額）円	H
	8-1 がけ地等を有する宅地 〔 南 、 東 、 西 、 北 〕 （AからHまでのうち該当するもの）　（がけ地補正率） 円 × 0.	（1㎡当たりの価額）円	I
	8-2 土砂災害特別警戒区域内にある宅地 （AからHまでのうち該当するもの）　　特別警戒区域補正率※ 円 × 0. ※がけ地補正率の適用がある場合の特別警戒区域補正率の計算（0.5を下限とする。） 〔 南 、 東 、 西 、 北 〕 （特別警戒区域補正率表の補正率）（がけ地補正率）（小数点以下2位未満切捨て） 0. × 0. = 0.	（1㎡当たりの価額）円	J
	9 容積率の異なる2以上の地域にわたる宅地 （AからJまでのうち該当するもの）　　　　（控除割合（小数点以下3位未満四捨五入）） 円 × （ 1 － 0. ）	（1㎡当たりの価額）円	K
	10 私 道 （AからKまでのうち該当するもの） 円 × 0.3	（1㎡当たりの価額）円	L

自用地の評価額	自用地1平方メートル当たりの価額 （AからLまでのうちの該当記号） （　　　　） 円	地　積 ㎡	総　　　　　　額 （自用地1㎡当たりの価額）×（地　積） 円	M

【事例 114】

市 街 地 農 地 等 の 評 価 明 細 書

市街地農地 （◯囲み）　市 街 地 山 林
市街地周辺農地　市 街 地 原 野

所 在 地 番					
現 況 地 目		畑	① 地 積	4,480	㎡
評価の基とした宅地の1平方メートル当たりの評価額	所 在 地 番				
	② 評価額の計算内容	評価明細書（第1表）のとおり		③ （ 評 価 額 ）	468,000 円
評価する農地等が宅地であるとした場合の1平方メートル当たりの評価額	④ 評価上考慮したその農地等の道路からの距離、形状等の条件に基づく評価額の計算内容			⑤ （ 評 価 額 ） 468,000	円

宅地造成費の計算	平坦地	整地費	整 地 費	（整地を要する面積） 4,480 ㎡ ×	（1㎡当たりの整地費） 700 円	⑥ 3,136,000	円
			伐採・抜根費	（伐採・抜根を要する面積） 4,480 ㎡ ×	（1㎡当たりの伐採・抜根費） 1,000 円	⑦ 4,480,000	円
			地盤改良費	（地盤改良を要する面積） 4,480 ㎡ ×	（1㎡当たりの地盤改良費） 2,000 円	⑧ 8,960,000	円
			土 盛 費	（土盛りを要する面積）（平均の高さ） ㎡ × m ×	（1㎡当たりの土盛費） 円	⑨	円
			土 止 費	（擁壁面の長さ）（平均の高さ） m × m ×	（1㎡当たりの土止費） 円	⑩	円
			合計額の計算	⑥＋⑦＋⑧＋⑨＋⑩		⑪ 16,576,000	円
			1㎡当たりの計算	⑪ ÷ ①		⑫ 3,700	円
	傾斜地		傾斜度に係る造成費	（ 傾 斜 度 ） 度		⑬	円
			伐採・抜根費	（伐採・抜根を要する面積） ㎡ ×	（1㎡当たりの伐採・抜根費） 円	⑭	円
			1㎡当たりの計算	⑬ ＋ （ ⑭ ÷ ① ）		⑮	円

市街地農地等の評価額	（⑤－⑫（又は⑮））×① （注）市街地周辺農地については、さらに0.8を乗ずる。	2,080,064,000	円

（注）1　「②評価額の計算内容」欄には、倍率地域内の市街地農地等については、評価の基とした宅地の固定資産税評価額及び倍率を記載し、路線価地域内の市街地農地等については、その市街地農地等が宅地である場合の画地計算の内容を記載してください。なお、画地計算が複雑な場合には、「土地及び土地の上に存する権利の評価明細書」を使用してください。

2　「④評価上考慮したその農地等の道路からの距離、形状等の条件に基づく評価額の計算内容」欄には、倍率地域内の市街地農地等について、「③評価額」欄の金額と「⑤評価額」欄の金額とが異なる場合に記載し、路線価地域内の市街地農地等については記載の必要はありません。

3　「傾斜地の宅地造成費」に加算する伐採・抜根費は、「平坦地の宅地造成費」の「伐採・抜根費」の金額を基に算出してください。

事例 115　買取り申出ができない生産緑地

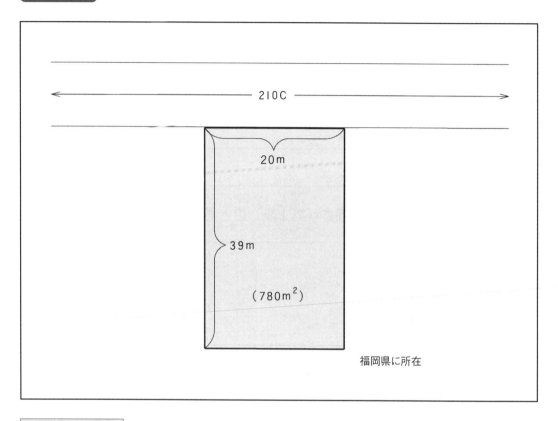

福岡県に所在

評価上の留意点

1　買取り申出のできない生産緑地は、当該生産緑地を生産緑地でないものとして評価した金額から、当該金額に97ページの表に示される割合を乗じて得た金額を控除した金額を評価額とします。
　（本事例の生産緑地は、生産緑地でない場合には市街地農地になるものとする。また、買取りの申出ができない期間を23年とします。したがって、97ページの表により減額割合は30％となる）
2　市街地農地は、その農地が宅地であるとして評価した１㎡当たりの価格から１㎡当たりの造成費の金額を差し引いて、それに地積を乗じて評価します。
　（本事例では、１㎡当たり造成費を5,000円とする）

各補正率の適用は？

1　奥行価格補正率……奥行39mで普通住宅地区の場合、0.92です。
2　間口狭小、奥行長大補正率は、1.00です。

評価額

　｛（210,000円×0.92）－5,000円｝×780㎡＝146,796,000円
　146,796,000円×（1－0.3）＝102,757,200円

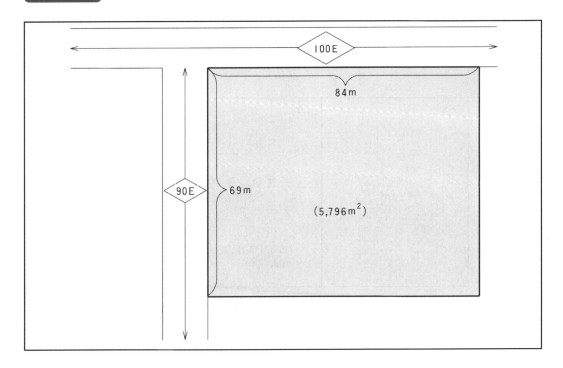

評価上の留意点

1 　買取り申出のできる生産緑地は、当該生産緑地を生産緑地でないものとして評価した
金額からその5％を控除した金額を評価額とします。
（本事例の生産緑地は、生産緑地でない場合には市街地農地になるものとする）

2 　市街地農地は、その農地が宅地であるとして評価した1㎡当たりの価格から1㎡当た
りの造成費の金額を差し引いて、それに地積を乗じて評価します。
（本事例では、1㎡当たり造成費を6,000円とする）

3 　正面路線は、路線価に奥行価格補正率を加味した価格が高いほうがなります。上図の
場合、84mのほうが正面路線になります（100×0.97＝97＞90×0.93＝83.7）。

各補正率の適用は？

1 　正面路線の奥行価格補正率……奥行69mで中小工場地区の場合、0.97です。

2 　間口狭小・奥行長大補正率は1.00です。

3 　側方路線の奥行価格補正率……奥行84mで中小工場地区の場合、0.93です。

4 　側方路線影響加算率……角地で中小工場地区の場合、0.03です。

評価額

｛（100,000円×0.97）＋（90,000円×0.93×0.03）｝＝99,511円

99,511円－6,000円＝93,511円

93,511円×5,796㎡＝541,989,756円

541,989,756円×（1－0.05）＝514,890,268円

事例　117　　一部に生産緑地の指定を受けている市街地農地

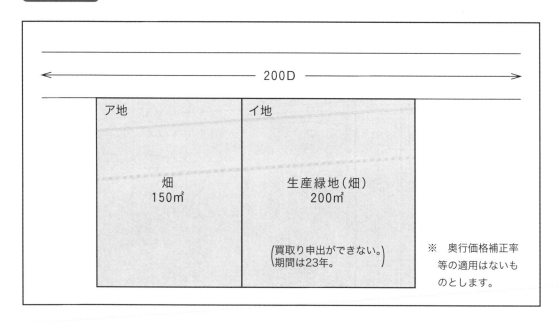

評価上の留意点

1　市街地農地は、利用の単位となっている一団の農地ごとに評価することになっていますが、その中に生産緑地に指定されている農地がある場合には、生産緑地とそれ以外の部分を区分して、それぞれの部分を利用の単位となっている一団の農地として評価します。

2　市街地農地は、その農地が宅地であるとして評価した１㎡当たりの価額から１㎡当たりの造成費の金額を差し引いて、それに地積を乗じて評価します（本事例では、ア地、イ地とも１㎡当たり造成費を6,000円とする）。

3　買取り申出のできない生産緑地は、当該生産緑地を生産緑地でないものとして評価した価額からその価額に97ページの表に示される割合を乗じて得た金額を控除した金額を評価額とします（本事例の場合、30％となる）。

評価額

ア地　（200,000円－6,000円）　×150㎡＝29,100,000円

イ地　（200,000円－6,000円）　×200㎡＝38,800,000円

　　　38,800,000円×（1－0.3）＝27,160,000円

事例	118	一部に生産緑地（買取りの申出から4か月が経過）の指定を受けている市街地農地

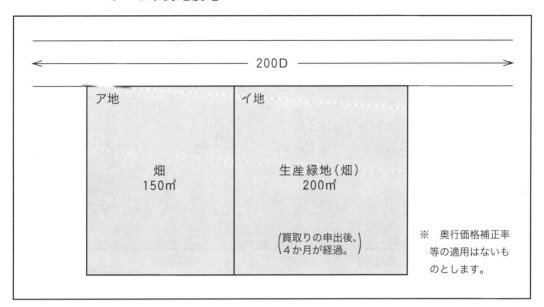

ア地	イ地
畑 150㎡	生産緑地（畑） 200㎡

← 200D →

（買取りの申出後、4か月が経過。）

※ 奥行価格補正率等の適用はないものとします。

評価上の留意点

1　市街地農地は、利用の単位となっている一団の農地ごとに評価することになっています。イ地は生産緑地の指定を受けていますが、市長に対し買取りの申出をしてから4か月が経過しており、いつでも宅地への転用ができる等、その使用収益の制限がないため、ア地、イ地を一団の農地として評価します。

2　市街地農地は、その農地が宅地であるとして評価した1㎡当たりの価額から1㎡当たりの造成費の金額を差し引いて、それに地積を乗じて評価します（本事例では、ア地、イ地とも1㎡当たり造成費を6,000円とする）。

3　買取りの申出を行った生産緑地は、生産緑地としての評価上の斟酌を行いません。

評価額

（ア地＋イ地）　（200,000円－6,000円）×350㎡＝67,900,000円

-365-

　２以上の地目の土地を一体利用している場合（ゴルフ練習場）

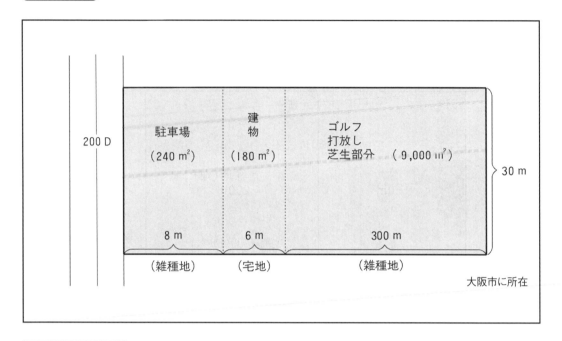

評価上の留意点

1　駐車場と打放し練習場の芝生部分は雑種地、建物の敷地部分は宅地と２つの地目になりますが、建物の敷地以外のゴルフ練習場としての土地の利用を主としているため、全体を雑種地として評価します。

2　１つの路線に接している場合には、その路線が「正面」路線になります。

3　評価地は、大阪市内の普通住宅地区にあり、地積が9,420㎡と500㎡を超えるため、地積規模の大きな土地として評価します。

各補正率の適用は？

1　正面路線の奥行価格補正率……奥行314mで普通住宅地区の場合、0.80です。

2　間口狭小補正率……間口30mで普通住宅地区の場合、1.00です。

3　奥行長大補正率……奥行距離÷間口距離＝314m÷30m＝10.4で普通住宅地区の場合、0.90です。

4　規模格差補正率……大阪市にあり、地積が9,420㎡ですから⑧は0.80、ⓒは475となります。

【事例　119】

土地及び土地の上に存する権利の評価明細書（第1表）

		局(所)	署	年分	ページ

（住居表示）（　　　　　　　）	所有者	住　所（所在地）		使用者	住　　　所（所在地）	
所在地番		氏　　名（法人名）			氏　　　名（法人名）	

地　目	地　積	路　　　線　　　価	地形図及び参考事項
宅地　山林　田　畑　(雑種地)	9,420 m²	正面 200,000円　側方　円　側方　円　裏面　円	省略
間口距離 30 m	利用区分	自用地　私道　貸家建付借地権　中小工場地区	
奥行距離 314 m		貸宅地　貸家建付地　転貸借地権　借地権（　　）	

地区区分：ビル街地区　(普通住宅地区)　高度商業地区　繁華街地区　大工場地区　普通商業・併用住宅地区

			（1 m²当たりの価額）円	
自用地1平方メートル当たりの価額	1　一路線に面する宅地 （正面路線価）　　　（奥行価格補正率） 200,000 円 × 0.80		160,000	A
	2　二路線に面する宅地 （A）　[側方・裏面 路線価]（奥行価格補正率）[側方・二方 路線影響加算率] 円 ＋（　　円 × ． × 0.　）		（1 m²当たりの価額）円	B
	3　三路線に面する宅地 （B）　[側方・裏面 路線価]（奥行価格補正率）[側方・二方 路線影響加算率] 円 ＋（　　円 × ． × 0.　）		（1 m²当たりの価額）円	C
	4　四路線に面する宅地 （C）　[側方・裏面 路線価]（奥行価格補正率）[側方・二方 路線影響加算率] 円 ＋（　　円 × ． × 0.　）		（1 m²当たりの価額）円	D
	5-1　間口が狭小な宅地等 （AからDまでのうち該当するもの）（間口狭小補正率）（奥行長大補正率） 160,000 円 ×（ 1.00 × 0.90 ）		（1 m²当たりの価額）円 144,000	E
	5-2　不整形地 （AからDまでのうち該当するもの）　不整形地補正率※ 円 × 0. ※不整形地補正率の計算 （想定整形地の間口距離）（想定整形地の奥行距離）（想定整形地の地積） m × m = m² （想定整形地の地積）（不整形地の地積）（想定整形地の地積）（かげ地割合） （　m² − 　m²）÷ 　m² = 　% （不整形地補正率表の補正率）（間口狭小補正率）（小数点以下2位未満切捨て） 0. × = 0. ① （奥行長大補正率）（間口狭小補正率） × = 0. ②　不整形地補正率（①、②のいずれか低い率、0.6を下限とする。） 0.		（1 m²当たりの価額）円	F
	6　地積規模の大きな宅地 （AからFまでのうち該当するもの）　規模格差補正率※ 144,000 円 × 0.68 ※規模格差補正率の計算 （地積（Ⓐ））（Ⓑ）（Ⓒ）（地積（Ⓐ））（小数点以下2位未満切捨て） {(9,420 m² × 0.80 + 475) ÷ 9,420 m² } × 0.8 ＝ 0.68		（1 m²当たりの価額）円 97,920	G
	7　無道路地 （F又はGのうち該当するもの）（※） 円 ×（ 1 − 0. ） ※割合の計算（0.4を上限とする。） （正面路線価）（通路部分の地積）（F又はGのうち該当するもの）（評価対象地の地積） （ 円 × m²）÷（ 円 × m²）＝ 0.		（1 m²当たりの価額）円	H
	8-1　がけ地等を有する宅地　〔 南 、 東 、 西 、 北 〕 （AからHまでのうち該当するもの）（がけ地補正率） 円 × 0.		（1 m²当たりの価額）円	I
	8-2　土砂災害特別警戒区域内にある宅地 （AからHまでのうち該当するもの）　特別警戒区域補正率※ 円 × 0. ※がけ地補正率の適用がある場合の特別警戒区域補正率の計算（0.5を下限とする。） 〔 南 、 東 、 西 、 北 〕 （特別警戒区域補正率表の補正率）（がけ地補正率）（小数点以下2位未満切捨て） 0. × 0. = 0.		（1 m²当たりの価額）円	J
	9　容積率の異なる2以上の地域にわたる宅地 （AからJまでのうち該当するもの）（控除割合（小数点以下3位未満四捨五入）） 円 ×（ 1 − 0. ）		（1 m²当たりの価額）円	K
	10　私　道 （AからKまでのうち該当するもの） 円 × 0.3		（1 m²当たりの価額）円	L

自用地の評価額	自用地1平方メートル当たりの価額 （AからLまでのうちの該当記号） （ G ）　97,920 円	地　積 9,420 m²	総　　額 （自用地1 m²当たりの価額）×（地　積） 922,406,400 円	M

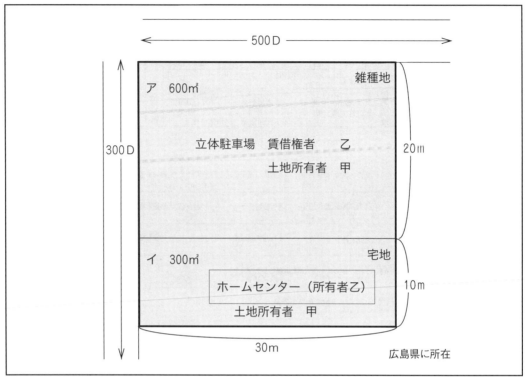

※　ア地、イ地とも土地所有者は甲で、この両方を乙に貸し付け、乙はイ地にホームセンターを、ア地に立体駐車場を乙の費用で建てて、一体として利用している。また、賃貸借契約の残存期間は５年である。

評価上の留意点

1　ア地は雑種地、イ地は宅地と２つの地目になり、また、この両地を借り受けた乙の権利もア地は賃借権、イ地は借地権と異なりますが、これらの権利者が同一であり、両地を一体として利用していることから、この土地については、「１画地の土地」として一体で評価します。

2　1で評価した金額をア地、イ地の面積により按分し、イ地については借地権が設定されている宅地として、ア地については残存期間５年の賃借権が設定された雑種地として評価します。

各補正率の適用は？

1　奥行価格補正率……普通住宅地区で奥行30mに対する補正率は、0.95です。

2　間口狭小補正率……普通住宅地区で間口30mに対する補正率は、1.00です。

3　奥行長大補正率……普通住宅地区で奥行÷間口＝1.0に対する補正率は1.00です。

【事例　120】

土地及び土地の上に存する権利の評価明細書（第1表）

		局(所)	署	年分	ページ

（住居表示）（　　　　　　　）	所有者	住　所（所在地）		使用者	住　　所（所在地）
所　在　地　番		氏　名（法人名）			氏　　名（法人名）

地　目	地　積	路　　　線　　　価	地形図及び参考事項

（宅地）山林　田　畑　雑種地（　　　）　　ア地600 ㎡　イ地300

正面 500,000 円　側方 300,000 円　側方　円　裏面　円

省 略

間口距離	30 m	利用区分	（貸宅地）自用地　貸家建付借地権　私道　貸家建付地　転貸借地権　借地権（　　　）	地区区分	ビル街地区　高度商業地区　繁華街地区　普通商業・併用住宅地区　（普通住宅地区）中小工場地区　大工場地区
奥行距離	30 m				

自用

1 一路線に面する宅地
（正面路線価）
500,000 円 × （奥行価格補正率）0.95

（1㎡当たりの価額）475,000 円　A

2 二路線に面する宅地
（A）475,000 円 ＋ （【側方・裏面 路線価】300,000 円 × （奥行価格補正率）0.95 × 【側方】二方 路線影響加算率 0.03 ）

（1㎡当たりの価額）483,550 円　B

3 三路線に面する宅地

（1㎡当たりの価額）　円

自用地の評価額	自用地1平方メートル当たりの価額（AからLまでのうちの該当記号）（ B ）483,550 円	地　積	総　　　額（自用地1㎡当たりの価額）×（地　積）	M
		ア地 600 ㎡	290,130,000 円	
		イ地 300	145,065,000	

土地及び土地の上に存する権利の評価明細書（第2表）

セットバックを必要とする宅地の評価額	（自用地の評価額）　円 － （（自用地の評価額）　円 × 該当地積 ㎡／（総地積）㎡ × 0.7 ）	（自用地の評価額）　円	N
都市計画道路	（自用地の評価額）		（自用地の評価額）

	利用区分	算　　　　　　　　式	総　　　額	記号
総額	貸宅地	（自用地の評価額）（借地権割合）イ地 145,065,000 円 ×（1－ 0.6 ）	58,026,000 円	T
	貸家建付地	（自用地の評価額又はV）（借地権割合）（借家権割合）（賃貸割合）　円 ×（1－ 0. ×0. × ㎡／㎡ ）	円	U
	（貸借権）目的となっている土地	（自用地の評価額）（賃借権割合）ア地 290,130,000 円 ×（1－ 0.05 ）	275,623,500 円	V

- 369 -

事例 121　２以上の地目の土地を一体利用している宅地等（その２）

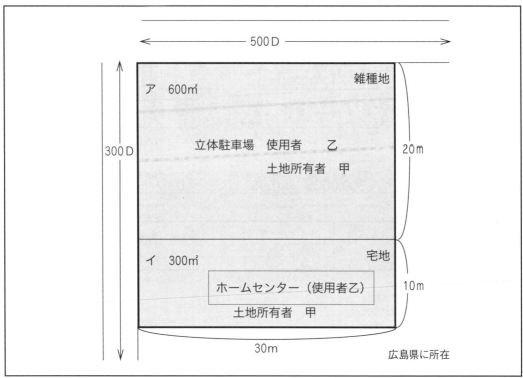

※　ア地、イ地とも土地所有者は甲で、ここに乙の依頼でホームセンターと立体駐車場を建築して、一体として乙に貸している。

評価上の留意点

1　ア地は雑種地、イ地は宅地と２つの地目になりますが、両方とも乙が借り受け、一体として利用していることから、この土地については、「一画地の土地」として一体で評価します。

2　1で評価した金額を、ア地、イ地の面積により按分し、イ地は貸家建付地として、ア地は更地として評価します。

各補正率の適用は？

1　奥行価格補正率……普通住宅地区で奥行30ｍに対する補正率は、0.95です。

2　間口狭小補正率……普通住宅地区で間口30ｍに対する補正率は、1.00です。

3　奥行長大補正率……普通住宅地区で奥行÷間口＝1.00に対する補正率は1.00です。

【事例 121】

土地及び土地の上に存する権利の評価明細書（第1表）

		局(所)	署	年分	ページ

（住居表示）	（ ）	所有者	住 所 （所在地）		使用者	住 所 （所在地）	
所 在 地 番			氏 名 （法人名）			氏 名 （法人名）	

地 目	地 積	路 線 価				地形図及び参考事項
㋑宅地 山 林 田 雑種地 畑 （ ）	ア 600 ㎡ イ 300	正 面 500,000 円	側 方 300,000 円	側 方 円	裏 面 円	省 略

間口距離	30 m	利用区分	㋑自 用 地 私 道 貸 宅 地 貸家建付借地権 ㋑貸家建付地 転 貸 借 地 権 借 地 権 （ ）	地区区分	ビ ル 街 地 区 ㋑普通住宅地区 高度商業地区 中小工場地区 繁華街地区 大工場地区 普通商業・併用住宅地区
奥行距離	30 m				

自用	1	一路線に面する宅地 （正面路線価） 500,000 円 ×	（奥行価格補正率） 0.95		（1㎡当たりの価額） 円 475,000	A
	2	二路線に面する宅地 （A） 475,000 円 ＋	［㋙側方 裏面 路線価］ （ 300,000 円	（奥行価格補正率） × 0.95	［㋙側方 二方 路線影響加算率］ × 0.03 ） （1㎡当たりの価額） 円 483,550	B
	3	三路線に面する宅地			（1㎡当たりの価額） 円	

自用地の評価額	自用地1平方メートル当たりの価額 （AからLまでのうちの該当記号）	地 積	総 額 （自用地1㎡当たりの価額）×（地 積）	M
	（ B ） 483,550 円	ア地 600 ㎡ イ地 300	290,130,000 円 145,065,000	

土地及び土地の上に存する権利の評価明細書（第2表）

セットバックを必要とする宅地の評価額	（自用地の評価額） 円 － (	（自用地の評価額） 円 ×	（該当地積） ㎡ ／ （総地積） ㎡ × 0.7)	（自用地の評価額） 円	N

	利用区分	算 式	総 額	記号
総	貸宅地	（自用地の評価額） 円 × (1－ 0.) （借地権割合）	円	T
	貸家建付地	（自用地の評価額又はⅤ） イ地 145,065,000 円 × (1－ 0.6 ×0.3 ×㎡／㎡) （借地権割合）（借家権割合）（賃貸割合）	118,953,300 円	U

事例 122 太陽光発電施設用地

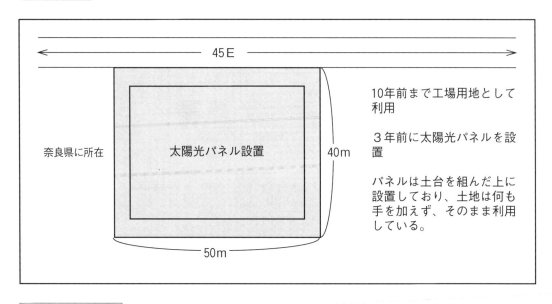

45E

40m

50m

太陽光パネル設置

奈良県に所在

10年前まで工場用地として利用

3年前に太陽光パネルを設置

パネルは土台を組んだ上に設置しており、土地は何も手を加えず、そのまま利用している。

評価上の留意点

1 太陽光発電施設用地は、雑種地として評価します。

　この土地は、もともと工場として利用されており、宅地に比準する土地として評価しますが、太陽光パネル設置時にも、土地に整地、土盛り等をしていないため、整地費用等は控除しません。

2 評価地は奈良県の普通住宅地区にあり、地積が2,000㎡と1,000㎡を超えるため、「地積規模の大きな宅地」の適用要件を満たします。

各補正率の適用は？

1 奥行価格補正率……奥行40ｍで普通住宅地区の場合、0.91です。

2 間口狭小、奥行長大補正率は1.00です。

3 規模格差補正率……奈良県（三大都市圏以外の地域）にあり、地積が2,000㎡ですから、Ⓑは0.90、Ⓒは100となります。

【事例 122】

土地及び土地の上に存する権利の評価明細書（第1表）

	局(所)	署	年分	ページ

（住居表示）	（ ）	所有者	住所（所在地）		使用者	住所（所在地）	
所在地番			氏名（法人名）			氏名（法人名）	

地目	地積		路　　線　　価				地形図及び参考事項
宅地　山林　田　畑（雑種地）	2,000 m²	正面 45,000 円	側方 円	側方 円	裏面 円		省略

間口距離	50 m	利用区分	（自用地）　私道 貸宅地　貸家建付借地権 貸家建付地　転貸借地権 借地権　（ ）	地区区分	ビル街地区　（普通住宅地区） 高度商業地区　中小工場地区 繁華街地区　大工場地区 普通商業・併用住宅地区	
奥行距離	40 m					

自用地1平方メートル当たりの価額

		（1m²当たりの価額）	
自用地	1　一路線に面する宅地 　　（正面路線価）　　　　　　　（奥行価格補正率） 　　　45,000 円 × 　　0.91	40,950 円	A
	2　二路線に面する宅地 　　　（A）　　　　[側方・裏面 路線価]　（奥行価格補正率）　[側方・二方 路線影響加算率] 　　　　円 ＋（　　円 × 　.　 × 0.　 ）	円	B
	3　三路線に面する宅地 　　　（B）　　　　[側方・裏面 路線価]　（奥行価格補正率）　[側方・二方 路線影響加算率] 　　　　円 ＋（　　円 × 　.　 × 0.　 ）	円	C
	4　四路線に面する宅地 　　　（C）　　　　[側方・裏面 路線価]　（奥行価格補正率）　[側方・二方 路線影響加算率] 　　　　円 ＋（　　円 × 　.　 × 0.　 ）	円	D
	5-1　間口が狭小な宅地等 　　（AからDまでのうち該当するもの）　（間口狭小補正率）（奥行長大補正率） 　　　　円 × （　.　 × 　.　 ）	円	E
	5-2　不整形地 　　（AからDまでのうち該当するもの）　　不整形地補正率※ 　　　　円 × 0. 　　※不整形地補正率の計算 　　（想定整形地の間口距離）（想定整形地の奥行距離）（想定整形地の地積） 　　　　m × 　　m ＝ 　　m² 　　（想定整形地の地積）（不整形地の地積）（想定整形地の地積）（かげ地割合） 　　（　　m² － 　　m²）÷ 　　m² ＝ 　　% 　　（不整形地補正率表の補正率）（間口狭小補正率）（小数点以下2位未満切捨て） 　　　0.　 × 　.　 ＝ 0.　　① ［不整形地補正率 　　（奥行長大補正率）（間口狭小補正率）　　　　　　　　　①、②のいずれか低い 　　　　.　 × 　.　 ＝ 0.　　②　率、0.6を下限とする。］ 0.	円	F
	6　地積規模の大きな宅地 　　（AからFまでのうち該当するもの）　規模格差補正率※ 　　　40,950 円 × 　0.76 　　※規模格差補正率の計算 　　（地積Ⓐ）（Ⓑ）（Ⓒ）（地積Ⓐ）（小数点以下2位未満切捨て） 　　{（2,000 m²× 0.90 ＋ 100）÷ 2,000 m²}× 0.8 ＝ 0.76	31,122 円	G
	7　無道路地 　　（F又はGのうち該当するもの）　　　　　（※） 　　　　円 × （ 1 － 0.　 ） 　　※割合の計算（0.4を上限とする。）　（F又はGのうち該当するもの） 　　（正面路線価）（通路部分の地積）　　　　　　　（評価対象地の地積） 　　（　　円 × 　　m²）÷（　　円 × 　　m²）＝ 0.	円	H
	8-1　がけ地等を有する宅地　　〔 南 、 東 、 西 、 北 〕 　　（AからHまでのうち該当するもの）　　　（がけ地補正率） 　　　　円 × 0.	円	I
	8-2　土砂災害特別警戒区域内にある宅地 　　（AからHまでのうち該当するもの）　　特別警戒区域補正率※ 　　　　円 × 0. 　　※がけ地補正率の適用がある場合の特別警戒区域補正率の計算（0.5を下限とする。） 　　　　　　　　　　　　〔 南 、 東 、 西 、 北 〕 　　（特別警戒区域補正率表の補正率）（がけ地補正率）（小数点以下2位未満切捨て） 　　　0.　 × 0.　 ＝ 0.	円	J
	9　容積率の異なる2以上の地域にわたる宅地 　　（AからJまでのうち該当するもの）　（控除割合（小数点以下3位未満四捨五入）） 　　　　円 × （ 1 － 0.　 ）	円	K
	10　私道 　　（AからKまでのうち該当するもの） 　　　　円 × 0.3	円	L

自用地の評価額	自用地1平方メートル当たりの価額 （AからLまでのうちの該当記号）	地積	総額 （自用地1m²当たりの価額）×（地積）	
	（G） 31,122 円	2,000 m²	62,244,000 円	M

－ 373 －

事例 123　アパートと隣接する駐車場を一部外部に貸している場合

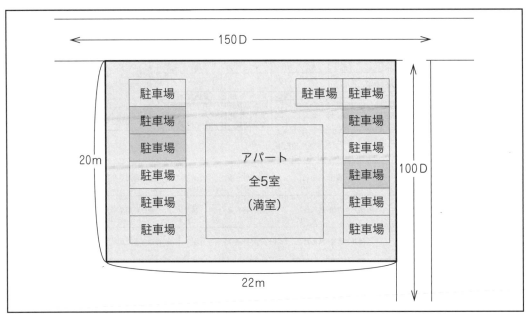

※　アパートは全5室であり、駐車スペースは合計13区画あり、評価時点では██の4区画がアパート住民に、残りは近辺の住民に貸していた。駐車スペースの13区画の合計面積は195㎡である。

評価上の留意点

　アパートの敷地（宅地）と駐車場（雑種地）は、地目が異なるため別々に評価するのが原則ですが、当該駐車場がアパートの住民専用であれば、全体を一画地として、全体を貸家建付地として評価します。

　本事例では、駐車場の区画はアパートの全室数の2倍以上あり、実際にアパート住民以外にも貸しているため、全体を一画地とみなすことはできません。

　しかし、この土地を駐車場部分（左右の2区画に分断）とアパート部分に分けると、アパート部分や左側の駐車場部分に側方路線の影響が加味されず、不当に安い評価となってしまいます。

　したがって、本事例では、全体を一画地として評価した上で、駐車場部分とアパート部分に按分し、アパート部分のみを貸家建付地として評価することが妥当と考えます。

　また、このアパートは所有者が一棟を所有をしており区分建物の登記はされていないため、新しいマンション評価通達の適用はありません。

各補正率の適用は？

1　奥行価格補正率……奥行20m、22mで普通住宅地区の場合、いずれも1.00です。

2　間口狭小補正率……間口22mで普通住宅地区の場合、1.00です。

3　奥行長大補正率……奥行÷間口＝20m÷22m＝0.90で普通住宅地区の場合、1.00です。

【事例 123】

土地及び土地の上に存する権利の評価明細書（第1表）

					局(所)	署	年分	ページ
所在地番	（住居表示）（　　　　）	所有者	住　所（所在地） 氏　名（法人名）		使用者	住　所（所在地） 氏　名（法人名）		

地　目	地　積	路　　線　　価	地形図及び参考事項
(宅 地) 山　林 田　　畑 雑種地 （　　）	アパート 245 ㎡ 駐車場 195	正　面　 150,000 円 　側　方 100,000 円　 側　方 　円　 裏　面 　円	省略

間口距離 22 m	利用区分	(自用地) 私　　道 (貸家建付地) 貸家建付借地権 借 地 権（転 貸 借 地 権） （　　　　　　）	地区区分	ビル街地区　(普通住宅地区) 高度商業地区　中小工場地区 繁華街地区　大工場地区 普通商業・併用住宅地区
奥行距離 20 m				

自 用 地	1 一路線に面する宅地 　（正面路線価） 　150,000 円 × （奥行価格補正率） 1.0	（1㎡当たりの価額） 円 150,000	A
	2 二路線に面する宅地 　（A） 　150,000 円 ＋ ［(側方)・裏面 路線価］ （100,000 円 × （奥行価格補正率）1.0 × ［(側方)二方 路線影響加算率］0.03 ）	（1㎡当たりの価額） 円 153,000	B
	3 三路線に面する宅地	（1㎡当たりの価額） 円	

自用地の評価額	自用地1平方メートル当たりの価額 （AからLまでのうちの該当記号） （ B ） 153,000 円	地　積	総　　額 （自用地1㎡当たりの価額）×（地　積）	
		アパート 245 ㎡	37,485,000 円	M
		駐車場 195	29,835,000	

土地及び土地の上に存する権利の評価明細書（第2表）

セットバックを必要とする宅地の評価額	（自用地の評価額） 　円 － （ （自用地の評価額） 円 × （該当地積）㎡ （総地積）㎡ × 0.7 ）	（自用地の評価額） 円	N

総 額	利用区分	算　　　　　　　式	総　　額	記号
	貸宅地	（自用地の評価額） 　円 × (1－ 0.　) （借地権割合）	円	T
	貸家建付地	（自用地の評価額又はV） 37,485,000 円 × (1－ （借地権割合）0.6 × （借家権割合）0.3 × （賃貸割合）245㎡／245㎡)	円 30,737,700	U

備考	30,737,700＋29,835,000＝60,572,700円

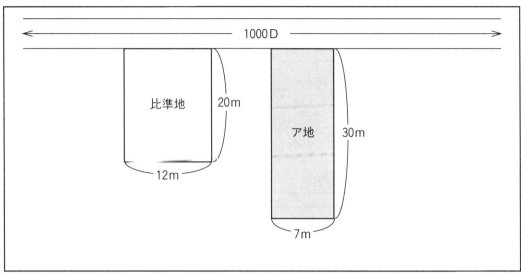

※　①　比準地はア地の近傍で、この地域での標準的な間口、奥行、地積を有する、ア地と形状等が類似する土
地である。
　　②　比準地、ア地とも市街化区域内にあり、比準地は宅地である。

評価上の留意点

1　市街化区域内にある雑種地で、その近傍類似地（比準地）が宅地である場合には、次
により計算します。

　　比準地の１㎡当たりの価額×比準地との較差補正率×評価地の地積

　　比準地の１㎡当たりの価額は、正面路線価が1,000千円で、間口狭小補正率、奥行価
格補正率及び奥行長大補正率はいずれも1.00ですから、1,000千円となります。

2　比準地との較差補正率は、財産評価基本通達の定める画地調整率を用いることとしま
す。

3　普通住宅地区で間口が７mの場合の間口狭小補正は0.97、奥行距離が30mの場合の
奥行価格補正率は0.95、$\dfrac{奥行}{間口}=\dfrac{30\,\text{m}}{7\,\text{m}}=4.28$の場合の奥行長大補正率は0.94です。

【事例　124】

土地及び土地の上に存する権利の評価明細書（第1表）

		局(所)	署	年分	ページ

(住居表示)	( )	所有者	住 所 (所在地)		使用者	住 所 (所在地)	
所 在 地 番			氏 名 (法人名)			氏 名 (法人名)	

地　目	地積	路　　線　　価	地形図及び参考事項
宅地　山林　田　畑　(雑種地)	210 ㎡	正面 1,000,000円　側方 円　側方 円　裏面 円	省　略

間口距離	7 m	利用区分	自用地　私道　貸宅地　貸家建付借地権　貸家建付地　転貸借地権　借地権（ ）	地区区分	ビル街地区　高度商業地区　繁華街地区　普通商業・併用住宅地区　(普通住宅地区)　中小工場地区　大工場地区	
奥行距離	30 m					

			(1㎡当たりの価額) 円	
自用地1平方メートル当たりの価額	1　一路線に面する宅地 　　(正面路線価)　　　　　　(奥行価格補正率) 　　1,000,000円　×　　0.95		950,000	A
	2　二路線に面する宅地 　　(A)　　[側方・裏面 路線価]　(奥行価格補正率)　[側方・二方 路線影響加算率] 　　円　＋　（　　円　×　．　　×　0.　）		(1㎡当たりの価額) 円	B
	3　三路線に面する宅地 　　(B)　　[側方・裏面 路線価]　(奥行価格補正率)　[側方・二方 路線影響加算率] 　　円　＋　（　　円　×　．　　×　0.　）		(1㎡当たりの価額) 円	C
	4　四路線に面する宅地 　　(C)　　[側方・裏面 路線価]　(奥行価格補正率)　[側方・二方 路線影響加算率] 　　円　＋　（　　円　×　．　　×　0.　）		(1㎡当たりの価額) 円	D
	5-1　間口が狭小な宅地等 　　(AからDまでのうち該当するもの)　(間口狭小補正率)　(奥行長大補正率) 　　950,000円　×　（　0.97　×　0.94　）		(1㎡当たりの価額) 円 866,210	E
	5-2　不整形地 　　(AからDまでのうち該当するもの)　不整形地補正率※ 　　　　　円　×　0. 　　※不整形地補正率の計算 　(想定整形地の間口距離)　(想定整形地の奥行距離)　(想定整形地の地積) 　　　　m　×　　　　m　＝　　　　㎡ 　(想定整形地の地積)　(不整形地の地積)　(想定整形地の地積)　(かげ地割合) 　（　　㎡　－　　㎡）÷　　㎡　＝　　％ 　(不整形地補正率表の補正率)(間口狭小補正率)　（小数点以下2位未満切捨て） 　　0.　×　　＝　0.　　①　　　不整形地補正率 　(奥行長大補正率)　(間口狭小補正率)　　　　　　　　（①、②のいずれか低い率、0.6を下限とする。） 　　．　×　　＝　0.　　② 　　0.		(1㎡当たりの価額) 円	F
	6　地積規模の大きな宅地 　　(AからFまでのうち該当するもの)　規模格差補正率※ 　　円　×　0. 　　※規模格差補正率の計算 　(地積(Ⓐ))　(Ⓑ)　(Ⓒ)　(地積(Ⓐ))　（小数点以下2位未満切捨て） 　{（　㎡×　＋　）÷　㎡}×　0.8　＝　0.		(1㎡当たりの価額) 円	G
	7　無　道　路　地 　　(F又はGのうち該当するもの)　　　　　（※） 　　円　×　（　1　－　0.　） 　　※割合の計算（0.4を上限とする。） 　(正面路線価)　(通路部分の地積)　F又はGのうち該当するもの　(評価対象地の地積) 　　円　×　　㎡）÷（　円　×　　㎡）＝0.		(1㎡当たりの価額) 円	H
	8-1　がけ地等を有する宅地　〔　南　、　東　、　西　、　北　〕 　　(AからHまでのうち該当するもの)　(がけ地補正率) 　　円　×　0.		(1㎡当たりの価額) 円	I
	8-2　土砂災害特別警戒区域内にある宅地 　　(AからHまでのうち該当するもの)　特別警戒区域補正率※ 　　円　×　0. 　　※がけ地補正率の適用がある場合の特別警戒区域補正率の計算（0.5を下限とする。） 　　　　　〔　南　、東、　西、　北　〕 　(特別警戒区域補正率表の補正率)　(がけ地補正率)　（小数点以下2位未満切捨て） 　　×　0.　＝　0.		(1㎡当たりの価額) 円	J
	9　容積率の異なる2以上の地域にわたる宅地 　　(AからJまでのうち該当するもの)　（控除割合（小数点以下3位未満四捨五入）） 　　円　×　（　1　－　0.　）		(1㎡当たりの価額) 円	K
	10　私　　道 　　(AからKまでのうち該当するもの) 　　円　×　0.3		(1㎡当たりの価額) 円	L

自用地の評価額	自用地1平方メートル当たりの価額 (AからLまでのうちの該当記号)	地　積	総　　額 (自用地1㎡当たりの価額)×(地積)	
	（　E　）　866,210 円	210 ㎡	181,904,100 円	M

市街化調整区域内にある雑種地

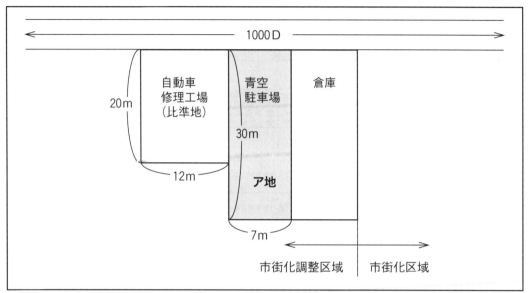

※ ① 比準地はア地の近傍で、この地域での標準的な間口、奥行、地積を有する、ア地と形状等が類似する土地である。
　② 比準地、ア地とも市街化調整区域にあるが、市街化区域との境界に程近く、用途制限は比較的穏やかである。しかし、ア地を売却する際には、市街化区域の宅地よりはかなり安い価格となってしまう。
　③ ア地を宅地に造成するには、1㎡当たり1,000円かかる。

評価上の留意点

1　市街化調整区域内にある雑種地で、周囲の状況が店舗等の建築が可能な幹線道路沿いや市街化区域との境界付近にある場合には、次により計算します。

$$\left(\begin{array}{l}\text{比準地の1㎡}\\\text{当たりの価額}\end{array}\times\begin{array}{l}\text{比準地との}\\\text{較差補正率}\end{array}\times\text{しんしゃく割合}-\text{宅地造成費}\right)\times\text{評価地の地積}$$

2　比準地の1㎡当たりの価額は、正面路線価が1,000千円で、間口狭小補正率、奥行価格補正率及び奥行長大補正率はいずれも1.00ですから、1,000千円となります。

3　比準地との較差補正率は、財産評価基本通達の定める画地調整率を用いることとします。

4　普通住宅地区で間口狭小補正率、奥行価格補正率、奥行長大補正率は、それぞれ0.97、0.95、0.94となります（【事例124】参照）。

　また、しんしゃく割合は、この事例の場合30％となります。

【事例 125】

土地及び土地の上に存する権利の評価明細書（第1表）

	局(所)	署	年分	ページ

所在地番	（住居表示）（　　　　　）	所有者	住所（所在地）		使用者	住所（所在地）	
			氏名（法人名）			氏名（法人名）	

地　目	地　積	路　　　線　　　価				地形図及び参考事項
宅地　山林 田　畑（雑種地）	㎡ 210	正面 1,000,000円	側方 円	側方 円	裏面 円	省略

間口距離	7 m	利用区分	（自用地）私　道 貸　宅　地　貸家建付借地権 貸家建付地　転　貸　借　地　権 借　地　権（　　　　　）	地区区分	ビル街地区（普通住宅地区） 高度商業地区　中小工場地区 繁華街地区　　大工場地区 普通商業・併用住宅地区
奥行距離	30 m				

自用地1平方メートル当たりの価額			
1 一路線に面する宅地		(1㎡当たりの価額)　円	A
（正面路線価）1,000,000円 × （奥行価格補正率）0.95		950,000	
2 二路線に面する宅地		(1㎡当たりの価額)　円	B
（A）円 ＋ （[側方・裏面 路線価]円 × [奥行価格補正率] × [側方・二方 路線影響加算率]0.）			
3 三路線に面する宅地		(1㎡当たりの価額)　円	C
（B）円 ＋ （[側方・裏面 路線価]円 × [奥行価格補正率] × [側方・二方 路線影響加算率]0.）			
4 四路線に面する宅地		(1㎡当たりの価額)　円	D
（C）円 ＋ （[側方・裏面 路線価]円 × [奥行価格補正率] × [側方・二方 路線影響加算率]0.）			
5-1 間口が狭小な宅地等		(1㎡当たりの価額)　円	E
（AからDまでのうち該当するもの）950,000円 × （（間口狭小補正率）0.97 × （奥行長大補正率）0.94 ）		866,210	

5-2 不整形地			F
（AからDまでのうち該当するもの）　不整形地補正率※　0.	(1㎡当たりの価額)　円		
※不整形地補正率の計算			
（想定整形地の間口距離） m × （想定整形地の奥行距離） m = （想定整形地の地積） ㎡			
（想定整形地の地積）（　㎡ － （不整形地の地積）　㎡） ÷ （想定整形地の地積）　㎡ = （かげ地割合）　%			
（不整形地補正率表の補正率）（間口狭小補正率）　0.　×　　　= 0.　① ｝［不整形地補正率（①、②のいずれか低い率、0.6を下限とする。）］ 0.			
（奥行長大補正率）（間口狭小補正率）　×　　　= 0.　②			

6 地積規模の大きな宅地		(1㎡当たりの価額)　円	G
（AからFまでのうち該当するもの）　規模格差補正率※ 円 × 0.			
※規模格差補正率の計算			
（地積（Ⓐ）） ｛（　㎡× （Ⓑ） ＋ （Ⓒ）） ÷ （地積（Ⓐ））　㎡｝× 0.8 = （小数点以下2位未満切捨て）0.			

7 無道路地		(1㎡当たりの価額)　円	H
（F又はGのうち該当するもの） 円 × （ 1 － 0. （※） ）			
※割合の計算（0.4を上限とする。）			
（正面路線価）（ 円 × （通路部分の地積）　㎡） ÷ （F又はGのうち該当するもの 円 × （評価対象地の地積）　㎡） = 0.			

8-1 がけ地等を有する宅地 〔 南 、 東 、 西 、 北 〕		(1㎡当たりの価額)　円	I
（AからHまでのうち該当するもの）　（がけ地補正率） 円 × 0.			

8-2 土砂災害特別警戒区域内にある宅地		(1㎡当たりの価額)　円	J
（AからHまでのうち該当するもの）　特別警戒区域補正率※ 円 × 0.			
※がけ地補正率の適用がある場合の特別警戒区域補正率の計算（0.5を下限とする。）			
〔 南 、東、 西、 北 〕			
（特別警戒区域補正率表の補正率）0. × （がけ地補正率）0. = （小数点以下2位未満切捨て）0.			

9 容積率の異なる2以上の地域にわたる宅地		(1㎡当たりの価額)　円	K
（AからJまでのうち該当するもの）　（控除割合（小数点以下3位未満四捨五入））円 × （ 1 － 0. ）			

10 私道		(1㎡当たりの価額)　円	L
（AからKまでのうち該当するもの）円 × 0.3			

自用地の評価額	自用地1平方メートル当たりの価額（AからLまでのうちの該当記号）（　　） 円	地　積 ㎡	総　　　額（自用地1㎡当たりの価額）×（地　積）円	M

【事例　125】

市 街 地 農 地 等 の 評 価 明 細 書

市 街 地 農 地　　市 街 地 山 林
市街地周辺農地　　市 街 地 原 野

<table>
<tr><td colspan="3">所　在　地　番</td><td colspan="3"></td><td rowspan="3">（平成十八年分以降用）</td></tr>
<tr><td colspan="3">現　況　地　目</td><td>雑種地</td><td>① 地　積</td><td>210　㎡</td></tr>
<tr><td rowspan="2">評価の基とした宅地の1平方メートル当たりの評価額</td><td>所　在　地　番</td><td></td><td colspan="2"></td><td></td></tr>
<tr><td>② 評価額の計算内容</td><td colspan="3">評価明細書（第1表）に記載のとおり</td><td>③（評価額）
866,210　円</td></tr>
<tr><td>評価する農地等が宅地であるとした場合の1平方メートル当たりの評価額</td><td>④ 評価上考慮したその農地等の道路からの距離、形状等の条件に基づく評価額の計算内容</td><td colspan="3">しんしゃく割合
866,210 ×（1－0.3）</td><td>⑤（評価額）
円

606,347</td></tr>
</table>

<table>
<tr><td rowspan="10">宅地造成費の計算</td><td rowspan="7">平坦地</td><td>整地費</td><td>整 地 費</td><td>（整地を要する面積）　　　（1㎡当たりの整地費）
　　　　　㎡ ×　　　　　　円</td><td>⑥　　　円</td></tr>
<tr><td></td><td>伐採・抜根費</td><td>（伐採・抜根を要する面積）　（1㎡当たりの伐採・抜根費）
　　　　　㎡ ×　　　　　　円</td><td>⑦　　　円</td></tr>
<tr><td></td><td>地盤改良費</td><td>（地盤改良を要する面積）　（1㎡当たりの地盤改良費）
　　　　　㎡ ×　　　　　　円</td><td>⑧　　　円</td></tr>
<tr><td></td><td>土盛費</td><td>（土盛りを要する面積）（平均の高さ）（1㎡当たりの土盛費）
　　　㎡ ×　　　m ×　　　　円</td><td>⑨　　　円</td></tr>
<tr><td></td><td>土止費</td><td>（擁壁面の長さ）（平均の高さ）（1㎡当たりの土止費）
　　　m ×　　　m ×　　　　円</td><td>⑩　　　円</td></tr>
<tr><td></td><td>合計額の計算</td><td>⑥＋⑦＋⑧＋⑨＋⑩</td><td>⑪　　　円</td></tr>
<tr><td></td><td>1㎡当たりの計算</td><td>⑪ ÷ ①</td><td>⑫　　　円
1,000</td></tr>
<tr><td rowspan="3">傾斜地</td><td>傾斜度に係る造成費</td><td>（傾斜度）　　　度</td><td>⑬　　　円</td></tr>
<tr><td>伐採・抜根費</td><td>（伐採・抜根を要する面積）　（1㎡当たりの伐採・抜根費）
　　　　　㎡ ×　　　　　　円</td><td>⑭　　　円</td></tr>
<tr><td>1㎡当たりの計算</td><td>⑬ ＋ （⑭ ÷ ①）</td><td>⑮　　　円</td></tr>
</table>

<table>
<tr><td>市街地農地等の評価額</td><td>（⑤－⑫（又は⑮））×①
（注）市街地周辺農地については、さらに0.8を乗ずる。</td><td>127,122,870　円</td></tr>
</table>

（注）1　「②評価額の計算内容」欄には、倍率地域内の市街地農地等については、評価の基とした宅地の固定資産税評価額及び倍率を記載し、路線価地域内の市街地農地等については、その市街地農地等が宅地である場合の画地計算の内容を記載してください。なお、画地計算が複雑な場合には、「土地及び土地の上に存する権利の評価明細書」を使用してください。
　　　2　「④評価上考慮したその農地等の道路からの距離、形状等の条件に基づく評価額の計算内容」欄には、倍率地域内の市街地農地等について、「③評価額」欄の金額と「⑤評価額」欄の金額とが異なる場合に記載し、路線価地域内の市街地農地等については記載の必要はありません。
　　　3　「傾斜地の宅地造成費」に加算する伐採・抜根費は、「平坦地の宅地造成費」の「伐採・抜根費」の金額を基に算出してください。

■大阪駅前南側の昭和42年と令和6年の路線価図

【昭和42年】

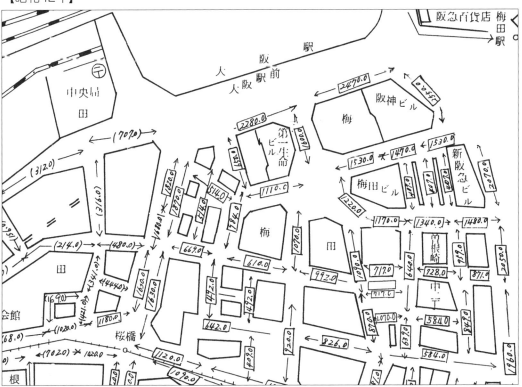

【令和6年】

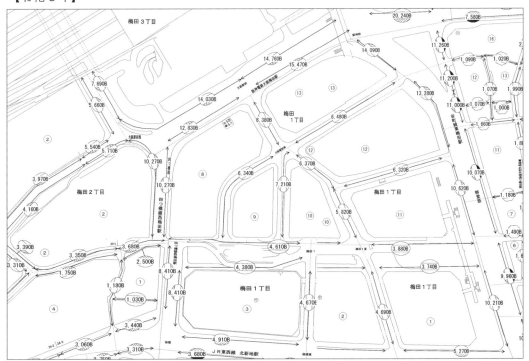

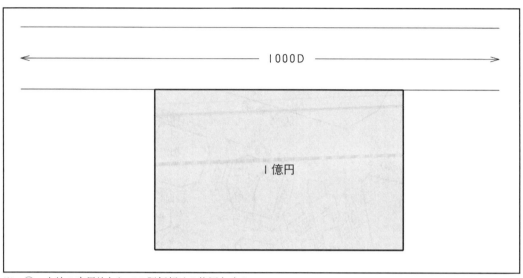

※　①　土地の自用地としての評価額は１億円とする。
　　②　賃借権の登記がされており、その賃借権の残存期間は15年である。

評価上の留意点

1　貸し付けられている雑種地で、賃借権の登記がされているものの価額は、原則として
　自用地としての価額から、その価額に賃借権の残存期間に応じた地上権割合と借地権割
　合のいずれか低いほうの割合を乗じた金額を控除した金額により評価します。
　　ただし、その控除額が自用地としての価額に賃借権の残存期間に応じた賃借権割合を
　乗じた金額を下回る場合には、その賃借権割合を乗じた金額を控除額とします。
2　本事例の場合、残存期間15年に対する地上権の割合は10％で、借地権割合はＤで60％
　ですから、原則的な方法による控除額は、低いほうの10％を乗じた1,000万円（１億円
　×10％）となります。
　　また、残存期間15年に対する賃借権の割合は15％ですから、賃借権割合を乗じた金額
　は１億円×15％＝1,500万円となり、1,000万円＜1,500万円ですから、1,500万円が控除
　額となります。
　　したがって、この雑種地の評価額は、8,500万円（１億円−１億円×15％）となりま
　す。

【事例　126】

土地及び土地の上に存する権利の評価明細書（第1表）

			局(所)	署	年分	ページ

（住居表示）	（　　　　　　　　　）	所有者	住　所（所在地）		使用者	住　所（所在地）	
所 在 地 番			氏　名（法人名）			氏　名（法人名）	

地　　目	地　積		路　　　　線　　　　価				地形図及び参考事項
宅地　山林　田　畑　(雑種地)	㎡	正　面	側　方	側　方	裏　面		省　略
		円	円	円	円		

間口距離	m	利用区分	自用地　(貸宅地)　貸家建付借地権　貸家建付地　転貸借地権　借地権（　　　）私道	地区区分	ビル街地区　高度商業地区　繁華街地区　普通商業・併用住宅地区　(普通住宅地区)　中小工場地区　大工場地区	
奥行距離	m					

1　一路線に面する宅地　　　　　　　　　　　　　　　　　　　　　　　　　　　　　　（1㎡当たりの価額）　円

自用地の評価額	自用地1平方メートル当たりの価額（AからLまでのうちの該当記号）	地　積	総　　　　額（自用地1㎡当たりの価額）×（地　積）	
	（　　）　　　　　　　　　　　円	㎡	100,000,000　円	M

土地及び土地の上に存する権利の評価明細書（第2表）

セットバックを必要とする宅地の評価額	（自用地の評価額）円 － （ （自用地の評価額）円 × （該当地積）㎡／（総地積）㎡ × 0.7 ）	（自用地の評価額）円	N

額	賃借権の目的となっている土地	（自用地の評価額）100,000,000円 × （1－ (賃借権)割合 0.15 ）	85,000,000	円　V

事例　127　貸し付けられている雑種地（その２）

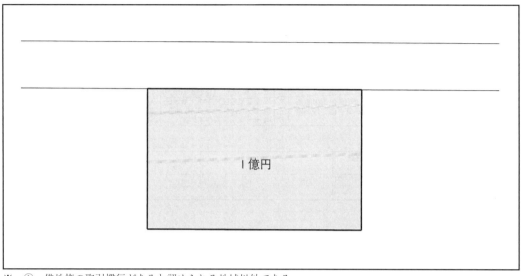

1億円

※　①　借地権の取引慣行があると認められる地域以外である。
　　②　土地の自用地としての評価額は１億円である。
　　③　材料置場として使用する契約であり、賃貸契約の残存期間は30年である。

評価上の留意点

1　借地権の取引慣行があると認められる地域以外の地域にあって、材料置場として使用する目的で貸し付けられている雑種地の価額は、原則として自用地としての価額から、その価額に賃借権の残存期間に応じた地上権割合の２分の１の割合を乗じた金額を控除した金額により評価します。

　　ただし、その控除額が、自用地としての価額に、賃借権の残存期間に応じた賃借権割合の２分の１の割合を乗じた金額を下回る場合には、賃借権割合の２分の１の割合を乗じた金額を控除額とします。

2　本事例の場合、残存期間30年に対する地上権の割合は40％ですから、原則的な方法による控除額は、１億円×40％×$\frac{1}{2}$＝2,000万円となります。

　　また、残存期間30年に対する賃借権の割合は20％ですから、賃借権割合の２分の１の割合を乗じた金額は、１億円×20％×$\frac{1}{2}$＝1,000万円となり、2,000万円＞1,000万円ですから2,000万円が控除額となります。

　　したがって、この雑種地の評価額は、8,000万円（１億円－１億円×40％×$\frac{1}{2}$）となります。

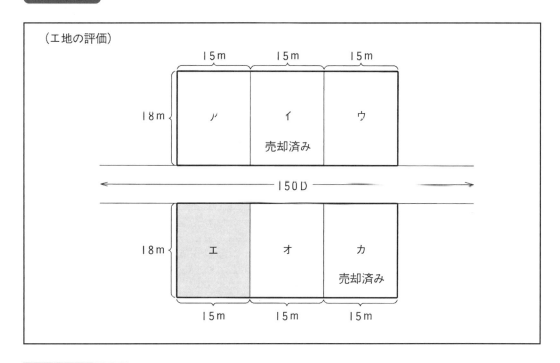

評価上の留意点

1　不動産売買業者ではない個人が、その保有土地を開発、造成し、いくつかの区画に分筆して売却を予定している場合には、その区画ごとに路線価方式又は倍率方式で評価します。

2　隣り合った宅地（エとオ）がともに売れ残っていても、区画ごとに区分して1画地として評価します。

各補正率の適用は？

1　奥行価格補正率……奥行18mで普通住宅地区の場合、1.00です。

2　間口狭小補正率……間口15mで普通住宅地区の場合、1.00です。

3　奥行長大補正率……奥行÷間口＝18m÷15m＝1.2で普通住宅地区の場合、1.00です。

【事例　128】

土地及び土地の上に存する権利の評価明細書（第1表）

				局(所)		署		年分		ページ

(住居表示)	(	)	所有者	住　所 (所在地)			使用者	住　所 (所在地)	
所 在 地 番				氏　名 (法人名)				氏　名 (法人名)	

地　目	地　積	路 　線　 価				地形図及び参考事項
(宅地) 山林 田 雑種地 畑 ( )	㎡ **270**	正面 **150,000** 円	側方 円	側方 円	裏面 円	**省 略**

間口距離	**15** m	利用区分	(自 用 地) 私　道 貸家建付借地権
奥行距離	**18** m		貸宅地 貸家建付地 転貸借地権 借地権 ( )

地区区分	ビル街地区　(普通住宅地区) 高度商業地区　中小工場地区 繁華街地区　大工場地区 普通商業・併用住宅地区

			1㎡当たりの価額	
自用地1平方メートル当たりの価額	1　一路線に面する宅地 　(正面路線価)　　　　　　　(奥行価格補正率) 　　**150,000** 円　×　　　　**1.00**		(1㎡当たりの価額) 円 **150,000**	A
	2　二路線に面する宅地 　　(A)　　　[側方・裏面 路線価]　(奥行価格補正率)　[側方・二方 路線影響加算率] 　　　　　円　+　(　　　　円　×　　.　　×　0.　　)		(1㎡当たりの価額) 円	B
	3　三路線に面する宅地 　　(B)　　　[側方・裏面 路線価]　(奥行価格補正率)　[側方・二方 路線影響加算率] 　　　　　円　+　(　　　　円　×　　.　　×　0.　　)		(1㎡当たりの価額) 円	C
	4　四路線に面する宅地 　　(C)　　　[側方・裏面 路線価]　(奥行価格補正率)　[側方・二方 路線影響加算率] 　　　　　円　+　(　　　　円　×　　.　　×　0.　　)		(1㎡当たりの価額) 円	D
	5-1　間口が狭小な宅地等 　(AからDまでのうち該当するもの)　(間口狭小補正率)　(奥行長大補正率) 　　　　　円　×　(　　.　　×　　.　　)		(1㎡当たりの価額) 円	E
	5-2　不整形地 　(AからDまでのうち該当するもの)　　不整形地補正率※ 　　　　　円　×　　　　0. 　※不整形地補正率の計算 　(想定整形地の間口距離)　(想定整形地の奥行距離)　(想定整形地の地積) 　　　　m　×　　　　m　=　　　　㎡ 　(想定整形地の地積)　(不整形地の地積)　(想定整形地の地積)　(かげ地割合) 　(　　㎡　-　　㎡)　÷　　㎡　=　　% 　(不整形地補正率表の補正率)(間口狭小補正率)　(小数点以下2位未満切捨て) 　　0.　　×　　.　　=　0.　　① 　(奥行長大補正率)　(間口狭小補正率) 　　.　　×　　.　　=　0.　　②	(不整形地補正率 ①、②のいずれか低い 率、0.6を下限とする。)	(1㎡当たりの価額) 円	F
	6　地積規模の大きな宅地 　(AからFまでのうち該当するもの)　　規模格差補正率※ 　　　　　円　×　　　　0. 　※規模格差補正率の計算 　(地積(Ⓐ))　　(Ⓑ)　　(Ⓒ)　　(地積(Ⓐ))　　(小数点以下2位未満切捨て) 　{(　　㎡×　　+　　)÷　　㎡}×　0.8　=　0.		(1㎡当たりの価額) 円	G
	7　無　道　路　地 　(F又はGのうち該当するもの)　　　　　　(※) 　　　　　円　×　(　1　-　0.　　) 　※割合の計算(0.4を上限とする。) 　(正面路線価)　(通路部分の地積)　(F又はGのうち該当するもの)　(評価対象地の地積) 　(　　円　×　　㎡)÷(　　円　×　　㎡)　=　0.		(1㎡当たりの価額) 円	H
	8-1　がけ地等を有する宅地　〔南 、 東 、 西 、 北 〕 　(AからHまでのうち該当するもの)　　(がけ地補正率) 　　　　　円　×　　　　0.		(1㎡当たりの価額) 円	I
	8-2　土砂災害特別警戒区域内にある宅地 　(AからHまでのうち該当するもの)　　特別警戒区域補正率※ 　　　　　円　×　　　　0. 　※がけ地補正率の適用がある場合の特別警戒区域補正率の計算(0.5を下限とする。) 　　　　　　　　　〔南 、東 、西 、北〕 　(特別警戒区域補正率表の補正率)　(がけ地補正率)　(小数点以下2位未満切捨て) 　　0.　　×　0.　　=　0.		(1㎡当たりの価額) 円	J
	9　容積率の異なる2以上の地域にわたる宅地 　(AからJまでのうち該当するもの)　　(控除割合(小数点以下3位未満四捨五入)) 　　　　　円　×　(　1　-　0.　　)		(1㎡当たりの価額) 円	K
	10　私　　　道 　(AからKまでのうち該当するもの) 　　　　　円　×　0.3		(1㎡当たりの価額) 円	L

自用地の評価額	自用地1平方メートル当たりの価額 (AからLまでのうちの該当記号)	地　積	総　　　　額 (自用地1㎡当たりの価額)×(地積)	
	(A) 　　**150,000** 円	**270** ㎡	**40,500,000** 円	M

-386-

| 事例 | 129 | 造成済みの売却予定地─不動産売買業者が保有し、棚卸資産に該当する場合 |

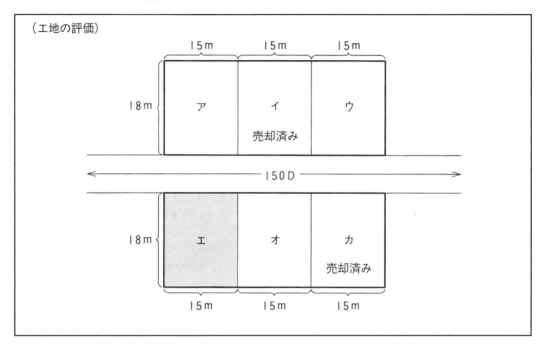

評価上の留意点

1 不動産売買業者である個人が所有する「販売を目的とする土地（棚卸資産）」の評価は、路線価方式又は倍率方式のいずれかにより計算して求めた価額により評価するのではなく、次の算式により計算した価額により評価します。

（課税時期の販売価額－適正利潤－予定経費）

ここでは、この計算により求めた金額を155千円／㎡とします。

2 実際に、評価しようとする土地が財産評価基本通達4－2の「棚卸資産」に該当するかどうかは、所轄の税務署等で確認してください。

3 1の計算は、地価税の課税価格の計算の際には適用しません。

各補正率の適用は？

棚卸資産として評価するため、各補正率の適用はありません。

【事例　129】

土地及び土地の上に存する権利の評価明細書（第１表）

	局(所)	署	年分	ページ

（住居表示）	（　　　　　）	所有者	住　所（所在地）		使用者	住　所（所在地）	
所 在 地 番			氏　名（法人名）			氏　名（法人名）	

地　目	地　積	路　　　　　線　　　　　価				地形図及び参考事項
(宅地) 山林 田 畑 雑種地 （　　　）	270 ㎡	正　面 円	側　方 円	側　方 円	裏　面 円	**省　略**
間口距離 15 m	利用区分	自 用 地　私　道 貸 宅 地　貸家建付借地権 貸家建付地　転 貸 借 地 権 借 地 権　（　　　　　）	地区区分	ビル街地区　(普通住宅地区) 高度商業地区　中小工場地区 繁華街地区　大工場地区 普通商業・併用住宅地区		
奥行距離 18 m						

			（1㎡当たりの価額） 円	
自 用 地 １ 平 方 メ ｜ ト ル 当 た り の 価 額	1　一路線に面する宅地 　　（正面路線価）　　　　　　　（奥行価格補正率） 　　　　　　円 ×			A
	2　二路線に面する宅地 　　（A）　　　　［側方・裏面 路線価］（奥行価格補正率）　［側方・二方 路線影響加算率］ 　　　　円 ＋ （　　　　　円 × 　.　　× 0.　　　）	（1㎡当たりの価額） 円		B
	3　三路線に面する宅地 　　（B）　　　　［側方・裏面 路線価］（奥行価格補正率）　［側方・二方 路線影響加算率］ 　　　　円 ＋ （　　　　　円 × 　.　　× 0.　　　）	（1㎡当たりの価額） 円		C
	4　四路線に面する宅地 　　（C）　　　　［側方・裏面 路線価］（奥行価格補正率）　［側方・二方 路線影響加算率］ 　　　　円 ＋ （　　　　　円 × 　.　　× 0.　　　）	（1㎡当たりの価額） 円		D
	5-1　間口が狭小な宅地等 　　（AからDまでのうち該当するもの）（間口狭小補正率）（奥行長大補正率） 　　　　円 × （　.　　　× 　.　　　）	（1㎡当たりの価額） 円		E
	5-2　不 整 形 地 　　（AからDまでのうち該当するもの）　　不整形地補正率※ 　　　　円 × 　　0. ※不整形地補正率の計算 　（想定整形地の間口距離）（想定整形地の奥行距離）（想定整形地の地積） 　　　　m × 　　　m ＝ 　　　　㎡ 　（想定整形地の地積）（不整形地の地積）（想定整形地の地積）（かげ地割合） 　（　　　㎡ － 　　　㎡）÷ 　　　㎡ ＝ 　　　％ 　（不整形地補正率表の補正率）（間口狭小補正率）（小数点以下2位未満切捨て①） 　　0.　　　× 　.　　　＝ 0.　　　①　　　　不整形地補正率 　（奥行長大補正率）（間口狭小補正率）（②）　①、②のいずれか低い 　　　.　　　× 　.　　　＝ 0.　　　②　率、0.6を下限とする。 　　　　　　　　　　　　　　　　　　　　0.	（1㎡当たりの価額） 円		F
	6　地積規模の大きな宅地 　　（AからFまでのうち該当するもの）　規模格差補正率※ 　　　　円 × 　　0. ※規模格差補正率の計算 　（地積（Ⓐ））（Ⓑ）（Ⓒ）（地積（Ⓐ））（小数点以下2位未満切捨て） 　｛（　　㎡× 　　＋ 　　）÷ 　　㎡｝× 0.8 ＝ 0.	（1㎡当たりの価額） 円		G
	7　無 道 路 地 　　（F又はGのうち該当するもの）　　　　　（※） 　　　　円 × （ 1 － 0.　　　） ※割合の計算（0.4を上限とする。） 　（正面路線価）（通路部分の地積）（F又はGのうち該当するもの）（評価対象地の地積） 　　円 × 　　㎡）÷（　　円 × 　　㎡）＝ 0.	（1㎡当たりの価額） 円		H
	8-1　がけ地等を有する宅地　　［南 、 東 、 西 、 北 ］ 　　（AからHまでのうち該当するもの）（がけ地補正率） 　　　　円 × 　　0.	（1㎡当たりの価額） 円		I
	8-2　土砂災害特別警戒区域内にある宅地 　　（AからHまでのうち該当するもの）　特別警戒区域補正率※ 　　　　円 × 　　0. ※がけ地補正率の適用がある場合の特別警戒区域補正率の計算（0.5を下限とする。） 　　　　　　　　　　　　　［南 、 東 、 西 、 北］ 　（特別警戒区域補正率表の補正率）（がけ地補正率）（小数点以下2位未満切捨て） 　　0.　　　× 0.　　　＝ 0.	（1㎡当たりの価額） 円		J
	9　容積率の異なる2以上の地域にわたる宅地 　　（AからJまでのうち該当するもの）　（控除割合（小数点以下3位未満四捨五入）） 　　　　円 × （ 1 － 0.　　　）	（1㎡当たりの価額） 円		K
	10　私 　　　 道 　　（AからKまでのうち該当するもの） 　　　　円 × 0.3	（1㎡当たりの価額） 円		L

自用地の評価額	自用地1平方メートル当たりの価額（AからLまでのうちの該当記号）	地　積	総　　　額（自用地1㎡当たりの価額）×（地　積）	
	（　　） 155,000 円	270 ㎡	41,850,000 円	M

-388-

《著者紹介》

名和道紀（なわ みちのり）

　1959年生まれ。1982年慶應義塾大学商学部卒業。1987年公認会計士登録、税理士登録。1983～87年サンワ・等松青木監査法人（現監査法人トーマツ）勤務。1987年名和公認会計士事務所開設、2004～2012年アクティブ監査法人代表社員。現在下記において名和公認会計士事務所を開業中。

〒540-0032 大阪市中央区天満橋京町２－６
天満橋八千代ビル別館

　著書に「税理士のための相続税・贈与税申告事務必携」清文社、「商店街のパソコン入門」（共著）、「簡単・便利なパソコン会計」（共著）技術評論社、「今だからこそ私は低位株、ボロ株で儲けます」「おそるおそるの店頭株売買」「３万円からはじめる・すきま株式投資」明日香出版、「株の税金が変わる」実務出版、「株式ネットトレード快勝法」（監修）長崎出版　がある。

長井庸子（ながい ようこ）

　1958年生まれ。1982年甲南女子大学大学院文学研究科英文学専攻修士課程修了。1987年税理士試験合格。1989年税理士登録。1988～89年中央経営コンサルティング㈱勤務。2019年逝去。

　著書に「最新消費税事例選集」（共著）清文社、「よくわかるNPO・ボランティア」ミネルヴァ書房、「簡単・便利なパソコン会計」（共著）技術評論社、「NPO法人の設立と運営」（共著）清文社、「歯科医師の税務」（共著）東京臨床出版　がある。

令和6年8月改訂 路線価による土地評価の実務

2024年8月26日　発行

著　者　　名和 道紀／長井 庸子 ©

発行者　　小泉 定裕

発行所　　株式会社 清文社

東京都文京区小石川1丁目3−25(小石川大国ビル)
〒112-0002　電話 03(4332)1375　FAX 03(4332)1376
大阪市北区天神橋2丁目北2−6(大和南森町ビル)
〒530-0041　電話 06(6135)4050　FAX 06(6135)4059
URL https://www.skattsei.co.jp/

印刷：㈱広済堂ネクスト

ISBN978-4-433-72224-1